Rozwój dziecka

Od 0 do 3 lat

Thomas B. BRAZELTON

Joshua D. Sparrow

Rozwój dziecka

Od 0 do 3 lat

Przekład: Agata Błaż

Sopot 2013

GWP

Tytuł oryginału: *Touchpoints. Birth to three. Your child's emotional and behavioral development*

First published in the United States by Da Capo Press, a Subsidiary of Perseus Books L.L.C.
Opublikowane po raz pierwszy w Stanach Zjednoczonych przez Da Capo Press, filię Perseus Books L.L.C.

Wydanie pierwsze w języku polskim 2013 rok

Redaktor prowadzący: Patrycja Pacyniak
Przekład: Agata Błaż
Redakcja merytoryczna: Witold Błaż
Redakcja polonistyczna: Karolina Bączek, Patrycja Pacyniak
Korekta: zespół
Skład: Mirosław Tojza
Projekt okładki: Monika Pollak
Zdjęcie na okładce: © Emely/cultura/Corbis
Zdjęcia w środku: © 123RF/PICSEL

ISBN 978-83-7489-436-4

Druk i oprawa:
Abedik SA
ul. J. Gutenberga 5
62–023 Żerniki k. Poznania

Gdańskie Wydawnictwo Psychologiczne Sp. z o.o.
ul. J. Bema 4/1a, 81–753 Sopot
tel./faks 58 551 61 04
e-mail: gwp@gwp.pl
www.gwp.pl
www.wydawnictwogwp.pl

Naszym rodzinom

Spis treści

Podziękowania

Jesteśmy niezmiernie wdzięczni Fredowi Francisowi, redaktorowi naczelnemu Da Capo Press, za przeprowadzenie tej książki przez cały proces wydawniczy; Lissie Warren, redaktor wydawnictwa, za udzielone wsparcie i pomoc w promowaniu naszych książek; oraz Merloydowi Lawrence'owi, naszemu wspaniałemu redaktorowi i przyjacielowi. Jesteście dla nas prawdziwym skarbem!

Wstęp do wydania drugiego[1]

W pierwszym wydaniu tej książki zarysowałem mapę rozwoju dziecka stanowiącą rezultat czterdziestu lat praktyki pediatrycznej w Cambridge (Massachusetts) oraz pracy badawczej w Szpitalu Dziecięcym w Bostonie. Od czasu publikacji pierwszego wydania w 1992 roku[2] znacznie poszerzyła się nasza wiedza na temat rozwoju małych dzieci, a świat, w którym przyszło nam je wychowywać, stał się jeszcze bardziej złożony i stawia coraz większe wymagania. W kolejnych latach współpracowałem z psychiatrą dziecięcym Joshuą D. Sparrowem (którego poprosiłem o pomoc w uaktualnieniu tekstu niniejszej książki) i innymi specjalistami z Brazelton Touchpoints Center w Bostonie z zamiarem upowszechnienia mojej metody pracy z rodzinami małych dzieci wśród profesjonalistów w dziedzinie zdrowia i opieki nad dzieckiem w całym kraju, od Harlemu aż po Cieśninę Puget[3]. Obecnie wiele szpitali, klinik, ośrodków opieki nad dzieckiem, przedszkoli i innych instytucji służących rodzinom małych dzieci dołączyło do krajowej sieci ponad siedemdziesięciu filii Touchpoints Collaboratives i stosuje moją metodę, której podstawą są prewencja i wspieranie mocnych stron. Instytucje te dostarczają nam wielu cennych informacji o wyzwaniach, z jakimi muszą sobie radzić rodziny w dzisiejszym świecie, oraz o sposobach, jakich używają, aby stawić im czoła.

W latach dziewięćdziesiątych ubiegłego stulecia ludzki wymiar medycyny próbowano zastąpić eksperymentalnym systemem opieki zorganizowanej[4]. Dziś już wiadomo, że eksperyment nie był w stanie zapanować nad kosztami. Jednak od tamtej pory medycyna zaczęła na nowo odkrywać terapeutyczne znaczenie budowania

[1] Dotyczy drugiego wydania oryginału (przyp. red.).

[2] Polskie tłumaczenie pierwszego wydania ukazało się w 2003 roku (przyp. red.).

[3] Dwa skrajnie przeciwległe punkty: na południowym wschodzie i północnym zachodzie Stanów Zjednoczonych (przyp. tłum.).

[4] Pacjenci posiadający ubezpieczenie zdrowotne podpisywali umowę na wyłączność z ośrodkiem, najczęściej w sektorze prywatnym, z którego usług kontraktowych mogli korzystać. Dotychczasowy system uprawniał do korzystania z wielu ośrodków (przyp. tłum.).

relacji, a coraz więcej pediatrów stosuje propagowaną przeze mnie metodę momentów przełomowych, aby nadać swojej pracy wymiar humanitarny i wnieść do niej więcej radości!

Od lat wiele rodzin zmaga się z wyzwaniem, jakim jest praca zawodowa obojga małżonków czy samotne rodzicielstwo. Dokonujące się postępy technologiczne pozwalają niektórym na pracę w domu, co ma swoje plusy, ale też minusy. Część instytucji realizuje politykę przyjazną rodzinie, przejawiającą się na przykład stworzeniem dyskretnych miejsc dla karmiących matek, w których mogą one ściągnąć pokarm, czy wprowadzeniem nienormowanych godzin pracy umożliwiających uczestnictwo w ważnych rodzinnych wydarzeniach (liczne firmy mają jeszcze wiele do zrobienia w tym zakresie). Równocześnie jednak powszechność takich zjawisk jak redukcja etatów czy usługi na zlecenie zmusza wielu rodziców do pracy bez wspomnianych udogodnień (a nawet bez ubezpieczenia zdrowotnego dla swoich dzieci). Co więcej, nadal brakuje wysokiej jakości profesjonalnej opieki nad dzieckiem leżącej w zasięgu możliwości finansowych każdej rodziny.

Choć ciągle jeszcze nie inwestujemy odpowiednio dużo w edukację przedszkolną i wczesnoszkolną, poczyniliśmy ogromne postępy w rozumieniu procesu uczenia i rozwoju mózgu u małych dzieci. Wraz z nabyciem tej wiedzy rodzice stają przed nowymi wyzwaniami i presją (w dużej mierze wywieraną przez specjalistów od marketingu), aby stymulować niemowlęta – w ten najbardziej „właściwy" sposób – coraz wcześniej. Dzieci jednak czerpią dużo więcej ze złożonych spontanicznych interakcji ze swoimi rodzicami niż z jakiegokolwiek programu rozwojowego.

Tymczasem w pediatrii nastąpił tak ogromny postęp, że specjaliści ratują coraz mniejsze wcześniaki, a także inne noworodki w stanie poważnego zagrożenia życia. Współczesna ultrasonografia umożliwia niedostępny wcześniej wgląd w świat nienarodzonych jeszcze dzieci, ujawniając defekty, które niekiedy może usunąć chirurgia płodu. Niemniej nadal umyka naszej uwadze wiele możliwości prewencji, musimy też stawić czoła nowym wyzwaniom współczesnych epidemii astmy, autyzmu czy otyłości. Choć ciągle nie ma na nie lekarstwa, poczyniliśmy już pewne postępy. Brakuje jednak wystarczających środków, aby każde potrzebujące dziecko miało dostęp do nowych sposobów leczenia.

Od pierwszego wydania tej książki czasy zmieniły się tak bardzo, że rodzicom coraz trudniej jest, nawet w tak zwanych krajach rozwiniętych, zapewnić swoim dzieciom życie w bezpiecznym świecie. Katastrofy wywołane przez człowieka, w połączeniu z naturalnymi, oraz nowe formy terroryzmu zmuszają rodziców – i dzieci – do szukania nowych zasobów i strategii radzenia sobie w otaczającej rzeczywistości. Możemy jednak obiecać naszym pociechom, że szczerze przedstawimy im wyzwania, jakie niesie życie, oraz że zrobimy, co w naszej mocy, aby je chronić. Kiedy dorastały moje dzieci, zdałem sobie sprawę (podobnie jak wielu rodziców, którzy zapisują się do szkolnych rad rodziców czy zostają trenerami drużyn na pozalekcyjnych zajęciach sportowych), że chcąc zabezpieczyć ich przyszłość, będę musiał zwrócić uwagę na to, jak można wspierać, nawet w małym wymiarze, również inne dzieci. W tych niepewnych czasach możemy dać naszym dzieciom nadzieję, pokazując im – na przykładzie własnych drobnych pozytywnych działań – jak one same także mogą pomagać innym wedle swoich możliwości. Takie gesty dadzą im poczucie pewności, że przynależą do społeczności ludzi, którym zależy na innych. Możemy również spojrzeć na rozwój naszych dzieci jak na serię okazji do nauczenia ich panowania nad sobą, szacunku do siebie i wrażliwości na innych – cech, których potrzeba, aby wypracować postawę elastyczności i odporności, a pewnego dnia mieć swój wkład w ulepszenie naszego zestresowanego świata.

W obliczu tych nowych zagrożeń i coraz większych możliwości technologicznych pojawiła się nowa tendencja, która przybiera na sile. Na przekór zjawiskom, które ograniczają rodzinie wspólne spędzanie czasu i zagrażają jej spójności, wiele osób na nowo afirmuje tradycyjne formy rodzinnej bliskości. Na przykład odkryliśmy, że wartość odżywcza i wygoda stosowania mieszanek mlecznych dla niemowląt nie rekompensują naturalnych zalet mleka matki. Karmienie piersią nie jest jedynie lepszą metodą karmienia dziecka, lecz jednym z najpotężniejszych naturalnych sposobów cementowania więzi matki z dzieckiem dzięki ich wzajemnym interakcjom w przerwach pomiędzy kolejnymi próbami ssania. Coraz popularniejszy staje się również długo praktykowany dawniej zwyczaj spania w jednym łóżku z dzieckiem. Postuluje się też powrót do bardziej intymnego rytuału w zakresie wczesnego treningu czystości. „Komunikowanie potrzeb naturalnych" (czyli „wychowanie bez pieluchy") to nowy termin odnoszący się do tradycyjnej praktyki noszenia dziecka przy sobie przez większość dnia, co pozwala rodzicowi reagować na fizyczne sygnały wysyłane przez niemowlę przed oddaniem moczu czy wypróżnieniem. Doceniono też w końcu wspólne posiłki, kiedy odkryto, jak ważne w procesie zdrowego odżywiania (m.in. w prewencji otyłości dziecięcej) są relacje w rodzinie. Wydaje się, że te i inne „nowe" tendencje potwierdzają pilną potrzebę przywracania rodzinnej bliskości w niepewnych czasach, a także jej obrony przed metodami wychowawczymi narzucanymi przez kulturę komercyjną i wymagania pracodawców.

Proponowana przez nas mapa rozwoju emocjonalnego i behawioralnego została opracowana w wyniku wielu lat badań prowadzonych w Szpitalu Dziecięcym w Bostonie oraz w innych miejscach na całym świecie. Jej celem jest utwierdzenie rodziców w przekonaniu, iż są w stanie sterować przewidywalnymi momentami rozwoju swoich dzieci oraz równie przewidywalnymi problemami, które te ze sobą niosą, dzięki zasobom, jakie mogą odnaleźć w sobie, w kulturze i w społecznościach, do których przynależą. W przeciwieństwie do mierników rozwoju fizycznego (np. wzrostu, który rodzice z taką dumą odznaczają na framudze drzwi) mapa ta jest wielowymiarowa. Emocje, zachowania, motoryka czy język rozwijają się w swoim tempie, ale też wpływają na siebie nawzajem. Postępy dziecka w jednej z tych dziedzin są poprzedzone tymczasowym uwstecznieniem, czyli regresem, w tej samej lub innej sferze. Ceną nowego osiągnięcia może być chwilowy brak postępu, a także zachwianie stabilności całej rodziny. Jednak każdy taki kryzys daje rodzicom szansę na refleksję, rozważenie kierunku zmiany i rozwoju wraz z dzieckiem.

Koncepcja momentów przełomowych czy kamieni milowych rozwoju to teoria sił, które są motorem zmian i rozwoju. Choć mogą się one przejawiać inaczej w różnych kulturach, są jednak uniwersalne. W głównej mierze momenty te zależą bowiem od przewidywalnych sekwencji wczesnego rozwoju mózgu, zwłaszcza w pierwszych trzech latach życia dziecka, co jest tematem niniejszej książki. Od czasu jej pierwszego wydania postęp nauki w rozumieniu tych procesów potwierdził związek pomiędzy rozwojem behawioralnym (i leżącym u jego podłoża rozwojem mózgu) a regresami, które przez tak wiele lat obserwowałem w swojej praktyce lekarskiej.

Na krótko przed falą szybkiego rozwoju w jakiejkolwiek dziedzinie zachowanie dziecka wydaje się uwsteczniać. Rodzice nie mogą polegać na jego wcześniejszych dokonaniach. Dziecko zwykle cofa się w kilku dziedzinach i trudno je zrozumieć, co wytrąca rodziców z równowagi i niepokoi. Lata doświadczeń pozwoliły mi odkryć, że te przewidywalne okresy regresu mogą stanowić okazję do udzielenia rodzicom pomocy w zrozumieniu dziecka i do umacniania mojej relacji z nimi. Teoria momentów przełomowych umożliwia im obserwowanie energii napędzającej rozwój dziecka. Każdy kolejny krok prowadzi do nowego poczucia gotowości, by zrobić następny. Okresy uwstecznienia, gdy będą postrzegane jako naturalne i przewidywalne, staną się okazją do głębszego zrozumienia dziecka i do wspierania jego rozwoju zamiast wikłania się w bezskuteczne zmagania. W takich momentach ujawniają się mocne i słabe strony malucha, jego temperament oraz strategie radzenia sobie z trudnościami. Dlatego jest to ogromna szansa na poznanie indywidualności małego człowieka! Rodzice, którzy na każdym etapie regresji osiągną taki wgląd, mają prawo do jeszcze większej dumy ze swojego rodzicielstwa.

Kiedy ukazało się pierwsze wydanie tej książki, wielu rodziców kontaktowało się ze mną, aby podzielić się własnymi wcześniejszymi obserwacjami okresów „wzlotów i upadków" w rozwoju swoich dzieci. Również wielu pediatrów twierdziło, że są w stanie przewidzieć, kiedy rodzice ich małych pacjentów zadzwonią z nowym zmartwieniem dotyczącym chwilowej regresji. „Czy to ząbkowanie, czy też może dziecko jest chore?" – pytają z obawą, by kilka tygodni później poinformować lekarza, że wszystko wróciło do normy, a dziecko ma za sobą pierwszy krok lub pokonało jakąś inną poprzeczkę na drodze rozwoju. Jeśli pediatra zaproponował takie wyjaśnienie jako prawdopodobną przyczynę kryzysu, rodzice nabiorą większego zaufania do współpracy z nim.

Holenderski etolog Frans Plooij powiedział mi kiedyś, że podobny wzorzec rozwoju i regresji zauważył u małych szympansów! „Dlaczego jesteś taki zdziwiony? – spytał. – Ich geny w 98% są takie same jak nasze". Mamy szympansice, w przeciwieństwie do ludzi, nie dzwoniły do pediatry, ale (jak wynika z obserwacji) same często przewidywały nadchodzące zmiany, izolując szympansiątka od stada i uprzedzając rozdrażnienie samców wzmożonym zawodzeniem czy kurczowym trzymaniem się młodych. Po lekturze niniejszej książki naukowcy z różnych dziedzin zapewniali mnie, że wiele ważnych zmian w naturze zachodzi właśnie w ten sposób – poprzez dezorganizację, będącą nieuchronną zapowiedzią reorganizacji na nowym, bardziej złożonym poziomie.

W części pierwszej książki opisujemy momenty przełomowe w rozwoju zachowań i emocji, pokazując, jak wpływają one na różne aspekty życia dziecka, takie jak sen, karmienie, trening czystości, rozwój motoryczny (np. chodzenie), porozumiewanie się, poczucie wartości czy panowanie na sobą. Poszczególne zagadnienia zostały przedstawione w naturalnym porządku ich pojawiania się podczas kolejnych wizyt w gabinecie lekarskim, począwszy od prenatalnych spotkań z oczekującymi dziecka rodzicami, przez badania kontrolne niemowlęcia, aż po coroczne wizyty ze starszym dzieckiem. Pytania rodziców pojawiają się w przewidywalnych okresach. Ich zatroskanie tym, jak poradzić sobie z uciążliwymi regresami, nadaje ton naszym spotkaniom. Jeśli uda mi się pomóc rodzicom zrozumieć procesy rozwojowe, które przyczyniają się do trudnego zachowania, wówczas każda wizyta wnosi coś cennego. Rodzice zyskują umiejętność podejmowania decyzji w kwestii roli, jaką mają pełnić w zmaganiach dziecka. Lekarz, któremu naprawdę zależy na dobru swoich pacjentów, może wykorzystać takie momenty, aby wpłynąć na rodzinę jako system, zaoferować pomoc i zapobiec przyszłym problemom.

W części drugiej omawiamy te specyficzne zagadnienia pierwszych lat wychowania dziecka, które mogą znacząco wpływać na rozwój, w tym kilka dotyczących również następnych lat życia (zob. też Brazelton i Sparrow, 2013). Problemy, takie jak rywalizacja między rodzeństwem, płacz, ataki furii, budzenie się w nocy, lęki, manipulacja emocjonalna, kłamstwa czy moczenie nocne, mogą być nieumyślnie wzmocnione, gdy rodzice próbują kontrolować sytuacje, które tak naprawdę przynależą do dziecka. W tej części książki pokazujemy, jak spojrzeć na te różne zachowania jak na próbę wywalczenia przez dziecko autonomii oraz jak rodzice mogą wycofać się z tych zmagań, a przez to załagodzić kryzys.

Poszczególne rozdziały części drugiej, napisane z myślą o rodzicach przekonanych, że oni sami lub ich dzieci nie radzą sobie z jakimś problemem, pomogą nie tylko uniknąć przesadnego zamartwiania się, czy nawet destrukcyjnych interakcji, ale także rozpoznać, kiedy szukać pomocy na zewnątrz, jeśli własne starania zawodzą. Treści w nich zawarte nie są wyczerpujące i mają jedynie pomóc rodzicom odróżnić zwykłe odchylenia od normy od problemów wymagających profesjonalnej pomocy.

W części trzeciej z kolei pokazujemy, w jaki sposób osoby z otoczenia dziecka wpływają na jego rozwój. Każda bliska relacja – z mamą, tatą, dziadkami, przyjaciółmi, innymi opiekunami oraz z pediatrą – przyczynia się do jego wzrostu w sferze emocji i zachowań. Im bardziej rodzice będą wspierać te relacje, tym więcej sprzymierzeńców będzie miało dziecko na swojej drodze do autonomii – której oczywiście nikt z nas w pełni nie osiąga, ani nawet nie chciałby osiągnąć!

Z mojego doświadczenia wynika, że żaden wykres rozwoju dziecka nie jest linią regularną, skierowaną tylko ku górze. Rozwój motoryczny, poznawczy i emocjonalny wszystkie mają niestabilny przebieg, z punktami szczytowymi, spadkami i okresami stabilizacji. Każde nowe zadanie, jakiego dziecko się podejmuje, narzuca pewne wymagania – angażuje całą energię dziecka, a także wszystkich członków rodziny. Na przykład kiedy roczne niemowlę uczy się chodzić, koszty ponoszą wszyscy. Dziecko kładzie się i wstaje przy barierce łóżeczka przez całą noc, wybudza się w każdej fazie snu płytkiego, płacze bezradnie co 3–4 godziny w ciągu nocy. Od czasu pierwszego wydania niniejszej książki pojawiły się przesłanki pozwalające przypuszczać, że być może istnieje powód, dla którego dzieci w tak przewidywalny sposób budzą się przez kilka tygodni poprzedzających postawienie pierwszego kroku. Jak się okazało, w tym okresie fazy snu płytkiego są dłuższe, a więc prawdopodobieństwo wybudzenia się jest większe niż w jakimkolwiek innym. Specjaliści uważają, że mózg w takim stanie rejestruje w pamięci każdy najmniejszy ruch, który wkrótce zostanie ułożony w sekwencję pierwszego kroku!

Jakkolwiek zrozumiałe i obiecujące może się wydawać budzenie nocne, zaburza ono sen pozostałych członków rodziny. Pierwszą reakcją rodzica często jest niepokój, że dziecko może być chore. Z pewnością taka obawa pojawi się w rozmowie z lekarzem. Usłyszy on również, że w ciągu dnia niemowlę płacze z frustracji, gdy rodzic lub rodzeństwo przejdą obok. Kiedy odwrócą się do maleństwa plecami, ono rzuca się w łóżeczku w napadzie złości. Za proces nauki chodzenia dziecka płacą wszyscy, a odbija się to na ich spokoju. Kiedy rodzic się dowiaduje, że nie ma problemu medycznego, następną zrozumiałą reakcją jest irytacja. Jeśli jest niewielka, może nawet pomóc w całym procesie. Dziecko, które w końcu nauczy się chodzić, stanie się zupełnie inną osobą – na małej buzi będzie się rysował triumf. Wówczas wszystko w rodzinie wraca do normy. Następna faza rozwoju będzie polegać na utrwalaniu i wzbogacaniu ostatniego osiągnięcia. Mały „tuptuś" będzie się teraz uczył chodzić z zabawką w ręku, odwracać podczas chodzenia, kucać, wchodzić na schody. Na tym etapie dziecko nie będzie już tak nieprzewidywalnie niestabilne. Napięcie zniknie – aż do następnego skoku w rozwoju.

Każda faza postępu i poprzedzającej go regresji jest kluczowym momentem dla pediatry czy pielęgniarki środowiskowej, którym zależy na odegraniu czynnej roli w systemie rodzinnym. Rodzice prawdopodobnie zareagują na regres niepokojem i próbą skorygowania zachowania, podczas gdy właśnie poprzez to zachowanie dziecko poszukuje swojej autonomii. Taka reakcja może wzmocnić niepożądane zachowanie, które może przerodzić się we wzorzec lub nawyk. Zrozumienie pojawiających się momentów przełomowych pomoże zapobiec uwikłaniu się w takie trudności. Zauważyłem, że w trudnych momentach mogę zaproponować rodzicom wybór postawy. Jeśli ich własne strategie zawiodły lub spowodowały frustrację, być może są gotowi na inne rozwiązania. Kiedy rodzice przychodzą do mnie z problemem, nie udzielam im rad ani nie daję autorytatywnego wsparcia, lecz dzielę się z nimi swoimi wnioskami z obserwacji zachowania dziecka – mówię to, co oni również potrafią zobaczyć. Wówczas wiedzą, że zaczynamy z tego samego miejsca. Wgląd w zachowanie dziecka to nasza podstawa porozumienia. Takie momenty, jak żadne inne, wyzwalają w rodzicach otwartość i wrażliwość. Dzięki takiej relacji z rodziną – dzięki naszemu wspólnemu językowi porozumienia – mogę pomóc nazwać ukryte niepokoje. Wskazując na przyczynę chwilowej dezorganizacji i na przewidywalny rezultat procesu rozwoju, mogę odpowiedzieć na obawy rodziców w pozytywny sposób i dzięki temu pomóc. Jeśli zrozumieją oni ogromną potrzebę dziecka dotyczącą ustanowienia swojego autonomicznego wzorca, wówczas być może uda się przerwać błędne koło zbyt intensywnych reakcji i konfliktu.

Rodzice nie zawsze potrafią racjonalnie podejść do kwestii równowagi między potrzebą granic i kontroli a potrzebą autonomii dziecka. Każdy z nas wikła się czasami w sytuacje, które przywołują wspomnienia z dzieciństwa – jak określiła je Selma Fraiberg, ekspert dziecięcy: duchy nad kołyską. Wpływają na nas wzorce rodzicielstwa przejęte od naszych rodziców i determinujące nasze irracjonalne reakcje. Rodzice popełniają błędy nie dlatego, że im nie zależy, ale dlatego, że zależy im za bardzo. Troska o drugą osobę pobudza problemy z przeszłości. Pasja tworzy determinację, która może zdominować osąd sytuacji. Jak wspomniałem w książce *The earliest relationship* (Najwcześniejsze relacje; Brazelton i Cramer, 1991), uświadamiając sobie istnienie tych duchów, pozbawimy je ich mocy. Wówczas my, jako rodzice, będziemy mogli dokonywać bardziej racjonalnych wyborów i decydować, jak radzić sobie z niepokojącym zachowaniem dziecka.

Uczenie się rodzicielstwa polega na nauce zarówno poprzez sukcesy, jak i poprzez porażki. Jest to pasmo prób i błędów. Kiedy coś idzie nie tak, rodzic musi przeanalizować swoje podejście, aby zaradzić sytuacji. Błędy i niewłaściwe wybory widać bardzo wyraźnie i to one do nas przemawiają – sukcesy zaś nie są tak spektakularne. Nagrody za właściwe wybory są wewnętrzne i ciche – dziecko wtuli się w nasze ramiona, żeby mu zanucić piosenkę, albo ogłosi z dumą: „Popatrz, ja sam to zrobiłem!".

W ostatnich latach pogłębia się wiedza na temat znaczenia indywidualnych różnic między dziećmi. Jak pisałem w książce *Infants and mothers* (Niemowlęta i matki; Brazelton, 1983), indywidualne temperamenty dzieci oraz style interakcji i uczenia się świata mogą w dużym stopniu wpłynąć na jakość ich uwagi i przyswajania bodźców płynących od rodziców. Temperament dziecka ma także ogromny wpływ na reakcje rodziców na dziecko już od chwili urodzenia. Jednak nie należy sądzić, że rodzi się ono z ustaloną i niezmienną naturą, ani też nie można założyć, że środowisko, w którym przebywa, ma jedyny i wyłączny wpływ na jej kształtowanie. Każde dziecko ma indywidualne cechy wrodzone, dlatego chronologia rozwoju zaproponowana w kolejnych rozdziałach tej książki musi zostać dostosowana do każdego dziecka z osobna.

Należy również uszanować indywidualny styl i temperament rodzica. Nie można oczekiwać, że dwie osoby zareagują w danej sytuacji wobec dziecka tak samo – ani nawet nie powinno tak być. Jeśli dorośli są autentyczni, ich różne temperamenty i doświadczenia powinny zróżnicować ich reakcje. Każda sytuacja wymaga indywidualnej decyzji, jeśli ma być właściwa, czyli odpowiednia dla dziecka i każdego z rodziców. Warto w tym momencie zauważyć, że to, co rodzice zrobią w danej chwili, nie jest aż tak ważne jak emocje, które towarzyszą ich działaniu. Sprawa bardziej się komplikuje, kiedy muszą rozważyć jeszcze inny punkt widzenia – kogoś, komu również zależy na dobru dziecka.

Rodzicielstwo może być samotne. Większość młodych rodziców nie ma poczucia pewności, czy postępuje z dzieckiem tak jak należy. Jako pediatra zawsze czułem, że mam obowiązek uprzedzać o trudnościach, co do których wiem, że się pojawią, i pomóc rodzicom przejść przez proces uczenia się rozumienia swoich dzieci. Chcę być aktywnym elementem unikalnej struktury rodzin moich małych pacjentów, próbować pomóc im w interakcjach oraz w adaptacji w sytuacjach napięć, jak też w pokonywaniu kolejnych etapów rozwoju przez każdego z członków danej rodziny.

Kiedy rozpoczynałem praktykę lekarską, odkryłem, że czasami męczy mnie rutyna wizyt pacjentów: aplikowanie szczepionek, mierzenie wzrostu i wagi czy badanie ogólne. Ekscytowały mnie problemy rozwojowe, z którymi borykały się dzieci, a które rodzice przedstawiali przy każdej wizycie z wielkim niepokojem. Takie problemy jak niespokojny sen, zmagania podczas karmienia czy moczenie nocne były głównymi tematami poruszanymi podczas rutynowych badań okresowych zdrowych dzieci. Kiedy ja byłem gotowy słuchać i dzielić się swoją wiedzą, rodzice chętnie i z wdzięcznością przedstawiali swój punkt widzenia na dane zagadnienie. Podczas rozmowy obserwowałem, jak dziecko się bawi i jak znosi badanie. Dzięki wielu takim obserwacjom nauczyłem się formułować wnioski dotyczące temperamentu dziecka i etapu jego rozwoju. Pozwalało mi to przewidywać trudności, jakie mogą się pojawić w każdej omawianej przez nas dziedzinie: karmienie, sen, ssanie kciuka, trening czystości i tym podobne. Kiedy byłem w stanie przewidzieć konflikty i pomóc rodzicom zrozumieć problemy, nasza relacja się pogłębiała. Każda kolejna wizyta była wówczas bardziej ekscytująca dla mnie i korzystna dla nich.

Takie wspólne doświadczenia są cenne zarówno dla rodziców, jak i dla lekarza. Przy każdej wizycie obydwie strony mają okazję do zweryfikowania wcześniejszych prognoz. Jeśli przewidywania się sprawdziły, wiedzą, że są na właściwej drodze. Jednak błędna prognostyka również jest cenna. Rodzice i pediatra mogą wówczas przyjrzeć się:

- tendencyjnym założeniom, które wpłynęły na prognozy;
- sile mechanizmów obronnych rodziny, które mogły ukryć pewne jej słabości i problemy pierwotne;
- relatywnej sile relacji rodzina – lekarz, która determinuje stopień zaufania wobec lekarza i otwartości w dzieleniu się swoimi troskami. Przy każdym kolejnym kamieniu milowym, czyli przełomowym momencie rozwoju, te zagadnienia będą się stawać coraz bardziej oczywiste, a umiejętność przewidywania – zarówno u rodziców, jak i u lekarza – wyraźnie wzrośnie.

Kiedy omawiam z rodzicami koncepcję momentów przełomowych i opisuję, jaką rolę we wspólnym interpretowaniu faz regresji i postępów może odegrać pediatra, pielęgniarka środowiskowa czy lekarz rodzinny, wiele osób mówi mi, że ich lekarze są bardziej zainteresowani pomiarem rozwoju fizycznego i leczeniem chorób. Rodzice często mają poczucie, że lekarz nie chce odpowiadać na ich pytania, choć w rzeczywistości może po prostu nie wiedzieć, jak to zrobić. Mimo ogromnego postępu, edukacja pediatryczna opiera się jeszcze w głównej mierze na modelu medycznym, który koncentruje się na chorobie, nie uczy zaś, jak rozpoznawać mocne strony dziecka i rodziny. Lekarzy nie szkoli się w tak potrzebnej dziedzinie jak współpraca z rodzinami i budowanie mocnych relacji terapeutycznych. Opieka zorganizowana utrudnia tworzenienie takich relacji, gdyż lekarz traktowany jest jak technik, który jest zbyt kosztowny, aby nim swobodnie dysponować, a którego unikalne umiejętności wykorzystuje się jedynie w nielicznych sytuacjach terapeutycznych. W rezultacie ograniczenia sztuki medycznej do algorytmów lekarze – zamiast wysłuchiwać swoich pacjentów – mają uczyć i zalecać, a także nadrabiać brak czasu rozdawaniem broszur, które rzadko kiedy są czytane. Takie podejście zaoszczędza czas, ale najważniejsze dla rodziny sprawy i pytania mogą zostać odsunięte na bok.

W wielu instytucjach opieki zorganizowanej rodziny stykają się za każdym razem z innym lekarzem, tak jakby lekarze byli dowolnie wymienialni, a ich relacje z rodzinami nieistotne. Taki system miał na celu oszczędność finansową, ale odkąd go wprowadzono, wszystkie nadwyżki budżetowe wydawane są na pracę papierkową i inne koszty administracyjne niewydajnej machiny.

Wagę relacji terapeutycznych potwierdzają liczne badania medyczne. Wraz z utratą tych relacji drastycznie obniżyła się jakość opieki zdrowotnej. Jeśli wliczyć również koszty wynikłe z niedoszłych prewencji, nietrafnych diagnoz czy złych skutków leczenia, ogrom niewykorzystanych szans jest jeszcze bardziej zniechęcający. Ani pediatrzy, ani rodzice nie powinni się na to zgadzać.

Pediatrzy mają wyjątkową szansę wysłuchania rodziców małych dzieci i udzielenia wsparcia w procesie formowania się nowej rodziny. Jeśli instytucje ochrony zdrowia zadbają o takie relacje, lekarze będą mogli wykorzystać to wyjątkowe doświadczenie i pomóc rodzinie w jej scementowaniu dzięki przeprowadzeniu jej przez przewidywalne kryzysy w kolejnych latach. Za pomocą programów stosowanych w ośrodku Brazelton Touchpoints Center w Bostonie próbujemy wypełnić luki edukacji medycznej i obecnego systemu opieki zdrowotnej. Uczymy profesjonalistów z wielu dziedzin medycyny krytycznego spojrzenia na sposób prowadzenia wywiadu medycznego, dzielenia się swoimi obserwacjami dotyczącymi rozwoju dziecka oraz zachęcania rodziców do rozmawiania o tych emocjach, które towarzyszą sprawowaniu opieki nad dzieckiem. Uczestników naszych szkoleń prosimy o rozważenie, czy będą w stanie osiągnąć swoje cele bez uwzględnienia celów każdej rodziny.

W ostatnich latach, pomimo kurczących się nakładów finansowych, prowadzi się coraz więcej badań nad rozwojem dziecka, dzięki czemu pojawiają się nowe prace dotyczące takich tematów jak rozwój mózgu we wczesnym okresie życia, więź rodzice – dziecko, umiejętności noworodka, wpływy genetyczne i środowiskowe czy temperament. Edukacja pediatryczna często ociąga się z przyswojeniem nowinek. Jednak ta nowa wiedza mogłaby dać pediatrom wyjątkowy wgląd w unikalny proces rozwoju każdego dziecka. Dzielenie się obserwacjami z rodzicami i zachęcanie ich do przedstawienia swoich wzmocniłoby relację między rodzicami a lekarzem. Zauważyłem, że rodzice, którzy wiedzą, iż rozumiem ich dziecko, mogą wybaczyć mi wszelkie opóźnienia i frustracje w naszej wspólnej pracy. Postrzegają mnie jako sprzymierzeńca w ich staraniach o zapewnienie dziecku najlepszego środowiska rozwoju. Dzielą się swoimi błędami i obawami. Gramy w jednej drużynie.

Znajomość mapy rozwoju w każdej z dziedzin – motorycznej, poznawczej i emocjonalnej – stanowi warunek bycia pełnym i wszechstronnym pediatrą. Dla osób, które potrafią docenić potężne uniwersalne siły neurorozwojowe zaangażowane w naukę chodzenia czy emocjonalny konflikt pomiędzy „tak" i „nie" w drugim roku życia, prowadzący do napadów złości, zarówno pediatria, jak i rodzicielstwo stają się czystą radością. Każda wizyta w gabinecie jest wtedy okazją do obserwowania z niegasnącą ekscytacją rozwoju dziecka i jego zmagań z wielkimi wyzwaniami pierwszych lat życia. Potrzebujemy więcej pediatrów, którzy będą rozumieli i polubią ten aspekt swojej praktyki lekarskiej. Poprzez działania Brazelton Touchpoint Centre w Bostonie (oraz filii tego ośrodka: instytucji edukacyjnych, ochrony zdrowia i służb socjalnych, służących rodzinom małych dzieci w całych Stanach Zjednoczonych), który oferuje odpowiednie szkolenia, oraz poprzez tę książkę mam nadzieję zarażać wszystkich tą radością, która jest nagrodą za długie lata poświęcone trosce o rodziców i dzieci[5].

---

5 W Polsce rozwija się projekt Skala NBAS T. T. Brazeltona; zob. www.nbas.edu.pl (przyp. tłum.).

Część 1

Rozwój – momenty przełomowe

1

Ciąża[6]

W ostatnich miesiącach ciąży oczekujący rodzice stają się świadomi aktywności swojego nienarodzonego jeszcze dziecka i konieczności dostosowania się do ogromnych zmian, jakie ich czekają. Siódmy miesiąc to idealny czas na pierwszą wizytę u lekarza, który będzie zajmował się dzieckiem. Na tym etapie rodzice wiedzą, że będą potrzebować pediatry i rzecznika potrzeb swojego maleństwa, i nie mogą się doczekać, by podzielić się z kimś swoimi nadziejami i obawami. W późniejszym okresie ciąży kobieta jest bardziej skupiona na czekającym ją porodzie i mniej chętnie rozmawia o dziecku. Również ojcowie angażują się wtedy w zajęcia szkoły rodzenia i koncentrują na swojej roli podczas porodu.

Natomiast w 7 miesiącu rodzice rozmyślają o dziecku. Zastanawiają się, jakie ono będzie. Jako lekarz mogę im wtedy pomóc odkryć ich marzenia i niepokoje oraz umożliwić podzielenie się nimi. Jest to pierwszy ważny moment przełomowy, szansa na stworzenie relacji z każdym z rodziców, zanim pojawi się między nami dziecko. Taka wizyta może mieć długotrwałe skutki. Jeśli w tym okresie przyjdą do mojego gabinetu ojcowie, nawet na dziesięć minut, mogę być pewien, że połowa z nich będzie obecna podczas kolejnych wizyt w 1 roku życia dziecka. Osiemdziesiąt procent z nich przyjdzie na co najmniej cztery spotkania. Ojciec, który czuje się osobą pożądaną w gabinecie pediatrycznym, wie, że może w ten sposób zaznaczyć swoją

[6] Na temat ciąży polecamy doskonałą książkę Igi Czarnawskiej-Iliev *Ciąża i poród bez obaw* (GWP 2011; przyp. red.).

obecność dla dobra swojego dziecka. Zdarza się, że słyszę potem: „Nikt wcześniej tak naprawdę nie rozmawiał ze mną na ten temat. Wszyscy rozmawiają z żoną, a przecież to też moje dziecko. Kiedy zaprosił mnie pan do środka, bym także brał udział w rozmowie, wiedziałem, że ma pan tego świadomość". Wrażliwość ojca i jego ogromne pragnienie bycia częścią całości sprawiają, że taka wizyta jest cennym spotkaniem dla obu stron.

Kiedy bardzo zajęte kobiety w ciąży dzwonią do mnie, aby umówić się na wizytę, mówią tak: „Mój ginekolog twierdzi, że powinnam spotkać się z panem, **zanim** urodzę. Czy to naprawdę konieczne?". Za tym pytaniem często kryje się wiele obaw, które nie dopuszczają do głosu ciekawości poznania pediatry swojego dziecka z wyprzedzeniem. Mogę na nie odpowiedzieć całkowicie uczciwie: „Tak, to bardzo ważne, abyśmy się spotkali, zanim pojawi się dziecko i zanim całą uwagę skupimy na nim. Chcę poznać panią i zawczasu porozmawiać o tym, co panią trapi". „No dobrze, w takim razie na kiedy możemy się umówić?" – pytają ostrożnie. W tym momencie wyrażam swoje zainteresowanie spotkaniem również z ojcem. Jeśli kobieta znów się waha, proponuję, aby przed ustaleniem terminu wizyty spytała go o taką możliwość.

Kiedy rodzice przychodzą na spotkanie razem, mężczyzna zwykle wycofuje się i siada gdzieś z tyłu. Ponieważ zdecydowanie uważam, że powinniśmy zachęcać ojców do stawania się równorzędnymi opiekunami i wychowawcami dziecka, proszę, aby przysunął swoje krzesło do mojego biurka. Podczas tej czynności mężczyzna często prosi wzrokiem żonę o pozwolenie. Zwracam im na to uwagę i wykorzystuję ten moment, aby wprowadzić pojęcie „trzymania straży" – nowy termin opisujący od dawna znane uczucia. Wszyscy dorośli, którzy będą się zajmować dzieckiem, będą w naturalny sposób rywalizować o nie i próbować wykluczyć innych lub mieć więcej do powiedzenia na temat opieki nad nim. Staną się stróżami. Współzawodnictwo to naturalny element dzielenia się opieką. Każdy z dorosłych stara się wykonywać zadania związane z niemowlęciem czy małym dzieckiem lepiej niż inni. U matki i ojca rywalizację tę podsyca ich przywiązanie do dziecka. Taką postawę wykazują również inni członkowie rodziny. Może ona nieświadomie wpłynąć na zachowania dziadków, którzy – często w niezamierzony sposób – krytykują wrażliwych, młodych stażem rodziców. Również lekarze i pielęgniarki rywalizują w tym względzie z rodzicami, komentując ich działania i nie uznając ich autorytetu. Zdarza się, że także nauczyciele w szkole współzawodniczą z nimi. Zjawisko trzymania straży jest przewidywalne i stanowi wyraz troski o dziecko.

Jeżeli rywalizacja opiekunów nie rozmija się z dobrem podopiecznego, może nawet podsycać zaangażowanie. Jednak, jak zobaczymy w dalszych rozdziałach, chęć wykluczenia drugiego rodzica może stworzyć w rodzinie problemy, jeśli rodzice nie są tego mechanizmu świadomi. Na przykład kiedy młoda mama zaczyna karmić piersią, tato i dziadkowie mogą komentować: „Dziecko znów płacze! Jesteś pewna,

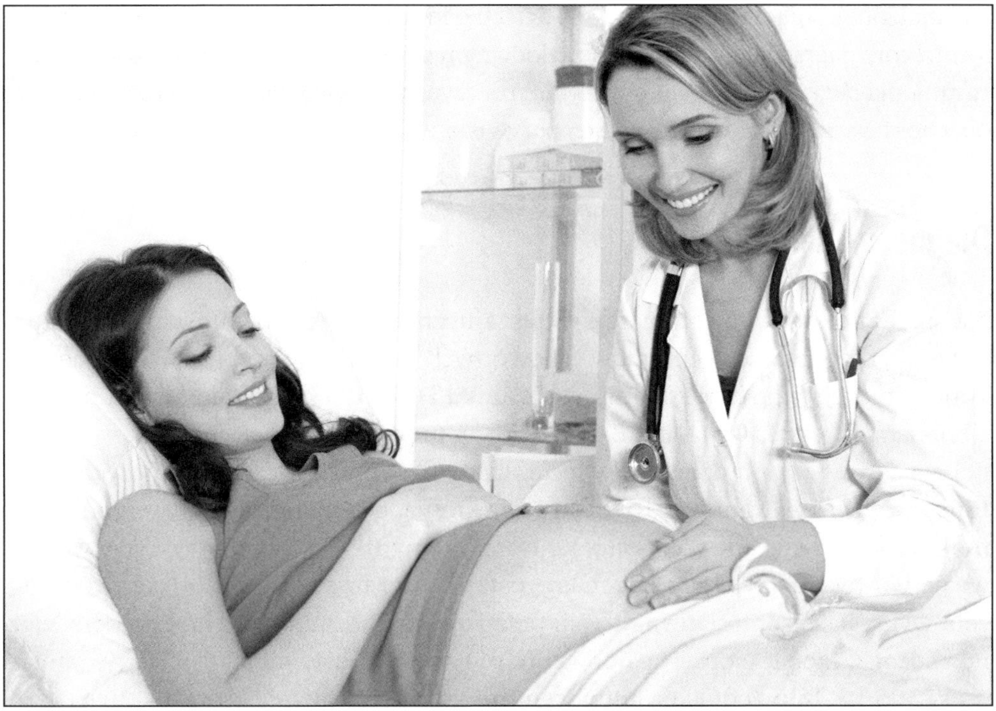

że masz wystarczająco dużo pokarmu?". Kiedy nowo upieczony wrażliwy na krytykę ojciec próbuje zmienić pieluszkę, małżonka najprawdopodobniej powie: „Kochanie, nie tak się to robi". Gdy mężczyzna po raz pierwszy zabiera się za karmienie dziecka butelką, może usłyszeć: „Trzymaj ją w ten sposób, małemu będzie wygodniej". Te pozornie niewinne komentarze mogą wytrącić z równowagi. Jeśli ojcowie mają się uaktywnić, oboje rodzice muszą być przygotowani na tę subtelną rywalizację. Powinni mieć świadomość, że takie sytuacje będą się pojawiać, a kiedy tak się stanie, muszą umieć je nazywać i o nich rozmawiać. To najlepszy znany mi sposób na to, by takie incydenty nie wpływały negatywnie na ich relację i nie dezorientowały dziecka.

Mężczyzna i kobieta, którzy po raz pierwszy zostają rodzicami, mają wiele wątpliwości i pytań: „Jak nauczymy się być rodzicami? Czy będziemy musieli być tacy jak nasi rodzice?". Wraz z tymi pytaniami pojawiają się obawy związane z dzieckiem: „A jeśli urodzi się chore? Czy to będzie nasza wina? Czy będziemy umieli sobie z tym poradzić?". Rodzicom nienarodzonego jeszcze dziecka śnią się różne defekty, które widzieli lub o których słyszeli. Zajęci na co dzień wieloma sprawami odwracającymi ich uwagę od obaw muszą radzić sobie z lękami, które często uaktywniają się w nocy. Takie sny rodzą przywiązanie i pomagają przyszłym rodzicom przygotować się na możliwość pojawienia się dziecka, które będzie nie do końca doskonałe. Kobieta w ciąży i jej małżonek śnią o trzech rodzajach dzieci: o idealnym czteromiesięcznym niemowlęciu, które nagradza uśmiechami i melodyjnym gaworzeniem, o chorym dziecku, które zmienia się każdego dnia, oraz o tajemniczym rzeczywistym maleństwie, którego obecność zaczyna być coraz bardziej oczywista wraz z odczuwalnymi ruchami.

Diagnostyka prenatalna

Na szczęście dysponujemy coraz większą liczbą badań prenatalnych, które służą wczesnej diagnostyce problemów zdrowotnych płodu. Na przykład w 1 trymestrze kobieta może się poddać badaniu w kierunku HIV/AIDS w celu leczenia i prewencji transmisji wirusa do płodu. Badanie poziomu przeciwciał Rh– u matek we wczesnej ciąży również umożliwia podjęcie działań zapobiegawczych ratujących życie. Inne testy wykonywane w 1 trymestrze obejmują: badania przesiewowe pod kątem mukowiscydozy, ocenę poziomu alfa-fetoproteiny (AFP – w celu wykrycia wad cewy nerwowej, takich jak rozszczep kręgosłupa) oraz test potrójny lub poczwórny (w celu wykrycia zespołu Downa). Jeśli podejrzewa się konkretne choroby dziedziczne, można wykonać biopsję kosmówki (CVS) między 9 a 11 tygodniem ciąży, zamiast czekać do 16–18 tygodnia na amniocentezę[7]. Jeżeli w rodzinie któregokolwiek z rodziców występuje choroba dziedziczna, można skorzystać z coraz większej liczby dostępnych testów genetycznych.

Oczywiście decyzja o poddaniu się któremukolwiek z tych testów i czekanie – nieważne, długo czy krótko – na wyniki mogą być przerażające, wręcz obezwładniające. Nie wszystkie badania dostarczają pewnych wyników, więc przyszli rodzice podczas prenatalnej wizyty u pediatry w 3 trymestrze mogą mieć wiele obaw co do zdrowia swojego dziecka. Może ich uspokoić wykonane w tym czasie badanie USG lub sporządzenie bardziej szczegółowego niż standardowa ultrasonografia profilu biofizycznego płodu. Jeśli ze wskazań zdrowotnych ciąża musi być rozwiązana przed czasem, istnieje wiele testów dojrzałości płuc płodu, które pozwalają stwierdzić, kiedy może to bezpiecznie nastąpić oraz jaka dodatkowa pomoc będzie potrzebna.

Przygotowanie do porodu

Ostatni okres ciąży służy przygotowaniu rodziców do krytycznego momentu, jakim jest poród. Ich próby wyobrażenia sobie swojego dziecka – lęk przed chorym i nadzieja na zdrowe – mobilizują energię emocjonalną, jakiej będą potrzebować, aby

[7] W Polsce bardziej popularna nazwa tego badania to amniopunkcja (przyp. red. meryt.).

zakochać się w rzeczywistym dziecku. Wszystkie te wewnętrzne zmagania rozluźniają stare nawyki, otwierając rodziców na szukanie nowej równowagi w życiu, a także przygotowują ich do wyrzeczeń, jakie uczą się podejmować wszyscy rodzice.

W pierwszym krótkim wywiadzie, jaki przeprowadzam, zadaję proste pytania. Chcę dotrzeć do emocji skrywanych pod powierzchną, które pomogą mi lepiej poznać rodzinę.

– W jaki sposób chcecie urodzić dziecko?
– Chodzimy na zajęcia szkoły rodzenia. Chcę mieć jak największą kontrolę nad tym, co się dzieje podczas porodu. Jeśli to będzie możliwe, nie chcę żadnych leków; chcę urodzić moje dziecko naturalnie – bez środków znieczulających.

W tym momencie przyszła mama może mieć pytania dotyczące wpływu leków znieczulających i przyspieszających poród na dziecko. Wyjaśniam więc, że akcja porodowa stymuluje płód i aktywizuje dziecko po porodzie, wiele leków ma zaś efekt odwrotny. Im dłużej będziemy zwlekać z ich podaniem, tym bardziej dziecko będzie aktywne i żywo reagujące na bodźce. Najczęściej kobieta już to wie, więc tak naprawdę w tej rozmowie dzielimy się swoją troską o dziecko. Mam nadzieję, że przyszła mama dostrzeże we mnie sprzymierzeńca, który będzie wspierał jej pragnienie, aby maleństwo po porodzie żywo reagowało, oraz że jestem gotowy rozmawiać o wszystkich innych sprawach związanych z porodem. Chcę, aby wiedziała, iż dzielę z nią niepokój związany z radzeniem sobie z bólem, dlatego też zachęcam oboje rodziców do nauczenia się technik relaksacyjnych, rytmicznego oddychania, koncentracji i dotyku, które są w programie szkoły rodzenia.

Bardzo pomocna w tym zakresie może okazać się obecność ojca dziecka. Może on przerabiać z żoną czy partnerką kolejne lekcje szkoły rodzenia dotyczące radzenia sobie z bólem i wspierać ją, odsuwając w czasie moment podania leku. W zależności od nastawienia ginekologa być może mężczyzna będzie musiał pomóc żonie być bardzo stanowczą i odrzucać propozycje podania środków znieczulających bądź przyspieszających poród. Jak pokazują dobrze udokumentowane badania, obecność drugiej osoby, która aktywnie wspiera kobietę podczas porodu, tak zwanego towarzysza porodu (doula)[8], może skrócić czas porodu oraz pomóc opóźnić podanie leku lub całkowicie go uniknąć, co jest jednym z celów szkoły rodzenia.

Podczas wyjaśniania tych kwestii jestem nastawiony na pojawienie się innych pytań: „Jaki wpływ będzie miało cięcie cesarskie, jeśli okaże się konieczne? Jakie są skutki znieczulenia przewodowego? Czy znieczulenie będzie oznaczało porażkę?". Poruszając te zagadnienia ze mną, przyszli rodzice doprecyzowują swoje cele i odkrywają, jak głęboko sięgają ich lęki.

---

[8] Na temat roli douli zob. *Ciąża i poród bez obaw* (GWP 2011; przyp. red.).

Cięcie cesarskie wykonuje się po to, by chronić dziecko, ale jego skutki nie zostały jeszcze dobrze rozpoznane. Wyniki badań zgromadzone przez Childbirth Connection[9] sugerują, że dzieci urodzone poprzez cięcie cesarskie są bardziej narażone na zaburzenia oddechowe, rzadziej jednak doświadczają urazów nerwowych podczas narodzin niż dzieci przychodzące na świat drogą naturalną. Dawniej po cesarskim cięciu umieszczano noworodki w specjalnej sali i obserwowano przez 24 godziny, oczekując, że będą bardziej śpiące i mniej zdolne do odkrztuszania wydzieliny. Jeśli tak jest (a nie zostało to poddane szczegółowym badaniom), można to przypisać temu, iż poród naturalny mobilizuje dziecko do natychmiastowego przystosowania. Leki podawane matce przed porodem i cięciem przenikają przez łożysko, mając wpływ na zachowanie dziecka przez kilka dni po przyjściu na świat. Z moich obserwacji ze stosowania Skali Oceny Zachowań Noworodka (*Neonatal Behavioral Assessment Scale*, NBAS[10]) wynika, że kiedy podawane leki są odpowiednio dozowane, dzieci urodzone poprzez cięcie cesarskie słabiej reagują na bodźce przez jeden dzień po porodzie – w porównaniu do dzieci urodzonych drogą naturalną i bez żadnych znieczuleń. Po 24 godzinach te skutki uboczne jednak zanikają i w dalszym rozwoju nie ma już różnic.

Leki podawane mniej rozważnie mają długotrwały wpływ na zachowanie dziecka. Pod ich wpływem noworodki są bardziej ospałe i trudniej je uaktywnić. Pozostają w stanie czuwania przez krótsze okresy, a ich reakcje na ludzkie bodźce są również krótkotrwałe. Jeśli matka jest świadoma takich skutków, może je niwelować poprzez bardziej intensywną stymulację, zwłaszcza w porach karmienia. Jeżeli nie, może postrzegać swoje maleństwo jako bardzo spokojne i powolniejsze niż tego oczekiwała albo mieć poczucie porażki podczas prób karmienia niezbyt żywo reagującego noworodka. Ten pierwszy obraz może się utrwalić i zadziałać jak samospełniająca się przepowiednia. Zachęcam, aby matki opóźniały podawanie leków podczas porodu, a dawki ograniczały do minimum. Jeśli leki będą konieczne, należy mieć świadomość ich skutków i zaplanować bardziej energiczne aktywizowanie dziecka – podczas karmienia i okresów zabawy – dopóki specyfik nie przestanie działać po kilku dniach.

Choć wzrastająca liczba cięć cesarskich w ostatnich kilku dekadach budzi zbiorowy niepokój, takie rozwiązanie ciąży może być czasami wielkim błogosławieństwem. Fakt, że za pomocą monitorów zewnętrznych lub – po przerwaniu pęcherza płodowego – monitorów wewnętrznych, umieszczonych na główce dziecka, możemy rejestrować wszelkie trudności po stronie dziecka podczas porodu, oznacza, iż możemy odczytać więcej zaburzeń i wcześniej zdecydować się na cięcie. W rezultacie

---

9 Childbirth Connection to amerykańska organizacja *non profit* działająca od 1918 roku, która poprzez badania naukowe i edukację promuje świadome macierzyństwo (przyp. tłum.).

10 W Polsce znana jako skala Brazeltona (przyp. tłum.).

położnicy mogą interweniować, zanim dziecko zostanie narażone na poważny uraz mózgu. Choć cięcie cesarskie niesie pewne ryzyko i jest trudniejsze dla matki zarówno pod względem fizycznym, jak i psychicznym, jego celem jest ochrona dziecka przed urazem mózgu spowodowanym zbyt małą ilością tlenu (hipoksja) podczas stresujących skurczów macicy i małej podaży tlenu z łożyska. Może to zapobiec udarowi mózgu, choć dobrze wiedzieć, że istnieje wiele przyczyn tej choroby i tylko w 10% jest ona spowodowana małą podażą tlenu w trakcie porodu. Lekarz musi pomóc rodzicom zrozumieć powody wykonania cesarskiego cięcia i umieć odczytać sygnały rozczarowania czy porażki. Podczas wizyty prenatalnej mogę zachęcać rodziców do porodu naturalnego, nie obciążając ich jednocześnie przekonaniem, że istnieje tylko jeden sposób przyjścia ich dziecka na świat (zob. Klaus, Kennel i Klaus, 2012).

Pierś czy butelka?

Kiedy pytam o karmienie dziecka, rodzice zawsze znajdują argumenty przemawiające na korzyść wybranego przez siebie sposobu. Zanim kobiety zaczęły wracać do pracy zaraz po urodzeniu dziecka, oczekiwałem od mam moich pacjentów, że wybiorą karmienie piersią. Wyrażałem swoje ogromne poparcie dla tej metody i omawialiśmy przygotowanie się do niej. Od wielu jednak lat obserwujemy, że przyszłe mamy wybierają karmienie butelką, ponieważ planują powrót do pracy w kilka miesięcy po porodzie. Istnieją oczywiście praktyczne powody, dla których rezygnują z karmienia piersią pracując zawodowo, kiedy jednak zbadałem rzecz głębiej, okazało się, że kobiety boją się zbytniego przywiązania do dziecka poprzez karmienie i konieczności pozostawienia go potem pod czyjąś opieką. Kiedy umożliwiam kobietom zdobycie się na szczerość wobec mnie i siebie samych, mogą one wówczas jaśniej doprecyzować swoje cele. Moim zadaniem – jako osoby wspierającej i rzecznika ich dziecka – jest stworzenie atmosfery bezpieczeństwa, w której będą mogły świadomie podjąć decyzję. Ja, niezależnie od niej, pomogę im stworzyć więź z dzieckiem.

Jestem ogromnym zwolennikiem karmienia piersią z powodu jego korzyści zdrowotnych dla dziecka (np. ochrona przed infekcją – w tym infekcjami ucha i górnych dróg oddechowych – i alergią na mleko), dla matki (szybsza utrata wagi po porodzie, zmniejszone ryzyko nowotworu piersi i jajników oraz cukrzycy), a także jego znaczenia dla wzmocnienia więzi matka – dziecko. Jednak rodzicom, którzy decydują się na karmienie butelką lub są zmuszeni do takiego wyboru, mogę pomóc sprawić, aby był to równie owocny czas komunikacji z dzieckiem.

Podczas pierwszej wizyty staram się uświadomić tym kobietom, które planują karmić naturalnie, że początki mogą być bolesne. Odruch ssania niemowlęcia może

Mleko matki

Mleko matki ma wiele zalet - jest idealne dla dziecka. Nie zdarzyło się jeszcze, aby dziecko miało na nie alergię (może jednak, choć bardzo rzadko, zareagować uczuleniem na jakiś składnik diety matki). Proporcje białka i cukru są idealne, a mleko jest bogate w przeciwciała, które podnoszą poziom odporności niemowlęcia. W życiu płodowym dziecko otrzymuje odporność od matki poprzez łożysko, będzie się ona jednak zmniejszać w kolejnych kilku miesiącach, chyba że jej poziom zostanie podtrzymany dzięki karmieniu piersią. Oprócz zmniejszenia ryzyka infekcji karmienie piersią jest korzystne z jeszcze innych powodów. Jednym z nich jest słodycz bliskości i komunikacji z dzieckiem podczas karmienia.

być niezwykle silny. Karmiące matki opowiadają mi, że w pierwszej chwili, dopóki nie popłynie mleko, odczuwają czasem skurcz i ból. Uważa się, iż przyczyną tego jest powiększenie kanalików mlekowych. Zapewniam jednak, że po kilku pierwszych karmieniach kurcze ustąpią, a wtedy matka będzie odczuwać tylko przyjemność.

Istnieją sprzeczne opinie na temat tego, czy można zawczasu przygotować sutki do karmienia. Dobrze jest zapoznać się z opracowaniami na ten temat (zob. Huggins, 2011; Mohrbacher, 2005) oraz skonsultować ze swoim lekarzem. Moje wieloletnie doświadczenie w kontaktach z wieloma karmiącymi matkami wskazuje na to, że kobiety o jasnym odcieniu karnacji częściej niż ciemnoskóre skarżą się na bolesność i popękane brodawki, jeśli ich wcześniej nie zahartują. Po umyciu rąk i piersi łagodnym mydłem należy delikatnie masować palcami sutki dwa razy dziennie. W miarę upływu czasu dobrze jest zwiększyć intensywność masażu, ale tylko do granicy bolesności. Lepiej jest zapobiegać uszkodzeniu brodawek niż je później leczyć.

Uwaga Niektórzy eksperci ostrzegają przed stymulowaniem brodawek, aby nie wywołać przedwczesnej akcji porodowej - teoretycznie taki masaż może wywołać skurcze macicy. Należy skonsultować się z położną lub lekarzem położnikiem, zanim zastosuje się tę technikę.

Wprawdzie uznaję rację, że trudno jest karmić piersią, gdy kobieta wraca do pracy po porodzie, ale mimo to rozmawiamy na ten temat, rozważając karmienie jako jedną z alternatyw. Kobieta może ściągać pokarm w pracy i, kiedy dziecko skończy 4–6 miesięcy, ojciec (lub inny opiekun) może podawać go butelką jako pokarm uzupełniający. W ten sposób mężczyzna też ma szansę karmić, a matka po całym dniu pracy może przystawić maleństwo do piersi i znów cieszyć się jego bliskością. Być może w trakcie spotkania pojawi się temat lęku przed separacją, który towarzyszy takiemu przywiązaniu do dziecka. Podczas takich rozmów pomiędzy mną a rodzicami zawiązuje się coraz bliższa relacja. Rodzice widzą, że chcę wspierać ich wybory i przywiązanie do mającego się wkrótce narodzić maleństwa.

Mamie, która chce karmić naturalnie, mogę przedstawić praktyczne sugestie, na przykład by po porodzie dała sobie kilka dni na pojawienie się pokarmu, by karmiła częściej, a krócej, dzięki czemu zahartują się sutki – cały czas wspierając ją w przygotowaniach do nowych zadań. Mam nadzieję, że podczas tej pierwszej wizyty kobieta podzieli się ze mną swoimi niepokojami typu: „Czy poradzę sobie z karmieniem? Czy będę umiała opiekować się dzieckiem?". Poruszając problemy związane z karmieniem na pierwszym spotkaniu, przygotowujemy się do lepszego radzenia sobie z nimi.

Obrzezanie[11]

Ojcom zawsze zadaję jedno pytanie, ponieważ wiem, że dla niektórych jest to ważna kwestia: „Czy poddasz swoje dziecko obrzezaniu, jeśli to będzie chłopiec?". Z pewnością podkreśla to zaangażowanie przyszłego taty. Gdy pyta o moją opinię, przedstawiam mu argumenty za i przeciw, a następnie zachęcam do wzięcia odpowiedzialności za własną decyzję. Chcę, aby poczuł, że to on dokonuje wyboru, a potem możemy działać wspólnie, tak aby – niezależnie od decyzji – była ona korzystna dla niego i dla dziecka. Decyzja o obrzezaniu powinna być osobista, zgodna z kulturą i przekonaniami religijnymi danej osoby. Choć niektóre badania wskazują na prewencyjne zalety obrzezania, takie jak mniejsze ryzyko infekcji układu moczowego w 1 roku życia czy infekcji napletka występującej czasami u dzieci przedszkolnych, niektórzy specjaliści oraz organizacje (np. Amerykańska Akademia Pediatrii) wyrażają pogląd, że aktualne prace badawcze nie przedstawiają **medycznych** dowodów przemawiających za obrzezaniem. Wyjątek stanowią nietypowe, specyficzne przypadki chorobowe, które wymagają takiego zabiegu, na przykład przerośnięty lub zbyt ciasny napletek. Obrzezanie, z pewnością bolesne dla noworodka, może zaburzyć sen, EEG (elektroencefalogram) i wzorce zachowań przez kolejne 24 godziny. Jednak znieczulenie miejscowe w dużym stopniu niweluje ból i zapobiega innym, wcześniej nieuniknionym, zaburzeniom.

Decyzja o obrzezaniu powinna należeć do rodziny. Najważniejszą rolę, podkreślającą jego udział w przyszłości dziecka, odgrywa ojciec. Osobiście uważam, że to właśnie on powinien dokonać tego wyboru dla swojego syna. Być może pozwoli mu to po raz pierwszy doświadczyć silnego uczucia więzi z mającym się narodzić dzieckiem.

---

[11] W kulturze amerykańskiej obrzezanie jest bardzo powszechne, nie tylko wśród żydów (przyp. red.).

Większość ojców chce, żeby ich synowie byli podobni do nich. Mężczyzna może się obawiać, że kiedy później syn będzie się z nim porównywał, trudno mu będzie wyjaśnić różnice. Jednak porównywanie wielkości penisa taty i małego chłopca i tak wywoła nieuniknione pytania, więc – tak czy inaczej – nie da się uniknąć rozmów o różnicach. Jestem przekonany, że kwestia obrzezania ma ogromne znaczenie dla mężczyzny, i przyszły ojciec powinien tu wziąć pod uwagę własne emocje. Ta rozmowa i późniejsza decyzja zaangażują go w myślenie o swoim dziecku. Jeśli okażę mu w tym momencie wsparcie, z większą śmiałością zwróci się on później do mnie po poradę.

Lekarz jako rzecznik dziecka i rodziny

Aby rodzina troszczyła się o dziecko, jej członkowie muszą mieć poczucie, że ktoś troszczy się o nich. Podczas pierwszej wizyty najprawdopodobniej dowiem się, jak wygląda system rodzinny. Obecnie rodziny mają przeróżne struktury. Chcę, aby moi pacjenci czuli, że ich respektuję i będę wspierał niezależnie od tego, do jakiej rodziny należą.

Jeśli mam do czynienia z samotną matką, wiem, że będzie potrzebowała dodatkowej pomocy w nowej, wymagającej roli. Kiedy wspomni o swoich obawach, mogę ją zapewnić, że będę ją szczególnie aktywnie wspierać. Samotne wychowywanie dziecka będzie prawdopodobnie trudne, ale można sobie dobrze z tym poradzić, ja zaś będę gotowy służyć jej wskazówkami, jeśli tylko będzie tego chciała.

Typowym wyzwaniem dla samotnego rodzica jest pozwolenie dziecku na niezależność. Na każdym etapie zdobywania autonomii, kiedy dziecko jest jeszcze bardzo podatne na wpływy, łatwo zdominować jego wysiłki mające na celu znalezienie własnej drogi, ograniczając je nadmierną uwagą i pomocą. Choć bierze się to z troski o dziecko, która jest bardzo ważna, to jednak samotna matka powinna mieć kogoś, od kogo czasami usłyszy: „Zostaw go, niech poczuje frustrację, niech sobie sam z tym poradzi. Jeśli pozwolisz mu na samodzielność, to w dłuższej perspektywie cokolwiek zrobi, będzie to **jego** osiągnięcie, nie twoje". Nikt nie lubi słuchać takich rad, więc zawczasu ostrzegam matkę, że będę wygłaszał tego typu zdania dla dobra dziecka i jej samej. Również zachowanie dyscypliny może nastręczać trudności osobie samotnie wychowującej dziecko. Kiedy ono nieustannie dokazuje, cały dzień może się wydawać jednym wielkim zmaganiem. W drugim – trudnym – roku życia matka będzie musiała postawić zdecydowane granice i potrzebne jej w tym będzie moje wsparcie. Zachęcam ją, by otoczyła się innymi członkami rodziny. Jeśli nie ma w pobliżu nikogo bliskiego, powinna znaleźć grupę wsparcia wśród innych samotnych rodziców, którzy mogą być dla niej emocjonalną podporą w codziennych kryzysach.

Rodziny, w których obydwoje rodzice pracują poza domem w pełnym wymiarze godzin, również wymagają specjalnej uwagi podczas pierwszej wizyty prenatalnej.

Zapewniam rodziców o swoim wsparciu w próbach uzyskania potrzebnej pomocy w miejscu pracy. Zachęcam, aby zawczasu zaplanowali rozwiązania, które pozwolą im jak najlepiej wykonywać zadania rodzicielskie. Pomagam im opracować sposób karmienia naturalnego, jeśli taka będzie ich decyzja. Zawsze pytam, czy obydwoje lub jedno z rodziców będzie mogło zostać z dzieckiem w domu wystarczająco długo, aby zapewnić mu dobry start. Czy w pobliżu są dziadkowie, którzy będą mogli pomóc w sytuacji kryzysowej? Jakie są ich zobowiązania zawodowe i jak będą mogli dzielić się obowiązkami w opiece nad dzieckiem? Czy są świadomi, że kilka pierwszych miesięcy to niezwykle istotny okres przystosowania do zmian w ich nowym stylu życia – dla matki będzie to czas radzenia sobie z depresją poporodową, dla obojga zaś konieczność zaakceptowania większej odpowiedzialności za nową rodzinę. Czy znaleźli już miejsce zapewniające opiekę nad dzieckiem na dobrym poziomie w czasie, kiedy obydwoje będą musieli wrócić do pracy? W niektórych miejscowościach takie miejsce trzeba rezerwować jeszcze przed narodzeniem dziecka.

Uczenie się małego dziecka – jego indywidualności i niezwykłej zdolności reagowania na otaczający świat – pochłania dużo czasu i energii. Jako rzecznik dziecka będę zachęcał rodziców do zanurzenia się w proces adaptacyjny w tym początkowym okresie. Ich rozwój jako troskliwych dorosłych jest tak ważny dla przyszłości maleństwa, jak nauczenie się tego, że ono ich potrzebuje. Dzisiejsi rodzice, którzy stoją przed koniecznością utrzymania swoich miejsc pracy, muszą nauczyć się planować. Chcę, aby walczyli o pozostanie z dzieckiem przez kilka pierwszych, bardzo cennych miesięcy. Nie mogę wpływać na ich decyzje, ale być może będą potrzebowali mojej pomocy w ustaleniu priorytetów w zakresie opieki oraz określenia czasu, kiedy dziecko może ich najbardziej potrzebować. Wiemy teraz, że pierwsze 3–4 miesiące są krytyczne. Czy mogą zaplanować, że wtedy właśnie zrezygnują z pracy? Czy mogą zaoszczędzić tyle, aby sobie na to pozwolić? Czy cena poświęcenia kariery będzie zbyt wysoka? Powinni zmierzyć się z tą decyzją już teraz. Życzyłbym sobie, aby więcej pracodawców doceniało zaangażowanie rodziców i decyzje podejmowane dla dobra ich rodzin w tym krytycznym dla nich czasie.

Przyszłym rodzicom trudno jest poradzić sobie z takimi decyzjami, gdyż już przed rozwiązaniem odczuwają ból związany z rozstaniem z dzieckiem. Musimy stawić czoła tym emocjom razem, tak aby uwolnili się od nich i zaczęli inwestować energię w budowanie przywiązania do nienarodzonego jeszcze dziecka. Doświadczenie podpowiada, że pomoc rodzicom w rozpoznaniu tych ambiwalentnych uczuć oraz tendencji do zaprzeczania bólowi przyszłego rozstania sprawia, że kiedy te sytuacje nadejdą, łatwiej będzie sobie z nimi poradzić.

Wydaje się, że stworzenie bliskiej relacji pomiędzy lekarzem a rodzicami w tak krótkim czasie – podczas pierwszej wizyty – graniczy z cudem. A jednak jest to możliwe. Ogromne pragnienie rodziców, by zrozumieć to, co ich czeka w przyszłości, tworzy otwartość, która przebija się przez typowe bariery. Ta chęć oraz ich wrażliwość – rezultat gwałtownej wewnętrznej przemiany – umożliwiają wspaniały skok w dorosłość. Jest to gigantyczny krok w kierunku dojrzałości, a zarazem główny cel pierwszego spotkania rodziców z ich lekarzem czy pielęgniarką środowiskową.

Wpływ substancji toksycznych i niedożywienie wewnątrzmaciczne

W dzisiejszych czasach rodzice są bardzo świadomi, jakie zagrożenia dla nienarodzonego dziecka niesie spożycie przez przyszłą matkę nikotyny, alkoholu, narkotyków, leków (często nawet tych sprzedawanych bez recepty), a także przebycie infekcji czy złe odżywianie. Podczas pierwszej wizyty prenatalnej próbuję dowiedzieć się jak najwięcej o ewentualnym kontakcie kobiety z wymienionymi powyżej czynnikami, żeby móc zagwarantować rzetelną ocenę stanu dziecka. Mogę też obiecać rodzicom, że będę się z nimi dzielił wszelkimi swoimi obawami od pierwszego badania. Jeżeli będą ze mną szczerzy, mogę zacząć im pomagać już od tej wizyty lub od momentu porodu. Możemy też wspólnie przyglądać się pojawiającym się problemom. Powszechnie dostępna w obecnych czasach wiedza na temat ryzyka spożywania nikotyny, alkoholu czy narkotyków przez ciężarną wywołuje wiele niepokojów wśród oczekujących rodziców. Niektórzy z nich być może narazili dziecko na kontakt z używkami, zanim dowiedzieli się o ciąży. Może więc pojawić się u nich lęk, że pierwsze krytyczne etapy rozwoju dziecka mogły zostać zakłócone. Na szczęście, jeśli nadmierne spożycie używek wystąpi we wczesnym okresie ciąży, przypuszczalnie skończy się spontanicznym poronieniem. Przyszli rodzice poczują ulgę, wiedząc, że mogą pozytywnie wpłynąć na zdrowie swojego dziecka w 2 i 3 trymestrze, stroniąc od tych substancji.

Dzieci, które w życiu płodowym zostały narażone na działanie substancji uzależniających, podczas porodu mogą się wycofywać; w początkowym okresie mogą bardzo wolno reagować na bodźce zewnętrzne, z trudem utrzymywać stan snu, a kontakt z nimi może być utrudniony. Kiedy zareagują na bodziec, mogą wpaść w równie

Skutki przyjmowania używek

Nadmierne spożywanie nikotyny, alkoholu i narkotyków może wywołać wiele problemów. Kontakt z niektórymi substancjami może bowiem zaburzyć rozwój mózgu płodu, a w rezultacie zmniejszyć jego objętość. Złe odżywianie dodatkowo powoduje większą podatność na używki. Chociaż mózg noworodka ma niezwykłą zdolność do regeneracji, ich długie oddziaływanie może mieć trwały wpływ na jego funkcjonowanie.

bezkontaktowy stan płaczu i rzucania się. Ich drażliwość wydaje się uniemożliwiać docieranie jakichkolwiek informacji ze środowiska, przetwarzanie ich oraz właściwą na nie reakcję. Nie tylko nie przynoszą radości swoim i tak zestresowanym matkom, ale w dodatku wysyłają tylko negatywne i niespójne sygnały. Mogą sprawiać dużo kłopotu podczas karmienia czy układania do snu. Rodzice takich trudnych dzieci powinni otrzymać jak największą pomoc w opiece nad nimi. W późniejszym czasie należy pomóc samym dzieciom w rozwijaniu umiejętności skupiania uwagi i uczenia się. Jak wynika z wielu badań, podobnych trudności mogą doświadczać także inne osłabione dzieci – na przykład te niedożywione w życiu płodowym z powodu uszkodzonego łożyska.

Jeżeli uda się zdiagnozować dzieci cierpiące na niedożywienie wewnątrzmaciczne czy wystawione na działanie substancji toksycznych, można wprowadzić program wczesnej interwencji. Dotychczasowe długoterminowe badania obejmujące takie dzieci sugerują, że wspierające środowisko, wrażliwe na przeciążony układ nerwowy, niejednokrotnie sprzyja ogromnej poprawie. Jednak interwencję należy rozpocząć jak najwcześniej. Jeśli podczas pierwszej wizyty uda mi się nawiązać szczerą relację z rodzicami, istnieje większa szansa, że będą się ze mną dzielić sprawami, które mogły negatywnie wpłynąć na zdrowie dziecka i być dla niego zagrożeniem, czy innymi kwestiami, które mogły ułożyć się nie po ich myśli. Możemy wówczas porozmawiać o ich obawach dotyczących możliwości wyrządzenia dziecku krzywdy i rozpocząć realizowanie programu wyjścia z nałogu oraz udzielenia pomocy dziecku.

Uważam, że rodzice zasługują na to, aby się dowiedzieć o wszelkich zaburzeniach w rozwoju, które mogłyby utrudnić im opiekę nad dzieckiem. Nie powinno się ich chronić przed taką wiedzą – oni i tak są tego świadomi. Podejrzewam, że próba generalna, jaką przeprowadzają w swojej wyobraźni, przygotowując się na ewentualność urodzenia dziecka upośledzonego, pomaga im przygotować się na wszelkie problemy, jakie mogą się pojawić w rzeczywistości. Kiedy spotykam się z rodzicami w trakcie ciąży, moja rola polega na zachęcaniu ich do takiego przygotowania i wyczerpującym wyjaśnieniu, pod jakim kątem będę badał dziecko.

Rozwijający się płód

Jednym z głównych celów mojej pracy z przyszłymi rodzicami jest wprowadzenie pojęcia indywidualności każdego dziecka i jego zachowania. Zachęcam rodziców do rozmowy o tym, jak doświadczają rozwijającego się płodu jako osoby: „Czy rodzi się w waszych umysłach obraz osoby waszego dziecka?”. Mamy, które odczuwają ruchy maleństwa, zastanawiają się wówczas, czy aktywny płód oznacza aktywne dziecko, a spokojny płód – spokojne maleństwo.

Istnieje pewna zależność pomiędzy aktywnością płodu a późniejszym zachowaniem dziecka. Istotny może być sposób reagowania płodu na bodźce. Niektóre dzieci reagują gwałtowniej niż inne. Wielu rodziców zgłasza, że płód staje się bardzo aktywny, gdy matka udaje się na wieczorny spoczynek. Wydaje się, że istnieje odwrotnie proporcjonalna zależność: kiedy mama jest aktywna, płód pozostaje spokojny, gdy zaś kobieta zwalnia tempo, aktywność dziecka się zwiększa. Płód uczy się już przechodzenia z cyklu snu do aktywności (zob. rozdział 2). Owo dostrajanie się do cyklów mamy to nic innego, jak przygotowanie do późniejszego rytmu odpoczynku i aktywności doświadczanych przez samo dziecko. Cykle płodu są krótkie. Długie cykle mamy są przyuczeniem do dłuższych okresów snu i czuwania, które staną się widoczne po urodzeniu.

Oczekujące mamy przez długi czas wierzyły, że to, co robią i jak to robią, ma wpływ na ich nienarodzone dziecko. Takie myślenie prowadzi do obaw: „Jeśli ja jestem spięta, to czy moje dziecko też takie będzie?". Nie znam odpowiedzi na to pytanie, ale mogę stwierdzić, że niemal wszystkie kobiety w ciąży doświadczają pewnego napięcia i niepokoju. Intensywny lub chroniczny stres u matek może prowadzić do zmian hormonalnych (np. podwyższonego poziomu kortyzolu), które będą wpływać na dziecko poprzez łożysko. Według niektórych badań wysokie poziomy hormonów (spowodowane niepokojem lub depresją) są związane z wyższym ryzykiem przedwczesnego porodu. Ich rezultatem może być też niższa ocena dziecka w testach okołoporodowych. Niemniej płód może się przystosować do napięcia w macicy, a nawet nauczyć się radzić sobie ze stresem, wyciszając się i kontrolując swoje zachowanie lub też wzmagając swoją aktywność. Głównym zadaniem mamy będzie dostosowanie się do dziecka, jakiekolwiek się urodzi.

W ostatnim trymestrze ciąży rodzice uczą się rozumieć swoje przyszłe dziecko. Zwracają uwagę, świadomie i podświadomie, na jego ruchy i zachowania. Dzisiejsi rodzice wiedzą, że płód ich słyszy i reaguje na bodźce z zewnątrz. Wielu ojców rozmawia z dzieckiem i śpiewa mu w ostatnich trzech miesiącach ciąży, próbując zbliżyć się do niego jeszcze przed narodzeniem. Niektórzy rodzice twierdzą, że dziecko rozpoznaje dźwięk ich telefonu komórkowego, który przecież tyle razy słyszało, będąc w macicy!

Zachowanie płodu jest złożone i przewidywalnie bogate w różnorodne reakcje na bodźce. Jeśli jednak dziecko jest narażone na niedożywienie i działanie toksyn, a łożysko nie funkcjonuje prawidłowo, znajdzie to odbicie w jego ograniczonych ruchach. Wówczas nie będzie przejawiało tak złożonych reakcji na bodźce wzrokowe, dźwiękowe czy kinestetyczne (ruch, zmiany pozycji ciała) jak dziecko zdrowe. Od dłuższego czasu wiadomo już, że natura aktywności płodu może pomóc zdiagnozować poziom stresu. Na przykład kiedy dziecko jest zbyt ruchliwe, gdy nie reaguje na ruchy matki lub gdy ruchy są niewielkie i nie ma reakcji na bodźce zewnętrzne, jest to powód do zmartwienia. Należy zgłosić te nieprawidłowości położnikowi i ocenić stan płodu.

Co słyszy dziecko?

Pewna kobieta, pianistka, powiedziała mi: „Wiedziałam, że moja córeczka słyszy, ponieważ czułam, jak tańczy w rytm muzyki. Nie zdawałam sobie jednak sprawy, że przy tym także się uczy. Podczas ostatnich kilku miesięcy ciąży ćwiczyłam w kółko pewien charakterystyczny fragment jednego z walców Chopina. Zawsze kiedy go grałam, córka uspokajała się w macicy. Po porodzie przez jakiś czas nie miałam możliwości ćwiczenia. Kiedyś, gdy miała 3 miesiące i leżała w swoim łóżeczku, usiadłam obok przy pianinie i zagrałam. Mała leżała na pleckach i bawiła się swoim zabawkowym telefonem. Kiedy doszłam do tego charakterystycznego fragmentu utworu, przestała się bawić, odwróciła główkę i spojrzała wymownie ze zdziwieniem: »O, to samo, co kiedyś!«. Wiem, że rozpoznała ten fragment i przypomniała go sobie. To było zdumiewające. Mam nadzieję, że zostanie muzykiem".

Można zbadać częstość rytmu serca i rozpoznać, czy płód doświadcza stresu. Jeżeli dziecko jest niedotlenione, tętno będzie zbyt wolne lub zbyt szybkie albo słyszalne będą fazy stopniowego zwalniania. Takie objawy pozwolą położnikowi stwierdzić, czy należy obawiać się o stan płodu. Jeśli zdiagnozuje zagrożenie życia, wówczas pod koniec ciąży można będzie rozwiązać ją przedwcześnie i otoczyć dziecko opieką szpitalną, tak aby mogło rozwijać się poza macicą. Mamy nadzieję, że w miarę rozwoju dalszych badań nauczymy rodziców większej czujności na pewne objawy zagrożenia życia, aby stali się jeszcze lepszymi obserwatorami sygnałów wysyłanych przez płód. Ruchy płodu po doświadczeniu stresu, na przykład głośnego dźwięku czy jasnego światła, stanowią informację zwrotną o jego zdolności reagowania na bodźce. Nie ustalono jeszcze ani nie przetestowano idealnej skali oceny zachowań płodu, choć istnieje jeden złowieszczy symptom – całkowity brak ruchów, nawet w odpowiedzi na bodźce zewnętrzne. Przyszła mama może nauczyć się rozróżniać stany snu i czuwania oraz ich cykliczne powtarzanie się w ciągu doby. W fazie czuwania ruchy płodu pojawiają się przy nagłych zmianach natężenia światła lub dźwięku, i niekoniecznie muszą być bardzo gwałtowne. W fazie snu gwałtowne ruchy są przypadkowe i nie muszą być związane z bodźcami zewnętrznymi.

Jeśli w 3 trymestrze matka ocenia płód jako mało ruchliwy, może zostać poinstruowana przez położnika lub położną, jak liczyć liczbę kopnięć, co pomaga w rejestrowaniu przejawów aktywności dziecka. Czasami w 32 tygodniu ciąży lub później przeprowadza się testy: bezstresowy (NST) i stresowy (CST), aby upewnić się, że mniej aktywny płód nadal rośnie i dobrze rozwija się w macicy.

Bardzo dużo czasu zajęło badaczom rozpoznanie niezwykłej budowy płodu, tak samo długo nie potrafiliśmy docenić niezwykłego potencjału noworodka. Wielu naukowców z Francji i Stanów Zjednoczonych oceniało płód pod kątem umiejętności uczenia się, zwłaszcza drogą słuchową. Anthony De Casper z University of North Carolina wykazał, że dziecko w macicy potrafi zapamiętywać złożone piosenki i historie powtarzane mu w ostatnich trzech miesiącach ciąży. Jak zaobserwowała wspomniana matka, która jest muzykiem, po porodzie dziecko rozpoznaje znane dźwięki i reaguje na nie wzmożoną uwagą. Dzieci najwyraźniej posługują się pamięcią w tym okresie prenatalnego uczenia się.

Wiemy już z całą pewnością, że w życiu płodowym zachodzi proces uczenia się. W Szpitalu Dziecięcym w Bostonie wykonywaliśmy badania ultrasonograficzne płodu, w których można było rozpoznać fazy snu i czuwania, a także co najmniej cztery stany świadomości (w rozdziale 2 opisuję te stany u noworodka).

W stanie **głębokiego snu** płód jest przeważnie spokojny. Jeśli występuje aktywność, to tylko w formie pojedynczych, nagłych odruchów. W tej fazie dziecko nie odpowiada na prawie żadne bodźce. Podczas **snu płytkiego**, czyli fazy REM (*rapid eye movement* – szybkie ruchy gałek ocznych), ruchy występują rzadko. Jeśli się pojawiają, są bardziej płynne i zorganizowane, a przeważa wiercenie się i przeciąganie. Płód nadal nie jest zbyt podatny na bodźce, ale można go pobudzić, choć nie jest to łatwe. Okresowo występują nagłe ruchy – kopnięcia nóżką lub uderzenia łokciem oraz próby oddychania w sekwencjach czterech do ośmiu ruchów.

W stanie **aktywnego czuwania** płód „wędruje" po macicy. Jeśli zareaguje na bodziec zewnętrzny, oznaką tego będzie wyciszenie. Po chwili znów podejmie aktywność. Ta faza występuje w przewidywalnych okresach, zwykle wtedy, gdy matka jest zmęczona i odpoczywa – najczęściej pod koniec dnia. Rodzice wiedzą, kiedy to nastąpi i co może zmienić ten wzorzec. Na przykład kiedy wychodzą wieczorem, faza aktywnego czuwania może pojawić się dopiero po powrocie do domu. Natomiast w stanie **biernego czuwania** dziecko pozostaje nieaktywne, jakby nasłuchujące. Ruchy są płynne i bardziej zorganizowane. Płód jest wówczas bardzo wyczulony na bodźce zewnętrzne. W naszym badaniu poddaliśmy dzieci w 6 i 7 miesiącu ciąży działaniu różnych bodźców. W odległości 45 centymetrów od powłok brzusznych matki umieszczony został głośny sygnalizator dźwiękowy, który na krótko uruchomiono od 6 do 8 razy. U 8 badanych płodów wywołało to przewidywalne reakcje. Po pierwszym dźwięku płody wykonywały nagłe ruchy, po drugim reagowały mniej gwałtownie, a już przy czwartym ruchy zupełnie ustawały i dzieci zastygały nieruchomo. Tylko u kilku wystąpiły odruchy oddechowe brzucha, bez żadnych innych reakcji. Przy piątym często zbliżały rękę do ust i wkładały kciuk lub inny palec do buzi, a następnie odwracały się od źródła dźwięku, aby się uspokoić. Potem już nie reagowały. Wywnioskowaliśmy, że badane płody zaadaptowały się do negatywnych bodźców (mechanizm habituacji).

Na następnym etapie użyliśmy grzechotki. Przypuszczaliśmy, że wewnątrz macicy będzie zbyt głośno, aby ją usłyszeć. Jednak w momencie pojawienia się dźwięku dzieci natychmiast odwróciły się w jego kierunku, jakby czekając na kolejny. Przy następnych próbach delikatnego potrząsania grzechotką płody pozostawały w stanie biernego czuwania, wykazując już umiejętność kierowania uwagi na bodźce przyjemne i odwracania się od stresujących.

W badaniu zastosowano również silne bodźce świetlne, które – po zbadaniu położenia dzieci – kierowano na linię ich wzroku. Kilka pierwszych błysków powodowało niezbyt gwałtowne odruchy, po których płody zbliżały rękę do twarzy i ust, odwracały się od źródła światła i zamierały w bezruchu, jakby przyzwyczaiły się do ostrego światła i weszły w stan głębokiego snu. Następnie w inne miejsce na brzuchu matki, nad macicą, kierowano światło punktowe. Zauważono, że dzieci kierowały swoją uwagę w jego stronę, jakby koncentrując się na miejscu, z którego ono dochodziło. I znów, tak jak poprzednio, wydaje się, że dzieci chroniły się przed bodźcami silnymi, a zwracały ku delikatnym.

Kiedy jeden z badanych płodów stał się bardzo aktywny i rozdrażniony, mój kolega, dr Barry Lester, położył obie dłonie na brzuchu matki i zaczął kołysać dziecko, które wkrótce się uspokoiło. Jego mama powiedziała wówczas na głos coś, o czym my wszyscy pomyśleliśmy: „Nie wiedziałam, że dzieci są tak mądre na tak wczesnym etapie swojego życia!".

> Gdy opowiadam przyszłym rodzicom o tym badaniu, opisują swoje podobne obserwacje, a gdy potwierdzam ich spostrzeżenia, stają się jeszcze bardziej uważni i dają więcej wiary swoim zmysłom. Pewna matka powiedziała: „Kiedy wybrałam się na koncert Bacha, moja córeczka poruszała się w rytm muzyki, a gdy byłam na koncercie rokowym, tańczyła zupełnie inaczej – wykonywała szalone ruchy. Uświadomiłam sobie, że dziecko w macicy już słyszy, a wam naukowcom zabrało tyle czasu, aby potwierdzić to, co rodzice już dawno wiedzieli".

Dzięki coraz doskonalszej technologii ultradźwięków przyszli rodzice otrzymują coraz bardziej dogłębne obrazy z życia swojego dziecka na długo przed jego urodzeniem. Coś, co kiedyś było czysto medyczną procedurą, teraz umożliwia bardzo osobisty wgląd w przyszłość rodziny. Choć dziecko w dalszym ciągu pozostaje w dużej mierze wielką niewiadomą, tajemniczość i marzenia ustępują już miejsca wczesnej bliskości. Jeszcze przed porodem niektórzy rodzice wypowiadają takie słowa: „Myślę, że ma mój podbródek", „Kiedy widzieliśmy go ostatnim razem, był zwinięty w kłębek i ssał kciuk!". Współczesne albumy rodzinne zawierają już zdjęcia USG dziecka z badań prenatalnych!

Sprzymierzenie sił

Kiedy już uda mi się nawiązać dosyć bliską relację z przyszłymi rodzicami, zadaję im więcej pytań dotyczących historii chorób rodzinnych czy wad wrodzonych. Opowiadając mi o nich, dzielą się swoimi lękami, które prędzej czy później muszą się pojawić. Jeśli w rodzinie istnieje jakiś problem zdrowotny, ciężarna kobieta będzie się obawiała, że jej dziecko go odziedziczy. Jeżeli w rodzinie ojca występuje choroba serca lub jakaś choroba przewlekła, będzie się on zastanawiał, czy u jego dziecka również ujawnią się takie skłonności. Irracjonalne lęki mogą pojawiać się nagle, w snach. Kiedy rodzice opowiadają mi o nich, mogę się stać częścią mechanizmu obronnego, którego używają, aby sobie z nimi poradzić. Znajomość historii rodziny oraz świadomość przejawiania obaw przez rodziców pozwoli mi otwarcie o nich rozmawiać podczas pierwszego badania dziecka.

Rozmowa o nadziejach i lękach, typowych dla wszystkich troskliwych rodziców, oraz identyfikacja mojej roli jako zaangażowanego członka systemu rodzinnego sprawiają, że zawiązuje się między nami ważna relacja. Informuję wówczas rodziców, kiedy i jak mogą się ze mną skontaktować w sprawie rutynowych badań, w nagłych przypadkach i oczywiście w celu przekazania wiadomości o narodzinach dziecka. Lekarz pediatra chciałby być powiadomiony o tym momencie jak najwcześniej, aby móc zbadać noworodka w pierwszych 24 godzinach i cieszyć się nim razem z rodzicami jeszcze przed opuszczeniem przez nich szpitala. Rodzice powinni wiedzieć, jak skontaktować się z lekarzem po jego godzinach pracy czy podczas weekendów oraz do kogo zadzwonić w razie jego nieobecności. Będą też ciekawi, czy lekarz ich dziecka rezerwuje sobie czas w ciągu dnia na konsultacje przypadków niecierpiących zwłoki. Niektórzy lekarze ustalają konsultacje telefoniczne na początku lub pod koniec dnia pracy, podczas których rodzice mogą dzwonić z pilnymi pytaniami. Takie telefony oraz rutynowa wizyta w 2 lub 3 tygodniu po powrocie ze szpitala dają mi możliwość aktywnego uczestniczenia w procesie przystosowywania się rodziców do nowo narodzonego dziecka. Na przykład mogę pomóc młodej stażem mamie w razie pojawienia się problemów z karmieniem piersią czy butelką.

Wizyta u pediatry jeszcze podczas ciąży powinna zbudować pomiędzy dwiema stronami poczucie bliskości i zaufania, które przydadzą się, aby stawić czoła następnemu ważnemu momentowi przełomowemu. Takie spotkanie nie musi trwać długo, jednak jest jednym z najcenniejszych momentów dla każdej nowej rodziny i jej lekarza.

2

Noworodek

Drugie spotkanie, a zarazem kolejny kamień milowy – ekscytujący moment, kiedy mam możliwość uczestniczenia w procesie tworzenia się nowej rodziny – ma miejsce, gdy wraz z rodzicami badam dziecko wkrótce po urodzeniu.

Ocena odruchów noworodka

Badanie dziecka po urodzeniu to już od dawna rutynowa część opieki medycznej. Kilka chwil po wyjściu dziecka na świat ocenia się zabarwienie jego skóry, oddech, szybkość bicia serca, napięcie mięśni i ruchliwość – według skali Apgar.

Dokładniejsze badanie dziecka – ocena jego stanu fizycznego i zachowania – ma miejsce w ciągu pierwszych dni życia, a dokonuje jej pediatra lub neonatolog pracujący

Skala Apgar

Skala Apgar pokazuje zdolność reakcji na stres związany z akcją porodową, porodem i wejściem w nowe środowisko życia. Jako taka nie stanowi prognozy zdrowia dziecka w przyszłości, lecz raczej jest odzwierciedleniem tego, co zaszło podczas porodu. Za każdy z pięciu parametrów przyznaje się po dwa punkty, jeśli ocena jest maksymalna, lub jeden – gdy niższa, co daje odpowiednią liczbę punktów (maksymalnie 10).

w danym szpitalu. Badają oni zdrowie fizyczne dziecka oraz jego reakcje na pożywienie i opiekę. W szpitalach na całym świecie używana jest obecnie Skala Oceny Zachowań Noworodka (*Neonatal Behavioral Assessment Scale*, NBAS).

Skala Brazeltona

Skala Oceny Zachowania Noworodka, tak zwana skala Brazeltona, ma na celu określenie osobowości noworodka. Ocenia ona repertuar jego zachowań w reakcji na ludzkie i inne bodźce. Wpływ stanu świadomości dziecka (głęboki sen, płytki sen, półczuwanie, czuwanie, marudzenie, płacz) na jego reakcje – i *vice versa* – ujawniają jego zdolność przystosowania się do nowego środowiska. Skalę stworzył doktor Brazelton wraz z kilkoma współpracownikami, aby można było ocenić reakcje i odruchy dziecka podczas dwudziestominutowej interakcji. W przeciwieństwie do innych testów ten zakłada aktywny udział noworodka w badaniu, a wynik opiera się na **najlepszych**, nie zaś przeciętnych, osiąganych wynikach. Przez ponad trzydzieści lat skala była udoskonalana. Została zaadaptowana zarówno do oceny wcześniaków i dzieci z małą masą urodzeniową, jak i do pokazania czynników wewnątrzmacicznych mających wpływ na rozwój dziecka.

Najważniejszym celem stosowania skali Brazeltona jest pokazanie rodzicom różnorodnych zachowań dziecka i uwrażliwienie ich na jego umiejętności oraz niezwykłą różnorodność reakcji, które już przejawia. Każdy rodzic martwi się, czy z jego dzieckiem wszystko jest w porządku. Kiedy uda się nam wywołać u malucha zachowanie na najwyższym poziomie jego możliwości, rozwieje to wszelkie obawy. Jak pokazuje wiele badań, podczas tego bogatego w treści, aczkolwiek krótkiego spotkania następuje również pogłębienie więzi nowo powiększonej rodziny. Zachowanie noworodka wydaje się służyć zdobyciu serca rodziców. Silny uchwyt maleńkiej rączki, sposób, w jaki idealnie i słodko noworodek wpasowuje się w naturalne krzywizny szyi i ramion rodziców czy fiksuje wzrok na twarzach opiekunów – wszystko to bardzo silnie przemawia do mamy i taty, którzy są spragnieni bliskości swojego maleństwa i pragną je poznawać.

Najlepiej rozpocząć test NBAS, gdy dziecko śpi, aby najpierw ocenić jego zdolność do pozostawania w stanie głębokiego snu. Staram się przeprowadzać ocenę w każdym z sześciu stanów świadomości. Kiedy dziecko przechodzi z jednego stanu do drugiego, próbuję zauważyć, jak w każdym z nich reaguje na bodźce atrakcyjne i odpychające. Używam następujących bodźców: miękka grzechotka, jasne światło, głośny dzwonek, czerwona piłka oraz ludzki głos i twarz.

Kiedy noworodek jeszcze śpi, badam jego zdolność do reagowania na światło, dźwięk grzechotki i dzwonka, używając każdego z nich kilkakrotnie. Celem tego etapu jest ocena zdolności odcinania się od nieprzyjemnych bodźców. Testuje on umiejętność przystosowania się (mechanizm habituacji), czyli obniżenia progu reagowania przy powtarzalności bodźców. Pomaga mi to dowiedzieć się, czy dziecko będzie umiało ignorować niepotrzebną stymulację ze środowiska. Układ nerwowy niektórych noworodków jest nadwyrężony z powodu stresu przeżytego tuż przed porodem lub w jego trakcie. Te nadwrażliwe dzieci nie mogą odciąć się od bodźców i muszą na nie nieprzerwanie reagować. Konieczne będzie dla nich wyizolowane środowisko, podobne do tego, jakiego potrzebują wcześniaki.

Pierwszy bodziec, jakiego używam, to jasne światło latarki. Świecę nim przez dwie sekundy w zamknięte oczy dziecka. Kiedy po pierwszym gwałtownym odruchu noworodek się uspokaja, powtarzam test drugi i trzeci raz – w sumie dziesięć razy. Kilka pierwszych razów wywoła wzdrygnięcie całym ciałem, łącznie z gwałtownym wyrzuceniem rączek i nóżek, jednak za każdym razem z mniejszym natężeniem. Przy czwartym bodźcu świetlnym nastąpi niewielkie poruszenie lub ruch całkowicie zaniknie. Oddech znów stanie się głęboki i regularny. Twarz złagodnieje, a ciało powróci do zrelaksowanego snu. Dziecko oswoi się ze światłem. Następnie około 25 centymetrów od jego ucha poruszam grzechotką. I znów noworodek nagle się wzdrygnie, być może poruszając przy tym całym ciałem. Drugi dźwięk może wywołać ten sam odruch oraz jęknięcie. Jednak już za trzecim lub czwartym razem reakcja będzie prawdopodobnie łagodniejsza, a ruchu – niewiele. Kolejne dźwięki wywołają jedynie drganie powiek lub grymas na twarzy, które się wyciszą. Wkrótce dziecko przestanie reagować, będzie spało spokojnie, oddychając głęboko. Jeśli jako ostatni zostanie użyty dzwonek, to jego następujące po sobie jednosekundowe dźwięki wywołają jedynie kilka reakcji na początku, po których dziecko wejdzie w głęboki, relaksujący sen. Udowodni w ten sposób swoją zdolność do pozostawania w stanie snu nawet w chaotycznym środowisku. Dziecko, które potrafi w taki sposób się przystosować, posiada własne zasoby wewnętrzne.

Wcześniaki i dzieci narażone na stres

Dzieci urodzone przedwcześnie lub poddane działaniu czynników stresogennych w macicy nie mają zdolności odcinania się od bodźców powtarzalnych. Reagują na każdy dźwięk grzechotki, dzwonka czy jasne światło. Można zaobserwować, że jest to dla nich duże obciążenie. Czoło może się marszczyć, a odcień skóry ulegać zmianie, ponieważ każdy bodziec zwiększa częstość rytmu serca i oddechu. Mogą próbować się uspokoić poprzez naprężanie ciała lub zbliżanie ręki do ust. Jeśli nie poradzą sobie z powtarzalnymi bodźcami przez zaśnięcie, napięcie może się skumulować i przerodzić w płacz lub miotanie się. Płacz może również służyć blokowaniu bodźców, tak czy inaczej jest ogromnym obciążeniem dla kruchego dziecka (zob. też rozdział 33).

Jeśli mam do czynienia z noworodkiem, który nie potrafi odciąć się od bodźców zewnętrznych, informuję o tym rodziców i planujemy obserwację dziecka w celu potwierdzenia jego nadwrażliwości. Jeśli z czasem opanuje ono tę umiejętność, być może początkowa trudność wynikała ze stresu okołoporodowego, którego doświadcza wiele dzieci, lub też była wynikiem działania leków podanych matce podczas akcji porodowej czy porodu. Jeśli nadwrażliwość nie mija, może to oznaczać, że dziecko będzie nadmiernie reagowało podczas asymilacji informacji ze środowiska zewnętrznego. Umiejętność selekcji nieistotnych bodźców jest ważna dla każdego z nas, abyśmy mogli skupić się na tych rzeczach, które mają dla nas znaczenie. Wzmożona aktywność może być sposobem radzenia sobie z obezwładniającą liczbą napływających bodźców.

Rodzice nadwrażliwego dziecka mogą pomóc mu w wypracowaniu skutecznego sposobu selekcjonowania niepotrzebnych informacji. Mogą ograniczyć intensywność bodźców, na przykład przygasić światło w pokoju dziecka, mówić niskim, miękkim głosem oraz ograniczyć bodźce wizualne i dotykowe, zwłaszcza podczas karmienia i zabawy. Zaobserwowaliśmy, że niektóre dzieci tolerują albo wzrok innych na sobie, albo dotyk, albo wzięcie na ręce – ale tylko jedną z tych czynności za jednym razem. Kiedy dojdą do równowagi po doświadczeniu którejś z nich, można dodać następną. Z czasem będzie można połączyć wszystkie naraz, ale w sposób spokojny i wyciszony, z szacunkiem dla obciążonego układu nerwowego dziecka. Jego zachowanie pokaże, kiedy czuje się bombardowane bodźcami. Z odpowiednią dozą cierpliwości rodzice nadwrażliwego dziecka mogą nauczyć je, jak absorbować napływające informacje, dawkując je w krótkich sekwencjach, oraz jak radzić sobie z bodźcami, robiąc przerwy. Rzetelna informacja na temat dziecka uzyskana odpowiednio wcześnie pozwoli rodzicom właściwie reagować. Z czasem ono samo nauczy się dbać o siebie.

Po pierwszym etapie badania zaczynam delikatnie zdejmować ubranka dziecka, obserwując, jak reaguje na to, co się dzieje. Chcę zaobserwować i ocenić, ile czasu potrzebuje na przejście ze stanu snu do przebudzenia, a następnie obserwuję wzorzec wchodzenia w stan półczuwania, marudzenia i pełnego czuwania. Sposób przechodzenia z jednego stanu do drugiego daje nam dużo informacji o stylu działania, czyli temperamencie dziecka. Noworodek, który zmienia stan powoli i potrafi długo utrzymać się w fazie snu czy czuwania, wykazuje wspaniałą zdolność do radzenia sobie w tym świecie. Z kolei gdy dziecko szybko przechodzi z jednego do drugiego, nie umiejąc utrzymać się na dłużej w żadnym, będzie potrzebowało cierpliwej i spokojnej pomocy rodziców, aby nauczyć się panować nad sobą. Będzie to wymagało trochę czasu – rok lub dłużej. Pediatra może pomóc rodzicom rejestrować postępy dziecka i wspomagać ich w tym wymagającym zadaniu. Przytulanie, noszenie na rękach, otulanie, zachęcanie do ssania kciuka lub używanie smoczka mogą pomóc maluchowi nauczyć się sztuki przechodzenia z jednej fazy do drugiej.

Dziecko, które tego nie potrafi, pozostaje na łasce i niełasce swojego rozregulowanego, niedojrzałego układu nerwowego. Niektóre drażliwe noworodki odreagowują

Drażliwy noworodek

Ubocznym skutkiem zażywania przez matkę narkotyków może być okresowe wycofanie się dziecka. Środki znieczulające lub stymulujące poród mogą - po kilku dniach wyciszenia noworodka - wywołać u niego drażliwość. Taki stan może być jednak krótkotrwały i nie odzwierciedlać osobowości dziecka. Chcąc mu pomóc, rodzice powinni zadbać o spokojne otoczenie, chroniąc dziecko przed jasnym światłem, głośnymi dźwiękami i niepotrzebnymi czynnościami związanymi z opieką. Wprawdzie kontakt z drażliwym noworodkiem może być bardzo wymagający dla świeżo upieczonych rodziców, ale nie powinni oni obwiniać siebie za ten stan. Jeśli uświadomią sobie, że jest to tymczasowy skutek niedojrzałego układu nerwowego, mogą pomóc dziecku opanować sztukę stopniowego wyciszania się.

leki zaaplikowane mamie podczas porodu. Jak wspomniałem w rozdziale 1, kobiety, które palą, spożywają alkohol czy narkotyki w trakcie ciąży, mogą urodzić dzieci drażliwe i cierpiące na obniżoną lub nadmierną wrażliwość.

Po rozebraniu dziecka mogę ocenić stan jego odżywienia i nawodnienia. Powinienem zaobserwować właściwy kolor skóry oraz duże zapasy tłuszczu pod miękką, nieco owłosioną skórą. Noworodek, który doświadczył stresu w macicy, może mieć pomarszczoną i łuszczącą się skórę oraz zmartwiony wyraz twarzy. Będzie wyglądał jak utrudzony mały stary człowiek, dla którego pobyt w brzuchu mamy był bardzo męczący. Po odpowiednim napojeniu i nakarmieniu przybędzie na wadze, odłoży trochę tłuszczu pod skórą, wygląd jego skóry się poprawi, a wyciągnięta twarzyczka stanie się pyzata, dziecięca i piękna.

Badanie odruchów noworodka

Kiedy dziecko już się przebudzi, mogę zbadać jego odruchy i wszystkie reakcje w stanie czuwania. Patrząc na leżącego przede mną noworodka, mogę zaobserwować, czy ruchy jego rączek i nóżek są płynne, a także czy odcień skóry nie zmienia się pomimo braku zabezpieczenia przed zimnem. Przeciąganie może skończyć się drganiem nóżek, a rączki mogą złączyć się w nagłym, gwałtownym ruchu. Pocieram stopy dziecka, aby wywołać odruchy. Dotykanie wewnętrznej strony podeszwy powoduje zaciskanie się palców stóp wokół mojego palca. Gdy pocieram zewnętrzną powierzchnię podeszwy, palce rozchylają się – jest to **odruch Babińskiego**. Sprawdzam odruch kolanowy oraz właściwe napięcie mięśni kończyn górnych i dolnych.

Po włożeniu palców wskazujących do obu rączek noworodka można go powoli podciągnąć do pozycji siedzącej. Głowa będzie nieco zostawać w tyle, ale mięśnie

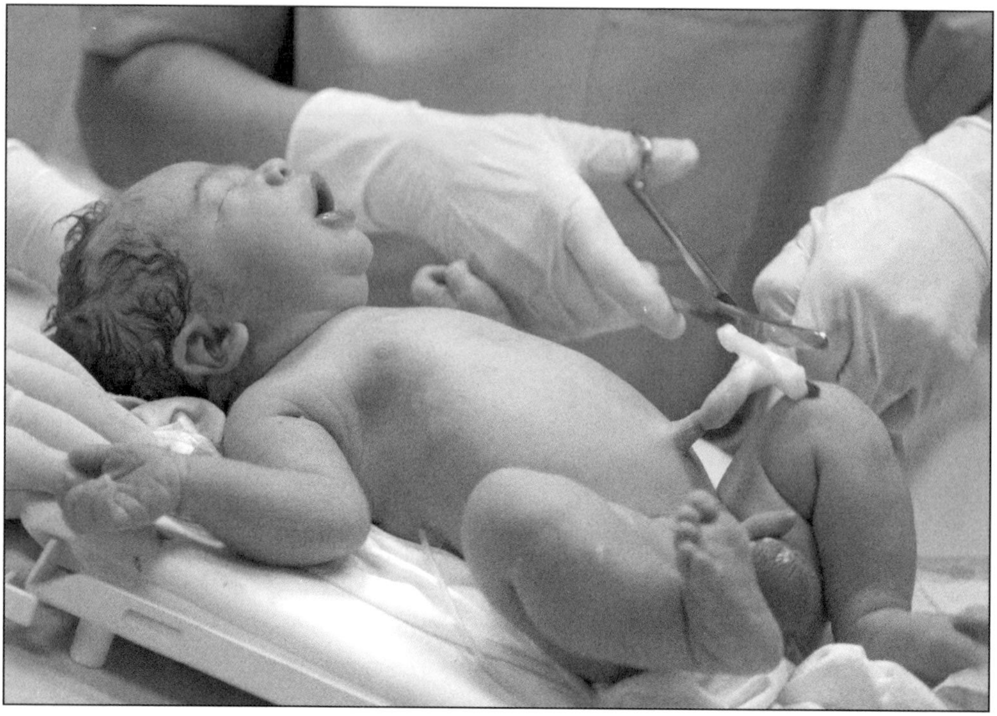

szyi i barków będą próbowały przywieść ją do pionu. W pozycji siedzącej oczy dziecka otworzą się szeroko, jak u lalki, dodatkowo być może maleństwo zacznie się rozglądać dookoła. Rodzice zaniemówią z podziwu. Jeśli główka dziecka nadal będzie zwisać do tyłu, a dziecko tego nie skoryguje, jeszcze raz zbadam napięcie mięśni. Wiem już z badania wcześniejszych odruchów, czy mięśnie dziecka są silne i nieuszkodzone. Po ocenie reakcji mięśni obręczy barkowej podczas podnoszenia do pozycji siedzącej mogę stwierdzić, w jakim stopniu dziecko będzie reagowało na próby zajmowania się nim.

Chcąc wywołać **odruch kroczenia** (podparcia), kładę noworodka na swojej ręce, twarzą w dół, tak aby jego nóżki zdecydowanie dotykały powierzchni łóżka. Dziecko zaczyna poruszać najpierw jedną, a potem drugą nóżką, na zmianę – jakby powoli biegło. Rodzice z radością patrzą na to dokonanie, zdając sobie sprawę z ogromnego potencjału, jaki już teraz kryje się w tej doskonałej małej istocie. Nieważne, co powiedziałbym rodzicom jako lekarz ich dziecka – nic nie jest aż tak wymowne, jak ta bezsłowna prezentacja jego umiejętności.

Noworodek, który ucierpiał wskutek wylewu krwi do mózgu lub zbyt małej ilości tlenu podczas porodu, może nie być w stanie zademonstrować tych wszystkich odruchów. Jaka to ulga dla rodziców, gdy mogą je jednak zobaczyć! Jeżeli dziecko reaguje z opóźnieniem, jest słabe lub zbyt aktywne, będę musiał je zbadać kilka dni później, aby się upewnić, że jego stan się poprawia. Jeśli wówczas odruchy będą normalne, nie powinno to budzić obaw. W początkowym okresie wiele dzieci reaguje z opóźnieniem, gdyż potrzebują więcej czasu, aby dojść do równowagi po stresie związanym z akcją porodową i porodem. Gdy jednak opóźnienie nie mija, należy poszukać przyczyny, którą może być na przykład osłabiony układ nerwowy, i próbować zaradzić problemowi. Trzeba działać szybko. Obecnie wiemy już, że wczesna interwencja w przypadku dziecka reagującego z opóźnieniem czy zdradzającego nieprawidłowości w rozwoju może w ogromnym stopniu wpłynąć na jego postępy. Od najwcześniejszych chwil może ono przyswoić sobie albo wzorzec skutecznego pokonywania trudności, albo wzorzec porażki, co tylko spotęguje problemy. Rodzice, którzy podejrzewają nieprawidłowości w rozwoju swojego dziecka, powinni poddać je dalszym badaniom i rozpocząć program wczesnej interwencji. Nie tylko pomoże to dziecku rozwinąć cały swój potencjał, ale da też rodzicom wsparcie i zrozumienie, dzięki którym staną się aktywnymi uczestnikami w procesie dochodzenia dziecka do równowagi.

Kiedy znów położę noworodka na plecach, zacznie się wiercić i reagować lękliwymi, nagłymi ruchami. Dziecko leżące na brzuchu potrafi się samo wyciszyć, gnieżdżąc się w pościeli. Natomiast na plecach pozostaje na łasce i niełasce odruchowo wyrzucanych w powietrze rączek i nóżek. Właśnie w tej pozycji mogę przetestować ważne **odruchy obronne**. Kiedy położę kawałek tkaniny na oczy i nos dziecka, przytrzymując ją delikatnie palcami po obydwu stronach nosa, niemowlę zacznie się miotać. Chociaż jego drogi oddechowe nie są zablokowane, będzie wyginać się do tyłu, obracając głowę z boku na bok, aby pozbyć się zagrożenia. Podniesie najpierw jedną, potem drugą rękę, machając nimi w okolicy twarzy, by odsunąć szmatkę i ułatwić sobie oddychanie. Dzieci raczej nie uduszą się, chyba że pościel przykryje im szczelnie twarz i zamknie drogi oddechowe. Tylko chore dziecko nie będzie w takiej sytuacji stawiało oporu. Niemniej jednak powinno się unikać zbyt luźnych poszewek i zbyt miękkich poduszek w łóżeczku dziecka oraz używać sztywnych materacy. Ponadto Amerykańska Akademia Pediatrii zaleca kładzenie dziecka do spania na plecach. Powodem jest ryzyko dość rzadko występującej nagłej śmierci łóżeczkowej (*sudden infant death syndrome*, SIDS), która zdarza się częściej, gdy niemowlę śpi na brzuchu. Zespół ten nie jest jeszcze do końca poznaną jednostką chorobową.

Wyginanie główki do tyłu i próby odsunięcia rączkami tkaniny z twarzy są przykładem działania w pełni sprawnego układu nerwowego u donoszonego dziecka. Jeśli noworodek jest pod wpływem leków podanych podczas porodu lub jeśli jest wcześniakiem, jego wszystkie wzorce motoryczne będą znacznie spowolnione. Przy uszkodzeniu mózgu ruchy dziecka będą nieskoordynowane, a nieefektywne próby ich wykonania staną się wskazówkami, że dziecko ma problem. Musimy wtedy intensywnie zabrać się do pracy, aby pomóc mu odrobić straty!

Odruch szukania pojawia się, gdy dotkniemy ust noworodka z prawej lub lewej strony – odwróci się on w danym kierunku, szukając piersi. Kiedy podamy mu do ssania swój palec, możemy wiele powiedzieć na temat koordynacji tej czynności. Będziemy mogli odczuć co najmniej trzy różne mechanizmy **odruchu ssania**: przód języka zacznie chłeptać, dotykając tej części palca, która znajduje się najbliżej ust, tył języka będzie zasysał środkową część palca, a końcówka palca będzie wciągana przez przełyk. U zdrowego i żywotnego dziecka wszystkie trzy mechanizmy szybko zostaną skoordynowane. Z kolei niedojrzały noworodek nie poradzi sobie z tym od razu. Pielęgniarki wiedzą, że takie dziecko może nie być gotowe do karmienia butelką, dlatego muszą podawać mu pokarm przez sondę. W miarę dojrzewania dziecka te trzy konieczne komponenty odruchu ssania zostaną skoordynowane i karmienie butelką czy piersią nie będzie przedstawiało żadnych trudności.

Śpiące dziecko może być niezdolne do koordynacji czynności ssania i trzeba je najpierw obudzić. Następnie należy je ukoić i doprowadzić do stanu wyciszenia i skupienia. Wystarczy patrzeć mu w oczy oraz czule i jednostajnie do niego przemawiać, układając je w ramionach mamy. Bródka noworodka ułożona przy piersi, a nosek skierowany ku brodawce sutkowej to ważne sygnały naprowadzające. Być może maluch sam spróbuje ułożyć swoją górną wargę powyżej sutka i wygodnie go uchwycić: jego dziąsła zawsze powinny obejmować otoczkę, a nie sam sutek, aby nie doszło do jego uszkodzenia. Dziecko powinno spokojnie oddychać i połykać, nie sprawiając mamie bólu. Jeśli jednak matka odczuwa ból lub dziecko nie dostaje mleka, można spróbować lepiej ułożyć je przy piersi, pociągając je lekko za bródkę. Gdy ból jest ogromny, kobieta powinna wsunąć mały palec przy kąciku ust dziecka, aby uwolnić się od jego chwytu, zanim je odstawi, i spróbować ponownie przystawić noworodka do piersi. Zarówno dziecko, jak i matka muszą trochę poćwiczyć, zanim uda im się wypracować właściwą pozycję karmienia.

Jeśli w pierwszych dniach noworodek jest zbyt ospały, aby zacząć ssać, rodzic może najpierw oklepać obszar wokół ust, a następnie podać mu swój palec. Poruszając nim delikatnie w ustach dziecka, wywoła poszczególne mechanizmy ssania, które dziecko po jakimś czasie zacznie koordynować – będzie to znak, że jest gotowe do przystawienia do piersi. Jeśli to nie zadziała, pomocne może się okazać spłaszczenie przez kobietę otoczki brodawki pomiędzy palcami, tak aby sutek wystawał między nimi – sięgnie on wówczas aż do tylnej części gardła dziecka i uruchomi efektywny mechanizm ssania. Konsultanci od laktacji mają w zanadrzu wiele innych pomocnych rozwiązań. Najbardziej skutecznie odruch ssania wywołuje potarcie tylnej części języka. W momencie gdy wszystkie trzy mechanizmy ssania zaczną ze sobą współgrać i wywołają laktację, proces nabierze tempa. Po kilku takich zabiegach dziecko nauczy się radzić sobie samo. Działania te sprawią ponadto, że usta dziecka obejmą otoczkę, a nie tylko brodawkę. Wówczas unikniemy jej pękania i zapobiegniemy kłopotom podczas karmienia.

Etapy karmienia piersią według pediatry Constance Keefer

(1) Ułóż dziecko w pozycji leżącej, równolegle do podłoża, tak aby jego brzuszek stykał się z brzuchem matki. Przysuń delikatnie jego twarz do sutka.
(2) Zaczekaj, aż będzie całkowicie rozbudzone, i poklep lekko jego policzki, aby wywołać reakcję odruchową, dzięki której jak najszerzej otworzy usta.
(3) Pomóż mu objąć nimi otoczkę sutka. Kiedy jego wargi są rozchylone i złożone jak u ryby, dziecko jest gotowe do ssania.

Kiedy odwrócę główkę niemowlęcia na jedną stronę, wywołam **toniczny odruch szyjny** – reakcję podobną do ruchów szermierza, w której ciało dziecka wygina się łukiem w przeciwną stronę niż twarz; ramię, do którego zwraca się główka, prostuje się, drugie zaś zgina przy głowie. Przygięcie po jednej stronie ciała i wyprostowanie po drugiej może pomóc w lateralizacji ruchów w przyszłości, czyli ich zróżnicowaniu, a nie symetryczności. Co ciekawe, odruchy te są przydatne podczas akcji porodowej. Kiedy dziecko odwraca główkę w odpowiedzi na skurcze, daje początek serii ruchów wijących, które wspomagają poród, stymulując macicę. Później, w okresie niemowlęctwa, ten sam odruch będzie pomocny przy sięganiu jedną ręką po zabawkę i równoczesnym trzymaniu drugiej przy sobie. Wykształcenie strony dominującej w celu skoordynowania działania wspomagane jest właśnie przez leżący u podłoża tego procesu toniczny odruch szyjny.

Kolejną zabawką, jakiej używam do oceny stanu noworodka, jest błyszcząca czerwona kulka o średnicy około pięciu centymetrów. Kiedy trzymam ją w odległości 30–40 centymetrów od oczu dziecka, skupi ono na niej wzrok i będzie nim wodziło tam i z powrotem, a czasem nawet w górę, aż do kąta 30 stopni. Oczy będą podążały za kulką nierównym, szarpanym ruchem, a główka będzie się wolno obracać z boku na bok. To dla mnie istotna informacja – dziecko nie tylko widzi, ale także utrzymuje stan uważności i reaguje odpowiednią czynnością motoryczną. Jego twarz się ożywia, a w zadaniu utrzymywania uwagi na bodźcu wizualnym bierze udział całe ciało. Już teraz wzrok jest dla dziecka ważny.

Jeśli następnie w tej samej odległości pokażę dziecku swoją twarz, pojawi się u niego wzmożona czujność i aktywność ruchowa. Będzie podążało za mną wzrokiem, jednak śledzenie ludzkiej twarzy przez noworodka wygląda inaczej niż obserwowanie innych bodźców. Nie tylko jest w tę czynność bardziej zaangażowany, ale również jego twarz staje się aktywna. W przypadku czerwonej kulki lub grzechotki wyraz twarzy dziecka jest statyczny i „zawieszony". Jeśli zaś bodźcem będzie ludzka twarz, jego usta i górna część twarzy zaczną się marszczyć i powoli poruszać, jakby naśladując postrzegany obraz. Niektóre dzieci w takim stanie czujności rzeczywiście imitują to, co widzą. Potrafią nawet otworzyć usta i wystawić język, jeśli ty wystawisz swój. Zostało to udokumentowane przez kilku naukowców, szczególnie przez Andrew Meltzoffa z University of Washington w Seattle. Według niego taka reakcja to pierwszy znak, że zachowanie dziecka może być kształtowane przez ważne osoby w jego otoczeniu.

Kiedy zaczynam łagodnie mówić, zainteresowanie noworodka moją twarzą wzrasta. Niektóre dzieci potrafią podążać za mną wzrokiem w jedną i w drugą stronę, a także w górę i w dół, tracąc zainteresowanie dopiero po kilku powtórzeniach. Podczas obserwacji mojej twarzy usta i twarz noworodka poruszają się w rytm mojego głosu. W tym momencie badania noworodka, jeśli reaguje on na bodźce, a nawet wystawia język, większość rodziców jest w stanie ekstazy. Wiele umiejętności nowo narodzonego dziecka, a szczególnie jego oczywiste preferencje co do ludzkich twarzy i głosu, napełniają rodziców nadzieją.

Występuje tu ważna wzajemna zależność. Rodzice zdają się mieć oczekiwania co do pewnych sposobów zachowania przejawianych przez noworodka. Gdy umiejętności dziecka i jego sposoby komunikowania się zostaną potwierdzone w badaniu, rodzice nabierają większego zaufania do własnych możliwości zrozumienia maleństwa i opieki nad nim. Prace badawcze wykazały, że jeśli rodzice uczestniczą w badaniu noworodka, są dużo bardziej wrażliwi na jego sposoby zachowania w 1 miesiącu życia i w ciągu całego 1 roku.

Oczywiście podczas badania – wcześniej czy później – dziecko staje się niespokojne. Na początku może tylko kwilić, kiedy jednak zostawi się je przez jakiś czas bez ubranka i nie weźmie na ręce, staje się bardziej aktywne. Zaczyna wyrzucać ramionka, wyginać się łukowato do tyłu z grymasem na twarzy oraz płakać. Te lękliwe wyrzuty kończyn to **odruch Moro**. Kiedy noworodek nie ma się czego uchwycić i nie może się do nikogo przytulić, każda kolejna reakcja wywołuje następne. W krótkim czasie dziecko robi się bardzo podenerwowane i stale wymachuje rękami, a płacz przechodzi w ciągły i natarczywy. Rodzice, widząc to, z trudem powstrzymują się przed wzięciem go na ręce. Czują wielką potrzebę, by pomóc dziecku – ja zresztą też. W tym momencie wyjaśniam im, że chciałbym zobaczyć, ile wysiłku trzeba włożyć, aby pomóc dziecku zapanować nad sobą. Chcę je poznać, zarówno kiedy płacze, jak i wtedy, gdy jest spokojne. W ten sposób rodzice i ja uczymy się, jak będzie można mu pomóc w razie potrzeby.

Noworodek może próbować przekręcić głowę na jedną stronę, by włożyć kciuk do buzi, possać go i się uspokoić. Zdecydowane i kojące słowa szeptane do ucha mogą na krótką chwilę zatrzymać jego szaloną aktywność, jednak zaraz potem nastąpi powrót do płaczu, choć już mniej natarczywego. Przytrzymuję obie ręce na klatce piersiowej dziecka, aby ograniczyć lękliwe ruchy. Jeśli zacznę dodatkowo łagodnie przemawiać, najprawdopodobniej się uspokoi. Całe ciałko się rozluźni,

a dziecko może podnieść rękę do twarzy, delikatnie skręcić głowę, włożyć palec do buzi i uważnie wsłuchiwać się w mój głos.

Jeżeli nie uspokoi się na dźwięk głosu i w wyniku ograniczenia ruchów, wezmę je na ręce i zacznę kołysać. Jeśli i to nie zadziała, mogę mu podsunąć jego własny palec lub smoczek do ssania. Na każdym etapie uczymy się, jak można ukoić dziecko i w jakim stopniu ono samo potrafi się wyciszyć.

Trudne zadanie czeka tych rodziców, których dziecko nie potrafi nad sobą zapanować lub nie umie wykorzystać pomocy z zewnątrz. Noworodek, który jest niespokojny i łatwo ulega rozdrażnieniu, może wymagać zawinięcia (ze swobodnymi rękoma blisko ust, tak aby mógł uczyć się je ssać), noszenia lub kołysania. Te manewry pomogą wyciszyć jego lękliwe odruchy, które w przeciwnym razie mogłyby go wyczerpać. Przytrzymanie kończyn i ograniczenie ruchów ułatwi dziecku koncentrację i z czasem pomoże mu nauczyć się samodzielnie wyciszać. Zanim to nastąpi, będzie potrzebowało spokojnego i łagodnego podejścia.

Istnieją także inne ciekawe odruchy niemowlęce, które można próbować obserwować i zrozumieć. Na przykład pogłaskanie policzka lub włożenie palca w dłoń dziecka sprawi, że podniesie ono piąstkę do ust i będzie próbowało włożyć ją do buzi. Jest to **odruch Babkina** albo **dłoniowo-bródkowy**, który później służy noworodkowi do ssania piąstek lub palców. Potarcie wzdłuż kręgosłupa, po prawej lub lewej stronie, podczas gdy dziecko podtrzymywane jest pod brzuszkiem na ręku badającego, każe noworodkowi przykurczyć całe ciało w danym kierunku – jest to odruch pływania, znany również jako **odruch Galanta**. Odziedziczyliśmy go po płazach, naszych ziemno-wodnych przodkach. Może on również służyć noworodkowi do skręcania się w kanale rodnym. W **odruchu pełzania** noworodek umieszczony na brzuchu zgina nogi i zaczyna pełzać, podnosząc głowę ku górze, aby odwrócić ją i oddalić od pościeli. Może też wówczas przywieść dłoń do ust i zacząć ją ssać oraz ułożyć się w wygodnej pozycji.

Uczenie się swojego dziecka

Kiedy dzielę się z rodzicami swoimi obserwacjami dotyczącymi reakcji dziecka na grzechotkę, dzwonek, czerwoną kulkę i na różne formy obchodzenia się z nim podczas badania, opisuję równocześnie stany świadomości, które razem widzimy, i wyjaśniam, co one oznaczają dla sposobu działania dziecka. Szukamy wskazówek mogących rzucić światło na styl radzenia sobie dziecka ze światem zewnętrznym. Rodzice, którzy rozumieją cykl sześciu wspomnianych wcześniej stanów świadomości (głęboki i płytki sen, półczuwanie, czuwanie, marudzenie i płacz) jako próby dziecka wpływania na jego świat wewnętrzny i zewnętrzny, są już w stanie zrozumieć swoje maleństwo. Cykliczność tych stanów w ciągu doby unaoczni im przewidywalne zachowania, których doświadczą w procesie wychowania. Zrozumienie mechanizmów radzenia sobie noworodka w swoim środowisku życia budzi u opiekunów i rodziców szacunek dla jego kompetencji.

Głównym celem rozmów o reakcjach i odruchach dziecka jest zdiagnozowanie jego mocnych i słabych stron, a analiza pewnych wskazówek pozwala nawet przewidzieć jego temperament. Każde dziecko na tylko sobie właściwy sposób reaguje na bodźce ze świata zewnętrznego w zależności od fazy świadomości – czy chce właśnie spać, czy też płacze. Każde daje się ukoić w inny sposób, inaczej reaguje na głód, dyskomfort, zmiany temperatury, przebieranie, przewijanie, przenoszenie oraz inaczej wchodzi w interakcje z opiekunami. Rodzice nie powinni porównywać stylu swojego dziecka z zachowaniem innych dzieci, ale przyglądać się i wsłuchiwać w indywidualne cechy maleństwa. Jak wspomniałem w rozdziale 1, być może zaznaczą się one już przed porodem.

Jeden aspekt świata zewnętrznego, jakiego dziecko już doświadczyło, to głosy jego rodziców. Można to sprawdzić jeszcze w szpitalu. Kiedy noworodek znajduje się w fazie biernego czuwania, biorę go na ręce – główkę podtrzymuję jedną dłonią, a pupę drugą, tak aby dziecko patrzyło w sufit. Kiedy zaczynam łagodnie do niego przemawiać, odwraca się w kierunku głosu, szukając jego źródła, odnajduje moją twarz i usta, a jego buzia się ożywia. Proszę wówczas, aby mama stanęła z drugiej strony i robiąc mi konkurencję, zaczęła łagodnie mówić. Każde dziecko wybiera w takiej sytuacji głos żeński, odwraca się w jego kierunku, odnajduje twarz i rozjaśnia swoją. Każda mama wyciąga wtedy ręce, bierze dziecko, przytula je i mówi często: „Ty mnie już znasz i rozpoznajesz mój głos, prawda?". Ta przewidywalna, ale niezwykle wymowna reakcja pomaga scementować ich więź.

Kiedy przy badaniu obecny jest także ojciec, powtarzam tę procedurę również z nim. W większości przypadków (80%) noworodek odwraca się w kierunku głosu ojca. Jeśli tego nie zrobi, popycham lekko jego główkę w stronę taty. Nie chodzi mi w tym momencie o sprawdzenie dziecka, ale o wzmocnienie więzi między nim a ojcem. Ojcowie robią wówczas dokładnie to, co wcześniej mamy – wyciągają ręce, biorą dziecko i najczęściej mówią: „Ty już mnie znasz!", tak jakby to był cud.

Reakcja niemowlęcia na bodźce

Dorośli próbujący pozyskać uwagę noworodka instynktownie mówią wyższym tonem. Niemowlęta warunkują się na wyższy żeński głos swojej mamy jeszcze w macicy i lepiej reagują w tym zakresie częstotliwości. W każdej modalności sensorycznej dziecko będzie miało swój ulubiony zakres. Powolne i łagodne głaskanie będzie je uspokajać, a szybkie poklepywanie, jak *staccato*, pobudzać, a nawet wystraszać. Podobnie jest z bodźcami wizualnymi. Powolne przesuwanie twarzy sprawi, że niemowlę będzie za nią wodzić wzrokiem, gdy jednak ruch będzie zbyt nagły lub bodziec oddalony o więcej niż 45 centymetrów, dziecko popatrzy rozmytym wzrokiem, nie fiksując go.

Wielu rodziców nie potrzebuje tych wyjaśnień, aby zrozumieć niezwykłą złożoność swojego dziecka. Niemniej jednak spojrzenie na dziecko razem z profesjonalistą stanowi dobrą okazję do zadania wielu pytań i podzielenia się swoimi obawami. Kiedy więc badam niemowlę w obecności rodziców, mam dwa zasadnicze cele. Jeden to uwrażliwić ich na zadziwiający wachlarz umiejętności, w które wyposażony jest noworodek. Wiem, że spojrzą wówczas na jego zachowanie w nowy sposób i docenią każdy przejaw jego komunikacji z nimi. Przygotuje to rodziców do naszej przyszłej współpracy w procesie monitorowania i wspierania rozwoju dziecka. Drugi cel to uwrażliwić ich na moje zainteresowanie ich obserwacjami i reakcjami na dziecko. Jeśli zaakceptują mnie jako aktywnego obserwatora i uczestnika ich wspólnego rozwoju, wówczas zmniejszy się potrzeba budowania mechanizmów obronnych. Podczas przyszłych spotkań będą chętnie opowiadać mi o postępach dziecka. Dzięki temu krótkiemu pierwszemu spotkaniu i obserwowaniu, jak dziecko przyjmuje napływające informacje, odcina się od niektórych i zaczyna sobie radzić ze światem zewnętrznym, znajdujemy wspólny język, prawdziwe porozumienie umożliwiające budowanie naszej przyszłej relacji. Później rodzice dzwonią do mnie i mówią: „Czy pamięta pan, co powiedział o moim dziecku tego pierwszego dnia? Ono teraz tak właśnie się zachowuje! Dzwonię, bo wiem, że to pana zainteresuje".

Pewna matka po trzydziestu latach od naszych pediatrycznych konsultacji stanęła przed grupą tysiąca pięciuset innych rodziców i powiedziała, że nigdy nie zapomni tej pierwszej wizyty, podczas której naprawdę zauważyłem jej dziecko i bawiłem się z nim. Przewidziałem wówczas, że ponieważ jej dwudniowe maleństwo było bardzo zdecydowane, z pewnością jako dwulatek będzie krnąbrne – i (niespodzianka!) rzeczywiście tak było. Po wielu, wielu latach ciągle miała w pamięci fakt, że ktoś był jej sprzymierzeńcem w procesie rozumienia jej dziecka.

3

Początkujący rodzice

Nie tylko noworodek staje twarzą w twarz z nowym światem – życie jego mamy i taty także się zmienia. Lekarze i pielęgniarki w końcu zrozumieli, że rodzice również potrzebują „matkowania", tak samo jak ich dziecko. Początkujący mama i tato dokonali największego z możliwych aktów przystosowania się: wzięli na siebie nowe zadanie, za które będą odpowiedzialni przez mniej więcej osiemnaście lat.

> Jeden z najbardziej znanych pediatrów i psychoanalityków Donald W. Winnicott napisał: „I oto trzymasz w ręku kartę, na którą postawiłeś wszystko. Co z nią zrobisz? Pozwól, aby inni troszczyli się o cały świat, a ty skup się na tworzeniu jednego z jego członków. Ciesz się tym czasem zwrócenia do środka, niemal zakochania w sobie samym – przecież dziecko jest niemalże częścią ciebie".

Razem z tym zachwytem pojawi się niepokój. Wszyscy rodzice, którym naprawdę zależy na dziecku, będą mieć wiele obaw. Służą one ważnemu celowi: zbieraniu sił do wypełniania nowych zobowiązań. Pomagają otwierać się na dziecko oraz na innych, którzy mogą służyć pomocą.

Kiedy jednak niepokój obezwładnia, może utrudniać poznawanie dziecka, co więcej – prowadzić do depresji. Przygnębieni rodzice są nieobecni dla dziecka i nie będą w stanie reagować na komunikaty płynące z jego strony. Prawie wszystkie kobiety doświadczają chwil załamania w pierwszych kilku dniach po porodzie. Wykonały ogromną pracę i musiały stanąć twardo na ziemi po pierwszej euforii. Rolą wspierającego profesjonalisty jest rozróżnienie naturalnego stanu przygnębienia od głębszej depresji. Pierwszy z nich pozwoli nowej mamie zwolnić tempo i dojść do równowagi po trudach porodu – jest powszechnym i normalnym mechanizmem adaptacyjnym. Ten drugi, znany jako **depresja poporodowa**, dotyka przeciętnie jedną na dziesięć kobiet i wymaga leczenia. Na szczęście istnieje wiele skutecznych sposobów radzenia sobie z nim. Niektóre objawy depresji poporodowej – trudności ze spaniem, słaby lub nadmierny apetyt, wyczerpanie i drażliwość – łatwo pomylić z oczywistym zmęczeniem w pierwszych tygodniach po porodzie. Bardziej charakterystyczne będzie częste uczucie smutku, zniechęcenie, niepohamowana złość na dziecko oraz poczucie braku wartości i kompetencji, które – w połączeniu z mniej typowymi objawami – trwają dwa tygodnie lub dłużej. Członkowie rodziny mogą rozpoznać problem, zanim uświadomi go sobie kobieta. Jeśli istnieje obawa, że mamy do czynienia z depresją poporodową, należy jak najszybciej skontaktować się z lekarzem i poprosić o skierowanie do odpowiedniego specjalisty zdrowia psychicznego.

Na japońskim archipelagu Gotô, gdzie przez kilka lat prowadziliśmy badania, mama nowo narodzonego dziecka przez miesiąc po porodzie pozostaje w łóżku okryta kołdrą. Dziecko leży zawinięte obok niej. Przez cały ten czas babcie, ciotki i inni krewni przychodzą, aby się nią opiekować, karmić i pomagać w higienie osobistej. Zadaniem kobiety jest jedynie karmienie dziecka i dochodzenie do równowagi. Opiekunowie, zwracając się do niej, używają języka typowego dla rozmów z niemowlętami. Ona, odpowiadając, mówi wysokim głosem. Przez miesiąc pozostaje dla swoich opiekunów dzieckiem. W tamtejszej kulturze dochodzenie do równowagi po porodzie traktowane jest jako normalne – może dzięki temu depresja poporodowa występuje rzadziej niż u nas.

W Stanach Zjednoczonych wprost przeciwnie – oczekuje się, że nowa mama szybko zabierze się za wypełnianie nowych obowiązków, jak zaprawiony w bojach rodzic. Ma nawiązać więź z dzieckiem jeszcze w sali porodowej, zanim sama dojdzie do siebie. Tymczasem powinna mieć wybór i sama zdecydować, czy chce od razu mieć dziecko przy sobie, czy chce odpocząć po porodzie bez dziecka, czy może potrzymać je przez chwilę, a potem mieć czas na regenerację sił. Coraz częściej zauważa się rolę ojca w tym pierwszym bliskim, cennym kontakcie z dzieckiem, jednak on także potrzebuje szacunku dla swojej indywidualnej decyzji, a nie nacisku i przymusu.

W dzisiejszych czasach pobyt w szpitalu po porodzie nie wystarcza nawet na dojście do równowagi fizycznej. Po cięciu cesarskim kobieta otrzymuje tylko cztery dni opieki szpitalnej. Zwykły poród siłami natury bez komplikacji oznacza najwyżej 48 godzin pobytu na oddziale[12]. Tak wczesne wyjście do domu zawiera ukryty

[12] W Polsce przeważnie kobiety przebywają w szpitalu 3 dni po porodzie naturalnym bez komplikacji, a po cięciu cesarskim 4–5 dni (przyp. red.).

komunikat, że nowa mama powinna poradzić sobie sama ze swoim stanem fizycznym, a także z budowaniem więzi z dzieckiem niezależnie od tego, czy ma wsparcie z zewnątrz[13].

Ponieważ w dzisiejszych czasach świeżo upieczeni rodzice nie zawsze mogą polegać na własnych rodzicach lub dalszej rodzinie, tak jak miało to miejsce we wcześniejszych pokoleniach, może się okazać, że jedynym wsparciem dla kobiety będzie jej mąż. Samotna matka bez wsparcia rodziny będzie musiała poprosić o profesjonalną pomoc – jeśli takowa jest dostępna, a kobieta może sobie na nią pozwolić. Jednak ojciec dziecka musi sam nauczyć się swojej nowej roli. Jeśli podejdzie do niej z całą powagą i będzie gotowy przystosować się do nowej sytuacji dla dobra dziecka, może uda mu się bardziej zaangażować w proces wychowania niż wcześniejszym pokoleniom mężczyzn. Wiąże się to z ogromną odpowiedzialnością. Ojcowie, którzy doświadczali ograniczonej opieki ze strony swoich ojców, co było powszechne, mogą być owładnięci lękiem. Lekarz

[13] W 1996 roku Kongres Stanów Zjednoczonych zareagował na presję ze strony systemu opieki zorganizowanej, aby skrócić pobyt szpitalny po porodzie, i podpisał ustawę o ochronie zdrowia noworodka i matki. Ustawa ta zabrania agencjom ubezpieczeniowym ograniczania świadczeń za pobyt szpitalny krótszy niż 48 godzin w przypadku porodu naturalnego i krótszy niż 96 godzin w przypadku cesarskiego cięcia. Niekiedy jednak potrzeba o wiele więcej czasu, aby medycznie zadbać o matkę i dziecko, nie mówiąc o samym procesie psychicznego przystosowywania się kobiety do tego przełomowego wydarzenia na tyle, aby być gotową do wypisu ze szpitala.

profesjonalista, który zdaje sobie z tego sprawę, może stanowić wówczas główne źródło wsparcia. Ja próbuję nawiązać z każdym ojcem nić porozumienia jeszcze w szpitalu, a potem w ciągu pierwszego tygodnia pobytu w domu po porodzie.

Tworzenie więzi

Pediatrzy Marshall Klaus i John Kennell jako pierwsi opisali zjawisko tworzenia się więzi między rodzicami a nowo narodzonym dzieckiem oraz podkreślili wagę pierwszych kilku dni w tym procesie. Zauważyli również, że we współczesnych szpitalach zaniedbuje się potrzeby rodziców w tym względzie. Według tych autorów sposobem na zacieśnienie więzi z dzieckiem jest pozwolenie, aby każde z rodziców jeszcze w sali porodowej miało możliwość dotknięcia go i potrzymania oraz komunikacji słownej z noworodkiem. Dziecko powinno być umieszczone na piersi mamy, tak aby nagie przylgnęło do jej skóry, a następnie mogło possać pierś. W badaniach ojciec także miał potrzymać i obejrzeć dziecko. Obecnie zachęca się mężczyzn, aby przytulili noworodka do swojej nagiej skóry. Badania Klausa i Kennella podkreślały, że tych kilka chwil po porodzie może być wyjątkowo ważnym czasem zarówno dlatego, że daje rodzicom możliwość uzewnętrznienia tęsknoty za dzieckiem kumulowanej podczas ciąży, jak i dlatego, że pozwala na zrodzenie się przywiązania do rzeczywistego dziecka. Późniejsze badania tych samych autorów oraz Phyllis Klaus pokazały, że obecność douli – wspierającej kobiety, która pomaga w trakcie akcji porodowej i porodu – może znacznie skrócić ich czas i zmniejszyć komplikacje okołoporodowe. Takie ciągłe wsparcie pozwala rodzicom na przeżycie tego czasu najlepiej jak tylko to możliwe oraz przygotowanie się do opieki nad dzieckiem i stworzenia z nim więzi (zob. Klaus, Kennell i Klaus, 1996; 2012).

Niektórzy położnicy wyciągnęli jednak zbyt dosłowne wnioski z tych badań. Wielu posunęło się nawet do umieszczenia na zamkniętych drzwiach sali poporodowej napisu: „Nie przeszkadzać – trwa proces budowania więzi". Taka interpretacja nie bierze pod uwagę różnic indywidualnych i kulturowych ani długotrwałej natury procesu tworzenia się przywiązania. Nakłada też ogromny, niepotrzebny ciężar na rodziców, którzy mogą poczuć, że ponieśli porażkę w procesie, który tak naprawdę jeszcze nie miał szansy się rozpocząć. Prowadząc badania w różnych częściach świata, odkryłem, że nie wszystkie kobiety chcą mieć dziecko przy sobie zaraz po porodzie. Niektóre potrzebują przerwy, aby odzyskać siły po ogromnym wysiłku. Dopiero wtedy są gotowe na spotkanie z dzieckiem. Dlatego sceptycznie podchodzę do każdej rutyny i natychmiastowego umieszczania dziecka przy matce w celu stworzenia więzi. Lubię dawać rodzicom wybór, a także szansę nabrania sił, wzbudzenia w sobie pragnienia spotkania ze swoim nowo narodzonym dzieckiem i zatęsknienia za nim.

Jeśli rodzice są przytłoczeni nową sytuacją, osoba wspierająca powinna im stale towarzyszyć w procesie poznawania dziecka. Ważne, aby wszystko działo się tak, jak życzą sobie tego rodzice. Należy respektować decyzje każdego z nich, jeśli to pierwsze spotkanie z nowym członkiem rodziny ma przebiec możliwie najbardziej optymalnie dla wszystkich.

Sytuacje, w których stan noworodka wymaga natychmiastowego umieszczenia go na oddziale intensywnej terapii i uniemożliwia powitanie go przez rodziców od razu, pokazują, że tworzenie więzi to długi proces, nie zaś jeden magiczny moment. Przywiązanie, które tworzy się zaraz po urodzeniu, może być porównane do zakochania się – utrzymanie tego stanu wymaga czasu i ogromnego wysiłku. Kiedy pierwsze spotkanie musi być odłożone na później, i tak możliwe jest stworzenie silnej więzi. Ważne jest, aby przyszli rodzice oraz osoby, które towarzyszą im podczas porodu, pamiętali nie tylko o tym, że każda rodzina ma własny rytm, ale też o tym, że stworzenie silnej i trwałej więzi to jej główny cel.

Odkrywanie dziecka

Kiedy badam noworodka i dzielę się z rodzicami swoimi spostrzeżeniami, poznajemy dziecko razem. Lubię im wówczas przypomnieć, o jakim dziecku marzyli i co przewidywali podczas naszego spotkania prenatalnego. Ponieważ teraz, po porodzie, próbują dopasować to wyobrażenie do rzeczywistości, dobrze zrobi nam wszystkim uświadomienie sobie tego procesu. Jeśli na przykład w swoich marzeniach widzieli dziecko spokojne i delikatne, a mają przed sobą energiczne, impulsywne i trudne do uspokojenia, czeka ich dużo pracy. Gdy uświadomią sobie istnienie tych różnic, będzie im o wiele łatwiej przystosować się do nich. Uczucie zawodu może ustąpić miejsca wyzwaniu zrozumienia swojego dziecka. Rozmowa o tym, co czują, pozwoli rodzicom postrzegać mnie jako sprzymierzeńca.

„Ma twój nos", „Ma oczy mojego ojca", „Jej głos brzmi dokładnie tak jak cioci Haliny, gdy się złości" – takie komentarze to próba oswojenia się z dzieckiem i nadania mu jakiejś tożsamości. Psychiatra Bertrand Cramer w naszej wspólnej książce pisze o tym, jak rodzice muszą pogodzić rzeczywisty obraz dziecka ze swoimi wyobrażeniami, które reprezentują ważne doświadczenia z ich przeszłości (Brazelton i Cramer, 1991). Przyklejanie etykietek i charakteryzowanie dziecka to część procesu poznawania małego nieznajomego. Na wzór reżyserów teatralnych rodzice nadają dziecku różne role – „mała królewna", „płaczek", „on zawojuje świat", „aniołek" – i sięgają do historii swojej rodziny, aby je zrozumieć. Gdy dziecko nie wpasowuje się w żadne schematy, adaptacja będzie dla nich dużo trudniejsza i mogą potrzebować pomocy.

Badanie dziecka

Kiedy rodzice badają swoje nowo narodzone dziecko, początkowo ostrożnie, a potem bardzo szczegółowo, każdy drobiazg przyciąga ich uwagę. Często martwią się o kształt głowy, która może być trochę spiczasta i guzowata. Głowa musi zmienić swój kształt na czas porodu. Może się wydłużyć i zmniejszyć średnicę nawet o 2,5 centymetra. Jednak w ciągu dwóch lub trzech dni po porodzie z powrotem stanie się owalna. Nie wpływa to niekorzystnie na mózg. Jedyny guz, który może utrzymywać się nieco dłużej, to duży, miękki, wypełniony krwią obrzęk (*cephalohematoma*) po jednej lub drugiej stronie głowy, który wchłonie się w ciągu 3–4 miesięcy. Nawet ten rodzaj obrzęku nie jest oznaką urazu mózgu, który jest amortyzowany. Miękki punkt na szczycie głowy, zwany **ciemiączkiem**, pozwala na modelowanie czaszki w czasie porodu. Jeżeli dochodzi do uderzenia głowy, czaszka przejmuje je na siebie, jak amortyzator. To ważne zabezpieczenie.

Siniaki

Siniaki u noworodka nie są równoznaczne z urazem. Jeżeli jedna strona twarzy opada i nie rusza się, gdy noworodek marszczy twarz, może to być wynikiem porażenia nerwu twarzowego, co zdarza się niekiedy po użyciu kleszczy w czasie porodu[14]. Stan ten ma charakter przemijający i zazwyczaj ustępuje po kilku tygodniach. Siniaki i obrzęk również szybko znikają.

Oczy noworodka mogą być obrzęknięte lub podrażnione przez krople bądź maści oczne z antybiotykiem, które są stosowane w wielu szpitalach w celu zapobiegania rzadko występującym infekcjom. Dodatkowo w wielu placówkach stosuje się witaminę K, podawaną domięśniowo w pośladek, aby zapobiec krwawieniom w ciągu pierwszych trzech miesięcy życia, gdy układ krzepnięcia nie jest jeszcze w pełni dojrzały, a odpowiednie ilości witaminy K mogą nie być przyswajane z innych źródeł. W ciągu pierwszej doby podawany jest również zastrzyk, aby zapobiec zakażeniu wątroby typu B. Biedne maleństwo. Nowy świat nie jest wcale taki przyjazny. Noworodek potrzebuje od swoich debiutujących rodziców troskliwej rekompensaty wszystkich tych urazów.

Rodzice są zazwyczaj przygnębieni tymi procedurami, jak również wkłuciami wykonywanymi w celu przeprowadzenia testów przesiewowych w poszukiwaniu różnych chorób. Testy te wydają się okrutnym atakiem na małą, delikatną piętę

[14] Kleszcze i/lub próżniociąg używane są podczas około 10–15% porodów odbywających się siłami natury.

noworodka, ale są niezbędne. Pięta cudownie się wygoi. Testy te pozwalają wykluczyć żółtaczkę, jak również wiele wrodzonych zaburzeń, wśród nich niedoczynność tarczycy i fenyloketonurię (PKU) – defekt metaboliczny, w którego wyniku dochodzi do uszkodzenia mózgu noworodka, jeżeli nie rozpocznie się jak najwcześniej leczenia. W Stanach Zjednoczonych, podobnie jak w Polsce, badanie przesiewowe w kierunku obu tych chorób jest obowiązkowe. W chorobach tarczycy również możliwe jest leczenie, ale należy rozpocząć je odpowiednio wcześnie. Pobieranie krwi z pięty noworodka celem wykrycia tych i innych – genetycznych lub wrodzonych – chorób jest ważnym postępowaniem zapobiegawczym, chociaż tylko u bardzo niewielkiej liczby noworodków test jest pozytywny. Przed wypisem ze szpitala wykonywane jest również obowiązkowe przesiewowe badanie słuchu.

W 2 lub 3 dobie skóra wielu noworodków staje się delikatnie zażółcona. Około 50–60% zdrowych noworodków i 80% wcześniaków ma niewielką żółtaczkę w czasie pierwszego tygodnia życia, szczególnie pomiędzy 3 a 5 dobą. Ten rodzaj żółtaczki fizjologicznej może być wywołany przez rozpad płodowych komórek krwi po porodzie. Wynikiem tego jest powstanie zwiększonej ilości bilirubiny, która w niedojrzałej wątrobie noworodka jest bardzo powoli metabolizowana. Kiedy osiągnie pewien poziom we krwi, substancja ta nadaje skórze żółtawy odcień. Tak powstała żółtaczka, z poziomem bilirubiny poniżej typowych wartości granicznych (12,7 do 12,9 mg/dl), znika około 10 doby i nie powinna być powodem do niepokoju.

Ważnym zadaniem dla świeżo upieczonych rodziców jest nauczenie się rozpoznawania różnych rodzajów płaczu noworodka. Łzy są na ogół zawsze interpretowane jako wołanie o pomoc. Rodzice automatycznie czują, że muszą jakoś zareagować i znaleźć przyczynę. Potrzeba nieco czasu, aby nauczyć się odczytywać, co się naprawdę dzieje. Płacz może komunikować sześć różnych stanów: ból, głód, dyskomfort, zmęczenie, nudę lub uwalnianie napięcia. Jeśli pojawi się podczas badania dziecka, próbuję go opisać – jego ton, jakość, czas trwania i intensywność. Pomagam również rodzicom zaobserwować jakiekolwiek próby samodzielnego uspokojenia się przez dziecko – później można wykorzystać te spostrzeżenia, aby nauczyć się reagować na łzy.

Co mówią badania?

Jak pokazują badania, rodzice są w stanie odróżnić płacz swojego dziecka od płaczu innych dzieci już w ciągu pierwszych trzech dni po porodzie. Około 10–14 dnia rozpoznają różne rodzaje płaczu. Umiejętność ta może pojawić się wcześniej, jeśli znawca podpowie im, jak ją rozwinąć. Zamiast desperacko wyciszać każdy płacz, rodzice powinni nauczyć się rozróżniać jego rodzaje, aby pomóc dziecku w samodzielnym wyciszeniu i zapanować nad sytuacją.

Kiedy rodzice zaczną rozpoznawać różne rodzaje płaczu, a także zauważać próby samodzielnego wyciszenia się ze strony dziecka, będą w stanie lepiej zrozumieć swoją rolę.

Każda rodzina powinna wypracować własny schemat zmiany pieluszek, karmienia, odbijania po jedzeniu, noszenia dziecka, kołysania czy czułego gaworzenia z nim. Z czasem rodzice nauczą się skutecznych działań i rozpoznawania, kiedy pozwolić dziecku samemu się uspokoić i wyciszyć. Uczenie się rodzicielstwa to długi proces. Wszyscy popełniamy błędy. Od samego początku staram się bardzo wyraźnie podkreślać, że wejście w nową rolę polega na uczeniu się na własnych błędach. Dają one o wiele więcej niż sukcesy.

Opieka wczesnoniemowlęca

Karmienie

Istnieją dwa rodzaje ssania:

- nieodżywiające, którego niemowlę używa do samouspokojenia i zapanowania nad sobą;
- odżywiające, służące do pobierania pokarmu.

Różnice między nimi można wyczuć, umieszczając czysty palec w ustach dziecka. W pierwszym rodzaju ssania wykorzystywana jest przednia część języka i przypomina ono czynność lizania. W drugim sposobie ssania koniec języka zaczyna chłeptać, jego tylna część zasysa palec, a tylna ściana gardła mocno go pociąga. Wszystkie trzy komponenty zaczynają się niezależnie od siebie, a potem dochodzi do ich skoordynowania w efektywną aktywność ssania. Rodzice mogą sami sprawdzić te różnice. Kiedy niemowlę wykorzystuje pierwszy rodzaj ssania, może pozostawać w stanie czuwania i nasłuchiwać. To dobry moment, aby do niego mówić i bawić się z nim, urozmaicając w ten sposób jego rozkład dnia, który powinien składać się nie tylko ze spania i karmienia.

Młodzi rodzice często pytają mnie: „Skąd będziemy wiedzieli, że dziecko jest już najedzone?". Niemowlę zaczyna jedzenie od krótkiego okresu ciągłego ssania. Bardzo szybko przechodzi do schematu ssanie – przerwa. Po kilku łykach mleka nastąpi pauza: ssanie – ssanie – ssanie – przerwa. Razem z psychologiem Kennethem Kayem badaliśmy te przerwy, aby zrozumieć ich znaczenie, ponieważ byliśmy świadomi, że w ich trakcie niemowlęta zwykle rozglądają się wkoło i nasłuchują. Podczas przerwy matka najczęściej lekko potrząsa dzieckiem, a następnie patrzy na nie, aby nakłonić je ponownie do karmienia, albo mówiąc do niego, dotyka jego policzków. W trakcie połowy przerw reaguje na dziecko, a pozostałe przerwy pozostają niezauważone. Zapytaliśmy matki, dlaczego potrząsają dzieckiem, dotykają go i mówią do niego. Na ogół odpowiadały: „Po to, by wróciło do karmienia. Zdawało się bujać w obłokach i zapominać o jedzeniu, a chciałam, by najadło się do syta". Z naszych obserwacji wynikało, że pauzy bez reakcji mamy były znacznie krótsze aniżeli te, podczas których zwracała się ona do dziecka. Innymi słowy, dziecko przedłużało przerwy po to, by wychwycić bodźce społeczne. Zwracam rodzicom uwagę na ten schemat reakcji ssanie – przerwa po to, by podkreślić znaczenie zabawy i rozmowy z dzieckiem podczas karmienia.

Kiedy rozmawiamy o okazjach do zabawy, zaznaczam, iż zmiana pieluch czy kąpiel również mogą służyć komunikacji. Podczas przewijania rodzice często nie mogą powstrzymać się od mówienia do dziecka czy całowania jego brzuszka. To doskonały pretekst do zabawy! Wiele niemowląt nie lubi rozbierania do kąpieli. Rodzice mogą wówczas po rozebraniu zawinąć je w pieluszkę z materiału, aby poczuło się bezpiecznie, a następnie włożyć je do ciepłej wody, podtrzymując jedną ręką głowę. W wanience można zdjąć pieluchę. Niemowlę zwiększy aktywność, ale dzięki zanurzeniu w ciepłej wodzie nie będzie rozdrażnione. Podczas gdy ono przebiera w wodzie rączkami i nóżkami, rodzice mogą do niego mówić i aktywnie się z nim bawić. Niedoświadczeni rodzice potrzebują czasami przyzwolenia, aby poczuć się wystarczająco swobodnie i bawić się z dzieckiem, a także zachęty, by dostrzec, że zabawa z dzieckiem jest dla niego równie ważna jak inne, bardziej poważne formy opieki.

Porady dotyczące płaczu

Płacz jest ostatecznym sygnałem. Obserwujcie te wcześniejsze: niemowlę, które jest gotowe na karmienie, będzie w stanie czuwania i zacznie przejawiać większą aktywność ruchową aniżeli w innych momentach albo zacznie poruszać ustami i szukać – kierować nos do klatki piersiowej bądź poruszać głową tak, jakby szukało piersi lub butelki. Przede wszystkim zawsze trzeba je nakarmić, kiedy płacze. Na podstawie reakcji dziecka na wasze próby nakarmienia go nauczycie się, jaki rodzaj płaczu oznacza głód, a jaki wskazuje na inne przyczyny. Jeżeli dziecko jest naprawdę głodne, trudno tego nie rozpoznać. Będzie grymasić i się wiercić, dopóki nie zostanie nakarmione. Kiedy wrócicie do domu ze szpitala, zwracajcie uwagę na sygnały ze strony dziecka i karmcie je, kiedy uznacie, że tego potrzebuje. Obudźcie je po 4 godzinach i spróbujcie nakarmić, jeżeli samo nie zrobi tego wcześniej. W ten sposób zaczniecie wypracowywać schemat. W czasie pierwszych 2 do 4 dni dojdziecie do co najmniej 8–9 karmień w ciągu doby. W kolejnym tygodniu lub dwóch będziecie w stanie lepiej rozpoznawać sygnały wysyłane przez dziecko i możecie zacząć zachęcać je, by poczekało chwilę na następne karmienie. W ciągu 2 do 3 tygodni odstępy między karmieniami będą wynosić 2 lub 3 godziny, a liczba karmień powinna ustalić się na co najmniej 6 na dobę. Jeżeli niemowlę jest karmione piersią, w ciągu pierwszych kilku miesięcy będzie spędzać przy każdej piersi 10–15 minut co 2–3 godziny.

„Skąd będziemy wiedzieli, kiedy trzeba je nakarmić?” – rodzice się zastanawiają, czy trzymać się schematu, czy też wyłącznie podążać za sygnałami głodu ze strony dziecka. W ramce „Porady dotyczące płaczu” znajdziesz moje sugestie.

Matki, które karmią piersią, zawsze się zastanawiają, czy niemowlę wypija wystarczającą ilość mleka. Jeżeli dziecko po karmieniu wygląda na zadowolone, jest to najważniejszy objaw. Czy potrafi poczekać kilka godzin na kolejne karmienie? Mocz niemowlęcia powinien być przejrzysty albo jasnożółty – nie ciemny. Czy oddaje ono mocz kilka razy na dobę: jedna mokra pielucha co 8 godzin w drugiej dobie życia, 4–6 mokrych pieluch w dobie trzeciej i czwartej oraz 6–8 pieluch na dobę w kolejnych dniach? Ponadto w ciągu pierwszych 10–14 dni noworodek powinien osiągnąć swoją pierwotną masę urodzeniową. W pierwszych kilku dniach, w oczekiwaniu na napływ pokarmu u matki, wszystkie dzieci gubią około 10–15% swojego ciężaru urodzeniowego, niekiedy nawet 500 gramów. Zdarza się, że pokarm napływa dopiero w czwartej lub piątej dobie. W tym czasie dziecko jest chronione przez własne zasoby dodatkowej tkanki, którą zgromadziło pod koniec ciąży. Siara (*colostrum*) wyprzedzająca pojawienie się pokarmu w piersiach o około dwa do czterech dni jest bardzo wartościowa, bogata w białka i przeciwciała potrzebne w walce z infekcjami.

Początkowe wypróżnienia niemowlęcia często wyglądają niepokojąco. Są czarne i lepkie, przez co nazywane są smółką. Składają się one z produktów rozpadu komórek gromadzonych i połykanych przez 9 miesięcy w macicy. W trzecim dniu stolce zmieniają barwę na zielonkawą i stają się śluzowate. Czwartego lub piątego dnia mogą zmienić się w żółte i papkowate. Jest to pierwszy objaw potwierdzający, że dziecko przyswaja mleko. Wypróżnienia mogą pojawić się u noworodka po każdym karmieniu lub tylko raz na dobę, ale najczęściej występują kilka razy dziennie. U noworodka karmionego piersią stolce pozbawione są nieprzyjemnego zapachu. Najczęściej mają kolor jaskrawożółty lub zielony (więcej na temat karmienia naturalnego i sztucznego zob. Woolf i in., 2001; oraz rozdział 22).

Dławienie się i ulewanie

Kiedy niemowlę ulewa lub się krztusi, może to wywołać niepokój u rodziców. Noworodkowi bardzo trudno jest się zadławić, ponieważ ma sprawne odruchy zabezpieczające drożność dróg oddechowych. Jeżeli dziecko jest w stanie oddychać i kaszle, próbując samo oczyścić drogi oddechowe, nie interweniuj, lecz obserwuj, jak sobie z tym radzi. Jeżeli jego drogi oddechowe są całkowicie zablokowane, będzie potrzebowało pomocy, aby przerwać dławienie. Jeśli bezskutecznie próbuje złapać powietrze, nie udaje mu się oddychać, nie może wydać jakiegokolwiek dźwięku, oczyścić dróg oddechowych krztuszeniem czy kaszlem, a także sinieje, natychmiast wezwij pogotowie – numer alarmowy 112 lub 999 – bądź poproś, aby zrobił to ktoś inny.

Następnie, przytrzymując ostrożnie głowę, szyję i szczękę dziecka, przekręć malucha ku dołowi i połóż brzuszkiem na swoim przedramieniu. Głowa powinna być poniżej poziomu ciała. Nasadą swojej dłoni zdecydowanym ruchem uderz do pięciu razy między łopatkami dziecka. Jeżeli ten manewr nie oczyści tchawicy, umożliwiając oddychanie, delikatnie odwróć dziecko na plecy, podtrzymując głowę i szyję dłonią, a plecy ramieniem, tak aby głowa pozostawała poniżej poziomu ciała. Następnie połóż dwa lub trzy palce na środku klatki piersiowej dziecka, tuż poniżej poziomu brodawek sutkowych (ale nie na samym końcu mostka) i pięciokrotnie naciśnij klatkę piersiową. Jeżeli dziecko nadal nie może oddychać, kontynuuj wykonywanie pięciu uderzeń między łopatkami naprzemiennie z pięcioma uciskami klatki piersiowej. Jeżeli dziecko nie podejmuje oddechu i traci przytomność, zadzwoń ponownie po pogotowie. Cały czas jednak pozostań przy dziecku i dokładnie sprawdzaj, czy oddycha. Jeżeli potrzeba, stosuj ratunkowe zabiegi oddechowe, a następnie spróbuj wykonać dodatkowe czynności, aby oczyścić jego drogi oddechowe.

Uwaga

Wszyscy rodzice powinni mieć zestaw pierwszej pomocy (opisany w Woolf i in., 2001), który zawiera dodatkowe ważne informacje na temat postępowania w przypadku dławienia się niemowlęcia. W każdym telefonie powinny być też zapisane numery alarmowe. W razie nagłego wypadku nie będziecie musieli się zastanawiać, tylko od razu działać.

Jeżeli niemowlę ulewa po każdym karmieniu, dzieje się tak prawdopodobnie dlatego, że je zbyt szybko. Jeżeli przełknięcie jest słyszalne, oznacza to, że dziecko połyka powietrze. Po takim karmieniu, zanim weźmiesz je na ręce, aby odbiło połknięte powietrze, ułóż je delikatnie z podparciem pod kątem 30 stopni na 20 minut, umożliwiając opadnięcie mleka dzięki sile grawitacji oraz podejście połkniętego powietrza do góry. Gdy następnie podniesiesz niemowlę, powietrze zostanie wypuszczone bez pociągania za sobą mleka.

Nic nie przynosi większej satysfakcji rodzicom niż głośne i dźwięczne odbicie po karmieniu. Aby do niego doszło, ułóż dziecko pionowo na swoim ramieniu. Poklepuj je delikatnie po plecach, kołysząc i nucąc mu piosenkę. Jeżeli nie połyka dużych ilości powietrza, nie musi odbijać za każdym razem. Jeśli jednak ma tendencję do głośnego przełykania, będzie też miało skłonności do odbijania. Każdemu głośnemu przełknięciu towarzyszy przemieszczenie powietrza w dół. Jednak nawet gdy je przeoczymy, gazy nie wyrządzą dziecku żadnej krzywdy, tym bardziej że może je wydalić również „drugą stroną”. Nie jest prawdopodobne, aby wywołały ból brzucha. Jeżeli przez pięć lub dziesięć minut nie udało się wywołać u dziecka odbicia, połóż je na plecach pod kątem 30 stopni – wtedy prawdopodobnie powietrze wyjdzie samoistnie.

Dla niedoświadczonego rodzica pierwsze czkawki są równoznaczne z kataklizmem. Spokojnie. Prędzej czy później miną. Zawsze można podać dziecku coś do picia

– mleko z piersi, wodę lub wodę z cukrem z butelki (jedna łyżeczka cukru na szklankę wody). Niezależnie od sposobu czkawka minie. Może być ona przejawem nadmiernego pobudzenia, więc nie wzmacniaj go dodatkowo swoim działaniem.

Mimo że zawsze staram się nie przedstawiać rodzicom kategorycznych reguł, jest jedno pytanie, na które daję zdecydowaną odpowiedź. Gdy rodzice pytają, czy można pozostawić niemowlę podczas karmienia samo z podpartą butelką, moja odpowiedź jest **zdecydowanie negatywna**. Każde dziecko zasługuje na to, aby być trzymane podczas karmienia. Komunikacja w takich chwilach jest tak samo ważna jak pokarm.

Sen

Na szczęście dla rodziców noworodek spędza większość swojego życia w stanie snu. Od 1992 roku Amerykańska Akademia Pediatrii zaleca, aby niemowlęta były układane do snu na plecach. W uzasadnieniu podaje, że spanie na brzuchu zwiększa ryzyko zespołu nagłej śmierci łóżeczkowej (SIDS). Nagły zgon z niewyjaśnionej przyczyny u niemowlęcia w 1 roku życia występuje rzadko, aktualnie z częstością poniżej jednego na tysiąc urodzeń, co po części tłumaczy się sukcesem kampanii Back-to-Sleep (Zaśnij na plecach). Nadal jednak jest to główny powód zgonów niemowląt między 1 a 12 miesiącem życia w Stanach Zjednoczonych. Przyczyny wciąż nie są do końca znane, choć istnieją dowody na to, że ryzyko SIDS jest wyższe u dzieci tych matek, które paliły papierosy w ciąży, lub gdy niemowlę ma kontakt z dymem tytoniowym po urodzeniu. Luźna pościel, poduszki i zapadnięte, zbyt miękkie materace, które mogą przydusić dziecko lub odciąć dopływ świeżego powietrza, również mogą tu odgrywać istotną rolę. Zwiększone ryzyko SIDS występuje w grupie wcześniaków i noworodków z małą masą urodzeniową ciała. Częstość występowania SIDS jest największa w 2 i 3 miesiącu życia. Kładzenie niemowlęcia do spania na plecach może być trudne, ale rodzic jest w stanie znaleźć mu wygodną pozycję „zwiniętą w kłębek", tak by mogło ono ułożyć się z rączką w ustach. Niemowlę aktywne, które jest niespokojne, można szczelnie owinąć od pasa w dół.

Czy używać smoczka?

Niektóre dzieci zdecydowanie potrzebują smoczka, aby się wyciszyć, gdyż nie potrafią lub nie chcą znaleźć swojego kciuka. Przewaga kciuka polega na tym, że jest zawsze „pod ręką". Małe niemowlę może go używać, kiedy tylko ma na to ochotę. Większość dzieci potrzebuje pewnego rytuału samouspokojenia. Jeżeli są aktywne lub łatwo się pobudzają, z pewnością przyda im się sposób na uspokojenie i wyciszenie. Zawsze z ulgą patrzę na dziecko, które potrafi samo się pocieszyć. Rodzicom będzie wówczas dużo łatwiej.

Ważne jest, aby mama i tato nauczyli się rozpoznawać objawy nadmiernego pobudzenia: dziecko może mieć rozmyty wzrok, zwiotczałe ramiona i ręce, może marszczyć twarz lub odwracać wzrok. Objawem stresu mogą też być ulewania i wypróżnienia. Pojawią się one niespodziewanie, podobnie jak kwilenie lub piskliwy płacz. Takie reakcje wskazują na to, że dziecko potrzebuje czasu, aby dojść do równowagi i zapanować nad sobą. Jeżeli rodzice za bardzo starają się mu pomóc, mogą w jeszcze większym stopniu obciążyć jego układ nerwowy. Kiedy już spróbowali wszystkiego i nic nie działa, może trzeba się wycofać i tylko obserwować. Samo zachowanie dziecka zawiera wskazówki, jakie są jego potrzeby.

Dziecko nauczycielem

Uczenie się nowej roli rodzica polega na wyciąganiu wniosków z sukcesów i porażek. Powtarzam rodzicom, aby pozwalali dziecku samemu ocenić, czy to, co robią, jest właściwe, czy też nie. Jeśli jest, jego twarz stanie się spokojna i zadowolona, ciałko zrelaksowane, a reakcje spójne i przewidywalne. Kiedy coś będzie nie tak, dziecko zasygnalizuje to chaotycznością i brakiem kontaktu. Zacznie odwracać główkę, kręcić się na wszystkie strony i trudno będzie je uspokoić. Odcień skóry zmieni się na bardzo czerwony lub lekko siny. Kończyny będą sztywne, płacz może być przeszywający i bez oddechu. Rodzic może czuć się zagubiony, więc powinien wypróbować każdy ze sposobów po kolei, jak najspokojniej, łącznie z pozostawieniem dziecka w spokoju i pozwoleniem mu na samodzielne dojście do równowagi. W ciągu zadziwiająco krótkiego czasu rodzice nauczą się znaczenia konkretnych zachowań. Odkryją też, że sami czują się coraz bardziej kompetentni i mniej nieporadni w opiece nad dzieckiem.

Niektóre mamy mówią do mnie: „Szkoda, że nie mogę zostać jeszcze w szpitalu – wiem, że moje dziecko jest tutaj bezpieczne". Wiele z nich tak myśli. Pomyślmy jednak o tych wszystkich kobietach, które przez całe wieki radziły sobie bez szpitala. Zapewniam każdą nową mamę, że nauczy się, co robić, a pomoże jej w tym jej własne dziecko. Pielęgniarka i lekarz również mogą się przydać, jednak najlepszym nauczycielem będzie noworodek, którego specjalny język komunikacji – zachowanie – można obserwować i na nim polegać.

Opieka nad wcześniakiem

Gdy dziecko rodzi się przed czasem lub z cechami stresu w wyniku niedożywienia wewnątrzmacicznego, każdy rodzic czuje się za to odpowiedzialny. Matkom się wydaje, że mogły zrobić coś inaczej. Czy jest to racjonalne, czy też nie, matka ma poczucie, że mogła zaszkodzić dziecku. Zaniepokojony ojciec może czuć się winny na swój sposób lub nawet obwiniać żonę. Z tak rozumianego poczucia odpowiedzialności rodzi się depresja. Rodzice mogą odczuwać złość i bezsilność: „Dlaczego ja? Co mogłam zrobić inaczej?". Racjonalne odpowiedzi nie pomagają – tego typu odczucia są zbyt głębokie.

Poród skrajnie niedojrzałego wcześniaka bądź noworodka z grupy ryzyka lub w jakikolwiek sposób upośledzonego wywołuje trzy przewidywalne reakcje obronne:

- **zaprzeczanie** – rodzice mogą zaprzeczać, że problem ma dla nich znaczenie, jednocześnie jednak czują, że ten mechanizm obronny jest bardzo kruchy. Zaprzeczanie prowadzi do zniekształcenia rzeczywistości w taki czy inny sposób, przedstawiając sytuację przesadnie optymistycznie lub zbyt ponuro. Takie nastawienie pomaga rodzicom funkcjonować, ale w ostateczności wymaga skorygowania. Bez realnej oceny sytuacji nie są oni w stanie uświadomić sobie, czego muszą się nauczyć, aby poradzić sobie z problemem, i w jaki sposób mogą pomóc swojemu zagrożonemu dziecku;
- **projekcja** – rodzice mogą być przekonani, że ktoś popełnił błąd, i wyobrażają sobie, iż ta osoba spowodowała problem albo w jakiś sposób pogorszyła sytuację. Lekarze, pielęgniarki lub inne osoby odpowiedzialne stają się ofiarami tej linii obrony. Ich działanie jest podejrzane, a relacje z nimi – zagrożone;
- **obojętność** – rodzice mogą odsunąć się od dziecka, które jest zagrożone, nie dlatego, że im nie zależy, ale ponieważ zaangażowanie jest zbyt bolesne i wywołuje poczucie bezradności (zob. rozdział 33).

Owe reakcje i mechanizmy, wynikające z ogromnego bólu, są naturalne i pełnią swoiste funkcje przystosowawcze. Muszą zostać zaakceptowane. Ci, którym zależy na rodzicach i ich dziecku, powinni wiedzieć, że są one niezbędne i nie muszą być destruktywne, jeżeli się je zrozumie. Troskliwy lekarz może je postrzegać jako próby podejmowane przez rodziców, by odzyskać siły i zbudować relację z dzieckiem, które nie pasuje do ich wymarzonego obrazu.

Po porodzie nie tylko rodzice, ale wszystkie noworodki przechodzą okres rekonwalescencji. Te urodzone przedwcześnie lub z cechami stresu wewnątrzmacicznego będą zachowywały się w sposób odzwierciedlający ich fizyczną kruchość. Ponieważ ich układ autonomiczny (oddychania i krążenia) adaptuje się po szoku przedwczesnego przejęcia swoich funkcji, a układ nerwowy dojrzewa poza ochronnym środowiskiem macicy, dzieci te będą szczególnie wrażliwe na bodźce słuchowe, wzrokowe i dotykowe. Każdy dotyk, hałas lub nawet zmiana oświetlenia będą widoczne w zmianie koloru skóry, sposobu oddychania i pracy serca. Niedojrzałość odzwierciedli się w motoryce pod postacią obniżonego napięcia mięśniowego i małej aktywności spontanicznej lub nieskoordynowanych, gwałtownych ruchów, pojawiających się w sposób nieprzewidywalny po jakiejkolwiek stymulacji. Ruchy te destabilizują delikatny układ nerwowy dziecka. Kontrola stanów świadomości takiego noworodka jest słaba i chociaż próbuje on spać, aby uniknąć przytłaczającej liczby bodźców, w ciągu krótkiego czasu może wielokrotnie i na krótko przechodzić ze stanu snu w okresy czuwania. W stanie czuwania płacz przeważa nad spokojną świadomością, a dziecko nie toleruje wzroku, głosu ani dotyku opiekunów. Niekiedy jego reakcje są wyłącznie negatywne. Dla przestraszonych rodziców, którzy są spragnieni kontaktu, takie zachowanie dziecka jest niepokojące – martwią się, czy nie jest zaburzone i czy powróci do zdrowia. Wszystko to sprawia, że jest im jeszcze trudniej zacząć tworzyć więź z dzieckiem.

W miarę jak dziecko powraca do zdrowia, rodzicom potrzebne jest profesjonalne wsparcie. Jeżeli mogą przebywać z dzieckiem na oddziale intensywnej terapii noworodka, z upływem czasu nauczą się, jak się nim opiekować, i będą gotowi do samodzielnej opieki po wypisie ze szpitala. Lekarze i pielęgniarki mogą udzielać im pomocy, prezentując zachowania i reakcje dziecka. Będzie ono tolerować tylko stonowane bodźce. Możemy je wziąć na ręce, kołysać lub patrzeć na nie, ale musimy wykonywać tylko jedną z tych czynności naraz, i to bardzo ostrożnie. Jeżeli będziemy respektować ten niski próg wrażliwości noworodka, będzie on mógł stopniowo przyswajać coraz więcej.

Z upływem czasu układ ruchowy, autonomiczny oraz biorytmy i skupianie uwagi będą coraz bardziej stabilne. Kiedy wrażliwość się zmniejszy, dziecko równocześnie skupi uwagę na bodźcach wzrokowych i słuchowych, ale nadal będą one musiały być stonowane i krótkotrwałe. Kiedy zacznie skupiać wzrok na czerwonej piłce albo na twarzach swoich rodziców bądź odwracać głowę w stronę ich głosu lub dźwięku grzechotki, będzie można zauważyć, jakim wyzwaniem są owe bodźce dla jego układu nerwowego. Ruchy dziecka staną się bardziej gwałtowne, a kończyny wiotkie. Może też odwrócić się od głosu i grzechotki, a nie w ich stronę. Wzrok będzie rozmyty, mięśnie twarzy zwiotczałe, skóra blada, a oddech przyspieszony. Czkawka, ziewanie, ulewania lub wypróżnienia również mogą być objawem stresu i przeciążenia. Rodzice powinni nauczyć się rozumieć te objawy, aby nie reagować zbyt przesadnie.

Uwzględniając kruchość układu nerwowego takich dzieci, na naszym oddziale dla wcześniaków zmniejszyliśmy liczbę bodźców. Heidi Als, psycholog, która zapoczątkowała system opieki rozwojowej wcześniaków na oddziałach intensywnej terapii noworodka, zredukowała natężenie światła i dźwięku oraz zachęcała do bardziej delikatnego obchodzenia się z pacjentami na niektórych oddziałach, zarówno w Stanach Zjednoczonych, jak i w innych krajach. W wyniku tych działań niedojrzałe, wątłe noworodki zaczęły się lepiej rozwijać. Szybciej wracały do zdrowia, przybierały na wadze, potrzebowały mniej tlenu i krócej przebywały w inkubatorze. Ponadto były wypisywane do domu wcześniej, w lepszym stanie zdrowia i rzadziej wymagały ponownej hospitalizacji. Doktor Als wykazała również, że zwrócenie uwagi na te specyficzne potrzeby pomogło zapobiec (lub zmniejszyło stopień ich nasilenia) krwawieniom dokomorowym – poważnemu, zbyt często występującemu urazowi mózgu u wcześniaków, który może prowadzić do długofalowych problemów w rozwoju poznawczym. Niestety nadal na wielu oddziałach intensywnej terapii noworodka nie respektuje się zasad opieki rozwojowej. Kiedy rodzice zostają włączeni w proces starannego przekształcania oddziału intensywnej terapii noworodka w „drugą macicę" dla dziecka urodzonego zbyt wcześnie, są wówczas w stanie respektować jego indywidualne potrzeby po wypisie ze szpitala. Ci, którzy podtrzymują stonowaną atmosferę w domu, pomagają mu lepiej się rozwijać.

Kiedy wcześniaki lub noworodki z małą masą urodzeniową (określane jako noworodki SGA lub noworodki z wewnątrzmacicznym zahamowaniem rozwoju) dojrzewają, czas trwania poszczególnych stanów świadomości się wydłuża. Potrafią nie tylko dłużej skupić uwagę, ale również ssać i jeść bardziej efektywnie. Okresy zajmowania się nimi i czas zabawy stają się coraz dłuższe. Jednakże osiągnięcie poziomu rozwoju noworodka donoszonego może zająć więcej czasu niż oczekują rodzice. Jeżeli ciągle porównują oni postępy w rozwoju swojego dziecka z noworodkiem donoszonym, skazują się na coraz większy niepokój i zniechęcenie. Jeśli jednak potrafią uważnie podejść do indywidualnego wzorca zachowania swojego dziecka, mogą się skupić na właściwych celach. Kiedy wspólnie z rodzicami dokonuję oceny takich dzieci za pomocą Skali Oceny Zachowań Noworodka, oczywiste stają się poszczególne umiejętności dotyczące widzenia, słyszenia i skupiania uwagi – podobnie jak ich słabe strony. Dzięki temu można w przystępny sposób wyjaśnić rodzicom potrzebę szczególnej opieki lub wczesnej interwencji.

Noworodek z deficytem w zakresie poszczególnych modalności zmysłowych może odnieść korzyść z bardzo wczesnych programów wyrównawczych, ucząc się zastępować upośledzone zmysły innymi, unikając jednocześnie nadmiernej stymulacji. Na przykład dzieci niewidome są nadwrażliwe na dotyk i dźwięk, więc opiekun powinien mówić ciszej oraz dotykać ich delikatniej i wolniej. Mogą one nauczyć się wykorzystywać wskazówki płynące z bodźców słuchowych i dotykowych w celu kompensowania ślepoty, pod warunkiem że będą one przekazywane w ich własnym tempie, zgodnie z ich możliwościami percepcyjnymi. Jeżeli przedstawiane są niemowlęciu stopniowo, jako spokojne, powolne i nienatrętne bodźce, możliwa jest obserwacja jego zachowania w celu wyodrębnienia, które i kiedy może ono wykorzystać. Rodzice dziecka z jakimkolwiek upośledzeniem lub opóźnieniem rozwojowym zasługują na to, aby mieć do dyspozycji wykwalifikowany personel, który pomoże im zidentyfikować pozytywne reakcje dziecka, pokaże, jak pomóc mu nauczyć się panowania nad sobą, i zwróci uwagę na objawy świadczące o jego przeciążeniu (zob. rozdział 17).

Na przestrzeni wielu lat byłem pod wrażeniem niezwykłych zdolności regeneracyjnych dzieci po takim wstrząsie, jakim jest wcześniactwo, i mogę być optymistą, kiedy współpracuję z rodzicami takiego dziecka. Niewykorzystane szlaki nerwowe w mózgu są często angażowane po to, by zastąpić te zagrożone, a komórki nerwowe mogą tworzyć nowe połączenia, aby pominąć te zniszczone. Zdolność regeneracji bardzo młodego mózgu jest przedmiotem należnego zainteresowania.

Są dwie pułapki, których rodzice mogą nauczyć się unikać w procesie adaptacji do swojego kruchego i wrażliwego noworodka. Przede wszystkim niepokój i rozczarowanie mogą prowadzić do nadopiekuńczości. Nawet najbardziej delikatne i poddane wielu stresom dziecko może osiągnąć więcej, ucząc się pokonywać każdy etap rozwoju samodzielnie. Trudno zrezygnować z nadmiernej troski, nawet gdy dziecko od dawna nie potrzebuje już specjalnej ochrony. Ofiarowanie mu przestrzeni i czasu, by mogło się samodzielnie uczyć każdego kroku, jest trudne, ale opłacalne, gdyż owocuje rozwojem poczucia autonomii i samodzielności.

O drugiej pułapce była mowa już wcześniej. Wszyscy rodzice porównują swoje dziecko do innych, ale rodzice tych opóźnionych na starcie częściej niż inni będą wypatrywać wyrównania poziomów. Mówią mi: „Kiedy ono nadrobi różnice i dogoni inne niemowlęta w jego wieku? Jaki jest jego wiek rozwojowy? Tak bardzo się boję, że będzie opóźnione. Kiedy kolejne etapy rozwoju nie pojawiają się we właściwym czasie, boję się, że jego mózg jest uszkodzony". Te troski są szczerym odzwierciedleniem lęku, który jest nieodłączny w procesie adaptacji rodziców do opóźnionego lub upośledzonego dziecka.

Indywidualne reakcje noworodka i jego własny temperament są najlepszym antidotum na te niepokoje. Podczas każdej wizyty rodzice powinni prosić lekarza o opis postępów dziecka i jego rozwoju. Nawet jeśli odejmie się miesiące związane z wcześniactwem i tygodnie pobytu w szpitalu, każdy nowy krok w rozwoju może zająć dwa razy więcej czasu, ponieważ aż tyle potrzebuje niedojrzały układ nerwowy, aby się zintegrować i osiągnąć dany etap. Na przykład faza marudzenia pod koniec dnia może zacząć się u takiego dziecka w późniejszym okresie i trwać dłużej. Podobnie z opóźnieniem pojawią się uśmiech i wokalizowanie. Jeśli rodzice wiedzą, że tak może się zdarzyć, nie pozwolą, aby niepokój przeszkadzał im w ich zadaniu niesienia pomocy dziecku w dochodzeniu do równowagi. Cierpliwość, optymistyczne i pełne wrażliwości nastawienie oraz uważne obserwowanie objawów świadczących o tym, że dziecko zaczyna sobie radzić – takie są cele. Są one trudne do osiągnięcia, dlatego rodzicom należy się wszelka profesjonalna pomoc, jaka jest tylko dostępna. Przedstawiony w każdym rozdziale pierwszej części tej książki wiek dziecka musi być skorygowany w stosunku do wcześniaka czy dziecka z opóźnieniem rozwojowym i w żadnym wypadku nie może być interpretowany jako kryterium uniwersalne (zob. rozdział 33).

4

Drugi – trzeci tydzień

Kiedy rodzice przychodzą na wizytę po 2–3 tygodniach, najprawdopodobniej są w stanie dużego wyczerpania. Okołoporodowy pobyt w szpitalu jest zwykle zbyt krótki, dlatego pierwsza wizyta u pediatry powinna mieć miejsce, zanim dziecko skończy 3 tygodnie. Dodatkowo idealnie byłoby zaplanować wizytę domową w pierwszych dziesięciu dniach, aby się upewnić, czy nie występują problemy z odwodnieniem i nadmiernym poziomem bilirubiny oraz czy leki okołoporodowe przestały już oddziaływać na dziecko, a matka nie cierpi na depresję poporodową. Wszystkie te objawy nie będą jeszcze widoczne podczas pobytu w szpitalu, a nie powinno się zwlekać z ich identyfikacją do 2–3 tygodnia życia dziecka. Wcześniejsza wizyta domowa może też stanowić doskonałą okazję do udzielenia pomocy w razie jakichkolwiek trudności z karmieniem, na przykład można sprawdzić, czy dziecko właściwie chwyta pierś podczas jedzenia. Życzyłbym sobie, aby pediatrzy, pielęgniarki i inni profesjonaliści, którzy będą badać dziecko w pierwszych dniach po porodzie, byli przeszkoleni w stosowaniu Skali Oceny Zachowania Noworodka. Niska punktacja będzie oznaczała konieczność spojrzenia na dziecko pod kątem typowych problemów tego okresu życia, a reakcje matki na noworodka pozwolą zdiagnozować u niej obecność lub brak depresji poporodowej. Będzie to jeszcze jedna okazja, aby podzielić się z rodzicami spostrzeżeniami na temat zachowania dziecka oraz podkreślić jego potencjał i indywidualność. Mama i tato poczują się uszanowani, a troska, której doświadczą, pozwoli zacieśnić relacje z tymi, którzy ją okazują.

Amerykańska Akademia Pediatrii zaleca, aby wszystkie dzieci karmione piersią zostały zbadane przez pediatrę lub innego specjalistę pomiędzy 3 a 5 dniem po porodzie, a następnie pomiędzy 2 a 3 tygodniem życia, celem upewnienia się, że nie ma żadnego zagrożenia zdrowia, oraz udzielenia wsparcia i pomocy potrzebnych matce, by karmienie było korzystne dla niej i dla dziecka. W wielu krajach standardowo stosuje się praktykę wizyt domowych w tym okresie po porodzie jako formę opieki prewencyjnej[15].

Młodzi rodzice potrzebują komfortu i rozumiejącego słuchacza, aby dobrze wejść w tę nową dla nich, czasami przytłaczającą, rolę. Kiedy pojawiają się w gabinecie 2–3 tygodnie po porodzie, niekiedy towarzyszą im dziadkowie, inni krewni lub niania. Zwracam wówczas uwagę na to, kto trzyma dziecko. Jeśli któreś z dziadków lub niania, zastanawiam się, jak bardzo świeżo upieczeni rodzice polegają na bardziej doświadczonych opiekunach i w jakim stopniu do tej pory sami opiekowali się dzieckiem. Dopytuję również o istniejący system wspierania młodych rodziców.

Dla wielu kobiet wizyta ta przypada w okresie typowego przygnębienia po porodzie. Mogą nagle wybuchnąć płaczem bez żadnego oczywistego powodu lub zacząć opowiadać o swoich niepokojach czy bezsenności. Takie objawy występują aż u 80% mam, ale na szczęście nastrój ten nie trwa długo – znika po około 10 dniach i nie zostawia żadnych śladów. Spowolnione funkcjonowanie i wrażliwość mogą być rezultatem powracania do równowagi fizycznej i hormonalnej po trudach porodu. Jednak mogą również wynikać z uczenia się nowej, wymagającej roli życiowej. Matka, która doświadcza obniżenia nastroju, bardzo stara się wejść w swoją nową rolę. Często wygląda jakby dopiero wstała z łóżka, podczas gdy jej dziecko jest starannie ubrane w delikatne, odświętne ubranka i zawinięte w śliczny becik. Młoda mama zwykle mocno trzyma dziecko, jakby się bała, że się potknie i upuści swoje cenne zawiniątko. Jeśli stan przygnębienia nie mija po 2 tygodniach, a kobieta nadal ma poczucie, że się nie nadaje lub że nie jest w stanie pokochać swojego dziecka ani otoczyć go opieką, wówczas należy skierować ją do specjalisty w dziedzinie zdrowia psychicznego, aby zdiagnozował ją w kierunku depresji poporodowej.

Gdy do gabinetu przychodzą oboje rodzice, ojciec zwykle pozostaje z tyłu, ale bardzo blisko kobiety. Pomaga jej zdjąć okrycie wierzchnie, a potem proponuje przejęcie dziecka, podczas gdy ona sadowi się wygodnie na krześle. Jeśli kobieta zgadza się na chwilowe rozstanie z maleństwem, ojciec patrzy na nie z nadzieją, że się obudzi i zerknie na niego. Ze sposobu, w jaki obchodzi się z dzieckiem, mogę wywnioskować, w jakim stopniu uczestniczył do tej pory w opiece nad nim. Mamy, które za

---

15 W Polsce domowa wizyta położnej środowiskowej (zwana patronażem) zwyczajowo odbywa się w pierwszych trzech tygodniach życia dziecka (przyp. red.).

żadne skarby nie dopuszczają ojca do codziennej opieki, wolą siedzieć niewygodnie niż przekazać dziecko ojcu. Każdy gest nowych rodziców ujawnia, w którym miejscu procesu przystosowywania się do nowych ról obecnie się znajdują.

Podczas rozmowy mama po każdym zdaniu spogląda na dziecko, które trzyma na kolanach. Kiedy maleństwo się poruszy, ona najprawdopodobniej popatrzy na mnie z niepokojem, jakby chciała spytać: „No i co ja mam teraz robić?". Gdy dziecko zapłacze, tato najczęściej natychmiast wstaje, aby pomóc. Obydwoje będą próbować uspokoić dziecko, zmieniając pozycję trzymania, dając mu smoczek – jeśli zdecydowali się go używać – przy tym patrząc na mnie błagalnie, jakby prosząc o pomoc. Ostatnią deską ratunku jest próba karmienia piersią. Czasem muszę zasugerować to rozwiązanie. Choć w obecnych czasach kobiety mają mniej oporów, niż kiedy zaczynałem praktykę, nowa sytuacja bycia w gabinecie i pod czujnym okiem lekarza może być dla nich nieco krępująca. Jednak gdy dziecko będzie już przy piersi, mama poczuje ulgę. Niektórzy ojcowie przejmują grymaszące dziecko i próbują je uspokoić, dając wytchnienie kobiecie i okazując tym samym swoje zaangażowanie w opiekę.

Nauczyłem się oczekiwać takiego niepewnego i dosyć dziecinnego zachowania rodziców podczas wizyty w gabinecie. Jednak nie traktuję go jako oznaki niekompetencji, a raczej jako wyraz gotowości rodziców do zaakceptowania mnie w roli wspierającego „dziadka" i zrezygnowania z mechanizmów obronnych. Wszyscy nowi rodzice potrzebują kogoś, kto odpowiedziałby na ich pytania i niepokoje. Jestem wdzięczny za okazane mi zaufanie i próbuję okazać to głosem i słowami.

Przez pierwsze 3 tygodnie rodzice włożyli ogromny wysiłek w przystosowanie się do nowej sytuacji. Prawdopodobnie wykonali wiele telefonów do lekarza lub pielęgniarki środowiskowej. Choć być może zaczynają powoli mieć poczucie, że znów przejmują kontrolę nad swoim życiem, to jednak przystosowanie, którego ciągle muszą dokonywać, jest wyczerpujące zarówno pod względem fizycznym, jak i emocjonalnym. Często jest tak, że im większe uniesienia zaraz po narodzinach, tym głębszy dołek po powrocie do domu. Rzeczywistość wzięcia na siebie odpowiedzialności budzi lęk u troskliwych rodziców. Przygnębienie poporodowe można postrzegać jako sposób na oszczędzanie energii. Zawsze zachęcam rodziców, aby na wszelkie możliwe sposoby oszczędzali siły. Odwiedziny w ich domu powinny być ograniczone do kilku pomocnych, wspierających osób. Niech wszyscy inni, dobrze życzący im ludzie, zabierający jednak czas i energię, zaczekają na później. Jeśli będzie się to wydawać niezręczne, można powiedzieć, że lekarz zabronił wszelkich odwiedzin w pierwszych dwóch tygodniach. Przed urodzeniem odporność dziecka pochodzi od matki, a po narodzinach – przekazywana jest wraz z jej mlekiem, jednak zanim układ odpornościowy dziecka w pełni się rozwinie, jest ono potencjalnie zagrożone i podatne na drobnoustroje z otoczenia. Jak najdłuższy czas bez żadnej presji z zewnątrz daje ponadto rodzicom i dziecku przestrzeń, aby mogli stać się rodziną.

Bardzo zależy mi na tym, aby podczas pierwszej wizyty obecny był także ojciec dziecka – zachęcam do ustalenia terminu dogodnego również dla niego. Już w początkowej fazie spotkania staram się go wypytać o refleksje i obserwacje dotyczące dziecka. Gdy raz się otworzy, będzie komunikatywny do końca wizyty. Ojcowie bardzo chcą być włączani do rozmowy o dziecku. Choć z początku mogą wydawać się nieobecni i defensywni, szybko się uaktywniają, kiedy proszę ich o wzięcie udziału w teście (opisanym w rozdziale 2), w którym najpierw matka, a potem ojciec mówią do dziecka z jednej strony, podczas gdy mój głos dochodzi z drugiej. To jest magiczny sposób na włączenie mężczyzny – każdy ojciec jest wniebowzięty, gdy noworodek odwraca główkę w jego stronę, nawet jeśli zostanie nieco zachęcony przez moją dłoń.

Do 4 tygodnia życia dziecko nauczy się pewnych wzorców zachowań, typowych w relacji z każdym z rodziców. W obecności mamy kończyny dziecka, jego ruchy i mimika twarzy będą płynne i rytmiczne, w odpowiedzi na jej wyciszone i rytmiczne interakcje. Z kolei w obecności taty jego twarzyczka się ożywi, kończyny będą napięte, oczekujące, jakby dziecko nauczyło się już, że zwykle to ojciec się z nim bawi. Kiedy zauważę, że trzytygodniowe maleństwo już przejawia symptomy takiego zróżnicowania, dzielę się tym z rodzicami, aby i oni mogli je zaobserwować i ucieszyć się, gdy je rozpoznają. Te różne reakcje na każdego z rodziców są ekscytującą oznaką wczesnego rozwoju poznawczego.

Ojcowie, którzy biorą urlop od obowiązków zawodowych, nie tylko się uczą, jak zmieniać pieluszki, karmić dziecko i bawić się z nim, ale także pomagają żonie uporać się z ogromną zmianą w świadomości i skupić się na trosce o nową, zależną od innych istotę. Jeżeli w tym początkowym okresie „trzymanie straży" przez mamę lub babcię odsunie ojca na bok, znacznie zmniejszą się szanse na to, że zaangażuje się on w wychowanie dziecka w okresie późniejszym. Coraz więcej mężczyzn korzysta z urlopu ojcowskiego, aby wesprzeć swoje partnerki, poznać dziecko i odkryć siebie jako ojca. Pierwsze tygodnie mogą być czasem krytycznym dla wejścia w tę nieocenioną rolę. Mężczyźni, którzy są „obecni" podczas ciąży i zajmują się aktywnie noworodkiem w pierwszych tygodniach, doświadczają zmian hormonalnych – obniżenia testosteronu i podwyższenia prolaktyny – co dodatkowo wzmacnia ich tendencje opiekuńcze.

Podczas tego pierwszego wywiadu zdobywam od rodziców informacje o nich samych i o procesie ich adaptacji. Obserwuję także dziecko pod kątem temperamentu. Noworodek jest od samego początku odrębną indywidualnością. Temperament wpływa na jego sen, intensywność ruchów, podatność na próby ukojenia, samodzielne próby wyciszenia się oraz na reakcje podczas mojego badania. Wszystkie te spostrzeżenia należy od razu komunikować rodzicom, aby wiedzieli, że badam to samo dziecko, które oni mają pod swoją opieką. W momencie gdy rodzice to wyczują, stają się bardziej pewni siebie – łatwiej im prosić o informacje i wsparcie.

Żółtaczka

Podczas pierwszej wizyty lekarz powinien sprawdzić, czy dziecko nie ma żółtaczki. Kiedy skóra niemowlęcia jest bladożółta, a odcień zażółcenia sięga łożyska paznokci i białkówek oczu, powinno się wykonać badanie krwi w celu zmierzenia poziomu bilirubiny – produktu rozpadu krwinek czerwonych – powodującej zażółcenie. Określenie poziomu bilirubiny we krwi pozwoli zdecydować, czy potrzebna jest fototerapia, i może zasugerować rozważenie wielu przyczyn żółtaczki. Mniej martwi mnie zażółcenie, które dotyczy jedynie skóry. U około 30% noworodków karmionych piersią poziom bilirubiny jest podwyższony przez dłuższy czas. Co ciekawe, im częściej noworodki są karmione, tym szybciej poziom bilirubiny spada, dlatego ważne jest, aby nie przerywać karmienia piersią. U zaledwie jednego na dwieście niemowląt karmionych naturalnie rozwija się tak zwana żółtaczka pokarmu kobiecego, której apogeum występuje między 10 a 15 dobą życia i która się normalizuje między 3 tygodniem a 3 miesiącem życia. Występuje ona, gdy pokarm matki zawiera enzym powodujący większe wchłanianie bilirubiny w jelitach noworodka. Jeżeli poziom bilirubiny wzrasta powyżej pewnej granicy, pediatra zaleca wstrzymanie karmienia piersią na 48 godzin (w tym czasie matka powinna używać laktatora, aby utrzymać produkcję mleka). W rezultacie poziom bilirubiny gwałtownie spadnie. Mimo że może ponownie wzrosnąć po wznowieniu karmienia, zazwyczaj nie osiągnie już tak wysokich wartości. Podczas tej wizyty niemowlę z żółtaczką powinno być również sprawdzone pod kątem infekcji (szczególnie dróg moczowych) oraz innych możliwych przyczyn żółtaczki.

Niebezpiecznie wysoki poziom bilirubiny może mieć różne przyczyny, które powinien rozważyć lekarz, a wśród nich: niezgodność grup krwi pomiędzy matką a dzieckiem, co powinno być rutynowo sprawdzane podczas wizyty prenatalnej, oraz niedobór enzymatyczny (dehydrogenazy glukozo-6-fosforanowej, czyli G6PD), który jest dość często występującą chorobą, szczególnie wśród osób pochodzących z okolic basenu Morza Śródziemnego, Środkowego Wschodu, południowo-wschodniej Azji czy wśród Afroamerykanów. Jest wiele innych powodów podwyższenia poziomu bilirubiny. Jeżeli z jakiejkolwiek przyczyny jej stężenie we krwi zaczyna przekraczać pewną wartość (jej poziom we krwi noworodka zmienia się z dnia na dzień w ciągu pierwszych kilku tygodni), wtedy konieczna jest interwencja. W obniżeniu poziomu bilirubiny pomaga fototerapia. Podczas naświetlania noworodek musi być rozebrany, a jego oczy zasłonięte, co nie będzie mu się podobać. Stanie się nerwowy, nadmiernie ruchliwy, a potem trudny do nakarmienia. Takie zachowanie minie i nie jest ono objawem jakiegokolwiek uszkodzenia ośrodkowego układu nerwowego. Podkreślam to, aby uspokoić tych rodziców, którzy często utożsamiają żółtaczkę z urazem mózgu.

Karmienie

Rodzice zazwyczaj uważają karmienie dziecka za swoje najważniejsze zadanie. Im mocniejsze jest to poczucie odpowiedzialności, tym rzadziej zauważają oni rolę niemowlęcia. Podczas pierwszej wizyty staram się zachowanie dziecka związane z karmieniem, które daje nam wgląd w jego specyficzny temperament i podkreśla znaczenie jego udziału w tej czynności, albo zwracam na nie uwagę. Staram się podkreślić sygnały wysyłane przez niemowlę, które mogą być wykorzystane przez rodziców do wzmocnienia rozwoju autonomii dziecka w kwestii karmienia.

Na naszej mapie momentów przełomowych (drogowskazów), prezentującej te okresy w życiu dziecka, w których z pewnością wystąpią przewidywalne problemy rozwojowe, kwestie związane z karmieniem nieuchronnie pojawiają się w wieku 2–3 tygodni. Kiedy temat zostanie już podjęty, mogę się spodziewać lawiny pytań: jak często karmić, jak rozpoznać, kiedy niemowlę jest głodne, ile czasu powinno trwać jedno karmienie, jak również pytań dotyczących odbijania, ulewania, wypróżnień oraz prób podawania butelki przez ojca, szczególnie dziecku, które jest karmione piersią. Na pierwszy rzut oka karmienie sztuczne wydaje się łatwiejsze niż naturalne, ponieważ wiadomo, jaką ilość mleka dziecko wypija z butelki.

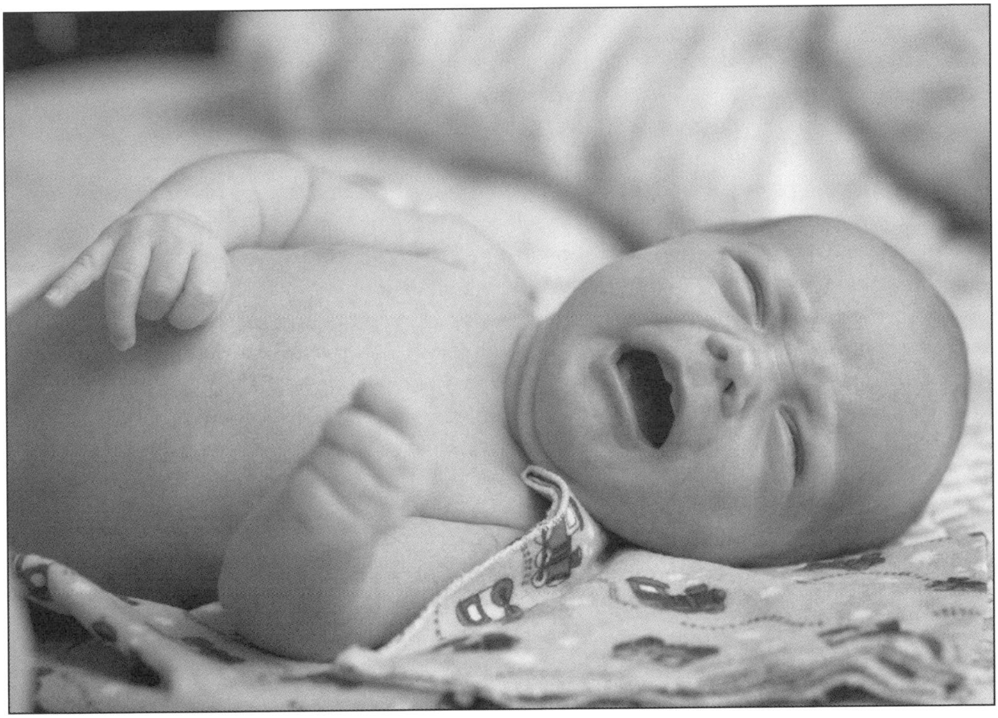

Rodzice często dzwonią zaniepokojeni, gdyż ich dziecko ulewa wszystko, co wypiło. Wyjaśniam wówczas, że jeśli dziecko głośno przełyka podczas karmienia, to mogą się spodziewać uwolnienia dużej ilości powietrza, a wraz z nim wylania się części mleka. Pokarm, który zjeżdża w dół jak winda, w ten sam sposób wyjeżdża w górę. Jak wspomniałem już wcześniej, nauczenie noworodka odbijania jest jednym z najważniejszych osiągnięć pierwszych tygodni (zob. rozdział 3). Często proste, praktyczne wskazówki zaprzyjaźnionej doświadczonej matki lub pediatry dają odpowiedni efekt i uspokajają rodziców. Po wyczerpaniu praktycznych pytań rodzice często poruszają poważniejsze zagadnienia. Dla matek karmiących piersią najważniejszym problemem jest to, czy dziecko wystarczająco się najada.

Podczas tej wizyty ważne jest, aby pediatra lub pielęgniarka sprawdzili, czy noworodek nie jest odwodniony. Dziecko, które nie otrzymało wystarczającej ilości płynów, będzie miało zapadnięte gałki oczne, suchą skórę i usta, może też być bardziej pobudzone lub śpiące niż to, które jest prawidłowo nawodnione (zob. także Brazelton, 2004a).

Jak rozpoznać, czy dziecko najada się wystarczająco

Należy obserwować dziecko i odpowiedzieć na następujące pytania:

- Czy niemowlę wygląda na zadowolone po karmieniu?
- Czy śpi 1–2 godziny między karmieniami?
- Czy często oddaje mocz? Mokre pieluchy 6 do 8 razy na dobę oznaczają, że niemowlę otrzymuje wystarczającą ilość płynów.
- Jak często ma wypróżnienia? Ostrzegam rodziców, że wzorzec oddawania stolca może się drastycznie zmienić w przeciągu kilku następnych tygodni. Niemowlę karmione piersią może początkowo wypróżniać się 8 do 10 razy na dobę, a potem oddawać stolec raz w tygodniu. Jeżeli cotygodniowy stolec jest miękki i papkowaty, niemowlę nie ma zaparcia. Pokarm naturalny może być całkowicie strawiony, bez żadnych resztek. Taki wzorzec cechuje wiele niemowląt, które są karmione wyłącznie naturalnie, jednak zmienia się, gdy dochodzą pokarmy stałe lub wprowadzane jest mleko modyfikowane, aby uzupełnić lub zastąpić pokarm z piersi.
- Czy doszło do ponownego osiągnięcia masy urodzeniowej? Jak już wspomniałem, tuż po porodzie noworodki tracą magazynowane płyny. Najczęściej jest to 5–10%, a niekiedy nawet 20% masy ciała w ciągu pierwszych 4–5 dni. Po tym okresie pokarm naturalny lub sztuczny powinien wyrównać zapotrzebowanie płynowe dziecka. Większość noworodków jest wypisywana ze szpitala z masą niższą od urodzeniowej. Przejście do warunków domowych jest stresujące, a niekiedy mleko młodej mamy może pojawić się późno, dopiero około piątej doby. Stąd zwiększenie wagi ciała może być możliwe dopiero w 2 tygodniu. Około 3 tygodnia noworodki powinny już przybierać na wadze, co nieodmiennie cieszy każdą mamę i każdego ojca.

Komunikacja

Dyskusja na temat odżywiania prowadzi do najważniejszego zagadnienia: nakarmienie dziecka to tylko połowa zadania. Uczenie się komunikacji z dzieckiem – dotykanie, przytulanie, kołysanie, mówienie, rozumienie jego komunikatów zachęcających do interakcji lub do pozostawienia w spokoju – jest równie ważne jak podanie jedzenia. Często na tym etapie świeżo upieczeni mama i tato są skupieni na uczeniu się techniki karmienia. Nie potrafią jeszcze słuchać moich rad dotyczących komunikacji z dzieckiem podczas tego procesu. Jednak przy każdej kolejnej wizycie podnoszę ten temat.

W międzyczasie obserwuję, w jaki sposób rodzice komunikują się z dzieckiem w moim gabinecie. Zauważam wzorce wypracowane do tej pory przez obie strony. Czy dziecko się ożywia, gdy mama i tato pochylają się nad nim? Czy rodzice nauczyli się, jak je przytulać i w jakim położeniu je umieścić względem ich twarzy, aby utrzymać jego zainteresowanie? Wielu rodziców odkryło już, jak cenna jest umiejętność utrzymywania uwagi dziecka oraz przedłużania tego momentu, dzięki czemu obie strony mogą patrzeć sobie w oczy. W ciągu pierwszych kilku tygodni można nauczyć się specjalnego wyciszonego rytmu mówienia i określonej mimiki twarzy, które pozwalają przyciągać i utrzymywać uwagę dziecka.

Wszystkie te szczegóły pokazują, ile czasu nowa rodzina poświęca na to, aby uczyć się siebie nawzajem. Wielu gorliwych młodych rodziców skupia się w pierwszych tygodniach na karmieniu i rytmie snu dziecka, nie poświęcając jednak zbyt wiele uwagi na komunikację z nim. Jeśli widzę, że tak rzeczywiście jest, szukam sposobności, aby pokazać zabawę z dzieckiem. Biorę je na ręce, trzymam przed sobą i delikatnym kołysaniem wprowadzam w stan aktywnego czuwania. Wówczas komunikuję się z nim spokojnym, śpiewnym głosem. Reakcje dziecka przyciągają uwagę rodziców, którzy przejmują rytm, naśladują stonowany głos i delikatne kołysanie, potrzebne, aby pobudzić noworodka. Jeśli dziecko jest napięte, a jego reakcje zbyt intensywne, wówczas zanim wprowadzę je w stan aktywnego czuwania, otulam je szczelnie i przytrzymuję jego ręce.

Jeśli dziecko jest karmione podczas wizyty w gabinecie, staram się zwrócić uwagę na rytm ssania i pauz. Na początku karmienia ssanie dziecka jest jednostajne i regularne. Po około trzydziestu sekundach wejdzie jednak w inny rytm – będzie przerywane pauzami. Dobrze jest wiedzieć, że jeśli mama nagrodzi pauzę uśmiechem, dotykiem czy innym przejawem interakcji, dziecko będzie przedłużać przerwy, tak jakby komunikacja była dla niego równie ważna jak jedzenie. Sam pokarm nie wystarcza!

Sen i czuwanie

Na tym etapie najważniejszym zadaniem dla dziecka, a dużym wyzwaniem dla rodziców, jest radzenie sobie z przechodzeniem w różne stany świadomości. Ich opis pojawił się już w rozdziale 1 przy okazji omawiania zachowania dziecka przed urodzeniem, a także w rozdziale 2 – przy ocenie zachowania noworodka.

Non-REM, czyli spokojny sen. W tym chronionym stanie dziecko odcina się od drażniących bodźców ze środowiska. Oddycha wówczas głęboko, regularnie i spokojnie. Pozostaje bez ruchu, a jego powieki są mocno zamknięte. Jeśli pojawiają się jakiekolwiek ruchy, są one minimalne, krótkotrwałe i nagłe. Ochronna natura tego stanu jest też widoczna w zwiniętej, ekonomicznej pozycji dziecka. Trzyma ono rączki przy buzi, wszystkie kończyny są przykurczone – w ten sposób odcina się od świata.

REM, czyli płytki sen. W tym stanie oddech dziecka jest płytszy i nieregularny. Od czasu do czasu niemowlę wykonuje odruch ssania – z kciukiem lub bez kciuka w buzi. Niekiedy wierci się lub nagle wzdryga. W tym stanie jest bardziej podatne na bodźce z zewnątrz. Próby wprowadzenia go w stan czuwania mogą zakończyć się sennym, rozkapryszonym przebudzeniem bądź usiłowaniem wejścia w głęboki sen.

Stan pośredni. Ta krótkotrwała faza występuje często, gdy niemowlę zmienia stan: budzi się lub zapada ponownie w sen. Wierci się wówczas i wzdryga. Otwiera i zamyka sennie powieki. Może zakwilić lub zapłakać, ale bez określonego powodu. Będzie próbowało zwinąć się do wygodnej pozycji, jednak nie pozwolą mu na to nagłe, odruchowe wzdrygnięcia. Jego ruchy mogą się wydawać zdezintegrowane, a zachmurzona, napięta twarzyczka będzie odzwierciedlać nieudane próby dojścia do jakiegoś konkretnego stanu – albo głębokiego snu, albo aktywnego czuwania.

Stan aktywnego czuwania, pełne rozbudzenie. Ożywiona twarz dziecka i błyszczące oczy zdradzają jego receptywność. Ruchy są skoordynowane i płynne. Dziecko może nawet osiągnąć dzięki nim jakiś cel, na przykład przywieść dłoń do ust lub chwycić jedną rękę drugą. Oddech dostosowuje się do bodźców zewnętrznych: ekscytujące wywołują głęboki, negatywne zaś – płytki i szybki. Gdy pojawia się jakiś interesujący dźwięk lub znajoma twarz, żywo reaguje twarzyczka i całe ciało. Można łatwo zauważyć, jak te trzy elementy: oddech, twarz i ciało zdradzają albo zainteresowanie i pełną uwagę, albo chęć wycofania się i odwrócenia od drażniącego bodźca. Rodzice wyczekują takich chwil czuwania i uczą się, jak pomagać dziecku przedłużać ich trwanie, ponieważ są one doskonałą okazją do komunikowania się z nim. Uważny rodzic szybko uczy się sygnałów oznaczających: „Mam już dość", gdy dziecko jest zmęczone, lub: „Potrzebuję uwagi", gdy czuje się zaniedbywane.

Stan aktywnego czuwania, marudzenie. Ta faza często następuje po etapie pełnego rozbudzenia. Ruchy dziecka stają się nagłe i chaotyczne, a oddech – nieregularny. Odwraca się ono od bodźców, grymasząc lub pojękując od czasu do czasu. Zawodzą je próby zapanowania nad sobą. Kręci się na wszystkie strony, a jego twarzyczka zdradza poczucie nieskuteczności. W tej fazie nie jest w stanie zapanować nad ruchami, autonomicznym układem nerwowym (biciem serca, szybkością oddechu itd.) czy zdolnością odbierania bodźców zewnętrznych. Jeśli rodzicom uda się pomóc dziecku wyciszyć się, będą mieć ogromną satysfakcję, jednak ich próby mogą też skończyć się płaczem nie do opanowania. Wówczas będą mieli poczucie niekompetencji.

Płacz. Można rozróżnić wiele różnych rodzajów płaczu: (1) przeszywający, zdradzający ból; (2) niecierpiący zwłoki, komunikujący żądanie; (3) pusty, zdradzający nudę; (4) rytmiczny, niedemonstrujący jednak zbytniego zniecierpliwienia, kiedy dziecko jest zmęczone lub przesycone zbyt dużą ilością bodźców. Jego ruchy są wówczas nagłe, ale w pewnym stopniu zintegrowane pomimo nieustannej aktywności. Może się na chwilę wyciszyć, jakby nasłuchiwało. Wzięcie na ręce, kołysanie lub nakarmienie może je uspokoić. Ta faza wymaga uważności rodziców – pomoże im ona nauczyć się, co robić, aby poradzić sobie z płaczem, który może służyć wielu celom.

Z czasem sposób przechodzenia z jednego stanu do drugiego staje się przewidywalny dla rodziców. Jest on jedną z najwyraźniejszych oznak wskazujących na temperament dziecka. Jeśli jest ono aktywne i dynamiczne, będzie szybko zmieniało stany świadomości. Natomiast jeśli jest flegmatyczne, będzie powoli przechodzić z jednego stanu do drugiego. Rodzice prawdopodobnie wiedzą już w tym momencie, że rozdrażnienie dziecka w zależności od ich reakcji na nie przejdzie w wyciszenie lub płacz. Fazy świadomości i sposób przechodzenia z jednej do drugiej to najlepsza droga do rozumienia swojego dziecka. Pierwszym zadaniem młodych rodziców jest nauczenie się najważniejszego języka – sygnałów charakterystycznych dla każdego stanu świadomości oraz sposobów przechodzenia z jednego do drugiego.

Jeśli opanują te komunikaty, mogą łagodnie zachęcać swoje dziecko do ułożenia poszczególnych faz w pewne cykle zachowań. Stworzenie takich przewidywalnych wzorców jest już możliwe, gdyż układ nerwowy noworodka dojrzał, a rodzice mają znacznie większą wiedzę o swoim dziecku. Badania naukowe potwierdzają, że u dzieci w tym wieku występuje nowy etap przewidywalności częstości uderzeń serca w odpowiedzi na bodźce wizualne i słuchowe. Bodźce negatywne przyspieszają, a pozytywne zwalniają rytm. Te fizjologiczne zmiany są związane ze skokiem w rozwoju. W wieku trzech tygodni dziecko jest już w stanie wytrzymać więcej czasu pomiędzy posiłkami. Zwraca też coraz większą uwagę na swoich rodziców, co prowadzi do gaworzenia i uśmiechania się.

Na początku karmienie dziecka zaraz po przebudzeniu jest najwłaściwszą reakcją. W ten sposób rodzice mogą się nauczyć, o jakich porach dziecko jest głodne i które karmienie było wystarczające, a które nie. Jeżeli karmienie nie wystarczyło, prawdopodobnie posiłek został podany w nieodpowiednim czasie, kiedy niemowlę nie było jeszcze gotowe. Od 3–4 tygodnia posiłek można nieco opóźnić i poprzedzić go zabawą z dzieckiem. Młodzi rodzice często pytają: „Skąd mamy wiedzieć, kiedy zrobić przerwę na zabawę?". Jedyny sposób, aby się o tym przekonać, to po prostu spróbować. Dziecku nie stanie się żadna krzywda, jeśli chwilę zaczekamy. Z pewnością da nam znać, kiedy będzie głodne – kwileniem lub szukaniem, gdy położymy je na piersiach mamy. Z czasem dziecko nauczy się, że zabawa może być równie ekscytująca jak jedzenie. W momencie gdy rodzice będą pewni, że dziecko otrzymuje wystarczająco dużo jedzenia, mogą zacząć wydłużać przerwy na zabawę pomiędzy karmieniem i spaniem. Mama będzie miała wówczas więcej pokarmu, który dodatkowo będzie bogatszy w składniki odżywcze po dwu- lub trzygodzinnych przerwach niż po cogodzinnym karmieniu. Ponadto jej piersi wejdą w bardziej korzystny rytm opróżniania się, jeśli przerwa między karmieniami będzie dłuższa.

Celem na najbliższych kilka miesięcy będzie wydłużenie stanu czuwania do 3–4 godzin pomiędzy posiłkami oraz długa faza snu w nocy. Niektóre noworodki mylą pory dnia. W nocy czuwają, a w dzień śpią. Pragnąc zmienić ten wzorzec, rodzice mogą spróbować utrzymać dziecko w stanie czuwania po każdej fazie płytkiego snu w ciągu dnia. Następnie powinni obudzić je wieczorem i zachęcić do zabawy przez dłuższy czas oraz stopniowo coraz wcześniej wprowadzać karmienie nocne. Z czasem dziecko zacznie przedłużać okres wieczornej zabawy, a także nauczy się zasypiać na dłużej za każdym razem w ciągu nocy, a budzić częściej w dzień.

Praca nad cyklami snu i czuwania noworodka to pierwsza próba rodziców wpasowania go w nowy dla niego świat i zharmonizowania jego rytmu ze swoim. Ten proces, jak wiedzą wszyscy doświadczeni rodzice, trwa całe lata, a ponieważ wychowujemy ludzi, a nie klony, na całe szczęście nigdy się nie kończy.

Perspektywa na przyszłość

Okres marudzenia

Między 3 a 12 tygodniem życia u większości dzieci pod koniec dnia pojawia się okres marudzenia. Ponieważ może to nastąpić przed następną wizytą i może być jedną z najtrudniejszych faz dla rodziców, zawsze pamiętam, aby o niej wspomnieć podczas pierwszej wizyty, około 2–3 tygodnia życia dziecka. Możliwość antycypowania tego trudnego zachowania oraz zrozumienia wartości, jaką ma ono dla dziecka, zaoszczędzi rodzicom niepotrzebnej paniki i niepokoju. Kiedy zrozumieją jego potrzebę pomarudzenia pod koniec każdego dnia między 3 a 12 tygodniem życia, nie będą się czuli tak winni za to, co się dzieje.

Dawniej pediatrzy nazywali ten okres nieutulonego marudzenia kolką i wspierali wysiłki rodziców, aby codziennie jakoś temu zaradzić. Próbowaliśmy stosować środki uspokajające lub leki przeciwskurczowe, zachęcaliśmy matki do nieustannego karmienia dziecka, noszenia na rękach lub innych zabiegów. Wszystkie były skuteczne tymczasowo, nie rozwiązywały jednak problemu codziennego marudzenia i płaczu.

Co mówią badania?

Zaciekawiony tematem przeprowadziłem badanie, w którym poprosiłem 80 kobiet o zgromadzenie danych dotyczących tego, kiedy i w jaki sposób marudziły ich dzieci. Z wyjątkiem kilkorga wszystkie te normalne dzieci zdrowych rodziców zachowywały się mniej więcej tak samo. U każdego z nich okres marudzenia zaczynał się pod koniec dnia i przybierał formę cyklicznego płaczu, który nie wskazywał na ból czy głód. Kiedy rodzice brali dziecko na ręce lubi je karmil, płacz ustawał na chwilę, ale pojawiał się ponownie po położeniu dziecka. Jeśli było ono noszone długo, płakało mniej, jednak płacz nie ustawał całkowicie. Na moment przed rozpoczęciem marudzenia dziecko było niespokojne – można było przewidzieć, że zaraz zacznie płakać. Natomiast po zakończeniu dzieci spały lepiej, dłużej i były bardziej wypoczęte.

Jeśli jakieś zachowanie jest przewidywalne i powszechne, można założyć, że spełnia funkcję adaptacyjną, i spróbować znaleźć cel, któremu służy. Zacząłem się zastanawiać, czy owo marudzenie ma zadanie porządkujące. W ciągu dnia niedojrzały układ nerwowy odbiera i przetwarza bodźce, co może spowodować jego przeciążenie. Z każdą kolejną godziną coraz bardziej obciążony układ nerwowy zaczyna skracać cykle czuwania i snu, a w końcu „wypuszcza parę" w postaci marudzenia. Po zakończeniu marudzenia znów się reorganizuje na następne 24 godziny. Schemat ten jest przewidywalny i funkcjonuje precyzyjnie, niemal jak w zegarku.

Kiedy wyjaśniam to zjawisko, matki często pytają: „Ale jak mogę stać z boku i pozwalać mu płakać?". Oczywiście nie takie jest moje zalecenie. Daję rodzicom następujące rady: podejdź do dziecka. Zastosuj wszelkie znane ci metody, aby upewnić się, czy czegoś nie potrzebuje. Weź je na ręce, ponoś. Nakarm, przytul, zmień pieluszkę. Podaj ciepłą wodę, aby łatwiej odbiło mu się po jedzeniu. Nie przesadź jednak z działaniem. Kiedy masz pewność, że pieluszka nie jest mokra, dziecko nie cierpi, nie jest głodne ani chore, możesz zastosować znane ci metody uspokajające albo zgodzić się na to, co się dzieje. Typowy okres 1 lub 2 godzin marudzenia można łatwo zamienić na 4–6 godzin zmagań, jeśli rodzice będą zbyt niespokojni i nadwyrężą i tak już obciążony układ nerwowy zbyt dużą liczbą zabiegów i stymulacji.

W tym momencie rozmowy rodzice zwykle proszą o bardziej szczegółowe opisanie zalecanego zachowania. Jeden z ojców ujął to tak: „Jestem pewien, iż moja żona będzie się martwiła, że dziecko nie zjadło odpowiednio dużo i jest głodne". Oczywiście, ma rację – tak będzie. Dlatego zawsze sugeruję, aby najpierw dziecko nakarmić. Jeśli jednak niemowlę nie ma ochoty na jedzenie, possie trochę i zaraz przestanie, to rodzice mogą być pewni, że przyczyną płaczu nie jest głód. Proponuję, aby po wykorzystaniu wszystkich możliwości zaspokojenia potrzeb dziecka dać mu od 10 do 15 minut, aby „wypuściło parę". Następnie powinniśmy wziąć je na ręce i podać mu ciepłą wodę, aby ułatwić wypuszczenie połkniętego podczas płaczu powietrza. Później trzeba mu pozwolić na kolejny cykl marudzenia, po którym dobrze jest powtórzyć cały proces jeszcze raz. Rzadko się zdarza, że potrzebne są więcej niż trzy lub cztery powtórzenia. Po zakończeniu prawdopodobnie dziecko będzie lepiej funkcjonowało – śpiąc, jedząc i czuwając w bardziej regularnym rytmie, aż do kolejnej fazy marudzenia następnego dnia.

Podczas pierwszej wizyty rozmowa na temat okresu marudzenia powinna na tym się skończyć, ponieważ i tak problem ten nie będzie zbyt rzeczywisty dla młodych rodziców. Poruszam tę kwestię w nadziei, że pomogę im zrozumieć, co może się wydarzyć, przygotowując ich na to. Kiedy u dziecka rzeczywiście pojawi się rytmiczny wzorzec okresów marudzenia pod koniec każdego dnia, nie będą wówczas przesadnie reagować i niepotrzebnie obciążać jego układu nerwowego. Po wprowadzeniu tej prewencyjnej metody moi pacjenci płakali przez godzinę lub półtorej, a nie trzy godziny, jak wcześniej. Tak pozytywne rezultaty zachęcają do wykorzystania naszego pierwszego spotkania jako okazji do przewidywania ewentualnych trudności.

A co z dziećmi, które płaczą coraz więcej? Czy nie powinno się podejść do tej sytuacji z całą powagą? Absolutnie tak! Jeśli rodzice zauważą, że marudzenie przybiera na intensywności i przedłuża się w nieskończoność, pomimo ich powściągliwości i stonowanych reakcji, zachęcam do kontaktu ze mną. Szukamy wówczas innych przyczyn płaczu – na przykład łagodnej formy alergii bądź refluksu kwasu żołądkowego do przełyku, który może powodować ból. Istnieją jeszcze inne przyczyny, którym powinien przyjrzeć się lekarz, gdy płacz dziecka jest intensywny i nie ustępuje.

Ssanie kciuka i smoczek

Wizyta między 2 a 3 tygodniem po porodzie to dobry moment, aby porozmawiać o nastawieniu rodziców do ssania kciuka i używania smoczka. Często zadaję im wówczas pytanie, czy niemowlę wkłada już palec do buzi. Czy potrafi już samo się uspokoić? Mamy czasem odpowiadają tak: „Nie pozwalam mu. Nie chcę, aby ssało kciuk, i wyjmuję go za każdym razem. Jeśli musi coś ssać, podaję mu pierś, tak często jak tylko chce. Albo daję mu smoczek". A ojciec może zareagować tak: „Wolę, aby ssał kciuk, niż biegał kiedyś ze smoczkiem w buzi". Zdarza się, że każde z rodziców ma swoje zdanie i proszą mnie o rozstrzygnięcie.

Zanim przedstawię plusy i minusy, wysłuchuję ich opinii na ten temat. Niektórzy pamiętają jeszcze batalie stoczone z rodzicami w dzieciństwie: „Mama robiła wszystko, żeby zabronić mojej siostrze ssać kciuk, a ta zawsze znalazła sposób, żeby się ukryć i possać palec. I robiła to aż do 7 lub 8 roku życia". Pytam wówczas o powód tak zdecydowanego zakazu ze strony mamy. Bywa, że rodzice uważają, iż palce mogą być brudne, lub boją się, że smoczek źle wpłynie na zgryz.

U niektórych dzieci – zarówno „kciukowych", jak i „smoczkowych" – rzeczywiście pojawiają się problemy ortodontyczne, jednak przed wyrżnięciem się zębów stałych ryzyko ich wystąpienia jest niewielkie. Wydaje się, że pod tym względem smoczek niesie ze sobą mniejsze ryzyko, gdyż dziecko rezygnuje z niego prędzej niż z kciuka, z kolei kciuk niesie mniejsze ryzyko niż ssanie innych palców, gdyż wywiera mniejszy nacisk na zęby. Czasami zęby wyrównują się same, gdy dziecko rezygnuje ze ssania. Wiele takich dzieci nie potrzebuje żadnej korekty ortodontycznej, a te, które muszą nosić aparaty w późniejszych latach, mają genetyczne skłonności do nierównego uzębienia, choć nigdy wcześniej nie ssały kciuka ani nie używały smoczka. Z mojego doświadczenia wynika, iż do 5 roku życia dziecka dentyści nie przejmują się ssaniem kciuka. Największe ryzyko wystąpienia jakichkolwiek nieprawidłowości pojawia się u dzieci wycofanych, które ssą kciuk przez większość czasu, albo tych, które nie wyzbyły się jeszcze tego nawyku po ukończeniu 5 lub 6 roku życia.

Ssanie kciuka

Chcąc dać rodzicom pewną perspektywę spojrzenia na zagadnienie, wyjaśniam, iż ssanie kciuka jest zdrowym odruchem, przynoszącym dziecku ukojenie. Już w macicy płód przejawia takie zachowanie. Jak wspomniałem w rozdziale 2, noworodek wyposażony jest w odruch Babkina, czyli automatyczne przywodzenie dłoni do ust. Kiedy jest rozdrażniony lub próbuje się uspokoić, ucieka się do takiego zachowania w celu ukojenia. Wydaje się, że to wrodzony wzorzec. Łatwiej przebywa się z dziećmi, które z niego korzystają. Niektóre badania pokazują, iż podawanie dzieciom smoczka, gdy zasypiają, zmniejsza ryzyko SIDS, czyli nagłej śmierci łóżeczkowej. Jeśli rodzice proszą mnie o przedstawienie zalet ssania kciuka w porównaniu do smoczka, wymieniam tę oczywistą: kciuk jest zawsze pod ręką. Powiedziawszy to, przekazuję pałeczkę rodzicom. Preferencje i emocje związane z tematem „kciuk czy smoczek" sięgają głęboko w historię i kulturę danej rodziny. „Ale czy on z tego wyrośnie? Łatwiej będzie odebrać mu smoczek" – mówią niektórzy rodzice.

W tych przypadkach problemem jest jednak nie tyle ssanie, ile trudności z nawiązywaniem kontaktu z innymi. W dyskusji na temat ssania dobrze jest najpierw wziąć pod uwagę istotę tego mechanizmu samouspakajania. Dziecko nie porzuci swoich nawyków, dopóki nie zostaną one zastąpione innymi strategiami, na przykład podaniem miękkiego kocyka do przytulenia czy nuceniem melodii do mruczenia.

Nie przypominam sobie, aby na studiach ktoś ssał kciuk lub używał smoczka. Rodzice, którzy na siłę odciągają dziecko od tego uspokajającego odruchu – tak naprawdę wzmacniając go – narażają je na trwanie przy nim aż do wieku przedszkolnego lub nawet wczesnoszkolnego. Jeśli chcemy utrwalić w dziecku jakieś krnąbrne zachowanie, należy zabronić go w momencie, gdy dziecko za jego pomocą się uspokaja. Z całą pewnością tym bardziej do niego przylgnie. Odnosi się to do różnych nawyków, które minęłyby szybciej, gdyby dorośli ich nie zabraniali. Dlatego właśnie proszę rodziców, aby jak najwcześniej uświadomili sobie, jakie emocje wywołuje w nich ssanie kciuka lub używanie przez ich dziecko smoczka. Rodzic będący przeciwnikiem ssania kciuka prędzej czy później da o tym dziecku znać. Gdy widok jego dziecka z kciukiem w buzi będzie dla rodzica nie do zniesienia, powinien wybrać dla niego smoczek. Świat, w którym żyjemy, jest bardzo stresujący, również dla naszych dzieci. Najprawdopodobniej będą one potrzebowały jakiegoś sposobu ukojenia, aby poradzić sobie ze stresem. Kciuk lub smoczek postrzegam jako bardzo zdrową oznakę kompetencji dziecka, nie zaś jako niepożądany czy wstydliwy nawyk.

Pewna matka bardzo trafnie ujęła sedno debaty „kciuk czy smoczek": „Mam poczucie, że gdybym tylko mogła zrobić dla dziecka wszystko, co trzeba, i zrobić to naprawdę właściwie, nie potrzebowałoby ono takiego substytutu". Zachowania dziecka przynoszące mu ukojenie wywołują u rodziców poczucie porażki, a może nawet zazdrości. Z tego właśnie powodu postrzegają dane przyzwyczajenie jako niepożądane czy żenujące. Podczas jednej z takich dyskusji z rodzicami dziecko zaczęło marudzić. Wierciło się, jęczało, a następnie odwróciło główkę na jedną stronę, włożyło kciuk do buzi i uspokoiło się. „No cóż – powiedział ojciec noworodka – myślę, że ono zdecydowało za nas".

Ta mądra uwaga ojca jest odpowiedzią na odwieczne pytanie młodych rodziców: „Skąd mamy wiedzieć, kiedy postępujemy właściwie, a kiedy nie?". Najlepszym sposobem, aby się o tym przekonać, jest obserwacja dziecka. Jedynie ono – nie lekarz czy książka – może potwierdzić, że rodzice są na dobrej drodze. Jeśli rodzice będą współpracować z profesjonalistami, aby wspólnie przewidywać trudne momenty w rozwoju swojego dziecka, będą umieli weryfikować własne wybory i podejmować decyzje dobre dla nich samych oraz ich dziecka.

5

Szósty – ósmy tydzień

Na kolejną wizytę, pomiędzy 6 a 8 tygodniem życia dziecka, mama często przychodzi sama. Jeśli pojawia się ojciec, mam poczucie, że relacja między mną a nim zaczyna się dobrze układać, i traktuję jego obecność jako dowód zaangażowania w rozwój dziecka oraz chęci uczestniczenia w każdym etapie tego rozwoju. Później obydwoje zaangażowani rodzice będą prawdopodobnie przychodzić z dzieckiem na zmianę. Na tym spotkaniu kobieta, przebywająca jeszcze na urlopie macierzyńskim, często jest już mniej zmęczona. Być może ubierze się elegancko na tę wizytę – na znak, że czekała na nią i potraktowała jako okazję do wyjścia z domu. Prawdopodobnie w międzyczasie dzwoniła do mnie wiele razy, więc przywita się jak ze starym, dobrym znajomym. Na ogół najpierw pragnie mi pokazać, jak dziecko się uśmiecha i wydaje różne dźwięki. Rzadko się zdarza, że maluch chce akurat w tym momencie współpracować, ale jej wysiłki upewniają mnie, że obie strony dobrze się czują w swojej obecności. Jeśli mama podaje dziecko do potrzymania ojcu, a sama skupia się na zadawaniu pytań, pokazuje mi to nieco, jak dzielą się rolami. Natomiast gdy ona cały czas czuwa nad dzieckiem albo gdy ojciec dominuje w zadawaniu pytań, zastanawiam się, czy w ogóle ze sobą współdziałają. Być może będę wówczas musiał dotrzeć do każdego z nich z osobna, aby dowiedzieć się trochę o ich niepokojach. Jeżeli kobieta jest blada, wyczerpana i nerwowa, muszę rozważyć możliwość depresji poporodowej.

Depresja poporodowa zaczyna się często w pierwszych tygodniach lub miesiącach po porodzie. Niestety krótki, jedno- lub dwudobowy pobyt okołoporodowy w szpitalu sprawia, że wiele młodych matek czuje zagubienie i nie ma się do kogo

Co mówią badania?

Dane wskazują na to, iż drażliwe, trudne dziecko również zwiększa ryzyko wystąpienia depresji. Niektóre kobiety nie ujawniają swoich emocji, jednak widoczne objawy to między innymi zmęczenie, bezsenność, brak apetytu (łatwo je pomylić z normalnymi objawami powrotu do równowagi po porodzie i procesem przystosowywania się do nowej sytuacji), uporczywy niepokój, drażliwość, niestabilność emocjonalna, włącznie z nagłymi wybuchami płaczu, oraz – najpoważniejszy – obojętność na dziecko. Niekiedy wręcz przeciwnie – matka może przejawiać nadmierną troskliwość o stan dziecka, obawiając się, że ktoś chce je skrzywdzić.

zwrócić o ewentualną pomoc. Wzrasta wówczas ryzyko przejścia normalnego przygnębienia w depresję. Ten pierwszy stan trwa tylko kilka dni, podczas gdy drugi, dotykający około 10% rodzących kobiet, minimum dwa tygodnie. Większym ryzykiem obciążone są matki bardzo młode lub starsze, a także te, które nie mają wspierającego partnera, przeszły chorobę umysłową bądź fizyczną lub mają problemy z tarczycą.

Każdy z tych objawów może być bardzo trudny, zarówno dla kobiety, jak i dla osób z jej najbliższego otoczenia. Może się jednak zdarzyć, że depresja nie zostanie rozpoznana i nie będzie leczona. Matki mogą się wstydzić, że czują przygnębienie, podczas gdy powinny przecież odczuwać radość. Nawet jeśli symptomy zostaną rozpoznane, kobieta nie zwraca się o pomoc ze względu na stygmat, jaki wiąże się z chorobą natury psychicznej, oraz z uwagi na powszechny brak dostępu do fachowej pomocy. Nieleczona depresja może się ciągnąć przez całe miesiące, a nawet lata, skutkując poważnymi konsekwencjami dla matki i dla dziecka. Wizyty u lekarza we wczesnym okresie poporodowym mogłyby zmniejszyć ryzyko przeoczenia objawów depresji. Ponieważ wiadomo, w jaki sposób rozpoznawać i leczyć ten stan, system ochrony zdrowia powinien zadbać o taki model wsparcia dla młodych rodziców, który pozwoliłby zaplanować wizyty domowe we wczesnym okresie po porodzie w celu rozpoznania i prewencji depresji.

Podczas wizyty między 6 a 8 tygodniem życia dziecka moje cele są proste. Przede wszystkim chcę ocenić rozwój niemowlęcia. Czy wszystko jest w porządku pod względem neurologicznym? Czy dziecko odpowiednio przybiera na wadze? Czy uśmiecha się i gaworzy? Czy dynamicznie porusza rączkami i nóżkami? Czy położone na brzuszku podnosi główkę i udrażnia układ oddechowy? Czy podciągnięte do pozycji siedzącej utrzymuje główkę w pionie? Czy wydłużają się okresy pomiędzy karmieniami? Czy pojawiły się wieczorne okresy marudzenia? Czy dużo płacze w innych porach dnia?

Chętnie wysłuchuję też problemów, z jakimi przychodzą rodzice. Jeśli mają kłopoty z karmieniem, możemy skupić się właśnie na nich. Czy rodzice rozumieją koncepcję stanów świadomości i przechodzenia dziecka z jednego w drugi w ciągu doby? Czy potrafią rozpoznać różne rodzaje płaczu u swojego dziecka? Czy są już bardziej pewni siebie, aby radzić sobie z płaczem niemowlęcia, czy może jest to dla nich zbyt duże wyzwanie?

Razem z rodzicami przyglądam się również oznakom temperamentu dziecka. Jest aktywne czy ciche? Czy łatwo przeciążyć jego układ nerwowy? Czy jest nadwrażliwe? Jeśli tak, to czy rodzice nauczyli się, jak je wyciszać? Jak zajmować się dzieckiem bez obciążania go? Podczas badania dzielę się swoimi obserwacjami. Rodzicom często łatwiej jest wypowiadać swoje obawy, kiedy podczas badania komentuję zachowanie dziecka, niż gdy siedzimy twarzą w twarz na początku spotkania.

Karmienie

Większość rodziców ciągle jeszcze się martwi, czy ich dziecko dostaje wystarczająco dużo pokarmu. Jeśli stwierdzę, że przybiera na wadze według normy (około 220 gramów na tydzień), mogę ich zapewnić, że jest dobrze karmione. Ciałko dziecka powinno się zaokrąglać, a przerwy między posiłkami – wydłużać. Jeśli matka karmi piersią co 2–3 godziny, dziecku powinno całkowicie wystarczyć ssanie każdej piersi przez 15–20 minut za każdym razem. Wystarczy nawet po kilka minut z każdej strony, aby stymulować produkcję mleka. Z kolei gdy dziecko jest karmione mieszanką mleczną, dążymy do 110–140 mililitrów około sześć do ośmiu razy na dobę. Zarówno w przypadku karmienia naturalnego, jak i sztucznego całkowicie wystarczy około 850 mililitrów mleka dziennie. W przypadku dzieci, które za jednym razem zjadają mniejsze porcje, konieczne będą częstsze karmienia. Te, które zwracają dużo zjedzonego pokarmu, również będą potrzebować mniejszych, ale częstszych porcji.

Wiele niemowląt ulewa małe ilości mleka w trakcie karmienia i po nim. Niestrawiony płyn wypływa z bąbelkami powietrza, nie powodując żadnych dolegliwości u dziecka. Inaczej jest jednak z wymiotami – najczęściej zwracane są w dużych ilościach i występują z większym nasileniem. Kiedy niemowlę obficie wymiotuje po większości karmień i towarzyszy temu przejmujący płacz, przyczyną może być **refluks żołądkowo-przełykowy**. Dziecko cierpiące na refluks może również kaszleć lub dławić się po karmieniach. Jeżeli zwieracz pomiędzy przełykiem a żołądkiem nie jest wystarczająco mocny, by zatrzymać wypływ mleka ku górze, pokarm cofa się do przełyku razem z kwasem żołądkowym, co wywołuje ból. Lekarz może zarekomendować skuteczne leczenie tej choroby, dopóki niemowlę z niej nie wyrośnie. Najczęściej ma to miejsce około 9 miesiąca życia, kiedy dzieci spędzają dużo więcej czasu w pozycji pionowej. W międzyczasie pomocne jest trzymanie głowy wysoko podczas karmienia, przed odbiciem oraz przez trzydzieści minut po nim.

Zwężenie odźwiernika

Rzadko występujące schorzenie: zwężenie odźwiernika (*pyloric stenosis*) zazwyczaj po raz pierwszy objawia się pomiędzy 3 a 6 tygodniem życia. Niemowlę ze zwężeniem końcowego odcinka żołądka, które utrudnia opróżnianie jego zawartości do jelita cienkiego, wymiotuje obficie po każdym karmieniu. Mleko może wystrzeliwać z ust przez całą długość pokoju – są to wymioty chlustające. Ten problem wymaga natychmiastowego działania, ponieważ w istotny sposób utrudnia niemowlęciu przyjmowanie pokarmu i przybieranie na wadze, może być jednak szybko skorygowany za pomocą niezawodnego zabiegu chirurgicznego.

Inną przyczyną wymiotów (choć nie chlustających) jest nadwrażliwość na białko mleka. Obfite wymioty po każdym karmieniu, wywołujące u dziecka dyskomfort, oddawanie śluzowych stolców pomiędzy karmieniami lub sucha, wypryskowa wysypka na twarzy mogą być wczesnymi objawami nietolerancji sztucznego mleka. Jeżeli niemowlę prezentuje którekolwiek z powyższych objawów, rodzice powinni skontaktować się z lekarzem, zanim dokonają jakichkolwiek zmian. Alergia na białko mleka krowiego występuje u 0,5–7% niemowląt w wieku poniżej 6 miesiąca życia. Oprócz wymiotów nadwrażliwość na białko mleka może wywołać biegunkę, krwiste stolce i inne objawy reakcji alergicznej. Niemowlęta karmione piersią nie są podatne na tego typu nadwrażliwość (chociaż niekiedy mogą być uczulone na niektóre pokarmy, szczególnie cytrusy, jagody, orzechy i skorupiaki, które znajdą się w diecie matki). Wczesne alergie pokarmowe mogą być związane z wystąpieniem astmy w wieku późniejszym. W mniejszym stopniu narażone na tę chorobę są niemowlęta karmione piersią. Ważne jest jak najwcześniejsze rozpoznanie alergii na mleko. Jeżeli odpowiednio wcześnie zostanie wyeliminowane z diety, będzie można uniknąć wyprysku (egzemy). Istnieją mieszanki na bazie soi, które nie zawierają mleka, a mają takie same wartości odżywcze. Nie wywołują one nadwrażliwości na mleko i są bezpieczne dla uczulonych na nie niemowląt, aczkolwiek nieliczne dzieci mogą być także uczulone na soję. Jeżeli rodzice są w stanie uniknąć karmienia nadwrażliwego niemowlęcia mlekiem, stopniowo będzie ono wyrastać z tendencji do reakcji alergicznej na nie. Ryzyko wyprysku alergicznego i nietolerancji pokarmowej maleje wraz z wiekiem.

Ważne jest, aby przed wprowadzeniem pokarmów stałych w wieku 4–5 miesięcy rozpoznać uczulenie na mleko i odpowiednio się nim zająć. W przeciwnym razie zwiększa się ryzyko wywołania reakcji alergicznych przez inne pokarmy. Dziecko alergiczne rzadko jest nadwrażliwe lub uczulone wyłącznie na jeden produkt. Mleko i inne alergeny (pokarmy lub inne substancje wywołujące alergię) powodują silniejsze reakcje przy jednoczesnym kontakcie z kilkoma naraz. Ważne jest unikanie alergenów, szczególnie w przypadku rodzin z obciążeniem genetycznym. Matki karmiące piersią uczulone na pewne pokarmy powinny ich unikać zarówno dla własnego dobra, jaki dlatego, że ich niemowlę może mieć wrodzoną predyspozycję do tego typu reakcji alergicznych (zob. rozdział 14).

Około 6–8 tygodnia życia karmienie powinno stać się bardziej przewidywalne i uporządkowane. Karmienie piersią będzie już łatwe i przyjemne. Jeżeli ojciec karmi niemowlę z butelki, również można ustalić pewien schemat, tak aby nie kolidował on z produkcją mleka naturalnego. Matka może odciągać pokarm i przechowywać go w lodówce (od 24 do 48 godzin), aby ojciec mógł podawać go butelką. Może on też karmić niemowlę raz dziennie mlekiem modyfikowanym, co nie powinno zredukować produkcji mleka z piersi, a ojcu da rzeczywiste poczucie uczestniczenia w opiece nad dzieckiem.

Jeżeli niemowlę regularnie ulewa, rodzice prawdopodobnie zdążyli to już omówić ze mną przed wizytą, podczas konsultacji telefonicznych. W mojej ocenie zjawisko to dotyczy 15% prawidłowo rozwijających się niemowląt, które obejmuję swoją opieką. Dzieci te ulewają małe ilości pokarmu po większości karmień – mleko wylewa się „naturalnie", w trakcie uwalniania połkniętego wcześniej powietrza – albo gdy są noszone, przewijane bądź rozdrażnione. Ten rodzaj ulewania nie jest powodem do niepokoju, jeśli dziecko przybiera na wadze, nie sprawia wrażenia, że cierpi zaraz po posiłku, i jest zadowolone pomiędzy kolejnymi karmieniami. Staram się uspokoić rodziców, że takie sytuacje są częste i nie muszą się nimi martwić. Pomocne może się okazać spowolnienie tempa karmienia i uniesienie niemowlęcia do pozycji półsiedzącej. Niektóre matki zauważają, że ich dzieci ulewają mniej, kiedy one same leżą podczas karmienia. Po karmieniu niemowlę, które ma skłonności do ulewania, powinno zostać ułożone pod kątem 30 stopni i pozostawione w spokoju przez około trzydzieści minut. Dzięki temu zadziałają siły grawitacyjne, aby zatrzymać większość mleka w żołądku. Następnie opiekun może delikatnie podnieść niemowlę do odbicia. Te manewry mogą zmniejszyć ulewanie, jednak go nie wyeliminują. Mleko modyfikowane cofa się z nieprzyjemnym zapachem, pokarm naturalny zaś jest niewyczuwalny. Kiedy wchodzę do domu, w którym unosi się ta charakterystyczna woń, od razu wiem, że niemowlę karmione jest sztucznie i ma skłonności do ulewania. Rozsypanie sody oczyszczonej na zwrócone mleko pomoże zneutralizować jego kwaśny zapach. Nie stanowi on dla rodziców żadnego problemu (nawet jeśli utrzymuje się na ubraniu dziecka), jeśli wiedzą, że niemowlę jest zdrowe i przybiera na wadze.

Pokarm naturalny lub mleko modyfikowane to wszystko, czego niemowlę w tym wieku potrzebuje. Niemniej w celu zwiększenia wchłaniania wapnia i zapobiegania krzywicy, zgodnie z zaleceniami Amerykańskiej Akademii Pediatrii, wszystkie niemowlęta powinny otrzymywać 200 IU (jednostek międzynarodowych) witaminy D na dobę w pierwszych dwóch miesiącach życia, aż do momentu, kiedy dziecko wypija przynajmniej około pół litra mleka modyfikowanego wzbogaconego witaminą D lub pokarmu naturalnego (do 12 miesiąca życia mleko krowie nie jest zalecane). Niemowlętom karmionym piersią należy codziennie podawać witaminę D w kroplach, a dzieci karmione sztucznie powinny otrzymywać mleko modyfikowane wzbogacone witaminą D[16]. Pokarmy stałe nie są potrzebne przed 5–6 miesiącem życia i prawdopodobnie nie są jeszcze wtedy trawione. Nie jest również jeszcze wykształcony mechanizm połykania: niemowlę zasysa pokarm, tak jakby natura nie przygotowała go do spożywania pokarmów stałych tak wcześnie. Idealnym produktem jest mleko. Podawanie innych może uczulić dziecko, choć reakcje alergiczne pojawią się dopiero później. Z tych właśnie powodów nie polecam wprowadzania w tym wieku pokarmów stałych.

Niemowlę karmione piersią może nie mieć wypróżnień każdego dnia. Wiele dzieci spożywających właściwe ilości pokarmu i z prawidłowym przyrostem masy ciała trawi mleko całkowicie, tak że wypróżniają się one tylko raz w ciągu trzech do ośmiu dni. Nie zdarza się to nigdy u niemowląt karmionych mlekiem modyfikowanym – mają one zazwyczaj jedno lub więcej wypróżnień na dobę. Niemowlęta karmione piersią mogą nagle zmienić częstotliwość wypróżnień z jednego po każdym posiłku do jednego na tydzień. Spotkałem kiedyś w mojej praktyce dwoje niemowląt, które oddawały stolec raz na dziesięć dni. Pomiędzy wypróżnieniami takie dzieci nie zdradzają oznak niezadowolenia. Gdy zbliża się czas wypróżnienia w ich cyklu (który określam jako ich specyficzny wzorzec), zaczynają się napinać i zachowywać tak, jakby stolec im przeszkadzał. Jeżeli jest to ich normalny wzorzec wypróżnień, stolec będzie miękki, bez cech zatwardzenia. Oczywiście rodzice często są zaniepokojeni. Uważają, że jest to zatwardzenie, i zaczynają podawać dziecku czopki albo manipulują w odbycie, aby wywołać regularne stolce. Jest to całkowicie niepotrzebne i niezgodne z naturalnym rytmem. Niemowlę z zaparciem odczuwa dyskomfort, oddając twarde, obfite i trudne do wydalenia stolce. Wypróżnienia niemowląt karmionych piersią są miękkie, a nie twarde, i często mają zielonkawy, podbarwiony żółcią śluz. Chociaż dziecko może płakać, wydalając taki stolec, nie ma jednak cech zaparcia. Mleko z piersi jest idealnym pokarmem dla dziecka i może być strawione niemal bez resztek. Rodzice, którzy wiedzą o tym wcześniej, nie ingerują w normalny rytm wypróżnień.

Niemowlęta karmione mlekiem modyfikowanym mogą oddawać stolec co drugi dzień, ale zazwyczaj nie rzadziej. Pokarm sztuczny nie jest nigdy całkowicie stra-

---

[16] Od roku 2008 w Stanach Zjednoczonych, a od 2009 w Polsce zalecana dawka witaminy D to 400 IU, od urodzenia do wieku młodzieńczego (przyp. red. meryt.).

wiony. Jeżeli niemowlę karmione mlekiem modyfikowanym ma twarde stolce albo więcej niż 5–6 zielonych, śluzowych, wodnistych stolców na dobę, rodzice powinni skontaktować się z lekarzem (zob. też Brazelton, 2004a).

Płacz

Na tym etapie rodzice powinni już umieć rozpoznawać różne rodzaje płaczu swojego dziecka. U większości niemowląt płacz z powodu znudzenia, bólu, dyskomfortu, głodu, zmęczenia czy odreagowania wyraźnie różnią się od siebie. Młodzi rodzice uczą się je rozpoznawać, stosując różne zabiegi uspokajające: karmienie, zmianę pieluszki, przytulanie, otulenie i inne. Odkrywając skuteczne strategie, wiedzą, co zastosować następnym razem. Nie powinni być jednak zdziwieni, jeśli coś, co było skuteczne wcześniej, w innej sytuacji nie pomoże. Uczenie się rodzicielstwa to proces prób i błędów.

Jak wspomniałem w rozdziale 4, regularnie pojawiający się okres marudzenia pod koniec dnia u dzieci w wieku od 6 do 8 tygodni jest powszechnym zjawiskiem adaptacyjnym. Pomaga on dziecku odreagować trudy przystosowywania się do czterogodzinnego cyklu czuwania i spania. Stopniowo dziecko nauczy się bardziej dojrzałych sposobów uspokajania się, takich jak słuchanie odgłosów, obserwowanie światła, cienia, kolorów oraz świadome używanie odruchu ssania palców.

Sposób radzenia sobie z tym normalnym okresem marudzenia u dzieci jest szczególnie ważnym kamieniem milowym – wyzwaniem, dzięki któremu mama i tato dojrzewają jako rodzice oraz uczą się przystosowywać do danej fazy rozwoju dziecka. Dobrze by było, aby ich wysiłki wspierał lekarz. Rodzice, którzy rozumieją różne sygnały wysyłane przez swoje dziecko i znają skuteczne – oraz nieskuteczne – sposoby kojenia łez, nie będą rozpaczać, gdy nie uda im się poradzić sobie z marudzeniem

Rozpieszczanie

Rodzice chcą wiedzieć, czy rozpieszczają dziecko, reagując za każdym razem, gdy zapłacze. Mamy pytają: „Jeśli noszę je cały czas, gdy marudzi, albo ciągle trzymam wtedy przy piersi, czy je rozpieszczam?". Zapewniam je, że nie. O rozpieszczaniu można mówić dopiero później, pod koniec 1 roku życia. Rodzice powinni stosować wszelkie możliwe sposoby – aż do momentu, gdy to, co robią, dodatkowo potęguje marudzenie. Wtedy należy się wycofać. Trzeba wówczas bardzo spokojnie nosić dziecko i na krótko je odkładać – pozostawienie dziecka w spokoju do dziesięciu minut pozwoli mu się wypłakać i odreagować. Następnie można je znów wziąć na ręce, aby się uspokoiło, pomóc uwolnić połknięte podczas płaczu powietrze, a potem znów położyć.

pod koniec któregoś dnia. Badania, które prowadziłem w grupie normalnie rozwijających się dzieci, pokazują, że marudzenie pod koniec dnia osiąga apogeum w 8 tygodniu, a następnie jego intensywność maleje w ciągu kilku następnych tygodni, aby całkowicie zniknąć w tygodniu 12.

Z doświadczenia wiem, że rozpieszczone dziecko to takie, które jest zalęknione lub apodyktyczne. Nie rozpieścimy dziecka, zaspokajając jego potrzeby. Szczególna postawa rodziców polegająca na nadmiernym czuwaniu nad dzieckiem oraz zaspokajanie jego potrzeb z niepokojem i podenerwowaniem mogą doprowadzić do lęku i płaczliwości. Jeżeli rodzice przeszkodzą dziecku w jego próbach ukojenia siebie samego, mogą uzależnić je od swoich strategii. Jednak branie dziecka na ręce, by się z nim pobawić, czy wypróbowywanie różnych sposobów zaspokajania jego potrzeb nie będą miały takiego efektu. Rodzice i dzieci uczą się w ten sposób siebie. Matka i ojciec mogą dowiedzieć się różnych rzeczy o tym samym dziecku. Różne style reagowania przejawiane przez każde z rodziców mogą stanowić dla dziecka bardzo cenne doświadczenie (zob. Brazelton, 2003a; oraz rozdział 16).

Sen i czuwanie

Cykle snu i karmienia powinny być coraz bardziej przewidywalne. Przerwy między kolejnymi karmieniami powinny trwać już co najmniej 3 godziny. Ta regularność pozwala planować dzień rodziców i dziecka. W zależności od masy urodzeniowej i innych czynników dwumiesięczne dziecko potrafi już przesypiać dłuższe odcinki czasu w nocy. Jak wynika z mojego doświadczenia, większe dzieci śpią dłużej, mniejsze zaś, być może mniej dojrzałe, potrzebują częstszego karmienia. Zachęcam rodziców dwumiesięcznych maluchów, aby budzili dziecko rano, tak by razem z nimi rozpoczynało dzień. W nocy powinni obudzić je na ostatnie karmienie, zanim sami położą się spać. Wypracowanie regularnego rozkładu dnia i nocy pozwala dostosować się do dziecka. Rozkład ten nie musi być sztywny i powinien brać pod uwagę potrzeby dziecka, dobrze jest jednak pamiętać, że ono też może się już dostosować. Zrobi to tym chętniej, im bardziej rodzice będą tego od niego oczekiwać.

Oprócz przedłużenia okresów między karmieniami, co nastąpi, gdy układ nerwowy i trawienny dojrzeją, dziecko będzie w dalszym ciągu doskonalić swoje strategie wyciszania się. Niektóre z nich to ssanie kciuka, kokoszenie się w łóżeczku czy kołysanie głowy. Po wzięciu dziecka na ręce, nakarmieniu go, pokołysaniu i wyciszeniu można położyć je w łóżeczku na plecach, kiedy jest spokojne, ale jeszcze nie zasnęło, aby nauczyć je samodzielnego zasypiania. Można siedzieć wtedy obok, nucić i poklepywać je delikatnie. Jeżeli przejście z ramion rodzica do łóżeczka jest dla dziecka zbyt trudne (jak to bywa u dzieci aktywnych), tym bardziej trzeba je wcześnie nauczyć samodzielnego wyciszania się w nocy (być może dodatkowo potrzebuje ono ograniczenia ruchów poprzez szczelne zawinięcie od pasa w dół i ułożenie na plecach). Podczas gdy dziecko poszukuje własnych sposobów na uspokojenie się, rodzice mogą łagodnie podsunąć mu kciuk lub smoczek bądź pomóc znaleźć taką pozycję, która przyniesie ukojenie po przebudzeniu. Jak wspomniałem w rozdziale 4, pewne strategie samowyciszania mogą martwić niektórych rodziców, ale dobrze wiedzieć, że są one ważnymi, nowymi umiejętnościami dziecka. Zachęcając do nich, rodzice pomogą dziecku w budowaniu jego przyszłej samodzielności. Jak wspomniałem wcześniej, układanie dziecka do spania na plecach zmniejszy ryzyko nagłej śmierci łóżeczkowej (zob. też rozdział 38).

Komunikacja

Z wielu różnych strategii wykorzystywanych przez dziecko, by komunikować się z rodzicami, chyba najbardziej skuteczną jest uśmiech. W pierwszych tygodniach rodzice muszą się nauczyć, co zrobić, aby go zobaczyć, dziecko zaś uczy się, jak niezwykłą i niezawodną reakcję wywołuje ten subtelny komunikat. Pojawia się on w odpowiedzi na przytulanie, przytrzymywanie rączek, kołysanie, trzymanie pod kątem 30 stopni, mówienie łagodnym głosem na nieskończenie wiele – specyficznych dla każdej kochającej się pary rodziców – sposobów. Jednak należy pamiętać, że zarówno zbyt gwałtowna reakcja na uśmiech dziecka, jak i zbyt nikła może być gasząca. Można zgasić uśmiech dziecka, reagując na niego zbyt hałaśliwie!

W wieku 2 miesięcy dziecko jest już w stanie utrzymywać swoją uwagę na twarzach rodziców przez dłuższy czas. Przygląda im się z coraz większym zainteresowaniem, a następnie szeroko się uśmiecha. Odwzajemnienie uśmiechu najczęściej przedłuża reakcję dziecka. Może ono poruszyć się radośnie i wydać z siebie krótki dźwięk. Jeśli rodzic powtórzy ten dźwięk, dziecko przestanie się poruszać, a na jego twarzy pojawi się zdziwienie. Ze wszystkich sił spróbuje jeszcze raz. Jeśli mu się nie powiedzie, sfrustrowane może się poddać. Ta frustracja stanowi dla mnie dowód, że dziecko doskonale wie, co się wydarzyło – usłyszało próbę naśladowania go przez rodzica i chce to powtórzyć. Rezygnuje, gdy nie jest w stanie spełnić własnych oczekiwań.

Podczas wizyty w gabinecie uważnie obserwuję, czy rodzice i dziecko uśmiechają się do siebie oraz czy komunikują się ze sobą. Większość rodziców będzie chciała opowiedzieć o tym czarującym dialogu z dzieckiem. Wielu twierdzi, że wszystkie inne aktywności bledną w obliczu tej nowej przyjemności. Któreś z rodziców powiedziało: „Mój problem polega na tym, że kiedy dziecko się obudzi, nie mogę robić nic innego, tylko patrzeć na nie i bawić się z nim". Inni, zwłaszcza ci, którzy pracują i niewiele przebywają w domu, budzą dziecko rano przed wyjściem do pracy lub

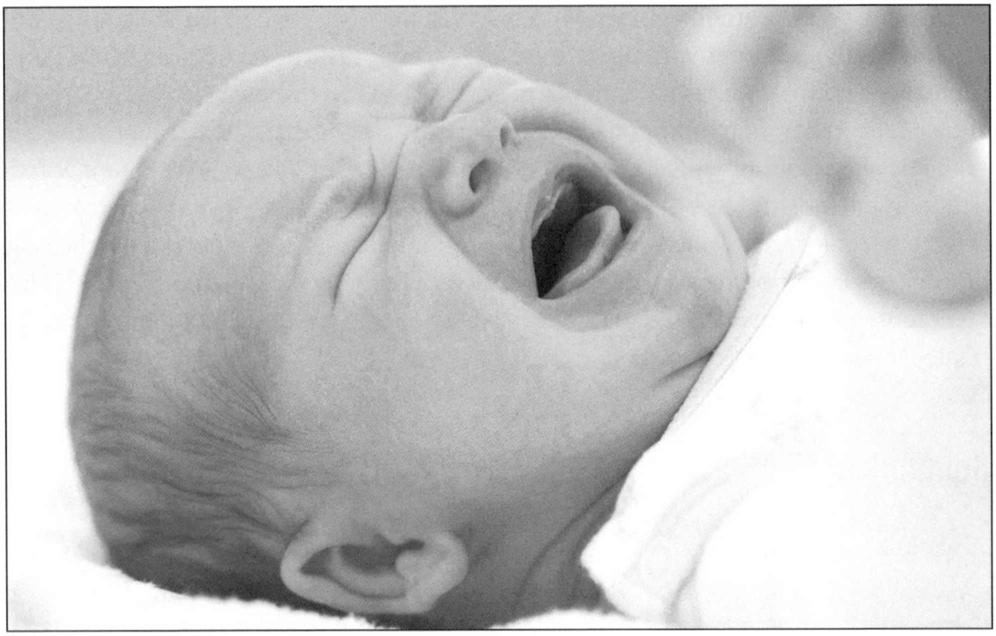

wieczorem przed położeniem się spać, aby się z nim pobawić. Później okazuje się, że po takiej zabawie dziecko lepiej śpi. Wykorzystuję tę kontrolną wizytę, aby zwrócić uwagę rodziców również na to, jak niemowlę próbuje przyciągnąć ich uwagę – za każdym razem jego twarz się ożywia, podnosi ramionka, może nawet zapiszczeć z radości. I doskonale wie, że ono to zrobiło!

Młodzi rodzice, którzy chcą robić wszystko „właściwie", pytają czasem, czy można przesadzić z zabawą: „Jest taka słodka, kiedy się śmieje i gaworzy. Podtrzymuję ten stan, aż w końcu zaczyna płakać. Czy nie posuwam się za daleko?". Jedyna rada, jakiej mogę udzielić, brzmi: „Nie! Cieszcie się sobą". To taki wspaniały czas uczenia się komunikacji. Dziecko potrafi zadbać samo o siebie i zasygnalizować rodzicom, kiedy ma dosyć. Za jakiś czas może poprosić o więcej. Niektóre dzieci sygnalizują przesyt lekkim wzdrygnięciem ramion lub czkawką. Nie należy się tym martwić. Następuje moment, w którym trzeba przestać. Wydaje się, że dziecko chciałoby kontynuować, ale nie może. Frustracja to niezwykła siła w procesie uczenia się, ale niemowlęta potrzebują pomocy w radzeniu sobie z nią.

Niektórzy rodzice dwumiesięcznych dzieci pytają: „Czy ono już nauczyło się, że płaczem może przyciągnąć naszą uwagę?". Oczywiście, że tak. Jeśli rodzice reagują nadgorliwie, u dzieci pojawia się oczekiwanie. Mama i tato postrzegają to jako pożądaną oznakę uczenia się i wczesnego przywiązania. Któż z nas nie pragnąłby towarzystwa osoby, która nas łaskocze, kołysze, przytula, śpiewa i uśmiecha się do nas – i która jest w nas szaleńczo zakochana?

Temperament

Podczas tej drugiej wizyty bardziej widoczne stają się charakterystyczne dla danego dziecka sposoby reagowania. Próbuję zaangażować rodziców w obserwowanie ich wraz ze mną. Patrzymy, jak dziecko odpowiada na dotyk, dźwięki, zdejmowanie ubranka i tym podobne czynności. Już w wieku 2 miesięcy reakcje te będą inne u dzieci cichych i spokojnych, a inne u żywych, bardziej zdecydowanych niemowląt. Powoli będzie się ujawniał temperament. Każde dziecko – zwłaszcza to o cechach ekstremalnych – będzie wymagało od rodziców odpowiedniego przystosowania. W książce *Infants and mothers* (Brazelton, 1983) opisuję te procesy oraz indywidualne różnice pomiędzy dziećmi kształtujące się w 1 roku życia.

W procesie adaptacji rodziców do dziecka pomocne będą obserwacje dotyczące intensywności reakcji, progu przyjmowania i ignorowania bodźców, aktywności motorycznej, kompetencji oraz sposobów samouspokojenia. Moje uważne obserwacje i dzielenie się uwagami na temat zachowania, czyli „języka" używanego przez dziecko do komunikacji, ułatwią dorosłym zadawanie pytań dotyczących niemowlęcia oraz ich rodzicielskiej roli. Podczas naszej wspólnej zabawy z dzieckiem często ujawniają się poważniejsze problemy.

Na przykład nadwrażliwe dziecko stanowi spore wyzwanie dla rodziców, dając pretekst do wzbudzenia wielu wątpliwości co do ich umiejętności otoczenia go właściwą opieką. Jeśli próby wywołania uśmiechu czy przytulanie prowadzą do nadmiernej aktywności dziecka lub płaczu, może to sfrustrować nawet najbardziej doświadczonych opiekunów. Zabawa z nadwrażliwym dzieckiem może wywołać wyginanie ciałka, odwracanie główki, wymioty czy wypróżnienie. Zupełnie jakby każda komórka małego ciała mówiła: „To dla mnie za dużo". Rodzice takich dzieci muszą nauczyć się technik przytulania, kołysania i delikatnej zabawy w spokojnym otoczeniu z małą liczbą bodźców. W danym momencie należy zastosować tylko jeden rodzaj bodźca – albo mówienie łagodnym głosem, albo kontakt wzrokowy, albo delikatne kołysanie. W miarę przyswajania przez dziecko jednej modalności i ostrożnego reagowania na nią można dodać kolejną, aż będzie ono w stanie poradzić sobie ze wszystkimi naraz. Dla nadwrażliwego niemowlęcia nauczenie się równoczesnego reagowania na trzy bodźce – obraz, dźwięk i ruch – stanowi ogromne osiągnięcie.

Czasami pokazuję rodzicom, jak obchodzić się z nadwrażliwym dzieckiem. Proszę, aby obserwowali, jak respektuję jego niski próg wrażliwości na bodźce. Najpierw biorę niemowlę na ręce, nie nawiązując z nim kontaktu wzrokowego czy słownego. Każdy, nawet najmniejszy, ruch spowoduje, że dziecko poruszy się gwałtownie i napnie całe ciało. Muszę zaczekać, aż znów się zrelaksuje, i dopiero wtedy nawiązuję kontakt wzrokowy. Niemowlę na moment znów znieruchomieje, ale gdy poczuję, że się rozluźnia, zaczynam mówić łagodnym, śpiewnym głosem, czekając, aż popatrzy na mnie. Być może już wtedy – gdy mówię, patrzę i kołyszę – dziecko zacznie się uśmiechać lub gaworzyć. Jeśli tak się zdarzy, wówczas proponuję, aby rodzice powtórzyli te same kroki w mojej obecności lub w domu. Proszę, aby nie dodawali żadnego innego bodźca, dopóki nie odkryją, że dziecko jest na to gotowe. Gdy napina ciałko, a następnie relaksuje się, daje sygnał, że przetwarza informacje i przypomina rodzicom, iż łatwo przesadzić z liczbą bodźców. Włączając kolejno pojedyncze bodźce, można nauczyć dziecko, jak radzić sobie ze światem, nie zamykając się na niego.

Rozmawiając o sposobach nawiązania kontaktu z nadwrażliwym dzieckiem, staram się też wyjaśnić rodzicom, że ich troska i gorliwość w sprawowaniu opieki – odzwierciedlające ich oddanie – są dokładnie tymi cechami, które nadmiernie obciążają maleństwo. Jeśli zauważą jego delikatność i uszanują ją, dostrajając do niej swoje pragnienie komunikacji i zabawy z dzieckiem, będą mogli stopniowo wypracować nowy rodzaj wzajemnego kontaktu (zob. też rozdział 25).

Mniej wrażliwe, lecz spokojne i uważne dziecko może również wzbudzić u rodziców niepokój. Płacz i grymasy są u niego bardziej subtelne i trudno jest odgadnąć, czego potrzebuje. Okazuje niezadowolenie przy każdej próbie nawiązania kontaktu. Zbyt głośno wypowiedziane słowa sprawiają, że odwraca się, jakby w ogóle nie chciało słuchać. Każda próba nawiązania kontaktu wydaje się porażką, co sprawia, że młodzi, pełni zapału rodzice czują się odrzuceni.

Rozmawiając z rodzicami takiego dziecka, udzielam im następujących rad: podchodź do niemowlęcia powoli, bez słów. Podłóż jedną rękę pod pośladki, drugą przytrzymaj rączki i nóżki, nie nawiązując jeszcze kontaktu wzrokowego. Delikatnie dotykając nóżek, podaj dziecku do uchwycenia swoje palce. Kiedy poluźni swój chwyt, możesz próbować nawiązać z nim kontakt wzrokowy. Jeśli znieruchomieje i odwróci główkę, będzie to znaczyło, że cały proces przebiegł zbyt szybko. Zaczekaj i spróbuj jeszcze raz. Gdy w końcu pozwoli spojrzeć na siebie, zaczekaj, aż znów poczuje się z tym komfortowo, i dopiero wtedy zacznij mówić do niego łagodnym, śpiewnym głosem. Jeśli dziecko ożywi się i spróbuje odpowiadać, możesz rozpocząć rytmiczny, naprzemienny dialog, aż do momentu przesycenia i odwrócenia przez nie główki. Nie powinieneś wówczas czuć się odrzucony. Uświadom sobie, że masz po prostu do czynienia z wrażliwym dzieckiem, które radzi sobie tylko z jednym bodźcem naraz. Każdy kolejny można wprowadzić bardzo ostrożnie, dopiero po zaakceptowaniu przez nie poprzedniego. Z czasem dziecko nauczy się, jak sobie radzić z bodźcami bez zamykania się na nie. Wówczas kontakt z nim będzie sprawiał ogromną satysfakcję – dziecko będzie spokojne, uważne, a nawet wdzięczne za respektowanie jego wrażliwości.

Jerome Kagan wykazał, że temperament ujawnia się bardzo wcześnie oraz że wrażliwe dziecko może wyrosnąć na bardzo nieśmiałą osobą. Rodzice, którzy respektują temperament niemowlęcia, będą mogli mu lepiej pomóc w rozwoju niż ci, którzy próbują – nieskutecznie oczywiście – go zmienić.

Rozwój motoryczny

Między 6 a 8 tygodniem życia większość niemowląt zaczyna w pewnym zakresie kontrolować swoje reakcje. Zamiast nagłych odruchów, które do tej pory uniemożliwiały celowe poruszanie, pojawia się panowanie nad kończynami. Dziecko może teraz leżeć w łóżeczku na plecach i miarowo poruszać rączkami i nóżkami. Jeśli dotkniemy jego rączki przedmiotem, który wzbudza zainteresowanie, dziecko może wyrzucić ją w pożądanym kierunku. Na długo zanim skutecznie sięgnie po przedmiot, można zauważyć, że składowe ruchu już istnieją. Niemowlę potrafi odwracać główkę w wybraną przez siebie stronę i wkładać piąstkę do buzi, aby się uspokoić. Zapanowanie nad ruchem zajęło dziecku dwa miesiące – można zaobserwować, jak mozolnie nadal ćwiczy, leżąc w łóżeczku.

Kiedy podciągam malucha za rączki z pozycji leżącej do siedzącej, główka tylko na moment zostaje w tyle. Dziecko potrafi już utrzymać ją pionowo przez minutę lub dłużej. Położone na brzuszku unosi główkę do góry, aby się rozejrzeć i ułatwić sobie oddychanie. W pozycji stojącej ciągle da się zauważyć odruch kroczenia (podparcia), ale już nie tak łatwo go zainicjować jak zaraz po urodzeniu. Rodzice mogą sami zaobserwować, że odruchy obecne w pierwszych tygodniach życia stopniowo zanikają, ustępując miejsca zachowaniom świadomym.

Rozwój poznawczy

Rodzice, należący przecież do gatunku *homo sapiens*, ogromnie ekscytują się na widok pierwszych objawów inteligencji u swojego dziecka. U niemowląt w wieku 6–8 tygodni rozwinęły się już różnego rodzaju oczekiwania. Na przykład wzięcie na ręce, łagodne kołysanie i ułożenie pod kątem 30 stopni oznacza dla dziecka pozycję służącą interakcji i wywołuje naturalne ożywienie. Badając dziecko, obserwuję, co wywołuje jego uśmiech i wokalizację. Już w wieku 8 tygodni chcę zaobserwować jego umiejętność rozróżniania pomiędzy mamą, tatą a osobą obcą.

W laboratorium Szpitala Dziecięcego w Bostonie oglądaliśmy trzyminutowe nagrania zachowań niemowląt. Obserwując paluszki u dłoni i stóp, ruchy rąk i nóg oraz mimikę twarzy, mogliśmy odgadnąć, na kogo reaguje dziecko w danym momencie.

W kontakcie z matką ruchy niemowlęcia są płynne i cykliczne. Ręce, nogi i wszystkie paluszki wyciągają się w jej kierunku, a następnie wycofują z częstotliwością czterech razy na minutę, w regularnych cyklach. Twarz dziecka się ożywia. Przy kontakcie wzrokowym z mamą niemowlę delikatnie odwraca wzrok – regularnie cztery razy na minutę. Z kolei w kontakcie z ojcem reaguje inaczej. Jego ciało staje się napięte i bardzo aktywne. Twarz się ożywia, brwi unoszą, buzia się otwiera, a na ustach pojawia się uśmiech. Ręce, nogi i wszystkie paluszki wręcz „wyrywają się" w kierunku taty, oczekując interakcji i zabawy. Natomiast w relacji do kogoś obcego twarz dziecka początkowo się ożywia, a następnie, gdy dziecko zidentyfikuje osobę nieznajomą, albo odwróci wzrok, albo zafiksuje go, tak jakby patrzyło na przedmiot. Przyglądając się uważnie niemowlęciu, można zobaczyć, jak różnicuje swoje reakcje w zależności od tego, na kogo patrzy. Wskazuję te różnice rodzicom, aby potrafili sami prowadzić takie obserwacje.

Dla dziecka w tym wieku również przedmioty stają się bardziej fascynujące. Na przykład telefon komórkowy może stać się źródłem ogromnej przyjemności i dziecko będzie mu się przyglądać coraz dłużej, próbując nawet wydłużyć w tym celu stan czuwania. Również własne dłonie stają się obiektem obserwacji niemowlęcia – dzieci poruszają nimi nieustannie przed swoimi oczyma. Uczą się w ten sposób koordynacji wzrokowo-ruchowej, która będzie im przydatna, gdy zaczną sięgać po przedmioty w wieku 4 miesięcy. Pilnie ćwicząc przez cały ten czas, będą mogły szybko nauczyć się precyzyjnego chwytania. W 4 lub 5 miesiącu, gdy chwytanie przedmiotów zostanie już opanowane, dziecko będzie mogło utrzymywać rączkę w zasięgu wzroku peryferyjnego i ćwiczyć precyzję chwytania również w tej pozycji.

Szczepienia ochronne

Podczas wizyty w 2 miesiącu życia niemowlę musi być zaszczepione. Aktualne rekomendacje w tym wieku obejmują szczepienie drugą dawką hepatitis B (HepB #2), która może być podana kiedykolwiek w ciągu 2 lub 3 miesiąca życia (pierwsza dawka podawana jest po porodzie), a ponadto szczepionkami: błonica, tężec, krztusiec (DTaP), *hemophilus influenza* (Hib), polio (IPV) oraz przeciw pneumokokom (PCV) (aktualny kalendarz szczepień zob. na www.szczepienia.pl). Należy stosować się do rekomendacji, począwszy od tego momentu w życiu dziecka, aby mieć pewność, że jest ono zabezpieczone. Zalecam, aby w trakcie szczepienia trzymać dziecko na rękach i być przygotowanym na ukojenie łez po podaniu szczepionki – poprzez kołysanie, taniec wokół pokoju lub podanie czegoś do ssania. Reakcje poszczepienne zwykle wywołują u rodziców niepokój. Gorączka i opuchlizna w miejscu wkłucia zdarzają się rzadko i najczęściej nie są problemem, ale powinny być omówione z lekarzem dziecka lub pielęgniarką. Ze składu szczepionek usunięto thimerosal, środek konserwujący zawierający rtęć, gdyż podejrzewano, iż może on być przyczyną autyzmu u dzieci[17]. W przyszłości badacze będą musieli zweryfikować, czy zwiększona liczba rozpoznań autyzmu w ostatnich latach zmniejszyła się w wyniku tego działania. Mimo że sama rtęć jest znaną neurotoksyną, dotychczas nie udowodniono, iż szczepionki powodują autyzm. Szczepienia ochronne zabezpieczają dzieci przed wybuchem epidemii innych poważnych chorób, zagrażających życiu lub prowadzących do trwałego kalectwa. Najnowsze badania naukowe mogą przynieść nowe rozumienie korzyści i zagrożeń wynikających ze szczepień, dlatego ważne jest, aby poprosić swojego lekarza o aktualne dane na ten temat.

Perspektywa na przyszłość

„Powrót do pracy? Muszę pomyśleć o powrocie do pracy. Urlop skończy się za cztery tygodnie. Na samą myśl cierpnie mi skóra. Zaproponowali mi jeszcze jeden miesiąc wolnego, ale nie stać mnie na dłuższy bezpłatny urlop. Czy potrafię zostawić z kimś moje dziecko? Komu mogę zaufać?" – myślą mamy. Podczas tej wizyty z pewnością usłyszę takie pytania – w tej czy innej formie. Planowanie powrotu do pracy niesie ze sobą ważne refleksje. Jeśli rodzice mają zamiar zostawić dziecko pod czyjąś opieką, powinniśmy porozmawiać o ich uczuciach związanych z rozłąką oraz jakością opieki, którą mu zapewnią. Jeżeli postanowią podzielić obowiązki między siebie, również trzeba to omówić. Jeżeli ktoś dodatkowo będzie opiekował się dzieckiem, byłoby idealnie, aby ta osoba także spotkała się z lekarzem niemowlęcia.

W zależności od sytuacji rodzinnej podczas tej wizyty zachęcam matkę do pozostania z dzieckiem przez co najmniej cztery miesiące[18]. Da jej to wystarczająco dużo czasu, aby poradzić sobie z okresem marudzenia w pierwszych trzech miesiącach życia dziecka, a także doświadczyć przyjemności w czwartym, kiedy dziecko uśmiecha się i gaworzy. Dzielenie się z innym opiekunem tymi wyjątkowymi momentami zdobywania przez nie nowych umiejętności jest dla matki wyjątkowo trudne. Czasami rodzice, którzy mieli doskonały plan umieszczenia dziecka w żłobku lub zatrudnienia niani, nagle odkrywają, że ich nastawienie do tych planów uległo zmianie. Pewna matka stwierdziła: „Nie mogę sobie z tym poradzić. Za każdym razem,

---

[17] W Polsce nadal wiele szczepionek zawiera rtęć. Ustawa o chorobach zakaźnych daje rodzicom prawo decydowania o programie szczepień ich dzieci (przyp. red. meryt.).

[18] Podstawowy wymiar urlopu macierzyńskiego w Polsce to od 20 do 37 tygodni, a długość urlopu fakultatywnego to od 24 do 43 tygodni – długość urlopu jest uzależniona od liczby urodzonych dzieci. Wymiar fakultatywnego urlopu ojcowskiego to 2 tygodnie, do wykorzystania w ciągu pierwszego roku życia dziecka (przyp. red.).

gdy pojawia się myśl o zostawieniu dziecka, mam pustkę w głowie. Przerasta mnie to". Rodzice muszą ocenić te silne i ważne emocje w odniesieniu do potrzeby posiadania dwóch pensji bądź presji ze strony pracodawcy. Jest to jedna z najtrudniejszych decyzji. Ten moment pierwszej poważnej rozłąki to kolejny ważny kamień milowy, który sprawia, że rodzice dziecka otwierają się na wsparcie, jakie ja, lekarz, mogę im zaproponować, a przez to pogłębić nasze relacje.

Jeśli rodzice zdecydują, że obydwoje muszą pracować w pełnym wymiarze godzin, wówczas zachęcam ich, aby poświęcili odpowiedniu dużo czasu na znalezienie właściwego opiekuna. Dobrze byłoby, gdyby był to ktoś, kogo lubią i mogą obdarzyć zaufaniem. Z całą pewnością powinni najpierw zobaczyć, jak osoba ta radzi sobie z innymi dziećmi i jak wyglądają ich interakcje. Muszą uświadomić sobie też własne uczucia związane z faktem, że ktoś inny będzie się opiekował ich dzieckiem i że będą musieli się nim dzielić. Przypominam rodzicom, że im bardziej opiekun będzie oddany, pomocny i kompetentny, tym bardziej oni będą spokojni, ale mogą też odczuwać większą zazdrość. Dobrze jest więc znaleźć kogoś, kto weźmie pod uwagę również ich uczucia i proces adaptacji, przez jaki muszą przejść. Rodzice muszą uczestniczyć w podejmowaniu decyzji dotyczących swojego dziecka, niezależnie od tego, kto się nim opiekuje. W książce *Working and caring* (Praca i opieka; Brazelton, 1992b) omawiam każdy z tych problemów nieco szerzej.

> W opiece nad małym dzieckiem bardzo istotna jest liczba dzieci przypadających na opiekuna – jedna osoba dorosła nie powinna opiekować się więcej niż trójką niemowląt. Wprawdzie profesjonalna opieka jest kosztowna, ale niezbędna zarówno dla dobra dziecka, jak i spokoju rodziców. Równie ważna jest umiejętność rozumienia dziecka i reagowania na jego indywidualność. Dobra placówka opiekuńcza dba również o rodziców. Nie poleciłbym nikomu miejsca, w którym rodzic nie jest mile widziany o każdej porze. Ponieważ trudno jest znaleźć dobrego opiekuna, być może rodzice będą musieli zarezerwować miejsce w żłobku z dużym wyprzedzeniem (zob. rozdział 47).

Czasami rodzice pytają mnie, jak długo zalecałbym pozostanie w domu z dzieckiem, gdyby wszystkie opcje były możliwe. Jeśli ktoś rzeczywiście ma możliwość wyboru, proponuję jeden rok. W 2 roku życia dziecko radzi już sobie z rówieśnikami, więc przebywanie w grupie nie jest dla niego tak stresujące. Wcześniej jednak najlepszym rozwiązaniem jest praca jednego lub obojga rodziców w niepełnym wymiarze godzin, tak aby jedno z nich przebywało z dzieckiem przez większą część dnia. Uważam, że takie rozwiązanie jest niemal tak samo ważne dla rozwoju rodziców jak dla dziecka (zob. Greenspan, 2002).

Jeżeli rodzina nie może sobie na to pozwolić, próbuję pomóc rodzicom w znalezieniu innego dobrego wyjścia. Jeśli mamie uda się ściągać pokarm w pracy, a ponadto karmić dziecko w porze obiadu, będzie to korzystne zarówno dla niej, jak i dla niego. Cudowna dla obojga będzie możliwość przystawienia dziecka do piersi po powrocie z pracy (zob. Huggins, 2011).

Jeżeli jedno z rodziców zdecyduje się na pozostanie przez jakiś czas w domu z dzieckiem, zachęcam go do pamiętania o swoich potrzebach i znalezienia czasu dla siebie. Po doświadczeniu ogromnych zmian związanych z rodzicielstwem rodzice muszą też zadbać o swój związek, na nowo go scementować i poświęcić sobie trochę uwagi. Może to być dobra okazja do zatrudnienia od czasu do czasu opiekunki, aby oderwać się od dziecka. Wystarczy na krótko. Ważne jest, aby znaleźć kogoś, komu będzie można zaufać.

Być może największą trudnością w takiej sytuacji będzie lęk przed rozstaniem z dzieckiem. Niemowlę może rzeczywiście tęsknić za rodzicami, ale to oni będą się czuć naprawdę zagubieni bez niego. Młodzi mama i tato bardziej potrzebują dziecka niż ono wydaje się potrzebować ich. Oddani rodzice muszą przygotować się na tego rodzaju uczucia, gdyż są one powszechne. Krótki czas bez dziecka może naprawdę pomóc im poradzić sobie z nimi. Matki karmiące wolą, w miarę możliwości, wracać na czas karmienia. Jednak jeśli to konieczne, mogą ściągnąć pokarm i zostawić go opiekunce.

Czasami matki pytają: „Czy dziecko rozpozna mnie, jeśli wrócę do pracy i będę musiała zostawiać je z kimś innym?". Zapewniam je, że tak. Dziecko zakomunikuje to mamie zachowaniem i ruchami, które wspólnie wypracowali. Mama może nauczyć się rozpoznawać te sygnały, aby nie odczuwać rozstania zbyt dotkliwie.

Podczas tej wizyty rodzice często pytają, czy mogą zabierać ze sobą dziecko, gdy wychodzą gdzieś wieczorem, albo w ciągu dnia do biura. Wyrażam swoją aprobatę i zaznaczam, że jedynym problemem związanym z przebywaniem w tłumie mogą być infekcje, na które dziecko jest wówczas narażone. Nie należy pozwalać nieznajomym lub osobom przeziębionym, by brały je na ręce czy nachylały się nad nim. Małe dzieci są wyjątkowe – każdy chciałby je przytulić. Kiedy podróżowałem z jednym ze swoich dzieci, wszystkie starsze panie (i niektórzy panowie) chcieli je potrzymać, co zawsze kończyło się tym, że ktoś kichał prosto w twarzyczkę maleństwa. Musiałem tym życzliwym skądinąd osobom mówić: „Przepraszam, ale muszę państwa chronić. Moje dziecko jest podejrzewane o poważną chorobę". Nikt już nie był zainteresowany wzięciem go na ręce.

6

Czwarty miesiąc

W mojej wieloletniej praktyce największą radość zawsze sprawia mi wizyta w 4 miesiącu. Rodzice i dziecko stanowią wówczas pewną całość. Więzi uczuciowe łączą ich ściśle w jedną rodzinę. Nawet rodzice pierwszego dziecka zdążyli już do tej pory nabrać pewności siebie. Nie ma wówczas znaczenia, kto trzyma dziecko – obchodzą się z nim z pewną nonszalancją, jak z tobołkiem. Gdy siadają, trzymają je przed sobą, aby móc z nim gaworzyć śpiewnym głosem. Jeśli dziecko jest śpiące, budzą je, żeby pokazało, co potrafi. Obserwują, czy inni zauważają i podziwiają ich wyjątkowe maleństwo. Przypadkowi słuchacze w poczekalni są zasypywani opowieściami o jego ostatnich osiągnięciach. Bardzo prawdopodobne, że przyjaciele i znajomi z pracy są już tym odrobinę znudzeni.

W gabinecie obydwoje rodzice zrobią wszystko – będą łaskotać dziecko, przemawiać do niego melodyjnym, wysokim głosem – aby sprowokować te wszystkie cudowne reakcje niemowlęcia i wzbudzić mój podziw. Kiedy muszę zdjąć dziecku ubranka, stoją nade mną, sprawdzając, czy robię wszystko właściwie. Gdy aplikuję szczepionki, wykrzywiają się z bólu i szybko zabierają maleństwo. Rodzice znają już swoje dziecko i doświadczają właśnie szczytowej fazy zakochania w nim. Bardzo się cieszę, gdy to widzę, z radością patrzę też na dziecko i jego interakcje z rodzicami. Będą one jeszcze bardziej zróżnicowane niż podczas ostatniej wizyty – spokojne z matką, a ożywione i dynamiczne z ojcem. Dziecko będzie się śmiało i gaworzyło również ze mną, ale tylko z daleka – gdy podejdę zbyt blisko lub pochylę się, aby je zbadać, prawdopodobnie zacznie popłakiwać. Nowe miejsce i moja osoba są dla niego nieznane. Będą to pierwsze oznaki rozróżniania obcych – umiejętność ta rozwinie się w pełni w wieku 7 lub 8 miesięcy, a przypadnie to w okresie ogromnego skoku w rozwoju poznawczym dziecka. Jednak już teraz, patrząc na mnie, porównuje moją osobę z tymi ze swojego świata – rodzicami, rodzeństwem czy opiekunką.

Żarliwe, nowe uczucia związane z rodzicielstwem mogą przerastać niektórych rodziców. „Nie potrafię rozmawiać ani myśleć o niczym innym – tylko o dziecku. Nasi bezdzietni znajomi mają mnie już dosyć. Mogłabym cały czas je nosić i chwalić się nim. Czy ze mną jest coś nie tak?" – uspokajam ich, że ten rodzaj uczuć można nazwać zakochaniem. Rodzice są tak zauroczeni swoim dzieckiem, że traktują je jak cząstkę siebie. Każde jego osiągnięcie postrzegają jako własne. Równolegle do tej dumy pojawia się zachwyt. Obserwowanie, jak dziecko po raz pierwszy opanowuje jakąś nową umiejętność – patrzenie na proces uczenia się – wywołuje podziw. To oczywiste, że ono owinęło sobie rodziców wokół palca! Każdy, kto ma dziecko, zna to uczucie. Z punktu widzenia pediatry to najlepsze, co może się zdarzyć. Owo silne przywiązanie będzie kotwicą gwarantującą bezpieczne dzieciństwo.

Dużo wydarzyło się w trakcie tych czterech miesięcy. Cała rodzina się zreorganizowała. W tej chwili każdy zna już swoją rolę. Wszyscy mają za sobą trudny okres adaptacji i uczenia się rozumienia indywidualności dziecka. Etap marudzenia pod koniec dnia został zastąpiony czasem intensywnej komunikacji. Ten okres dnia, którego wszyscy się bali, teraz jest najbardziej oczekiwanym czasem wspólnej zabawy. Jeśli płacz czy „kolka" nadal są problemem, należy przyjrzeć się przyczynom (wyeliminować m.in. refluks żołądkowo-przełykowy, uczulenie na białko, nietolerancję glukozy, brak umiejętności samoregulacji). Koniecznie trzeba skonsultować to z pediatrą – kto pyta, nie błądzi.

Po pierwszym wspólnym zachwycie nad dzieckiem z pewnością padną pytania o karmienie i sen. Rozwój malucha podsunie różne opcje karmienia i regulowania cyklów snu. Wykorzystuję ten moment, aby pomóc rodzicom spojrzeć na pojawiające się problemy z punktu widzenia dziecka. Jeśli zrozumieją jego potrzeby rozwojowe, będą umieli podjąć takie decyzje, które zapobiegną ewentualnym problemom w przyszłości.

Jeśli chodzi o karmienie, to rutynowe działania mogą zostać zakłócone przez konkurencyjne zainteresowania dziecka – będzie ono teraz chciało się rozglądać i nasłuchiwać. Nie potrafi wytrwać spokojnie przy piersi czy butelce. Czasami trudno je nakarmić. W rodzicach zrodzi się wątpliwość, czy zjada wystarczająco dużo. Jednak jeśli ten krótki czas (tydzień lub dwa) potraktują jako ekscytujące poznawcze zainteresowanie światem, które konkuruje z karmieniem, nie uznają tego za swoją porażkę.

Jeśli chodzi o sen, ważne jest w tym czasie ustalenie rytuału, który pozwoli dziecku, po pierwsze, nauczyć się samodzielnego usypiania, po drugie – przesypiać 8 do 12 godzin bez przerwy. W wieku 4 miesięcy układ nerwowy jest już na tyle dojrzały, że pozwala na tak długie cykle snu. Zrozumienie tego faktu pomoże rodzicom zachęcać dziecko do samodzielnego wejścia w określony rytm. Jak zauważymy, te nowe problemy związane z karmieniem i snem to ważny kamień milowy w rozwoju niemowlęcia. Można zająć się nimi zawczasu, unikając w ten sposób utrwalenia pewnych niepożądanych zachowań.

Karmienie

Przewidywalny w tym okresie czas posiłków dziecka pozwala rodzicom powrócić do „normalnego" życia. Niemowlę nie potrzebuje już karmienia na żądanie. Można je obudzić rano i wpasować w rytm pozostałych członków rodziny, a kolejne karmienia zaplanować co 3–4 godziny, z przed- i popołudniową drzemką pomiędzy nimi. W tym wieku dziecko potrzebuje zwykle 6 posiłków. Na ostatni można je specjalnie obudzić tuż przed położeniem się rodziców, aby w ten sposób przedłużyć nocny odpoczynek niemowlęcia. Jeżeli ustalił się już dosyć regularny rytm karmienia, łatwo zauważyć w nim jakąkolwiek zmianę. Natomiast nieregularne posiłki utrudniają wspólne uczenie się siebie. Dlatego zachęcam rodziców do ustalenia stałego rozkładu dnia. Jeśli dziecko przybiera na wadze i dobrze się rozwija, oznacza to, że karmienie naturalne czy podawana mieszanka służą mu doskonale.

Matka pracująca poza domem może ściągać pokarm kilka razy dziennie, by później go wykorzystać. Noszenie ze sobą zdjęcia dziecka może być w tym bardzo pomocne. Pracodawcy powinni zapewnić karmiącym matkom spokojne, wygodne i intymne miejsce, wystarczająco dużo czasu (od 15 do 30 minut za każdym razem) oraz lodówkę do przechowywania mleka. Pod względem wydajności pracy jest to bardzo korzystne rozwiązanie – matki karmiące piersią opuszczają mniej dni niż te, które karmią mieszanką, gdyż pokarm naturalny chroni dziecko przed infekcjami. Mleko ściągnięte danego dnia może być podane dziecku w dniu następnym przez opiekunkę.

Uwaga

Pokarm naturalny można przechowywać w lodówce od 24 do 48 godzin. Mleko zamrożone może być wykorzystane do 24 godzin po rozmrożeniu - później nie nadaje się do spożycia. Bardzo praktyczne jest zamrażanie w oddzielnych plastikowych buteleczkach lub workach małych porcji, które powinny być odpowiednio datowane i zużyte w przeciągu trzech miesięcy.

Mama i dziecko mogą cieszyć się trzema wspólnymi posiłkami – rano przed wyjściem do pracy, wieczorem po powrocie i tuż przed pójściem spać. Ten ostatni, pod koniec całego dnia (na który dziecko trzeba specjalnie obudzić), jest istotny dla stałego napływu pokarmu do piersi. Dla karmiącej matki ważna jest też codzienna zdrowa dieta – 1800 kalorii lub o 500 kalorii więcej niż przed ciążą – zawierająca owoce, warzywa, pełnoziarniste pieczywo i płatki, wystarczająco dużo nabiału, aby zaspokoić większe zapotrzebowanie na wapń, oraz dużo białka. Kobiety, które karmią, powinny dbać o swoją dietę, uzupełniając ją witaminami i żelazem. Cudowna dla matki i dziecka będzie możliwość intymnego przebywania razem podczas karmienia, po powrocie z pracy. Będzie to z pewnością owocny czas!

W karmieniu piersią zawsze zadziwia mnie zjawisko naturalnego zaspokajania rosnących potrzeb dziecka – pod tym względem pierś jest nieoceniona. Nie tylko zmienia się w zależności od zapotrzebowania ilość mleka, ale także jego skład jakościowy – względne proporcje tłuszczu i białek! W 4–5 miesiącu sprawdzam jednak, czy dziecko karmione naturalnie nie potrzebuje uzupełnienia diety żelazem, co częściowo zależy od diety matki, oraz czy za około miesiąc będzie gotowe na przyjmowanie pokarmów stałych zawierających żelazo, na przykład zmiksowanego mięsa. W przeciągu tych pierwszych kilku miesięcy dziecko zwiększa ponad dwukrotnie swoją masę urodzeniową oraz rośnie około 10–12 centymetrów. Nawet jeśli pory posiłków będą ustalone w przewidywalnym i regularnym rytmie, co 3–4 godziny, zdarzą się dni, kiedy dziecko będzie głodne co 2 godziny. Będą to okresy wzmożonego wzrostu, kiedy to tymczasowo zapotrzebowanie na mleko będzie dużo większe niż do tej pory. Częstsze karmienia będą bodźcem do produkcji większej ilości pokarmu bogatszego w składniki odżywcze.

W miarę rozwoju mózgu dziecka w wieku 4,5 do 5 miesięcy pojawi się większa świadomość otoczenia, która zaburzy proces karmienia. Niemowlę będzie umiało już skupiać wzrok na przedmiotach znajdujących się w pewnej odległości. Rodzice nagle odkryją, że fascynuje się ono cieniem rośliny doniczkowej na ścianie, światłem w oknie – wszystkim, tylko nie podawaną właśnie piersią czy butelką. Nagle to, co dziecko widzi i słyszy, staje się interesujące w jakiś zupełnie inny, nowy sposób. Z każdym nowym dźwiękiem i obrazem, którym nie może się oprzeć, blednie jego zainteresowanie karmieniem. Kiedy odwraca się na wszystkie strony, ciągnie za sobą pierś. Każdy bodziec wymaga jego uwagi. Dzieci w tym wieku ekscytują się na przykład nowymi zabawkami – ich widok dosłownie zapiera im dech w piersiach. To nowe zachowanie zaburzy pewien wypracowany już rytm karmienia i snu, frustrując rodziców, jeśli nie będą na nie przygotowani. Wykorzystuję tę kolejną wizytę, aby pomóc im potraktować tę zmianę jako coś normalnego i ekscytującego – jako pozytywną oznakę rozwoju, którą mogą uwzględnić w swoich planach i z której powinni być dumni. Wizualne rozproszenie dziecka podczas karmienia można zredukować, na przykład przyciemniając światło. Można też potraktować każde karmienie jako okazję do nowej interakcji i komunikacji. Pierwsze próby sięgania po pożądany przedmiot mogą zamienić porę karmienia w doskonałą zabawę.

Za kilka miesięcy, kiedy dieta wzbogaci się o pokarmy stałe, dziecko będzie chciało posługiwać się łyżeczką! Będzie rozmazywać jedzenie na twarzy i we włosach, a trzymane na rękach ubrudzi też opiekuna! Poznawanie świata dostarcza dziecku tyle zadowolenia, ile samo spożywanie jedzenia. Choć takie zachowanie utrudnia karmienie, jest kolejną oznaką rozwoju.

W czasie tej wizyty słyszę od wielu karmiących matek, że ich dziecko jest gotowe na odstawienie od piersi. Zaczynają się nawet zastanawiać, czy może już przyjmować pokarmy stałe. Gdy przypominam im, że przecież chciały karmić przez cały pierwszy rok, odpowiadają: „To prawda, ale dziecko już nie chce piersi. Kiedy je przystawiam, odwraca się i nie ssie. Każdy dźwięk, każdy ruch je rozprasza. Nie najada się wystarczająco podczas żadnego karmienia. Czuję, że mam coraz mniej pokarmu". Jest to właśnie opis fazy rozwojowej, przez którą przechodzi dziecko – zwracanie uwagi na bodźce wizualne oraz wzrost świadomości poznawczej.

Matki, które delektowały się ciepłem i niczym niezakłóconą intymnością karmienia piersią, czują się w tym momencie porzucone. Nowa niezależność dziecka i jego chęć skupienia się na czymś innym niż mama wydają się zdradą. Do tej pory matka i dziecko stanowili nierozłączną całość. Już tak nie jest. W rzeczy samej, psychoanalitycy, między innymi Margaret Mahler, piszą, iż właśnie w tym wieku następuje „wylęganie się" albo „narodziny psychiczne", w odróżnieniu od fizjologicznych sprzed kilku miesięcy. Jeśli kobieta nie rozpozna, co się dzieje, może doświadczyć smutku i frustracji. Poczuje, że traci piękny stan zakochania, jaki rozwinął się pomiędzy nią a dzieckiem. Trudno jej będzie zaakceptować rozłąkę jako naturalny etap rozwoju autonomii dziecka. Niektóre kobiety decydują się nawet na kolejną ciążę, aby wypełnić tę domniemaną pustkę.

Kiedy mam wrażenie, że kobieta doświadcza podobnych emocji, wyraźnie podkreślam, iż dziecko wcale nie traci zainteresowania piersią. Znalazło jedynie całą gamę nowych konkurencyjnych zainteresowań, które są tylko tymczasowo ważniejsze niż dobrze znane doświadczenie karmienia. Ta intensywna ciekawość świata trwa tydzień lub dwa, po czym następuje powrót do piersi ze zdwojoną siłą. Nie jest to powód do zakończenia karmienia. Mama może przystosować się do tego etapu rozwoju, pozwalając dziecku na rozglądanie się i odkrywanie świata; podczas karmienia może nawet podać dziecku zabawkę do potrzymania w rączce. W tym okresie karmienie w ciągu dnia nie będzie dostatecznie stymulowało produkcji mleka – dziecko może być zbyt podekscytowane, aby porządnie opróżniać piersi. Dlatego poranne i wieczorne posiłki powinny odbywać się w spokojnym, przyciemnionym miejscu z niewielką liczbą czynników rozpraszających. Dzięki temu produkcja mleka będzie podtrzymywana. Wkrótce dziecko zacznie preferować jedzenie stałe, ponieważ cały kontekst takiego karmienia jest bardziej złożony, a dziecko może w nim aktywnie uczestniczyć. Karmienie piersią może okazać się czynnością zbyt bierną, a przecież dzieci w tym wieku są zaprzeczeniem bierności! Spokojne, współpracujące niemowlę stało się wulkanem aktywności. Doświadczanie nowego świata i uczenie się go staje się dla niego coraz bardziej ekscytujące.

Karmienie nie jest już prostym zadaniem. Instynkt macierzyński podpowiada, że czynniki odwracające uwagę dziecka mogą stanowić prawdziwe zagrożenie – przecież dziecko musi jeść, aby dobrze się rozwijać. Jeśli rodzice zrozumieją, co jest przyczyną odmawiania jedzenia, nie będą mieć poczucia, że nie radzą sobie z sytuacją. Wspieranie dziecka w procesie uczenia się i dzielenie jego radości to również ważna część rodzicielstwa. Zrozumienie tego ważnego etapu – rozwoju poznawczego w wieku 4 miesięcy – może pomóc rodzicom uniknąć zmagań z dzieckiem czy karmienia go na siłę, a także zapobiec poważnym problemom żywieniowym w przyszłości.

W późniejszym okresie, kiedy dietę mleczną urozmaici jedzenie stałe, dziecko będzie wyczekiwać tych posiłków i potrzebować mniej mleka. Pierwsza łyżeczka kaszki ryżowej będzie wydawać się krokiem zmieniającym życie, wprowadzającym niezależność od pełnej i idyllicznej jedności istniejącej pomiędzy karmiącą matką a jej niemowlęciem. „To naprawdę smutne, że on woli wszystko inne, tylko nie mnie – powiedziała pewna matka. – To było takie słodkie, gdy całkowicie zależał ode mnie". W takim wypadku podczas posiłku łatwiej jest czasami najpierw nakarmić dziecko piersią, a potem przejść do jedzenia podawanego łyżeczką.

Matki doświadczają odmiennych emocji związanych z karmieniem: „Nie mogę się doczekać wprowadzenia jedzenia stałego. Wszystkie moje karmiące koleżanki już to zrobiły i ich dzieci dawno wyprzedziły moje". Zapytane, co znaczy „wyprzedziły", odpowiadają: „No cóż, ważą więcej, znają więcej różnych smaków, nie krztuszą się już, gdy są karmione łyżeczką". Odpowiadam wówczas, że zbyt wcześnie podawane jedzenie stałe może prowadzić do odkładania się nadmiernej tkanki tłuszczowej, co odbija się na zdrowiu (zob. zalecenia Amerykańskiej Akademii Pediatrii w dalszej części tego rozdziału). Nie należy też martwić się krztuszeniem – jest to naturalny etap w nauce posługiwania się łyżeczką. Właśnie z tego względu nie trzeba śpieszyć się z jej wprowadzaniem. Rodzice powinni zapytać sami siebie, czy chcą wychowywać dziecko, rywalizując ze znajomymi. Próbuję podnieść ten temat w rozmowie, równocześnie szanując jakże zrozumiałe pragnienie rodziców, aby ich dziecko było najlepsze i najdoskonalsze ze wszystkich. Ta naturalna tendencja napędza cały żmudny proces adaptacyjny, przez który muszą przechodzić. Jednak gdy wygląda na to, że nie mają oni dystansu do rywalizacji z innymi, muszę zwrócić im uwagę na cenę, jaką będzie musiało zapłacić dziecko za zbyt dużą presję, którą na nim wywierają.

Sen

W 4 miesiącu życia wiele dzieci przesypia czas od karmienia śródnocnego do wczesnoporannego, a inne nie potrzebują już nawet karmienia w nocy. Układ nerwowy dojrzał na tyle, że zaczyna sen od fazy NREM i może w niej przebywać dłużej. Już teraz lub bardzo niedługo faza NREM snu niemowlęcia zacznie się składać z głębszego snu (stadium trzecie i czwarte). Czteromiesięczne niemowlę jest już w stanie przesypiać 12 godzin bez przerwy lub ze sporadycznym, krótkim przebudzeniem w ciągu nocy. Ośmiogodzinny sen oznacza, że dziecko musi wprowadzić się w stan głębokiego snu co najmniej dwa razy; z kolei aby przespać 12 godzin, musi to zrobić co najmniej trzy razy. Jeśli ma zasypiać samo, powinno opanować sztukę samodzielnego wyciszania się po każdorazowym wybudzeniu. Z tego względu wiek od 4 do 5 miesięcy to odpowiedni czas dla rodziców, by zdecydowali o swojej roli w procesie uczenia dziecka tej umiejętności. Aby niemowlę przesypiało całą noc, musi umieć wiele razy przejść ze snu lekkiego do głębokiego. Pomagając rodzicom zrozumieć konsekwencje tego zjawiska, równocześnie zapobiegam ewentualnym przyszłym problemom ze snem i poszerzam ich świadomość co do zakresu wsparcia, jakie mogą otrzymać od swojego pediatry.

Eksperci odkryli, że każdy człowiek przechodzi od fazy snu spokojnego (NREM) do aktywnego (REM) przeciętnie co 90 minut. Natomiast co 3–4 godziny znajdujemy się w jeszcze bardziej aktywnej fazie, na granicy przebudzenia. Kiedy dziecko znajdzie się w fazie aktywnej, czyli snu płytkiego, może zapłakać oraz poruszać się w zdezorganizowany i chaotyczny sposób. Dziecko ułożone na pleckach nagle wyrzuci rączki i nóżki w górę, będzie poirytowane i zacznie płakać. Jeśli potrafi już przekręcać się na brzuszek, odkryje, że ta pozycja daje mu więcej bezpieczeństwa w przypadku chaotycznych odruchów. Choć układanie dziecka do snu na plecach jest bardzo istotne w pierwszych sześciu miesiącach życia, to gdy niemowlę nauczy się przekręcać na brzuszek, rodzice nie będą w stanie zrobić nic oprócz początkowego ułożenia w bezpiecznej pozycji (usunięcie z łóżeczka poszewek, poduszek i koców oraz zadbanie o to, aby materac był sztywny, zmniejszy ryzyko SIDS). Płacz i chaotyczne ruchy mogą potęgować niezadowolenie przebudzonego dziecka. Jeśli niemowlę potrafi samo ukoić płacz, na przykład wkładając kciuk do buzi, lub kokosząc się w łóżeczku, znajdzie wygodną pozycję, wówczas ponownie zapadnie w sen. Niektóre dzieci, wiercąc się, docierają do samego rogu łóżeczka, prawdopodobnie szukając oparcia dla czubka głowy – pozycji znanej im z życia płodowego. Dzieciom aktywnym, o żywym temperamencie, trudno jest ponownie zasnąć bez pomocy z zewnątrz. Chaotyczne ruchy i coraz większe rozdrażnienie rozbudzają je na dobre. Potrzebują one przytulenia i ukojenia. Nie nauczyły się jeszcze robić tego samodzielnie. Rodzice będą zmuszeni pospieszyć z pomocą i dać dziecku to, czego potrzebuje, żeby się wyciszyć.

Większość dzieci potrafi poradzić sobie z cyklami dziewięćdziesięciominutowymi. Jednak pod koniec cyklu trwającego 3–4 godziny często nagle się budzą i natychmiast przechodzą w stan aktywnego czuwania. Niektóre płaczą, jakby z bólu lub strachu. Nie budzą się od razu całkowicie, ale ich chaotyczne ruchy mogą je w końcu wybić ze snu. Dla rodziców są to bardzo trudne chwile. Czują, że muszą pomóc dziecku, by mogło ponownie zasnąć. Karmienia o 22:00, 2:00 i 6:00 to prawdopodobnie rezultat wybudzania się dziecka, choć nie zawsze potrzebuje ono wtedy jedzenia. Jeśli rodzice zaingerują w takim momencie, staną się częścią rytuału wybudzania i zasypiania i będą musieli w nim uczestniczyć co 3–4 godziny. Jeżeli za każdym razem wezmą niemowlę na ręce, nakarmią, zmienią pieluszkę i ułożą z powrotem do snu, dziecko uzależni się od ich posługi i nie nauczy się samodzielnego wyciszania i zasypiania. Zrozumienie tych zależności i wpływu zachowania dorosłych na dziecko pomoże rodzicom powstrzymać się od ingerencji w cykle snu niemowlęcia, aby mogło nauczyć się radzić sobie samo.

W tym ważnym momencie rozwoju – kiedy rodzice dzielą się swoim zmartwieniem i zmęczeniem spowodowanym conocnym budzeniem i kiedy kształtują się wzorce snu dziecka – muszę najpierw wyjaśnić różnicę pomiędzy uczeniem dziecka samodzielnego układania się do snu a zostawieniem go, aby się wypłakało. Uważam, że nie powinna się w ogóle zdarzać sytuacja, w której dziecko potrzebowałoby się wypłakać z jakiegokolwiek powodu. Zostawienie malucha, aby się wypłakał, nie uczy go niczego z wyjątkiem jednej rzeczy – że rodzice zostawili go wówczas, gdy ich potrzebował. Zadaniem rodziców jest nauczenie się, by nie pędzili do dziecka po pierwszym zakwileniu, ale wypracowali wspierający rytuał związany z pójściem spać, który równoważy potrzebę otrzymania ukojenia od nich z rosnącą umiejętnością samodzielnego wyciszania się. Wieczorny rytuał układania niemowlęcia do snu może się różnić od usypiania w ciągu dnia – nucenie kołysanek, karmienie czy mówienie do dziecka mogą być bardziej łagodne i powolne. Można położyć dziecko do łóżeczka zanim zupełnie zaśnie, a rodzic może przy nim siedzieć i delikatnie, ale zdecydowanie poklepywać. Jeśli maluch potrzebuje smoczka lub przytulanki (może nią być ulubiony kocyk albo pluszowa zabawka używana do głaskania lub przytulania), należy mu je dać. Dziecko, któremu pozwala się zasypiać przy piersi, nie uczy się samodzielnego radzenia sobie ze spaniem, lecz wykorzystywania w tym celu mamy. W rezultacie co 4 godziny w nocy, kiedy wchodzi w fazę płytkiego snu, potrzebuje mamy jako części składowej swojego rytuału zasypiania.

Problemy z zasypianiem są często kumulacją wysiłków dziecka, które chce nauczyć się zasypiać samo, oraz trudności rodziców z wycofaniem się i przekazaniem tego zadania w jego ręce (zob. rozdział 38). Wielu rodziców niechętnie pozwala dziecku na samodzielność w nocy. Potrafię to zrozumieć. Jednak dobrze jest uświadomić sobie, że rodzice, którym trudno pozostawić dziecko w spokoju aż do rana,

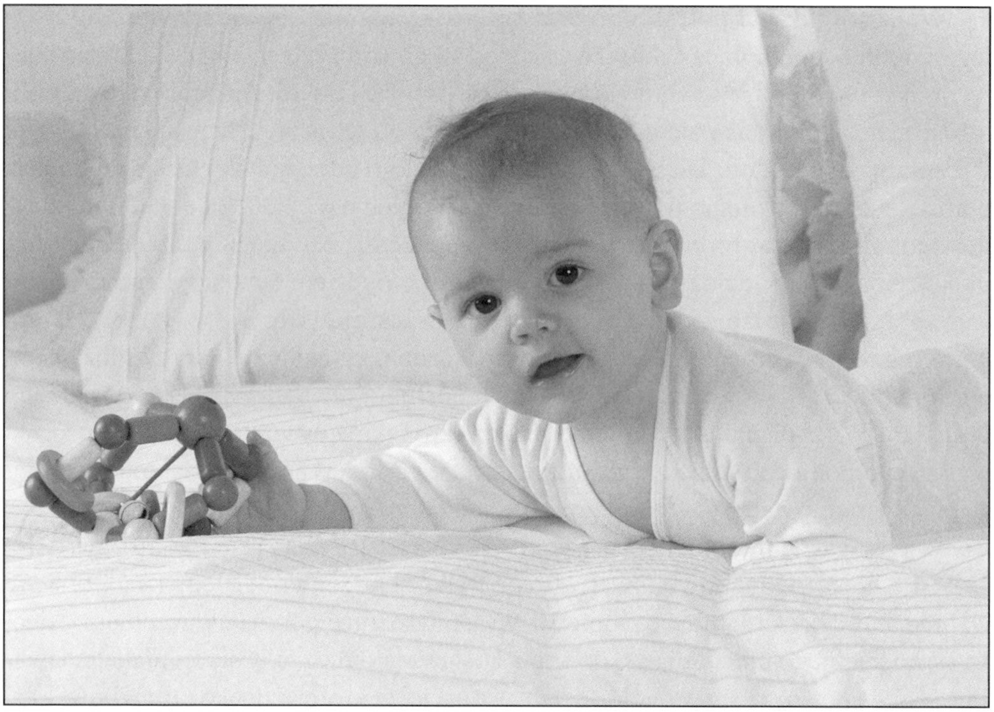

czynią siebie nieodłączną częścią rytuału zasypiania. Może to się utrwalić jako wzorzec na przyszłe lata.

Pracującym rodzicom może być szczególnie trudno rozstać się z dzieckiem w nocy, gdyż byli nieobecni przy nim w ciągu dnia. Ciepły, intymny rytuał wieczorny oraz czas na przytulanie rano, przed wyjściem do pracy, mogą im pomóc poradzić sobie z tym uczuciem. Jednak wiele pracujących kobiet twierdzi, że odczuwają potrzebę towarzyszenia swoim dzieciom w nocy. Podczas rozmowy uświadamiam im, że wraz z upływem czasu rozłąka z dzieckiem będzie coraz trudniejsza, ale decyzję o tym, czy pomogą swoim dzieciom nauczyć się przesypiać noc, pozostawiam im samym. Zawsze potem je wspieram, niezależnie od dokonanego wyboru.

Wielu rodziców ma swoje powody, dla których aktywnie reagują na marudzenie w nocy. Samotnym matkom lub ojcom, którzy sami czują się opuszczeni, szczególnie trudno jest pogodzić się z tym, że ich dziecko ma wypracować własny sposób na zasypianie. Podobnie rodzice, którzy zostali opuszczeni przez swoich rodziców, będą chcieli zaoszczędzić dziecku tego, czego sami doświadczyli, i nigdy nie pozwolą mu na szukanie własnych sposobów ukojenia. Również ci, którzy pracują w pełnym wymiarze godzin, rozdarci wewnętrznie z powodu małej ilości czasu poświęcanego dziecku oraz ci, którzy w przeszłości doświadczyli trudnych rozstań lub nie rozwinęli w sobie niezależności, mogą nie być w stanie uznać gotowości dziecka do samodzielności w nocy.

Coraz więcej rodzin zdecydowanie opowiada się za tym, by cała rodzina spała w „łożu rodzinnym". Patrząc z perspektywy historii ludzkości, dzielenie łóżka było praktykowane w większości domów na całym świecie przez długi czas. Jednak jeśli rodzice rozważają wzięcie dziecka do swojego łóżka, muszą zrozumieć, że taka decyzja pociąga za sobą konsekwencje dla całej rodziny na wiele kolejnych lat. Otwarta rozmowa na ten temat z lekarzem może zapobiec nieprzewidzianym kryzysom w przyszłości. Wizyta z czteromiesięcznym dzieckiem to dobry moment na zajęcie się tym zagadnieniem, gdyż właśnie wtedy pojawia się u niemowlęcia zdolność do samodzielnego zasypiania. Jeśli rodzicom uda się nauczyć dziecko przesypiać całą noc, już nigdy nie będzie ono miało z tym problemu. W przypadku dzielenia łoża rodzinnego prędzej czy później dziecko będzie musiało je opuścić. Jednak okaże się to bardzo trudne, gdyż przywyknie do bliskości rodziców podczas zasypiania, do rytmu ich oddechów i bicia serc. Wówczas próba nauczenia dziecka, by spało oddzielnie, zrodzi w nim zrozumiały opór, a w rodzicach chęć wymierzenia za to kary. Antycypowanie takich problemów pozwoli zapobiec późniejszym konfliktom (więcej na temat dzielenia łoża rodzinnego oraz SIDS zob. w rozdziale 38).

Jeśli rodzice pozwolą dziecku sypiać w swoim łóżku, muszą pamiętać, że nawet wówczas, gdy zdecydują, iż potrzebują przestrzeni tylko dla siebie, nie będą mogli wyprosić stamtąd dziecka bez konsekwencji dla niego. Zmiana będzie wymagała czasu i okaże się o wiele trudniejsza niż wprowadzenie sypiania w łóżeczku od samego początku. W rozmowie na ten temat pomagam rodzicom przewidzieć sytuacje, w których będą potrzebowali łóżka znów tylko dla siebie, na przykład gdy po trudach porodu i pierwszych miesiącach spędzonych z dzieckiem na nowo pojawi się między nimi seksualne pożądanie. Dobrze byłoby przenieść dziecko do jego łóżeczka na długo przed tym lub na samym początku kolejnej ciąży, tak aby ta duża zmiana w życiu dziecka nie zbiegła się z innymi, które mogą oznaczać dla niego utratę rodziców na rzecz kogoś innego.

Dzieci śpią z rodzicami

W niektórych kulturach rodzice i dzieci śpią razem ze względu na brak miejsca. W Japonii taki tradycyjny układ nazywa się *kawa*, czyli „rzeka". Matka jest jednym brzegiem, ojciec - drugim, dzieci zaś - to rzeka pośrodku. W rodzinach, w których jeszcze praktykuje się ten zwyczaj, ojciec wyprowadza się z łóżka, jeśli jest więcej niż jedno dziecko i jeśli ma się dokąd przenieść. Matka śpi z dziećmi, dopóki nie ukończą 5 lub 6 lat. Wówczas często zastępuje ją babcia! W niektórych częściach Afryki i w południowym Meksyku dziecko tradycyjnie sypiało pomiędzy rodzicami, dopóki matka nie zaszła kolejny raz w ciążę. Wtedy musiało ustąpić miejsca następnemu. Wydaje się, że dla dziecka to podwójny cios.

W kulturach, gdzie istnieje wybór, nie ma potrzeby i nie jest uczciwe wobec dziecka, aby nagle wypraszać je z łóżka. Decyzja powinna być podjęta z wyprzedzeniem oraz z pełną świadomością zmieniających się w miarę dorastania dziecka plusów i minusów dzielenia miejsca odpoczynku. Rodzice muszą rozważyć własne preferencje oraz przyjrzeć się długofalowym konsekwencjom swojej decyzji, zanim ją podejmą. Jeśli zdecydują się spać z dzieckiem, powinni zadbać o jego autonomię w innych sferach rozwoju.

Ząbkowanie

U większości dzieci pierwsze ząbki zaczynają się wyrzynać po ukończeniu 4 miesiąca życia – zwykle pomiędzy 6 a 9. Według starego powiedzenia od 6 miesiąca dziecku powinien przybywać jeden ząbek w każdym kolejnym miesiącu. Nie należy jednak za bardzo się do tego przywiązywać. Czas ząbkowania to kwestia genetyki – dzieci podążą w tym względzie za rodzicami. Żadne z moich dzieci nie zaczęło ząbkować przed ukończeniem roku. Według relacji mojej mamy podobnie było ze mną. Nie są znane negatywne skutki późnego ząbkowania. Jednak do ukończenia 2 lub 3 lat dzieci powinny mieć już wszystkie zęby mleczne.

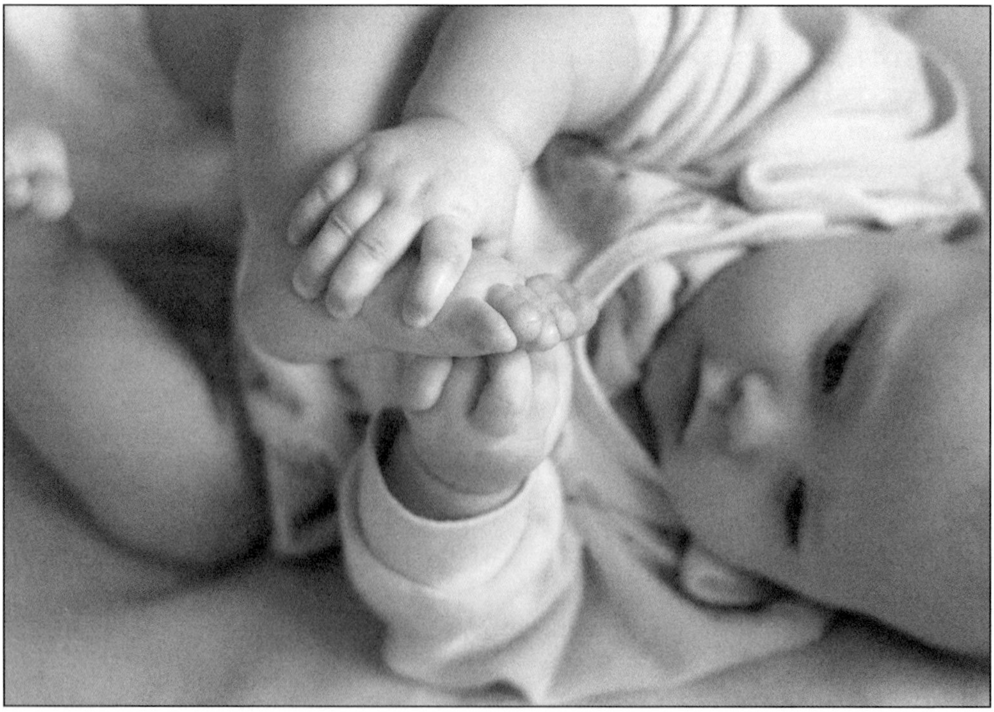

Zęby stałe zaczynają się wykształcać w dziąsłach już w niemowlęctwie. Zaleganie mleka i cukrów mlecznych w ustach dziecka przez długi czas (od 4 do 8 godzin) może spowodować próchnicę i ubytki w ząbkach mlecznych, a także mieć negatywny wpływ na zęby stałe. Nie powinno się więc zostawiać dziecku butelki z mlekiem w łóżeczku!

Ząbkowanie stało się sztandarową przyczyną wszelkich złych humorów dziecka w wieku kilku miesięcy. Każde jęknięcie czy zakwilenie rodzice komentują niezawodnym: „To ząbki". Mogą przez to przeoczyć inne powody tego zachowania. Źródłem frustracji dziecka może być niemożność zrobienia czegoś pożądanego, na przykład chwycenia czegoś, wykonania jakiegoś ruchu czy po prostu zwrócenia na siebie uwagi. Inne powody narzekania przypisywane ząbkowaniu to znudzenie oraz różne rodzaje dyskomfortu.

Wyrzynające się ząbki przeszkadzają dziecku, gdyż są ciałem obcym w dziąsełkach. Prawdopodobnie odczuwa się je jak drzazgę w palcu. Rosnący ząb powoduje opuchliznę w danym miejscu, a ponieważ ssanie dodatkowo zwiększa nacisk na obolałe miejsce, maluch pojękuje, popłakuje i odmawia jedzenia. Można łatwo sprawdzić, czy dziecko rzeczywiście ząbkuje – należy nacisnąć dolne dziąsło z przodu. Płacz potwierdzi wyrzynanie się ząbków. Delikatne rozcieranie przed posiłkiem opuchniętych miejsc zmniejszy ból podczas karmienia. Należy dobrze umyć palec, a następnie masować opuchnięte miejsce przed jedzeniem. Z początku dziecko może zapłakać, ale po chwili zachwycone masażem. W procesie karmienia najbardziej dotkliwy będzie dla niego będzie ból związany z wyrzynaniem się dolnych siekaczy. Kiedy ząbki już wyjdą, niemowlę przywyknie do odczucia tępego bólu podczas wychodzenia pozostałych. Dolegliwości związane z ząbkowaniem nie trwają jednak dłużej niż kilka tygodni. Nagle pojawi się dźwięczne stuknięcie o kubek lub łyżeczkę. Na dziąsełkach ukaże się rząd małych, białych punkcików. I już po wszystkim! U każdego dziecka przebiega to jednak w swoim czasie.

Komunikacja

Trudno się oprzeć śpiewnemu głużeniu i szczebiotowi czteromiesięcznego niemowlęcia. Chciałoby się powiedzieć: „Gdybym tylko wiedział, co do mnie mówisz!". Bardzo często jednak wiemy. Rodzice mieli już wystarczająco dużo czasu, aby poćwiczyć „dialekt mamy" (tzw. język nianiek, czyli spieszczanie) – miękki, łagodny, wysoki głos, który komunikuje dziecku: „Teraz rozmawiam tylko z tobą". Niektórzy rodzice niezbyt lubią się nim posługiwać lub obawiają się, że w rezultacie dziecko nie nauczy się poprawnego języka. Jednak „dialekt mamy" to bardzo ekonomiczna forma komunikacji, która w jasny sposób informuje dziecko, kiedy należy wyostrzyć uwagę. W ten sposób niemowlę oszczędza swoją cenną energię i wyłącza się, gdy dorośli rozmawiają o swoich sprawach.

W 5 miesiącu życia dziecko zaczyna się bawić swoimi dotychczasowymi osiągnięciami. Próbuje celowo płakać i czeka, aż ktoś się pojawi, a jeśli nie udaje się tego osiągnąć – płacze jeszcze raz. Jest to ogromny krok w kierunku opanowania procesów poznawczych koniecznych do zrozumienia prawa przyczyny i skutku: dziecko zaczyna zdawać sobie sprawę z tego, że jeśli coś zrobi, będzie to miało pewne przewidywalne konsekwencje.

Rodzice zwykle przypisują ten rodzaj badawczego, komunikatywnego płaczu ząbkowaniu, zmęczeniu lub rozpieszczeniu. Oczywiście każdy z tych powodów może faktycznie w danej chwili wywoływać płacz. Jeśli przypuszczamy, że przyczyną jest ząbkowanie, należy to sprawdzić metodą opisaną wcześniej. Jeśli zmęczenie – można spróbować ułożyć dziecko do drzemki. Być może będzie musiało trochę popłakać, zanim się odpręży. Jeżeli nic nie działa, to może rodzice byli do tej pory zbyt dyspozycyjni i muszą teraz zakomunikować dziecku, by spróbowało pobawić się przez chwilę samo. Dorośli mogą mieć poczucie, że dziecko nimi manipuluje, ale dla niemowlęcia manipulacja oznacza robienie, co tylko w jego mocy, aby otrzymać to, czego potrzebuje lub chce. Rodzice mogą spróbować zawiesić w bezpiecznym miejscu interesujące zabawki, na które dziecko będzie mogło patrzeć lub po które będzie sięgać, ale oczywiście nic nie będzie tak interesujące jak oni sami! Nie należy martwić się możliwością rozpieszczenia dziecka w tym wieku. Ważniejsze, aby zachęcać je do dalszych prób komunikowania się i zadbać, by od czasu do czasu odczuło z tego powodu satysfakcję.

Wraz z pojawieniem się tej nowej umiejętności porozumiewania się rozpoczął się ekscytujący okres nowego dialogowania! Kaszlenie, kichanie, krztuszenie się czy piszczenie – mogą być teraz celowe. Stopniowo dziecko uczy się panowania nad nimi i świadomego ich używania. Wkrótce nauczy się, że eksperymentowanie z głoskami *ta-ta-ta-ta* przywołuje tatę, a gdy pojękuje, wydając przy tym dźwięki *mam-mam-mam-mam*, przybiega do niego mama. Niedługo opanuje tę zabawę z dźwiękami i nauczy się używać ich tak, aby przyciągać do siebie też inne osoby. Stawka poszła w górę.

Rodzice często się zastanawiają: „Skąd ja mam wiedzieć, czy on naprawdę mnie potrzebuje, czy tylko chce przyciągnąć moją uwagę?". Z początku nie będzie to oczywiste. Jednak gdy sytuacja powtórzy się wiele razy, pojawią się jasne sygnały. Czy dziecko płacze, a następnie czeka na reakcję rodzica? Czy mimika jego twarzy wskazuje na to, że już „nauczyło się" otrzymywać to, czego chce? Na buzi niemowlęcia może nawet pojawić się samozadowolenie. To bardzo ważne osiągnięcie – dziecko nauczyło się nie tylko oczekiwać reakcji, ale również je wywoływać. Jest to punkt zwrotny także dla rodziców. Zamiast automatycznie reagować na sygnały i płacz dziecka, muszą się na chwilę zatrzymać i zdecydować, czy w danym momencie dla procesu jego uczenia się ważne jest, aby odpowiedzieli na wołanie, czy raczej powinni się wycofać, dając tym samym komunikat: „Wszystko w porządku, poradzisz sobie teraz sam". Jeżeli czują się manipulowani, muszą podjąć decyzję. W większości sytuacji ten nowy dialog przyniesie ze sobą pogłębienie relacji oraz nowe radości wynikające z kontaktu z dzieckiem. Niemniej jednak rodzice muszą nieustannie się dostrajać i umieć rozpoznać, co w danej chwili jest ważniejsze: wspieranie umiejętności komunikacyjnych dziecka czy jego umiejętności samoregulacji, czyli radzenia sobie samodzielnie z nudą, frustracją i całym wachlarzem innych bodźców.

Rozwój poznawczy

Od 4 miesiąca życia dziecka rozwój motoryczny i poznawczy są ze sobą ściśle powiązane. Niemowlę w tym wieku podejmuje próby uczenia się siadania, posługuje się rękami do utrzymywania równowagi podczas siedzenia, sięga po przedmioty, wkłada je do buzi oraz przekłada z rączki do rączki. Czynności te otwierają przed dzieckiem zupełnie nowy świat, który może odkrywać. Ilekroć mama lub tato podciągną je w pozycji leżącej za rączki, będzie się bardzo starało, aby usiąść. W 5 miesiącu jego wysiłki sprawią, że podniesie się na sztywnych nogach do stania. Stojąc, popatrzy na dorosłego opiekuna w oczekiwaniu na aprobatę. Spieszy mu się do oglądania świata z góry.

W 4 lub 5 miesiącu dzieci wprost nie mogą się doczekać „wyruszenia w świat". Często marudzą dopóty, dopóki nie zostaną posadzone na krzesełku lub wzięte na kolana. Ta frustracja bardzo sprzyja procesowi uczenia się. Rodzice mogą pokazać dziecku, jak samemu przejść do pozycji siedzącej, jednak będzie potrzebowało żmudnych ćwiczeń i około jednego miesiąca, aby opanować tę sztukę. Dorośli mogą pomagać w tych wszystkich zmaganiach, jednak nie powinni mieć poczucia, że muszą biec na każde zawołanie niemowlęcia.

Jeśli zdecydujecie się na zakup krzesełka lub huśtawki, oparcie powinno być odchylone w tył, aby plecki dziecka nie pozostawały zbyt długo w pozycji pionowej, a mięśnie grzbietu nie zostały nadwyrężone. Huśtawki z silniczkiem mają kojące działanie i obniżają poziom frustracji niemowlęcia, ale nie są konieczne.

Opanowanie sztuki przekładania przedmiotów z jednej rączki do drugiej to duży krok w kierunku zabawy. Czteromiesięczne niemowlę powinno próbować manipulować przedmiotami. Około 5 miesiąca zwykle potrafi już przekładać zabawki z rączki do rączki. Można stworzyć mu „plac zabaw", bezpiecznie mocując nad łóżeczkiem kilka dających się uchwycić przedmiotów (należy się upewnić, że sznurek jest na tyle krótki, by dziecko nie mogło się w niego zaplątać czy udusić). Powinny one wisieć na tyle blisko, by dziecko mogło je brać do rączek i badać. Wkładanie do buzi, dotykanie i przekładanie to jego sposoby na jak najlepsze ich poznawanie.

Zawsze cieszy mnie, gdy trzymam dziecko na rękach, a ono dotyka mojej twarzy. Ten subtelny gest doskonale pokazuje, jak gorliwym badaczem jest maluch. Proces odkrywania doprowadzi go wkrótce do uświadomienia sobie stałości istnienia

– świadomości, że ludzie są istotami rzeczywistymi, które istnieją nawet wtedy, gdy znikają z pola widzenia.

Przekręcanie się w pozycji leżącej to nieprzewidywalny kamień milowy u wielu dzieci. Niektóre normalnie rozwijające się niemowlęta nigdy nie wykonują tego ruchu. Są zadowolone niezależnie od tego, czy leżą na pleckach, czy też na brzuszku, i nie chcą zmiany. Dzieci otyłe mają zbyt dużo do poruszenia i raczej pozostają nieaktywne. Pierwsze przekręcenie może być zupełnie przypadkowe – wiercąc się, dziecko nagle odkryje nową pozycję. Raptowna zmiana oraz całkiem nowe, dziwne ułożenie przestraszają je i często sprawiają, że niemowlę wybucha płaczem. Całe to wydarzenie je przerasta i nie próbuje powtórzyć dokonania przez wiele tygodni.

Gdy rodzice słyszą, że inne dzieci już się przekręcają, zastanawiają się, czy powinni nauczyć swoją pociechę tej umiejętności. Nie radzę tego robić. Akurat ten krok w rozwoju motorycznym jest najmniej wiarygodny. Nikt nie określił dokładnego momentu, kiedy dziecko powinno go wykonać. Jest to kwestia indywidualna. Kiedy pojawia się to pytanie, wykorzystuję sposobność, aby porozmawiać o porównywaniu się z innymi. Porównywanie i rywalizacja mogą sprawić, że rodzice będą czuli presję i zmuszali dziecko do nadrabiania rzekomych opóźnień. O wiele ważniejsze jest dostrojenie się do dziecka i docenianie go za to, co potrafi i chce zrobić. Kiedy mama i tato doceniają dziecko, ono samo będzie doceniać siebie. Rzecz jasna, nie

jest łatwo nie porównywać się z innymi – czasami dzięki porównaniu wiemy, czego oczekiwać w niedalekiej przyszłości. Jednak dobrze jest pamiętać, że dzieci doskonale czują, kiedy rodzice nie są z nich zadowoleni.

Jeśli dziecko cały czas leży na pleckach, rodzice zastanawiają się, w jaki sposób nauczy się raczkować. Otóż nauczy się, gdy będzie na to gotowe, prawdopodobnie w wieku 7 lub 8 miesięcy. Kiedy kładziemy je na brzuszku, aby wzmocnić mięśnie pleców, może już zacząć próbować. Ponieważ niemowlę śpi na wznak, ważne jest, aby zachęcać je do leżenia na brzuszku w stanie czuwania – potrzebuje „czasu dla brzuszka". Niektórzy rodzice przejęci kampanią Back-to-Sleep (Zaśnij na plecach) nawet po przebudzeniu nie kładli dziecka w innej pozycji. W rezultacie osłabione były plecy, barki i ramiona niemowlęcia. Można tego uniknąć, kładąc dziecko na brzuszku po obudzeniu – należy wówczas być blisko i uważnie je obserwować. Jeśli dziecko jest sfrustrowane pozycją, rodzice mogą położyć się razem z nim na podłodze, rozłożyć na niej zabawki do oglądania i wymyślać zabawy, aby zaciekawić malucha. Należy jednak pamiętać, że nie musi on od razu uczyć się raczkować. Kiedyś to nastąpi – dziecko nauczy się tego samo.

Perspektywa na przyszłość

Karmienie

Omawiany wcześniej proces odkrywania świata nasili się w kilku następnych tygodniach, więc udzielam rodzicom pewnych rad. Dziecko będzie chciało trzymać butelkę z jedzeniem. Dobrze jest podać mu ją odwrotnie, czyli skierowaną smoczkiem do góry. Popatrzy na nią ze zdziwieniem, a następnie odkryje, że należy ją odwrócić, aby znaleźć smoczek i włożyć go do buzi. Dzięki temu nauczy się czegoś o spełnianiu swoich oczekiwań. Podczas karmienia opiekunowie zawsze powinni trzymać dziecko. W tej czynności chodzi o dużo więcej niż jedzenie. Istotą jest komunikacja z dzieckiem. Naukowcy twierdzą, że jeśli czas karmienia nie jest przyjemnością, nie wydzielają się pewne enzymy trawienne (kwas żołądkowy oraz soki trzustkowe do jelita cienkiego).

Zaburzenia odżywania

Istnieje kilka zaburzeń, które ogólnie określa się mianem zaburzeń odżywiania i rozwoju, w których dziecko odmawia jedzenia lub nie rośnie, co często zdarza się wówczas, gdy środowisko nie jest zbytnio wspierające. Jednak napięcie w relacji z otoczeniem niejednokrotnie wynika z pewnego problemu fizycznego u dziecka, który utrudnia karmienie, na przykład z problemów z połykaniem, refluksu żołądkowo-przełykowego, nadwrażliwości języka i jamy ustnej i tym podobnych.

Cztero- lub pięciomiesięczne niemowlę będzie robiło celowe przerwy w jedzeniu – oczekując, że rodzic zacznie do niego mówić, popatrzy na nie i je przytuli – po czym na nowo podejmie czynność ssania z zadowoleniem na buzi.

W 5 lub 6 miesiącu, kiedy okresy zwiększonego zapotrzebowania na pokarm trwają tydzień lub dłużej, należy rozważyć wprowadzenie jedzenia stałego. Większość dzieci w tym wieku potrzebuje już uzupełnienia diety mlecznej. Amerykańska Akademia Pediatrii uznaje wiek 6 miesięcy za odpowiedni czas na wprowadzenie pokarmów stałych. W niektórych kulturach następuje to wcześniej, często w nadziei, że wydłuży się nocny odpoczynek dziecka. Jednak aparat ssania u dziecka przed ukończeniem 4 miesiąca życia nie jest przygotowany do świadomej czynności połykania. Ponadto wczesne wprowadzanie jedzenia innego niż mleko matki może być przyczyną alergii.

Dziecko karmione butelką powinno w tym okresie otrzymywać 560–680 mililitrów mleka. W pierwszym roku ważniejsze niż inne pokarmy jest mleko – naturalne lub modyfikowane – więc jeśli po wprowadzeniu pokarmu stałego nie jest ono wypijane już tak chętnie, należy ograniczyć jedzenie stałe, aby dziecko otrzymywało odpowiednią porcję mleka. W fazie fascynacji światem zewnętrznym można karmić dziecko w wyciszonym i przyciemnionym pokoju, aż minie pierwsza ekscytacja. Dzięki temu niemowlę będzie otrzymywało mleko, którego potrzebuje do wzrostu i przybierania na wadze. Należy pamiętać o tym, iż dziecko nie będzie przybierać bez odpowiedniej ilości mleka.

Sen

Jeśli dziecko już wypracowało własny rytuał zasypiania, można oczekiwać, że okres nocnego snu będzie się wydłużał. Dziecko nadal będzie wchodziło w fazę snu płytkiego, wierciło w łóżeczku, być może trochę popłakiwało, ale ukoi się samo i ponownie zapadnie w sen. W następnych dwóch miesiącach ten wzorzec samowyciszania i układania się do snu będzie bardzo ważny dla niemowlęcia. Po dniach pełnych wrażeń i doświadczeniach odbiegających od codziennej rutyny dziecko może wybudzać się w nocy i potrzebować kilku dni, aby wrócić do poprzedniego rytmu snu.

Czas na zabawę

Trwający skok w rozwoju poznawczym będzie wpływał na każdą chwilę dnia dziecka. Nowym wyzwaniem dla rodziców, a dla dziecka okazją do poznawania świata będą już nie tylko pory karmienia, ale także zmiana pieluszki czy czas kąpieli. Mały odkrywca będzie się odwracał najpierw w jedną, potem w drugą stronę, wiercił i wymykał z rąk rodziców. Oznacza to konieczność wzmożonej czujności ze strony dorosłych. Ruchliwe, wiercące się dziecko w każdej chwili będzie wymagało wytężonej uwagi. Ogromnie ważne jest, aby nigdy nie zostawiać go samego na przewijaku czy w kąpieli oraz zawsze przytrzymywać je jedną ręką. W pewnym momencie, kiedy dziecko będzie już pewnie siedziało, można je kąpać w małej wanience lub pod kranem, ale tylko wtedy, gdy podgrzewacz ciepłej wody skręcony jest na mniej niż 49° C. Gdyby dziecko przypadkowo odkręciło kran z gorącą wodą, mogłoby się poważnie poparzyć. Jednym z łatwiejszych sposobów kąpania malucha jest wspólna kąpiel z rodzicem.

Rodzice często pytają, jak intensywnie powinni myć okolice intymne dziecka. Moja rada brzmi: niezbyt intensywnie, gdyż nie jest to konieczne. W przypadku dziewczynki niewielka ilość wydzieliny z pochwy jest normalna. Zanurzenie w kąpieli, czyli obmycie raz dziennie, jest całkowicie wystarczające. **Nigdy** nie należy używać środków myjących ani płynów do kąpieli – mogą one podrażnić błonę śluzową pochwy. Otworzy to drogę dla bakterii i infekcji. Zarówno u dziewczynek, jak i u chłopców detergenty mogą spowodować wysypkę uczuleniową oraz wysuszyć skórę. Powinny być one zabronione w przypadku dzieci. U chłopców w tym wieku nie należy odciągać napletka i nie powinno się go nigdy na siłę nasuwać z powrotem.

Nie należy przykładać zbyt dużej wagi do mycia dziecka. Dobrze jest traktować czas kąpieli jako okazję do śmiechu, zabawy i bliskości z maleństwem (nigdy nie wolno zostawiać dziecka bez opieki). Rodzice pracujący cały dzień powinni zaplanować kąpiel wtedy, gdy mogą poświęcić dziecku czas na zabawę. Innym dobrym momentem na interakcję z nim może być zmiana pieluszki. Warto również znaleźć czas na wspólne baraszkowanie rano, przed wyjściem do pracy, i w tym celu nawet wstać nieco wcześniej, jeśli będzie taka potrzeba. Kolejny taki moment można zaplanować zaraz po powrocie z pracy. W pierwszej chwili dziecko będzie rozdrażnione, tęskniło bowiem za rodzicem i czekało na ten czas cały dzień – teraz może wyrazić swój protest marudzeniem. Jednak po tej pierwotnej dezintegracji czeka was czas pojednania. Weź niemowlę na ręce, kołysz, śpiewaj mu. Pozwól mu „opowiedzieć", jak źle było bez rodziców.

Rozwój motoryczny

W następnych dwóch miesiącach życia dziecko nabędzie wiele nowych, fascynujących umiejętności. Podciągając je do stania, zobaczymy na jego buzi podekscytowanie. Pięciomiesięczne dziecko uwielbia stawać. Patrzy wtedy na dorosłego w oczekiwaniu na aprobatę. Nawet płacz można przerwać postawieniem niemowlęcia na nóżki. W końcu ostatecznym jego celem jest spionizowanie.

W przeciągu dwóch kolejnych miesięcy dziecko zacznie samo siadać. Z początku plecki będą zaokrąglone, a rączki będą służyły do podpierania. W 6 miesiącu życia plecy się wyprostują, ale równowaga ciągle będzie wspomagana. Niemowlę nie będzie jeszcze potrafiło ani próbowało sięgać po zabawki w pozycji siedzącej.

Siedząc z podparciem lub samodzielnie, dziecko będzie kontynuowało proces uczenia się świata poprzez sięganie po przedmioty, przekładanie ich z jednej rączki do drugiej oraz wkładanie ich do buzi. W danym momencie wystarczy kilka nietoksycznych klocków lub obręczy w jasnych, żywych kolorach, aby zająć uwagę dziecka. Potrafi ono też bawić się swoją ręką, badając ją uważnie za pomocą drugiej.

Położone na brzuszku lub po nieudanej próbie siedzenia niemowlę będzie odkrywało zjawisko poruszania się. Próbując czołgać się na brzuchu, najpierw odepchnie się do tyłu, przeciwnie do pożądanego celu. Być może wówczas zapłacze z frustracji. Rodzicom trudno będzie się temu przyglądać. Ręka położona zdecydowanie pod stópkami dziecka pomoże mu odkryć, że możliwy jest również ruch w drugą stronę. Tak czy inaczej frustracja zmotywuje je do działania. Często powtarzam – i ciągle czuję, że to za mało – iż nic nie przyczynia się do postępów dziecka tak jak frustracja (pod warunkiem że jest adekwatna do jego możliwości). Czasami dane zadanie trzeba podzielić na mniejsze części, aby niemowlę potrafiło sobie z nimi poradzić. Obserwuj cały proces – gdy dziecko podejmuje jakieś działanie, irytuje się z powodu trudności, ale kończy je pomyślnie. Będzie zachwycone, że ono samo je wykonało! **Samodzielnie!** Jeśli rodzice są cierpliwi i rozumieją siłę napędową oraz intensywność podejmowanych prób, aby osiągnąć cel, jest duża szansa, że staną się sprzymierzeńcami dziecka w jego rozwoju i nie będą podkopywać jego wewnętrznej motywacji. Kiedy przychodzą do mnie i dzielą się swoimi obawami dotyczącymi frustracji dziecka, mogę im pomóc spojrzeć na nią jak na ważny kamień milowy, który dla mnie będzie okazją do wejścia w strukturę rodziny i pogłębienia relacji z każdym z jej członków.

Rozpoznawanie obcych

Nowa świadomość obrazów i dźwięków może mieć wpływ na reakcje dziecka wobec obcych osób. Być może do tej pory podobało mu się przebywanie na rękach u wszystkich. Rodzice cztero- i pięciomiesięcznych dzieci z dumą opowiadają mi, że ich pociechy lubią wszystkich i bez lęku przebywają w tłumie ludzi. Wkrótce jednak ulegnie to zmianie. Często widzę pierwsze objawy już podczas wizyty w gabinecie, gdy dziecko ma 4 lub 5 miesięcy. Niemowlę gaworzy ze mną, szczebiocze i uśmiecha się zachęcająco, dopóki siedzę za biurkiem. Wiem, że jeśli dam się uwieść i wezmę je od mamy lub taty na ręce albo nawiążę bliski kontakt wzrokowy, gdy rodzice położą je na stole do badania, zaraz zacznie płakać. I będzie płakało nieustannie przez całe badanie. Natomiast jeżeli nie patrzę bezpośrednio w twarz dziecka i mówię łagodnym głosem w przestrzeń, a badając je, proszę, by jedno z rodziców przez cały czas stało nad nim, wtedy podczas całego badania dziecko będzie spokojne. Mogę nawet zaszczepić niemowlę, nie wywołując długiego płaczu: wystarczy, że poproszę, aby któreś z rodziców trzymało je na swoim ramieniu, a po ukłuciu szybko zmieniło pozycję i zajęło uwagę dziecka czymś fascynującym do oglądania. Nowe zainteresowanie niemowlęcia światem wizualnym jest tak ogromne, że czasem nie zwraca ono uwagi na nieprzyjemne odczucia fizyczne.

Podczas zetknięcia się z obcą osobą dziecko staje wobec zbyt dużej liczby nieznanych sobie bodźców. W tym wieku chciałoby zbadać każdy z nich. Dziadkowie czy opiekunka mogą wywołać ogromne rozdrażnienie, jeśli pojawią się zbyt nagle lub nawiążą bliski kontakt wzrokowy przy pierwszym spotkaniu. Dziecko potrzebuje czasu i przestrzeni, aby przyswoić sobie każdy nowy obraz i dźwięk, a także przyzwyczaić się do nich. Ta nowa świadomość sensoryczna i rozwój motoryczny (sięganie po przedmioty i manipulowanie nimi) uzupełniają się i wzajemnie napędzają. Dziecko może teraz nie tylko postrzegać nowe otoczenie, ale sięgać po nie i je odczuwać, czyli poznawać świat za pomocą dwóch nowych modalności. Nic dziwnego, że życie jest takie ekscytujące i zachwycające!

Ta nowa świadomość, która prowadzi do rozpoznawania obcych, będzie miała również wpływ na intensywność buntu przeciwko rozłące. Bardziej niż kiedykolwiek dziecko potrzebuje teraz stałego opiekuna. Nawet jeśli jedno z rodziców przebywa z nim przez cały dzień, ono i tak zaprotestuje wieczorem przeciwko opiekunce. Natomiast w sytuacji, gdy obydwoje rodzice pracują poza domem, jakakolwiek zmiana opiekunki je rozdrażni.

> Ten etap w rozwoju zdziwi rodziców: „Płacze za każdym razem, gdy zostawiam go z kimś innym. Nigdy wcześniej nie miało to miejsca". Jest to jeden z tych skoków w rozwoju, kiedy dziecko staje się bardziej wrażliwe na zmiany i nagle wydaje się mniej niezależne. Ostra faza owej wrażliwości będzie trwała tylko tydzień lub dwa, jednak potrzeba stałego opiekuna pozostanie.

Ta wrażliwość często zbiega się z momentem powrotu matki do pracy i pojawienia się nowego opiekuna. Jeśli zmiany mogą być wprowadzane spokojnie i stopniowo, będzie to korzystne dla całej rodziny. Rodzice będą chcieli zostawić dziecko z kimś, kogo ono zna i do kogo przywykło. Jeśli to możliwe, proces zaprzyjaźniania się dziecka z opiekunem powinien nastąpić, gdy rodzice są jeszcze w domu. Muszą mieć pewność, że opiekun rozumie tę nową fazę lęku przed obcymi i nie będzie z tego powodu rozdrażniony. Reakcja dziecka na obcych nie jest łatwa dla nikogo – nawet bliscy członkowie rodziny, w tym również dziadkowie, mogą być postrzegani w ten sposób. Zostawianie dziecka na krótko z nowym opiekunem i stopniowe wydłużanie tego czasu ułatwi maluchowi zaakceptowanie zmiany.

Rodzice, którzy muszą wrócić do pracy, poważnie się obawiają, że ich dzieci ucierpią przez tę rozłąkę. Z całym przekonaniem mogę stwierdzić, że jeśli znajdą naprawdę oddanego opiekuna, dziecko przyzwyczai się do nowej sytuacji bez trwałej traumy. Nie będzie to oczywiście to samo, co przebywanie z jednym z rodziców cały dzień, ale i takie rozwiązanie może prowadzić do konfliktu w przypadku i dziecka, i rodzica. W rozdziale 47 niniejszej książki opisuję cechy, jakie powinna mieć osoba opiekująca się dzieckiem w jego domu, a także opiekunowie w placówkach wychowawczych – państwowych i prywatnych. Wydaje się, że niemowlęta są w stanie zaakceptować więcej niż dwie osoby i przyzwyczaić się do więcej niż dwóch osób. Fakt ten był od dawna oczywisty dla rodziców w kulturach, w których dzieci są wychowywane przez szeroko rozumianą rodzinę, nawet przez całą wioskę.

Jeśli rodzice zaoszczędzą w ciągu dnia trochę energii na wieczorne spotkanie z dzieckiem i dobrze wykorzystają ten czas intensywnego kontaktu, rozłąka nie będzie tak bolesna. Zachęcam ich, aby po powrocie z pracy rozmawiali z dzieckiem, pytali o jego dzień i opowiadali mu, jak bardzo za nim tęsknili. Jeśli zastanawiają się, ile dziecko z tego zrozumie, wyjaśniam, iż z pewnością odczuje ogólne przesłanie, a taka „rozmowa" da początek rytuałowi na przyszłość.

7

Szósty – siódmy miesiąc

Kiedy niemowlę w wieku 6 lub 7 miesięcy „wjeżdża" do mojego gabinetu na ramieniu rodzica, mogę już zauważyć, że aktywnie uczestniczy w tej czynności. Jeśli wychodzę do poczekalni, aby tam się z nimi przywitać, dziecko oczekuje, że rodzice wezmą je na ręce, i wyciąga do nich pulchne rączki, a oni zwykle mówią: „No chodź, spotkamy się z panem doktorem". Większość dzieci w tym wieku z początku wita mnie z radością i śmieje się do mnie podczas wstępnej zabawy, choć pojawienie się lęku przed obcymi jest teraz bardziej prawdopodobne niż przy poprzedniej wizycie, kiedy to można było zaobserwować dopiero jego pierwsze oznaki. Nawet jeśli na początku dziecko stawi opór, to wkrótce będzie współpracowało i chichotało z radości, pod warunkiem że postaram się unikać kontaktu wzrokowego aż do momentu, kiedy ono samo zacznie się we mnie intensywnie wpatrywać. Jeżeli dziecko od początku wydaje się przestraszone, proszę, aby trzymała je mama – badam je wówczas na jej kolanach. Ta wizyta zwykle przebiega dosyć radośnie aż do momentu, gdy muszę zaszczepić malca. W wieku 6 miesięcy podaje się trzecią dawkę przeciwko błonicy, tężcowi i krztuścowi (DTaP), przeciw bakterii *haemophilus influenzae* (Hib) oraz pneumokokom (PCV)[19]. Można również teraz (lub kiedykolwiek przed 18 miesiącem życia) zaaplikować kolejne szczepienie przeciwko żółtaczce (*hepatitis B*) oraz polio.

[19] Jak już wspomniano, kalendarz szczepień obowiązujący w Polsce dostępny jest na www.szczepienia.pl (przyp. red.).

Na samym początku wizyty często wskazuję teraz już pewnej siebie mamie wszystkie kamienie milowe, które dotychczas zaliczyło jej dziecko. W tym wieku będzie ono dosłownie kipiało poczuciem ważności. Zwykle popisuje się przede mną, kiedy siedzę jeszcze za biurkiem. Odwraca główkę, aby za chwilę ponownie na mnie spojrzeć. Chichocze i piszczy w celu przyciągnięcia mojej uwagi. Jeśli nie uda mu się przerwać naszej rozmowy, będzie w pozycji stojącej odbijało się nóżkami na kolanach rodzica albo zamykało mu usta rączką, chcąc przeszkodzić. Chce, żebyśmy wszyscy skupili się na nim!

W tym wieku dzieci rozglądają się dookoła, jakby były władcami tego świata. Jest to wiek wzorcowy – dziecko zachowuje się tak, jak opisują podręczniki: samodzielnie siedzi, chichocze, bawi się kolejnymi zabawkami, spoglądając przy tym triumfalnie wokół. Przeważnie bierze zabawkę do ręki, przygląda się jej, wkłada do buzi, obraca ją w rękach, a następnie upuszcza na podłogę. Spogląda wtedy na rodzica wyczekująco, wydając przy tym pewne naprowadzające dźwięki. Rodzic posłusznie schyla się i podnosi zabawkę. Jeśli ta zabawa „w odzyskiwanie" trwa dosyć długo, mama lub tato mówią: „Nie upuszczaj tego, nie podniosę już więcej". Dziecko wówczas spogląda na nich uważnie i ocenia ich determinację. Może zakończyć tę zabawę, widząc, że rodzic jest rzeczywiście zaangażowany w rozmowę ze mną, może też wypróbować kilka innych metod: powtarzanie „da", „ma" czy głośny śmiech. Jeśli próby rywalizowania ze mną zawiodą, niemowlę może łaskawie poddać się i zacząć bawić się zabawkami leżącymi przed nim na stole.

Osobowość półrocznego dziecka jest już dosyć przewidywalna – zarówno dla jego rodziców, jak i innych osób z jego otoczenia. Pewne tendencje w zachowaniu oraz oznaki temperamentu – sposobu radzenia sobie ze światem – rysujące się w sześć tygodni po urodzeniu stają się teraz w pełni widoczne. Podczas tej wizyty dzielę się z rodzicami swoimi spostrzeżeniami na ten temat, abyśmy wszyscy lepiej rozumieli, co jest normą dla ich dziecka. Przyjmuję wszelkie natychmiastowe korekty moich nieścisłych obserwacji, gdyż są one oznaką głębokich przekonań rodziców na temat tego, kim staje się ich niemowlę.

Istnieje kilka elementów składających się na pojęcie temperamentu. Są one wyznacznikami tego, jak dziecko będzie sobie radziło z dawnymi i nowymi doświadczeniami oraz ze stresem. Stanowią pewną ramę, w której obrębie rodzice będą mogli starać się zrozumieć swoją pociechę. „Temperament" to ważne pojęcie, ponieważ pomaga oceniać zachowanie dziecka, odnosząc je do ustalonego systemu oczekiwań. Dzięki niemu mama i tato wiedzą, kiedy ich maleństwo jest „sobą", a kiedy nie. W tym drugim przypadku mogą ocenić, czy nietypowe zachowanie jest wynikiem choroby, reakcji na stres, czy też może okresu przejściowego poprzedzającego skok w rozwoju. Jeśli uznają, że odejście od normy spowodowane jest skokiem rozwojowym, wówczas muszą zrozumieć, na czym on polega, zanim podejmą jakieś decyzje.

Ocena temperamentu

Oceniając temperament, bierzemy pod uwagę dziewięć elementów wymienionych wiele lat temu przez Stellę Chess i Aleksandra Thomasa, a opracowanych później przez Williama Careya, Jerome'a Kagana i innych autorów (zob. Chess i Thomas, 1987; Carey, 1997; Kagan, 1995; Kagan i Snidman, 2009). W skrócie ich lista przedstawia się następująco:

- Poziom aktywności.
- Podatność na rozproszenia.
- Wytrwałość.
- Działanie – wycofanie (jak dziecko radzi sobie z nowymi, stresującymi sytuacjami).
- Intensywność.
- Zdolność adaptacji (jak dziecko radzi sobie ze zmianami).
- Regularność (jak przewidywalne są okresy snu i rytm dnia).
- Próg odbierania bodźców (czy dziecko ma podwyższoną, czy też zaniżoną wrażliwość na bodźce; czy łatwo przesadzić ze stymulacją).
- Nastrój (czy przeważają reakcje pozytywne, czy też negatywne).

Określając te fundamentalne cechy, można zrozumieć małe dziecko, a także wyzwanie, jakim jest ono dla samego siebie i dla swojego otoczenia. W mojej pierwszej książce *Infants and mothers* próbuję opisać rozwój trzech różnych typów dzieci – aktywnego, spokojnego i umiarkowanego – w 1 roku życia (Brazelton, 1983). Po ukończeniu przez dziecko 6 miesiąca rodzice i inni opiekunowie powinni porozmawiać na temat kształtującej się osobowości dziecka i spróbować zrozumieć, jak postrzega ją każdy z nich. Przygotuje to wszystkich do decyzji, które trzeba będzie podejmować w przyszłości.

Rozwój motoryczny

Samodzielne siedzenie to poważny kamień milowy, który dzieci osiągają w bardzo różnym wieku. Mniej więcej pięciomiesięczne dziecko podczas siedzenia pochyla się do przodu i opiera na obydwu rączkach, tworząc rodzaj trójnogu. W tej pozycji nie może się poruszyć ani niczego zmienić – jedynie się przewrócić. Około 6 miesiąca (można tu dodać lub odjąć kilka tygodni) zaczyna prostować plecki i kołysać się do przodu i do tyłu, choć ciągle jeszcze podpiera się rękami z obu stron. Próby podniesienia jednej ręki zwykle kończą się utratą równowagi. Samodzielne siedzenie jest jeszcze bardzo niepewne. Dziecko podpiera się rękami, aby utrzymać równowagę, i nie potrafi samo przejść z leżenia do siedzenia.

Około 7 miesiąca niemowlę na krótko prostuje plecy i nie potrzebuje już rąk do podpierania. Trzyma je jednak w pogotowiu na wypadek utraty równowagi – bez nich mogłoby się przewrócić. Zbiera się na odwagę i bawi się zabawkami przed sobą, ale wie, że w razie upadku nie będzie potrafiło wrócić do pozycji siedzącej. Bawi się ostrożnie i za wszelką cenę próbuje utrzymać tę ekscytującą nową pozycję. W 8 miesiącu lub odrobinę później dziecko siedzi już pewnie. W tym wieku potrafi się obracać, pochylać do przodu i na boki. Opanowało sztukę siedzenia i może swobodnie eksperymentować. W razie utraty równowagi umie wrócić do pozycji siedzącej.

Doświadczeni rodzice z łatwością rozpoznają po złożoności zachowania, od jak dawna dziecko potrafi już siedzieć. Pozycja nieruchoma oznacza adepta. Obracanie się i pochylanie na boki – siedzenie od przynajmniej miesiąca. Natomiast podnoszenie się do siedzenia i zwinne posługiwanie się ciałem w pozycji siedzącej oraz raczkowanie to oznaki posiadania tych umiejętności od (co najmniej) dwóch miesięcy.

Równolegle pojawiają się inne osiągnięcia w rozwoju motorycznym. Kiedy dziecko zręczniej manipuluje swoim ciałem, uwalnia ręce, które również stają się ekscytującym obiektem oraz narzędziem do dalszego uczenia się świata. W wieku 6 miesięcy paluszki ciągle jeszcze działają razem. Dziecko dosłownie zagarnia nimi pożądane przedmioty. W 7 miesiącu ich sprawność jest już większa. Przekładanie zabawki z rączki do rączki wiąże się z badaniem jej za pomocą paluszków. Palec wskazujący i kciuk zaczynają funkcjonować oddzielnie i przygotowywać się do bardziej precyzyjnych ruchów. Około 8 miesiąca dziecko będzie umiało za ich pomocą, jak szczypcami, chwytać małe przedmioty. Ćwicząc to nowe osiągnięcie, niemowlę zbiera wszystkie znalezione drobinki. Kurz na podłodze, upuszczona tabletka aspiryny, kulka karmy dla psa – wszystko to jest dla dziecka fascynujące. I wszystko trafia do małej buzi w celu przeprowadzenia dalszej inspekcji. W tym okresie rozwoju niebezpieczne stają się odchodzące od ściany kawałki ołowiowej farby czy ostre przedmioty. To czas na dokładne sprzątanie otoczenia dziecka, aby nie zostało w nim nic niebezpiecznego.

Chwyt pęsetowy, oddzielenie palca wskazującego od kciuka w celu precyzyjnego przytrzymania przedmiotu, wprawdzie obserwowany jest również u małp człekokształtnych, jednak u ludzi pojawia się wcześniej, bo już w wieku niemowlęcym, i umożliwia poczynienie ogromnych kroków w rozwoju. Maria Montessori powiedziała, że ręce są instrumentem ludzkiej inteligencji. Mowa i zręczność manualna wyróżniają nas, gdyż umożliwiają złożone osiągnięcia. Nic dziwnego, że dziecko jest tak bardzo podekscytowane swoją nową umiejętnością i ćwiczy ją cały dzień.

Wkrótce zacznie badać świat swoimi nowo odkrytymi „narzędziami". Wkładając je w każdą szczelinę, łącznie z kontaktami, znajdzie fantastyczne nowe zastosowania dla pojedynczych paluszków. Kciuk i palec wskazujący doskonale się nadają do badania twarzy ukochanych osób, odkrywania każdej możliwej dziurki czy ukrytej powierzchni. Palce stają się teraz przydatnym przedłużeniem oczu i ust. Wcześniej do oceny świata przedmiotów i ludzi służyła tylko buzia. Teraz można poszerzyć obszar badawczy dzięki dłoniom. Korzystając z tych nowych sposobów poznawania otoczenia, dziecko odkrywa, że może też wskazywać na różne fascynujące przedmioty i angażować dorosłych, a przez to komunikować się z nimi. Gdy pojawia się świadomość zbiorowej uwagi, dziecko wie, że wskazując na coś, dzieli się swoją fascynacją z kimś innym, kto również jest zaciekawiony!

W tym wieku prawie wszystkie dzieci wiarygodnie demonstrują preferencję którejś ręki, choć może się to zmieniać wiele razy w trakcie kilku kolejnych lat, aż do stabilizacji preferencji ręki do pisania. Prawdopodobnie już wcześniej niemowlę przejawiało jakąś tendencję, jednak teraz jest ona wyraźnie widoczna, gdy dziecko ssie mniej dominującą dłoń, aby umożliwić sobie badanie świata tą preferowaną. W wieku 7 miesięcy, kiedy następuje skok w rozwoju małej motoryki, można łatwo ustalić rękę dominującą (w przypadku dominacji mieszanej nie będzie to możliwe). Podanie zabawki w linii centralnej dziecka sprawi, że najpierw sięgnie po nią preferowaną przez siebie ręką. W dalszym badaniu przez nie przedmiotu będą dominować dwa palce, wskazujący i kciuk. Rodzice podświadomie nakłaniają dziecko do praworęczności. Wręczając mu przedmiot, niemal zawsze kierują go w prawą stronę dziecka. Jeśli jest ono leworęczne, musi przekroczyć linię centralną, aby chwycić zabawkę. Im wcześniej leworęczność zostanie zaakceptowana, tym lepiej.

Ciekawe, że w tym właśnie czasie dziecko zaczyna tracić zainteresowanie swoimi stopami – nie ma okazji do częstego ich oglądania, gdyż spędza już mniej czasu w pozycji na wznak. Kiedy nauczy się chodzić, stopy staną się jeszcze mniej zręczne – nie będą już jak palce u rąk. W 8 i 9 miesiącu życia odkrywanie świata za pomocą dłoni będzie coraz ciekawsze i będzie przebiegało bardziej sprawnie. Kiedy dobrze się przyjrzymy, jak dziecko sięga po coś, zauważymy, że dostosowuje dłoń do kształtu tego przedmiotu.

Opanowanie sztuki raczkowania to kolejny krok w kierunku niezależności. W 7 miesiącu większość dzieci zaczyna czołgać się na brzuszku. Przewracając się przypadkowo z pozycji siedzącej lub z leżenia na plecach, dziecko w tym wieku jest zdeterminowane, aby kontynuować ruch. Uczy się celowo przekręcać na brzuszek, wić się i wiercić, by w ten sposób ćwiczyć poruszanie się w przód, co określamy mianem **czołgania**. W wieku 8 miesięcy na ogół opanowuje już ten ruch i zaczyna go rozbudowywać. Prawdopodobnie uda mu się podnieść na czworakach, pokołysać w przód i w tył, po czym z powrotem upadnie na brzuszek i buzię. Choć to może boleć, niewiele dzieci płacze w takiej sytuacji. Silne pragnienie osiągnięcia celu rekompensuje każdy dyskomfort.

Próbując skoordynować ręce i nogi, dziecko przypomni sobie odruchy pływania z pierwszych miesięcy życia. Zacznie poruszać się do tyłu, jak rak. W końcu odkryje, jak iść do przodu, odpychając się na dłoniach i kolanach, opanowując sztukę raczkowania.

Każde dziecko ma własny, specyficzny sposób raczkowania, a niektóre w ogóle tego nie robią. Mitem jest pogląd, że jeśli dziecko nie nauczy się raczkować, będzie miało złą koordynację ruchową i problemy z uczeniem się. Takie myślenie jest bezpodstawne. Widziałem wiele dzieci, które ominęły tę fazę, a później bez problemu opanowały wszystkie inne umiejętności. Wiele przechodzi od pozycji siedzącej do stania i chodzenia, bez czołgania i raczkowania. Nie jest to konieczny etap w rozwoju.

Jeśli dziecko zaczyna raczkować, ale do tyłu, można zobaczyć na jego twarzy konsternację, gdy stopniowo oddala się od pożądanego celu. Kiedy widzi, że nowo odkryta koordynacja rąk i nóg wcale nie prowadzi go w upragnionym kierunku, jego frustracja narasta. Może nawet krzyknąć z bezradności. Rodzice mogą wówczas zdecydowanie oprzeć rękę o stopy dziecka, co pozwoli mu odepchnąć się od niej i ruszyć w przeciwnym kierunku. Być może zdziwienie i radość będą siłą napędową, która pozwoli mu nauczyć się, jak pokierować swoim ciałem i samodzielnie powtórzyć ruch do przodu. Jednak najprawdopodobniej przez mniej więcej miesiąc dziecko będzie potrzebowało takich momentów frustracji, zanim osiągnie cel. Rodzice mogą koić łzy i wspierać, ale nie powinni oszczędzać dziecku tych żmudnych wysiłków podczas uczenia się nowej umiejętności. Dzięki temu nauczy się ono radzenia sobie z frustracją, czyli uczenia się na błędach – lekcji, która będzie mu towarzyszyć przez całe życie!

Jak wspomniałem wcześniej, rodzice powinni zadbać o bezpieczeństwo dziecka w okresie jego wzmożonej ciekawości świata. Zanim ta faza nastąpi, należy sprawdzić dom pod kątem ewentualnych zagrożeń dla małego, pomysłowego odkrywcy – niezabezpieczonych kontaktów i schodów, leków i innych substancji trujących, zarówno w szafkach, jak i poza nimi. Również okna powinny zostać zabezpieczone przed otwieraniem – dzieci dojrzą wszystko. Następne miesiące będą pełne niespodzianek i rodzice muszą być na nie przygotowani. Powinni mieć w domu nalewkę z ipekakuany, czyli wymiotnicy lekarskiej (w niedostępnym dla dziecka miejscu), aby w razie połknięcia przez nie czegoś toksycznego wywołać wymioty – jeśli takie będzie zalecenie lekarza. Dobrze jest sporządzić listę numerów telefonów najbliższego ośrodka toksykologii[20], izby przyjęć najbliższego szpitala, pediatry i pogotowia i umieścić ją przy każdym telefonie w domu. Takie zabezpieczenie jest bardzo istotne. W razie wypadku rodzice mogą być bowiem zbyt oszołomieni, by na gwałt szukać tak istotnych informacji.

Karmienie

Pokarm stały podawany łyżeczką to ogromna zmiana dla dziecka. Przy pierwszym zetknięciu z nim dziecko będzie się krzywić, ślinić i wypluwać go. Będzie wypychać językiem łyżeczkę i pożywienie – na pokonanie tego odruchu będzie potrzebowało około tygodnia. Rodzice często odczytują takie zachowanie jako oznakę nieakceptowania smaku jedzenia i zastanawiają się: „Czy nie powinniśmy zacząć od czegoś słodkiego? Wydaje się, że nie odpowiada mu smak kleiku ryżowego". Oczywiście pierwszy pokarm stały powinien być płynny i mlekopodobny, ale smak nie stanowi tutaj problemu. Nowym wyzwaniem dla dziecka będzie nauczenie się połykania, które wymaga innej koordynacji mięśni niż znana dotychczas czynność ssania. Opanowanie jakiejkolwiek nowej umiejętności wymaga czasu. Zmaganie ze stałym pokarmem powinno potrwać około tygodnia. Rodzice muszą pogodzić się z tym, że będzie to czas uczenia się połykania, i nie martwić się, ile dziecko naprawdę zje. Ich zadanie to bycie cierpliwymi nauczycielami. Dziecko powinno oczywiście siedzieć wyprostowane – w przeciwnym razie może się zachłysnąć. Najprawdopodobniej włoży ręce do jedzenia, odsunie łyżeczkę i będzie sobie pomagało paluszkami. Ręce to bardzo ważne narzędzie poznawania świata w tym wieku, więc raczej nie należy ograniczać dziecka – lepiej ubrać na siebie plastikowy płaszcz przeciwdeszczowy i pozwolić niemowlęciu na eksperymenty.

Nawet kiedy nauczy się już połykać, dziecko będzie czasami wypluwać jedzenie. Rodzice nieraz mają odczucie, że w ten sposób przekomarza się ono z nimi, jednak tak nie jest. Silna reakcja na takie zachowanie dodatkowo je wzmocni. Najczęściej dziecko

[20] Informacje o ośrodkach w Polsce dostępne na stronie www.etox.2p.pl (przyp. tłum.).

daje w ten sposób sygnał, że nie ma już ochoty na jedzenie. Należy wówczas zakończyć posiłek. Nawet jeśli podczas jedzenia dziecko robi ogromny bałagan, należy zabezpieczyć się przed ubrudzeniem i karmić niemowlę w łatwo zmywalnym krzesełku, ale nie ograniczać jego rąk. Powinno bawić się jedzeniem na swój sposób – trzeba pozwolić mu na ten okres przejściowy. Ponadto przecież dziecko nadal ćwiczy chwytanie paluszkami i chce uczestniczyć w karmieniu poprzez dotyk. Ingerencja może wyzwolić w nim opór, nastawić negatywnie do jedzenia i utrudnić karmienie w przyszłości.

W wielu kulturach do dziecięcego menu wprowadza się wszystko to, co znajduje się na rodzinnym stole podczas posiłku. Szanuję tę tradycję, bo wiem, że przy wspólnym stole ważna jest naturalność. Zalecam jednak, aby do diety niemowlęcia wprowadzać po jednym rodzaju stałego pokarmu. Tygodniowy rytm włączania nowych produktów pomaga zaobserwować, czy dziecko nie reaguje alergicznie na któryś z nich. Jeśli pokarmy stałe są wprowadzane przed 6 miesiącem życia, nietolerancja może pojawić się w formie wysypki, rozstroju żołądka lub biegunki i wystąpić natychmiast po jedzeniu. Po 6 miesiącu alergia pojawia się kilka dni po wprowadzeniu nowego produktu. Łatwiej więc monitorować reakcje alergiczne, zanim dziecko ukończy pół roku. Alergii można uniknąć, włączając kolejne pokarmy ostrożnie i systematycznie. Jeżeli w przeciągu tygodnia od podania dziecko zareaguje na coś wysypką lub innymi objawami, należy natychmiast wyeliminować dany produkt z diety. Jeśli zrobi się to szybko, czasami można spróbować wprowadzić go ponownie w 12 lub 24 miesiącu życia. Należy jednak skonsultować ten krok z pediatrą, aby wykluczyć możliwość jeszcze silniejszych objawów alergii. Szybka reakcja poprzez wycofanie niepożądanego produktu oraz unikanie tych typowo alergizujących (np. pszenicy, jajek czy orzeszków ziemnych) zmniejszy długofalowe ryzyko alergii (zob. rozdział 14).

Wprowadzając pokarmy stałe, dobrze jest zacząć od jednego rodzaju zboża podczas posiłku wieczornego. Najlepszy jest ryż, a w dalszej kolejności jęczmień lub owies. Należy unikać pszenicy. Ryzykowne są również mieszanki zbożowe, gdyż stanowią złożone wyzwanie dla dziecka, a w razie reakcji alergicznej nie można jednoznacznie wyodrębnić alergenu. Kaszka z jednego zboża powinna być podawana przez dwa tygodnie, aż dziecko nauczy się połykać. Dobrze jest zrobić to przed posiłkiem mlecznym, gdyż wtedy dziecko łatwej ją zaakceptuje, oraz wieczorem, ponieważ – jak uważają niektórzy rodzice – wydłuży to nocny odpoczynek. Następnie do diety należy włączyć gotowany i przetarty owoc (jabłko lub gruszkę, ale nie cytrusy ani truskawki, gdyż mogą wywołać reakcję alergiczną) i podawać go rano. Tydzień później można dodać gotowane i przetarte warzywo (groszek, szpinak, zieloną fasolkę szparagową lub marchewkę) i podać je w południe. Po kolejnym tygodniu, również do posiłku południowego, można wprowadzić zmiksowane mięso wołowe,

Przykładowy rozkład posiłków sześciomiesięcznego dziecka

7:00	mleko
8:30	gotowany i przetarty owoc
12:00	mięso, warzywa i mleko
15:00	sok lub woda (większość kalorii w soku pochodzi z cukru; jest on główną przyczyną próchnicy i nadwagi – należy go więc rozpuszczać z wodą i podawać w ilości nie większej niż 85–110 mililitrów dziennie)
17:00	kaszka (z gotowanym i przetartym owocem)
18:30	mleko
22:30	mleko (czwarty posiłek mleczny)

wieprzowe lub drobiowe. Rodzice powinni uważnie czytać etykiety, aby mieć pewność, że dany produkt jest jednorodny i nie zawiera innych składników. Jeśli u dziecka pojawi się wysypka po podaniu jakiegokolwiek pokarmu, należy go odstawić, odczekać, aż wysypka zniknie, i dopiero wówczas wprowadzić nowy rodzaj pokarmu. Obecnie łatwo dostępne są produkty organiczne dla dzieci, dzięki którym mamy pewność, że nie podamy niemowlęciu środków konserwujących ani pozostałości pestycydów.

Nowe pokarmy, takie jak groszek czy marchewka, będą od razu widoczne – jasnozielone lub pomarańczowe – w kupce dziecka. Nie należy się tym martwić. Nie zostaną całkowicie strawione, ponieważ jelita muszą się przystosować do trawienia każdego z nich.

Rozdzielając pokarm stały od mleka rano i po południu, próbujemy przyzwyczaić dziecko do czterech posiłków mlecznych. Gdy tak się stanie, można połączyć te dwa rodzaje posiłków.

Wprowadzając pokarmy stałe, należy wziąć pod uwagę, że dziecko będzie chciało trzymać swoją łyżeczkę, podczas gdy rodzic będzie je karmił drugą. Można przypuszczać, że gdy upuści swoją, spojrzy za nią, a potem na dorosłego, oczekując, że ten ją podniesie. Uczy się w ten sposób o stałości przedmiotów. Nauka picia z kubeczka również nie obejdzie się bez asysty dziecka. Dobrze jest wspierać zabawę i eksperymentowanie podczas jedzenia i cieszyć się nimi.

Nowe umiejętności motoryczne – siedzenie i badanie świata w tej pozycji oraz fascynujący chwyt pęsetowy – to główne kroki milowe w rozwoju, odbijające się na wszystkich innych aspektach życia dziecka. W szczególny i znaczący sposób wpływają one na ceremonię karmienia. Rodzic, który pozwala, aby zwiększyły one poczucie niezależności w dziedzinie jedzenia, uchroni dziecko od wielu problemów w przyszłości. Jednym z ekscytujących dla malucha celów na ten moment jest nauka zabawy z kubkiem i posługiwania się nim. Choć nie jest jeszcze gotowy do wypicia czegokolwiek, z pewnością będzie chciał spróbować. Kiedy rodzic pije ze szklanki czy filiżanki, może również zaproponować dziecku coś do picia i podać mu kubek. Chęć naśladowania będzie motorem uczenia się. Jeśli dziecko zainteresuje się kubkiem, może dostać do zabawy pusty kubeczek, podczas gdy rodzic poda mu picie w innym. Kubek ze specjalną nakładką pozwoli na więcej samodzielnych eksperymentów. Dziecko może też ćwiczyć w wanience podczas kąpieli – wypijać wodę z kubka, wlewać ją, wylewać i rozchlapywać na wszystkie strony – dopóki rodzice nie użyją mydła. Być może zechce mieć przy sobie przez cały czas kubek z nakładką, jednak należy mieć na uwadze, że napoje inne niż woda są tak samo szkodliwe dla ząbków jak butelka z mlekiem zostawiana w łóżeczku.

Siedmiomiesięczne dziecko chętnie wykorzystuje zręczność swoich paluszków i bada wszystko, co wędruje do ust. Nawet jeśli rodzice zajmą obie rączki – kubek w jednej, a kawałek sucharka w drugiej – niemowlę rzuci to wszystko, aby tylko pochwycić łyżeczkę, którą ktoś próbuje je nakarmić. Może też skupić całą swoją uwagę na chlebku lub własnej łyżeczce. Rodzice powinni to uszanować. Na tym etapie jedzenie nie jest aż tak ważne jak badanie świata. Być może niektórym dorosłym uda się przeforsować nudną rutynę, ale mogą przez to wzbudzić w dziecku opór. Nie warto. Zachęcam, aby przez pewien czas pozwolić mu eksperymentować po swojemu – to nic, że nie uda mu się wtedy wiele zjeść. Powróci do pełnych posiłków, gdy opanuje nową umiejętność. Jest to dziedzina, w której cele rodziców i dzieci nie będą szły w parze, a w której dzieci zawsze wygrywają. Dlatego dorośli powinni na chwilę wycofać się i cieszyć etapem zdobywania przez ich dziecko nowych sprawności. Muszą pogodzić się z faktem, że w tym momencie skok w rozwoju motorycznym zdominuje wszystko inne. Na szczęście potrzeby żywieniowe dziecka mogą być zaspokojone dzięki karmieniu piersią lub mieszanką mleczną (powinny wystarczyć trzy solidne posiłki – rano, w południe i wieczorem, 680–900 mililitrów dziennie, w zależności od wagi dziecka). Ponieważ żołądek niemowlęcia może pomieścić niewielką ilość pokarmu, a zwiększony poziom aktywności wymaga więcej „paliwa", wówczas pomiędzy tymi karmieniami można podawać bezpieczne przekąski, takie jak flipsy, kawałki miękkiego, gotowanego mielonego mięska, ser czy owoce, na przykład banany. Jeśli to konieczne, można dodatkowo nakarmić dziecko o 22:30, przed udaniem się rodziców na nocny odpoczynek.

Choć pokarm stały stanie się ważną częścią diety większości dzieci w wieku 6–7 miesięcy, nie będzie on tak ważny jak mleko z piersi uzupełnione witaminą D (i ewentualnie żelazem) czy mieszanka mleczna z witaminą D i żelazem. Jeśli dziecko odmawia spożywania pokarmów stałych w czasie tego skoku rozwojowego, można włączyć do diety jedynie kaszkę zbożową (z suplementami) lub purée z mięska ze względu na żelazo. Należy je podawać przy którymkolwiek posiłku, w zależności od preferencji dziecka. Dwie lub trzy łyżeczki takiego stałego jedzenia na dobę powinny w zupełności wystarczyć na tym etapie. Choć często celem rodziców są regularne i pełne posiłki, nie są one tak ważne jak niedopuszczanie do konfliktów na tle jedzenia, co pomoże zapobiec poważniejszym problemom w przyszłości.

Niedawno opanowany chwyt pęsetowy w oczywisty sposób doda posiłkom nowego uroku. Na początku każdego karmienia można podać dziecku jeden lub dwa kawałki miękkiego pokarmu, a po ich zjedzeniu – kolejne. Dziecko nie potrafi ich jeszcze dokładnie przeżuć, ale z pewnością rozgniecie je dziąsełkami. Nadadzą się do tego celu małe kawałki banana, gotowanego ziemniaka lub innego warzywa, miękkiego chleba, a nawet zmielonego mięska.

Kiedy dziecko zje, zbada, zgniecie paluszkami, upuści, rozsmaruje na stoliku lub w jakiś inny sposób „przetworzy" ów miękki pokarm, można położyć przed nim kolejne dwa kawałki. Jeśli dostanie zbyt dużo naraz, wszystkie zostaną rozgniecione lub zmiecione ze stolika. Trzeba być przygotowanym na to, że niektóre zostaną celowo zwrócone albo wypłyną z buzi wraz ze śliną. Celem jest podsycanie przygody. Dziecko może być tak podekscytowane i skoncentrowane na zmaganiu z kawałkami jedzenia na stoliku, że w międzyczasie da się nakarmić docelową papką. Może też jednak wzbraniać się przed tym dokarmianiem. Nie należy walczyć, gdyż dziecko się zbuntuje. Ta faza intensywnego badania świata najprawdopodobniej będzie trwała tylko około tygodnia – niech maluch zdecyduje, kiedy się skończy.

Sen

Dotychczas dziecko prawdopodobnie przesypiało w nocy około 8 do 12 godzin. Teraz jednak podekscytowanie uczeniem się nowych sprawności, takich jak siedzenie, czołganie się i raczkowanie, oraz drobnych umiejętności motorycznych wpływa również na okresy odpoczynku. Ponieważ dziecko ćwiczy cały czas, drzemki w ciągu dnia mogą być zarwane, a samo usypianie – utrudnione. Te nowe trudności będą frustrować rodziców, którzy dopiero co zaczęli się cieszyć spokojnymi wieczorami. Tak jak w przypadku innych drogowskazów, czyli kamieni milowych w rozwoju, ten moment to regres poprzedzający ogromny skok do przodu. Próbuję pomóc rodzicom, dzieląc się z nimi następującymi sugestiami.

Wróćcie do rytuałów związanych z odpoczynkiem – dziecko musi wiedzieć, że te momenty są ważne zarówno dla niego, jak i dla rodziców. Cały czas potrzebuje jeszcze dwóch drzemek lub wyciszenia w ciągu dnia – do południa i po południu – więc niezależnie od tego, czy rzeczywiście wówczas śpi, powinno być w łóżeczku, w swoim pokoju. Jeśli to konieczne, osoba dorosła powinna siedzieć wtedy obok, nie reagując, spokojnie mówiąc dziecku, aby się położyło i odpoczęło. Może klepać je łagodnie i rytmicznie, nie patrząc na nie ani nie reagując na jego zachowanie. Być może dziecku nie będzie się to podobać, ale wkrótce nauczy się, że to nie zabawa, ale rytuał przed drzemką lub nocnym odpoczynkiem.

Jeśli rodzice pracują w ciągu dnia, opiekun dziecka powinien zadbać o to, aby popołudniowa drzemka była wystarczająco długa, żeby dziecko wypoczęło przed wspólną zabawą z rodzicami, gdy wrócą do domu, ale równocześnie na tyle wczesna, by nie trzeba było przesuwać godziny nocnego odpoczynku. W momencie gdy dziecko zaczyna zbyt dokazywać lub marudzić, powinno położyć się spać. Łatwo jest przeoczyć porę spania, jeśli nie jest ona wyraźnie określona i przestrzegana. Zdecydowanie i rutyna są dla dziecka lepsze niż niezdecydowanie – to bowiem zawsze rozpozna i wykorzysta. Narastające podekscytowanie zakończy się wybuchem płaczu, desperackimi próbami kontynuowania zabawy i niemożnością zrelaksowania. Ukojenie i wyciszenie będą możliwe dzięki zdecydowaniu rodziców i wyraźnemu komunikatowi, że pora na odpoczynek.

Niekiedy dzieci w tym wieku uaktywniają się w okolicach 2:00 w nocy i 6:00 nad ranem. Płaczą żałośnie, choć wydaje się, że jeszcze śpią. Czasami podnoszą się na czworakach i kołyszą w tej pozycji, nie obudziwszy się nawet, choć sprawiają takie wrażenie. Rodzice mają wówczas dylemat – nie wiedzą, czy obudzić dziecko, nakarmić i z powrotem ułożyć do snu. Ponieważ jest to faza snu płytkiego, występująca przeciętnie co 4 godziny, radzę, aby tego nie robić. Nie należy wybudzać dziecka ani wyjmować go z łóżeczka – w żaden sposób nie wzmacniać jego zachowania. Co najwyżej można mu pomóc z powrotem zasnąć, poklepując lekko, mówiąc łagodnym głosem, proponując smoczek lub przytulankę. Nawet jeśli dziecko całkowicie się wybudzi w obecności rodzica, należy jak najmniej ingerować i zachęcać je do znalezienia własnego sposobu na powrót do snu. Dorośli, którzy wybudzają dziecko, na długo stają się częścią jego rytuału zasypiania.

Najtrudniej w takiej sytuacji radzą sobie rodzice, którzy przez cały dzień przebywają poza domem. Jest to jednak ich problem, nie dziecka, i choć doskonale ich rozumiem, to wiem, że osoby zmęczone pracą tym bardziej potrzebują snu. W końcu takie nocne budzenie wyczerpie całą rodzinę.

Komunikacja

Dziecko w wieku 7–8 miesięcy nie tylko potrafi już wypowiadać sylaby składające się ze spółgłosek i samogłosek („da", „ma", „ba"), ale nieustannie je ćwiczy. Każdego ranka wyśpiewuje nimi trele we wszystkich tonacjach, leżąc jeszcze w łóżeczku. Wypróbowuje je na wszystkie sposoby, przywołując w ten sposób zachwyconych tym dorosłych. Rzadko się zdarzy, że dopasuje daną sylabę do konkretnej osoby. Uczy się też rozumienia słowa „nie" i towarzyszącej mu odpowiedniej miny na twarzach rodziców, ale jeszcze na nie nie reaguje.

Dzięki przypadającym na ten czas skokom w rozwoju motorycznym i poznawczym zabawa z dzieckiem sprawia rodzicom coraz więcej radości. Mogą aktywnie bawić się znim, dopasowując formę zabawy do jego temperamentu. Wiele mam martwi się, że ojcowie są „zbyt gwałtowni" w zabawie. Z kolei mężczyźni twierdzą, że mamy są zbyt miękkie: „Nie przestawaj. Nie widzisz, że dziecko prosi o jeszcze?". Oboje powinni uszanować te różnice między sobą i je wykorzystywać. Dzięki temu dziecko uczy się, że każde z nich jest odrębną indywidualnością. Nie ma potrzeby, aby mama i tato traktowali je tak samo.

Rozwój poznawczy

W zabawie dziecko będzie nieustannie pracować nad swoimi umiejętnościami poznawczymi i je rozwijać. Kiedy rodzic pokaże mu zabawkę, schowa ją pod kocyk, a następnie odkryje, dziecko z radością zareaguje na jej widok dźwiękiem „ooo" lub „aaa". Najprawdopodobniej będzie zdziwione i zachwycone faktem, że zabawka ciągle tam jest. Należy wstrzymać się z jej odkryciem przez sekundę lub dwie – dziecko w tym wieku jest jeszcze nieświadome stałości przedmiotów. Pewność, iż coś nie znika tylko dlatego, że tego nie widać, dopiero się w nim rozwija i dobrze jest pokazywać mu różne aspekty tej prawidłowości. Ucząc się czołgać lub raczkować, dziecko postrzega świat z różnych punktów widzenia i być może zaczyna rozumieć, co te inne perspektywy oznaczają (prawdopodobnie dzięki temu uczy się, że może wskazywać na rzeczy, które inni widzą z różnych stron w tym samym pomieszczeniu). Usiłuje dosięgnąć pożądanego przedmiotu. Jeśli się to uda, bada go, a następnie szybko traci zainteresowanie i odrzuca poza zasięg swoich rąk. Wartość zabawki znów wzrasta, gdy niemowlę próbuje na nowo jej dosięgnąć.

Od mniej więcej miesiąca dziecko interesuje się lustrem. Patrząc na swoje odbicie, próbuje uzyskać jakąś reakcję. Może nawet wyciągnąć rączkę, aby go dotknąć. Gdy zobaczy reakcję z drugiej strony, będzie zdziwione i może się przestraszyć. Kiedy w lustrze pokażą się także rodzice, może chcieć zareagować na ich odbicie, tak jakby byli po drugiej stronie. W końcu jednak odwróci się i zobaczy, gdzie naprawdę stoją. Badając odbicia w lustrze, dziecko uczy się o przestrzeni i zależnościach w niej zachodzących.

Lęk przed obcymi umacnia się w miarę rozwoju poznawczego, który nabiera szalonego tempa w wieku 7–8 miesięcy. Dziecko szuka zgubionych zabawek, podnosi kocyk lub pudełko, aby je znaleźć. Eksperymentuje z prawem stałości osób, bawiąc się w „a kuku!". Naśladuje w zabawie mimikę twarzy i – gaworząc – powtarza różne dźwięki. W następnych dwóch miesiącach rodzice z zachwytem i radością będą obserwować ogromne przyspieszenie w rozwoju poznawczym. Nie powinni nadmiernie przejmować się momentami frustracji dziecka. Ono samo potrafi już sobie z nimi poradzić.

W tym okresie przyspieszonego uczenia się komunikatów ze świata zewnętrznego pod koniec dnia dziecko będzie czekało na dźwięk oznaczający powrót rodziców do domu. Należy ze szczególnym respektem odnosić się do dużej wrażliwości dziecka, typowej dla tego etapu. Narażanie go na zbyt głośne dźwięki, zbyt nagłe zmiany czy nawet pozostawianie w znajomych mu miejscach pod opieką znanych osób uwydatni tę wrażliwość, tak charakterystyczną dla okresu szybkiego rozwoju. Cała energia dziecka wydatkowana jest w tym czasie na opanowanie i badanie nowych umiejętności poznawczych.

Rozumienie prawa stałości istnienia osób rozwija się tak samo jak pojmowanie stałości przedmiotów. Co to oznacza? Rozłąka jest bardziej dotkliwa dla dziecka, gdy zdaje sobie ono sprawę, że kiedy ważne dla niego osoby znikają z pola widzenia, są w jakimś innym miejscu, ale nie z nim. Twarze różnych ludzi także będą je drażnić, gdyż w pewnym sensie są podobne do rodziców, ale nie takie same. Dziadkowie powinni nauczyć się czekać i brać dziecko na ręce dopiero wtedy, gdy się im ono przyjrzy, a pierwsza nieufność zniknie. Pragnąc uniknąć traumy, rodzice muszą ostrzec obce osoby i członków dalszej rodziny, aby nie spieszyli się z przytulaniem dziecka. Należy oczekiwać, że wszelkie rozstania – przy zostawianiu dziecka pod opieką innych – często będą miały bolesny i dramatyczny przebieg. Upewnij się, że dziecko zostaje w dobrych rękach, i przekaż mu taki właśnie komunikat. Natomiast po powrocie powiedz mu, że za nim tęskniłeś. Ogranicz w tym okresie wszelkie rozstania i zmiany do minimum.

Chcąc załagodzić niepokój dziecka związany z rozstaniem i nieobecnością rodziców, można się z nim bawić w „a kuku!" i inne gry: odejść na chwilę za róg domu i zaraz wrócić; pozwolić mu dotykać swojej twarzy i ubrań; wymyślać różne zabawy z lustrem. Można też zacząć wprowadzać inne ważne osoby w jego życie – trzeba to jednak robić powoli, podążając za dzieckiem i tylko w jego tempie, tak aby mogło spokojnie się ich uczyć. Nie trzeba nadmiernie chronić dziecka, dobrze jest jednak pamiętać, że przechodzi ono przez jeden z ważniejszych i trudniejszych etapów swojego rozwoju – robi ogromny krok w sferze poznawczej i społecznej.

Perspektywa na przyszłość

Karmienie

Zaczynają się pojawiać wyzwania wynikające z coraz silniejszej potrzeby badania świata i kontrolowania go. Gdy dziecko odmówi jedzenia, trzeba mieć pod ręką odpowiednie przekąski, kawałek bagietki lub sucharka, i pozwolić mu na zabawę nimi. Nie należy wówczas zbytnio koncentrować się na dziecku, lecz zwyczajnie krzątać po kuchni i zajmować swoimi sprawami. Jeśli niemowlę poczuje, że uwaga rodzica jest na nim skupiona, może prowokować i przekomarzać się, odmawiając jedzenia lub upuszczając je na podłogę. Można też pozwolić dziecku bawić się jedną łyżeczką, a karmić je drugą. Ta trzymana w rączce może odwrócić jego uwagę podczas prób nakarmienia, jeśli jednak się tak nie stanie, należy przestać. Nie powinno się ingerować w zabawę dziecka ani karmić go wbrew protestom. Nie warto.

Jeśli dziecko nie zjadło danego posiłku, czy zgłodnieje i zje następny? Być może – pod warunkiem że rodzice nie zaognili konfliktu. Trzeba jednak pamiętać, że na tym etapie rozwoju dążenie dziecka do opanowania jakiejś umiejętności jest niemal instynktowną koniecznością.

Sen i nowe umiejętności motoryczne

Kiedy dziecko uczy się raczkować, podciągać do stania czy rozpoznawać obcych, może na nowo zacząć budzić się w nocy. Należy wówczas powrócić do wcześniejszej rutyny, pomocnej w nauce samodzielnego usypiania.

W ciągu dnia, gdy dziecko sfrustruje się nowym zadaniem, również można mu pomóc w nauce samodzielnego pocieszania się, na przykład podając mu za każdym

Czy korzystać z chodzika?

Dziecko, które spędza mniej czasu raczkując, a więcej w chodziku, będzie miało mniej możliwości odpychania się rączkami od podłogi i wzmacniania mięśni barków i pleców. Wprawdzie chodzik pozwoli mu pozbyć się frustracji wynikającej z nieopanowania umiejętności chodzenia, ale nie nauczy go radzenia sobie z nią. Zbyt częste używanie chodzika może oddalić w czasie ważne momenty rozwojowe, a także sprowokować niebezpieczne sytuacje, na przykład zetknięcie ze schodami, z którymi dziecko sobie nie poradzi (schody powinny być zabezpieczone bramkami niezależnie od tego, czy używamy chodzika).

razem tę samą zabawkę lub miękki kocyk. Jeśli nauczyło się kojenia łez za pomocą smoczka lub ssania kciuka, trzeba mu pomóc je odnaleźć w sytuacji rozdrażnienia lub na granicy płaczu. Gdy już się uspokoi, należy pochwalić dziecko, że tak wspaniale sobie poradziło.

Nie powinno się zmuszać niemowlęcia do aktywności, na którą nie jest jeszcze gotowe. Chodzik może odciągnąć jego uwagę od raczkowania, gdyż raczej nie wygra ono w konkurencji ze staniem i nauką chodzenia.

Bezpieczeństwo

Na tym etapie rozwoju niezwykle pomocny będzie kojec do zabawy – jeśli rodzice nie mogą w jakimś momencie przypilnować dziecka, mają pewność, gdzie ono jest oraz do czego ma dostęp. Jeśli nie korzystają z kojca, muszą tak przygotować pokój dziecka, aby był dla niego bezpieczny. Nowo odkryta mobilność oraz potrzeba zaspokojenia ciekawości w tym okresie wzmożonego rozwoju poznawczego wpakują dziecko w każde możliwe tarapaty. Trzeba być przezornym!

Rozpieszczanie

Podczas wizyty z ośmio- lub dziewięciomiesięcznym dzieckiem wielu rodziców porusza temat rozpieszczania. Jeśli martwią się, że dają mu zbyt dużo miłości i uwagi, jest to niepotrzebne. Natomiast inną sprawą jest zbyt częste wyręczanie dziecka w sytuacjach frustracji, gdy samo mogłoby ukoić łzy, lub nudy, gdy samo mogłoby się zmotywować. W moim rozumieniu rozpieszczone dziecko to takie, któremu nie postawiono żadnych granic, wobec czego jest zalęknione i zdaje się tylko na rodziców. W następnych miesiącach rodzice doświadczą zachowania, które w oczywisty sposób będzie próbą ustalenia owych granic. Kiedy dziecko po raz pierwszy znajdzie się przed odbiornikiem telewizyjnym i obejrzy się, aby mieć pewność, że rodzice patrzą, zrobi to właśnie w celu zbadania, na ile może sobie pozwolić. Można je stamtąd zabrać lub odwrócić jego uwagę, najważniejsze jednak, aby od samego początku jasno ustalić zasady. Dyscyplina to obowiązek rodziców. Wyznaczenie zdecydowanych granic małemu dziecku, tak aby potem stały się jego własnymi, wymaga czasu, nie należy się więc frustrować, gdy trzeba będzie wiele powtórzeń, aby to osiągnąć.

8

Dziewiąty miesiąc

Dziewięciomiesięczne dziecko rzadko przesiaduje na kolanach u mamy lub taty podczas wizyty w moim gabinecie. Nie może się doczekać okazji do wymknięcia na podłogę bądź podciągnięcia do stania przy stoliku lub krześle i popisywania swoimi niezwykłymi osiągnięciami. Rodzice bardzo chętnie się na to zgadzają. Większość pytań, jakie padają podczas tego spotkania, jest związana z rozwojem motorycznym. U dziecka tak nastawionego na ruch wszystko – karmienie, sen czy zmiana pieluszki – wygląda inaczej niż dotychczas. Codziennie, kiedy od świtu do zmierzchu nieustannie raczkuje, wierci się, przekręca, czołga, podciąga i przewraca, pojawiają się nowe kwestie związane z bezpieczeństwem, dyscypliną i niepokojem.

Nowe dramaty i konflikty zmuszają rodziców do rewizji codziennej rutyny i sięgnięcia po wsparcie z zewnątrz. Skok w rozwoju motorycznym oraz regresja w dyscyplinie spania i karmienia, które zwykle towarzyszą temu etapowi, sprawiają, że jest on kolejnym ważnym drogowskazem – krytycznym momentem w rozwoju rodziny. Jej członkowie są teraz szczególnie wrażliwi i dlatego – bardziej niż kiedykolwiek – gotowi na przyjęcie wsparcia ode mnie.

Mama dziewięciomiesięcznego *perpetuum mobile* wchodzi do gabinetu, będąc na granicy wytrzymałości. „Jak się pani ma? – pytam, czekając na powitalny wybuch. – Okropnie – odpowiada matka. – O! – proszę o kontynuację. – Tak, zupełnie nie panuję nad Aleksandrem. Albo biega na czworakach tam i z powrotem i wrzeszczy, albo ssie kciuk i wpatruje się we mnie. Odmawia jedzenia, które próbuję mu podawać. Po prostu nic nie je. Na dodatek w ogóle się nie wysypiam. Mały nie wyhamowuje ani w dzień, ani w nocy. Budzi się co najmniej raz lub dwa razy każdej nocy. Jest wykończony, a ja razem z nim!".

Po uważnym wysłuchaniu i wyrażeniu autentycznego współczucia rodzicom pragnę przedstawić im sytuację z punktu widzenia dziecka i pomóc docenić to, co się z nim dzieje. Sugeruję, że być może trudności i dezorganizacja wynikają z faktu, iż próbuje ono nauczyć się nowej umiejętności. I rzeczywiście tak jest. Szczególnie trudne z tego względu staną się teraz karmienie i odpoczynek.

Rozwój motoryczny

W tym wieku rozpoczyna się nauka stania. Wystarczy, że dziecko napotka na swojej drodze krzesło lub stolik, a zacznie się podciągać do góry. Z nogami rozstawionymi szeroko oraz tułowiem wygiętym do przodu zrobi wszystko, aby wygrać z grawitacją. Może się zachwiać, zanim przylgnie do krawędzi stołu. Kiedy już to zrobi, będzie bardzo długo stało, blokując kolana, a następnie sprężynując w górę i w dół. Jeśli dzieje się to w moim gabinecie i spróbuję przerwać tę czynność, podając dziecku zabawkę lub biorąc je na ręce w celu zbadania, spojrzy na mnie gaszącym wzrokiem, jakby mówiło: „Zostaw mnie w spokoju. Czy nie widzisz, że jestem zajęty?". Gdy zacznie marudzić na stole do badania, natychmiast przestanie, jeśli tylko postawię je i podtrzymam w pozycji pionowej. Stojąc, uśmiechnie się z zadowoleniem. Jego cel jest oczywisty, a determinacja tak silna, że żarliwie protestuje przeciwko jakiejkolwiek ingerencji.

Dzieci w tym wieku potrafią stać niewiarygodnie długo. Po pewnym czasie mogą wybuchnąć płaczem – raczej z frustracji niż z bólu. W pozycji pionowej odkrywają cały nowy świat, który tylko czeka na zbadanie – nie mogą jednak jeszcze po niego sięgnąć, gdyż rozpaczliwie potrzebują obydwu rąk do utrzymania równowagi. W razie upadku również płaczą. I znów, nie z bólu fizycznego – dreszczyk emocji związany ze staniem minął, a to boli bardziej niż uderzenie.

Na szczęście czaszka dziecka jest plastyczna i znajduje się na niej ciemiączko. Najwyraźniej natura chciała w ten sposób osłonić głowę dziecka w razie upadku. Przez pierwsze dwa lata życia czaszka jest sprężysta i poddaje się naciskom sił. Nieuniknione upadki nie zostawiają sińców na mózgu, tak jak dzieje się to w przypadku dorosłych. Natura dobrze się przygotowała na etap rozwoju motorycznego przypadający na wiek 9 miesięcy. Miękki punkt na czaszce, czyli ciemiączko, nie domyka się, a kości czaszki nie łączą się sztywno aż do mniej więcej 18 miesiąca, kiedy dziecko już bezpiecznie utrzymuje równowagę i pewnie chodzi.

Pomimo tego zabezpieczenia rodzice powinni być czujni. Jeśli dziecko po upadku nie płacze od razu lub straci przytomność bądź wydaje się rozdrażnione albo ospałe dłużej niż kilka minut, może to być oznaką wstrząśnienia mózgu. Miejsce, w którym ćwiczy wstawanie, trzeba wyłożyć dywanem, a wszelkie twarde przedmioty i meble o ostrych krawędziach odsunąć na bok, aby w razie upadku zneutralizować skutki uderzenia. Należy stać blisko i w razie potrzeby złapać dziecko, gdy próbuje utrzymać równowagę przy krześle, wózku czy innym obiekcie, który może się wywrócić. Maluch może nabić sobie guza na podłodze drewnianej, ale nie na betonie. Nie ma potrzeby, co więcej: nie jest to możliwe, aby ochronić dziecko w tym wieku przed każdym małym upadkiem. Po kilku zacznie zginać staw biodrowy, a wystawiając pupę, stopniowo nauczy się utrzymywać równowagę i siadać powoli ze statecznym „plaskiem".

Dziecko i ruch

Ruch jest podstawowym celem dziecka. Kiedy stoi i trzyma się czegoś kurczowo, jest niestety unieruchomione. Już tęskni za zrobieniem kilku kroków. Gdy podsunie się mu odwrócone krzesło czy wózek, bardzo szybko nauczy się je popychać i kroczyć w ślad za nimi. Krzesła z czasów pierwszych napływowych osadników na ziemi amerykańskiej mają wyraźne wgłębienia w tylnej części – to ślady rączek małych „tuptusiów" uczących się chodzić. Ludzkie niemowlę ma w sobie wrodzony instynkt do spioniozowania i ruszenia do przodu. Rodzice często pytają mnie, czy powinni zakupić buciki dla dziecka w tym wieku. Nie zalecam tego. Krocząc boso, dziecko może lepiej utrzymywać równowagę dzięki pracy palców u stóp, które wczepiają się w podłogę. W bucikach będzie się częściej chwiało i ślizgało na podeszwach, a tym bardziej na samych skarpetkach.

Dziewięciomiesięczne dziecko często potrafi już podnieść się z leżenia do pozycji siedzącej, a następnie podciągnąć do stania. W ciągu kilku miesięcy opanowało tyle złożonych ruchów! Wszystko to daje mu poczucie kontroli nad swoim ciałem oraz pewność osiągania tego, co sobie zamierzyło. Teraz może zdobywać świat z pozycji stojącej! Będzie mozolnie procowało nad tą szansą całymi dniami i nocami! Stanie się to jego celem zaraz po obudzeniu, w nocy zaś będzie odtwarzało swoje osiągnięcia – podczas każdej fazy snu płytkiego podświadomość zmusi je do aktywności. Nic dziwnego, że trudno wówczas nad nim zapanować.

W pozycji stojącej, trzymając się, dziecko będzie próbowało przetestować wszystkie nowe sztuczki. Gdy usłyszy muzykę, zacznie tańczyć. Wszyscy dookoła rozpłyną się w pochwałach. Taniec to świetna zabawa! Następnie może próbować chodzić bokiem wzdłuż mebli. To też jest fantastyczne! Można się przemieszczać z miejsca na miejsce. Teraz przedmioty, do których wcześniej zabraniano dziecku dostępu, znalazły się w zasięgu ręki. Świat przestał być płaski. Pojawił się trzeci wymiar.

Wczesna dyscyplina

Świat rodziców również uległ zmianie. Zamiast bić brawo przy każdej nowej sztuczce, muszą teraz zdecydować, kiedy powiedzieć „nie". Czy powinni usunąć dostępne przedmioty z pola widzenia dziecka? Czy mają zabraniać pewnych rzeczy i próbować ograniczyć zakres jego nowych radości? Kuchenki, lampki, pralki, telewizory, komputery i zawieruszone komórki – wszystko to nagle stało się oczywistymi gadżetami do zabawy. Rośliny z toksycznymi liśćmi naraz okazały się bardzo atrakcyjne. Skąd rodzice mają wiedzieć, kiedy zwalczyć pokusę, a kiedy uczyć dyscypliny? Z mojego doświadczenia wynika, że im mniej konfliktów, tym lepiej. Dziecko nauczy się głównych, nieodwołalnych zakazów szybciej, jeśli nie zostaną zagłuszone tymi mniej istotnymi. Dlatego zalecałbym pozbycie się „atrakcji", które łatwo usunąć, zabezpieczenie krzesłem lub innym meblem tych niebezpiecznych, a pozostawienie tylko kilku, które mogą się stać przyczyną konfliktu.

Choć w tym wieku można jeszcze odwrócić uwagę dziecka, to wkrótce jego determinacja w kwestii bycia niezależnym się nasili. Odwracanie uwagi będzie skuteczne jedynie w przypadku rzeczy nieistotnych i zbyt łatwo może zmienić się w zabawę. Nadszedł właściwy czas na przygotowanie się na wojowniczą asertywność dwulatka, i należy to zrobić dla dobra wszystkich. Rodzice pytają mnie, jak wcześnie zacząć uczyć dyscypliny. Kiedy dziecko po raz pierwszy zbliża się do telewizora lub kaloryfera i **ogląda się za siebie**, aby mieć pewność, że rodzice patrzą, samo prosi o dyscyplinę. Demonstruje swoją świadomość dotyczącą rzeczy zabronionych i potrzebę jasno wyznaczonych granic. To doskonały moment, aby rodzice zdali sobie sprawę z tego, że dziecko próbuje aktywnie uczestniczyć w procesie uczenia się samodyscypliny (zob. rozdział 19). Jest to dla nich pierwszy drogowskaz na drodze uczenia się, kiedy i jak dyscyplinować. Sami muszą zdecydować, jak sobie z tym poradzić, i natychmiast rozpocząć ćwiczenia. To będzie długa droga!

Kolejna niespodzianka czekająca rodziców dziewięciomiesięcznego dziecka, która może przyprawić ich o zawał, to widok ich pociechy pokonującej kolejne stopnie schodów. Jeśli nie mogą pilnować dziecka przez cały czas, muszą zamontować bramkę z każdej strony schodów. Później mogą nauczyć je poruszania się po schodach w górę i w dół, jednak teraz jest na to jeszcze za wcześnie.

Kolejnym miejscem radości i ryzyka jest wanienka do kąpieli. Pierwsza i najważniejsza zasada brzmi: **nigdy** nie zostawiaj dziecka samego w kąpieli, nawet na moment. Może się przewrócić i zachłysnąć wodą. W najlepszym wypadku wystraszy się, w najgorszym zaś – utopi. Jeśli w pobliżu domu znajduje się basen, już teraz należy bezpiecznie go przykryć lub zupełnie odgrodzić. Jako pediatra widziałem zbyt wiele dzieci z uszkodzeniem mózgu wynikłym z podtopienia i wiem, że muszę być w tym momencie kategoryczny w swoich zaleceniach.

Inne zakątki domu czy mieszkania również powinny zostać odpowiednio przystosowane. Jeśli nie da się zabezpieczyć całego domu, powinno się przygotować jedno lub dwa pomieszczenia i pozwolić dziecku przebywać wyłącznie w nich.

Sen

Dziecko, które uczy się podnosić do pozycji stojącej, będzie również ćwiczyć w nocy. Położone do łóżeczka po wyjściu rodzica z pokoju natychmiast wstanie. Ułożone ponownie – znów się podniesie. I tak wiele razy. Ta nowa umiejętność pojawi się prawdopodobnie w każdej fazie snu płytkiego. Naukowcy zgodnie doszli do wniosku, że istnieje dostatecznie wiarygodna przyczyna częstszego wybudzania się dziecka pomiędzy 9 a 13 miesiącem życia, czyli dokładnie wtedy, gdy uczy się ono wstawać i jest już gotowe do chodzenia. Okazuje się, że dzieci w tym wieku spędzają w fazie snu płytkiego więcej czasu niż dzieci w innym wieku. Nic dziwnego, że prawdopodobieństwo wybudzenia jest wówczas większe. Być może te wydłużone fazy snu płytkiego są potrzebne, aby w pamięci rozwijającego się mózgu mogły zostać zarejestrowane złożone sekwencje ruchów, które dziecko będzie mogło przywołać, ucząc się stawiać jedną nogę przed drugą – wykonując swój pierwszy krok! Ten etap rozwoju mózgu jest kolejnym ważnym drogowskazem. Podczas wizyty w moim gabinecie podkreślam wagę decyzji, jakie rodzice muszą podjąć, aby pozostawić sen w sferze wpływu dziecka.

Oto, co mówię rodzicom, aby pomóc im poradzić sobie z tymczasowym zaburzeniem rytmu snu: za każdym razem, gdy podchodzisz do łóżeczka, zdecydowanie ułóż dziecko do snu i dokładnie je okryj. Za trzecim lub czwartym razem, gdy je spokojnie ułożysz, zacznij nucić, nie patrząc na nie, aby dokładnie wiedziało, że to nie jest czas na komunikację. Zostań z dzieckiem, przytrzymując je w pozycji leżącej, lekko poklepując i uspokajając. W miarę wyciszania się dziecka wycofaj swoją ingerencję – nuć łagodniejszym głosem, poklepuj wolniej. Dziecko będzie się buntować, walczyć, a nawet krzyczeć. Nie reaguj na to. To byłoby zbyt ekscytujące. Bądź bardziej zdecydowany niż ono. Z całą pewnością niemowlę będzie potrzebować przytulanki, choć nie przyjmie jej z wdzięcznością. Musi jednak odczuć, że celem rodzica jest położenie go spać.

Czasami mama relacjonuje: „Ale on jest tak zdesperowany! **Muszę** pomóc mu zasnąć. Stoi na skraju łóżeczka i nie położy się sam. Jest przerażony". Kiedy pytam, czy dziecko potrafi samo usiąść, gdy w ciągu dnia trzyma się mebli, na ogół odpowiada: „O, tak. Doskonale to potrafi. W ciągu dnia siada ostrożnie na podłodze". To jest mój argument, którym próbuję przekonać rodziców, że w nocy dziecko nie zapomina tej umiejętności. Może wystarczy podejść do łóżeczka i odrobinę pomóc mu zgiąć się w pół. Takie przypomnienie i kilka łagodnie wypowiedzianych słów powinny wystarczyć. Po kilku nocach nauczy się, że może to zrobić samo. Jeśli zawoła o pomoc, rodzice mogą je z daleka zapewnić o swojej obecności, jednak to ono samo ma się ułożyć do snu.

Sporadycznie rodzice pytają, czy można dziecko unieruchomić, aby zapobiec wstawaniu. Nie jestem zwolennikiem szelek czy przypinania. Oprócz możliwej krzywdy psychicznej istnieje również ryzyko zaplątania się dziecka w paski i uduszenia. Natomiast odrobina cierpliwości wystarczy, aby nauczyć je wzorca, który będzie dla niego ważny na całe lata. Ten moment to kolejny kamień milowy w kierunku niezależności – w tym przypadku w nocy. Rytuał wieczornego kładzenia spać nabiera na tym etapie nowego znaczenia. Proponuję, aby jego częścią było karmienie piersią lub butelką. Należy dziecko najpierw nakarmić i, trzymając je w ramionach, kołysać i śpiewać mu. Trzeba położyć je do łóżeczka, zanim zaśnie – nie może zasnąć na rękach. Nie wolno też zostawiać dziecku butelki z mlekiem – ma to bardzo niekorzystny wpływ na ząbki. Kocyk lub zabawka posłużą jako przytulanka. Rodzic może siedzieć z boku i delikatnie poklepywać dziecko, ale nie może się zbytnio angażować. Próba wyjścia z pokoju może zakończyć się rozbudzeniem dziecka i protestem, dlatego początkowo trzeba będzie pozostać, aż maluch zaśnie. Z czasem rodzic może ograniczyć swoją ingerencję i pozwolić dziecku przejąć odpowiedzialność za zasypianie. Celem jest wypracowanie przez nie własnego rytuału. Może to zająć trochę czasu, ale warto go na to poświęcić.

Niektóre dzieci wyciszają się dzięki kołysaniu. Zwiększenie jego intensywności może oznaczać zbliżanie się ważnego momentu w rozwoju, jakim jest nauka chodzenia. Kołysanie się będzie niekiedy tak energiczne, że łóżeczko może uderzać o ścianę. Dziecko będzie się wydawać zadowolone z towarzyszących temu odgłosów. Jeśli kołysanie je uspokaja, nie należy go hamować. Z hałasem (i niszczeniem ściany) można sobie poradzić, zakładając gumowe nakładki pod nóżki łóżeczka, aby uniemożliwić przesuwanie. Dziecko będzie mogło wtedy się kołysać, a łóżeczko skrzypieć do woli bez ryzyka uderzania o ścianę. Od czasu do czasu trzeba będzie tylko dokręcić poluzowane śrubki.

Kiedy dziecko zacznie chodzić i radzić sobie z innymi elementami dużej motoryki (sprawnością całego ciała), będzie mniej sfrustrowane w nocy i kołysanie się wyciszy. Jednak niektóre dzieci uspokajają się w ten sposób przez wiele lat. U dzieci cierpiących na autyzm i upośledzenie umysłowe takie energiczne i długotrwałe kołysanie będzie częstsze, ale będą mu towarzyszyć również inne objawy. Samo w sobie kołysanie nie jest objawem problemowym, chyba że pojawia się po raz pierwszy po ukończeniu 18 miesiąca życia, występuje jeszcze po ukończeniu trzech lat, trwa jednorazowo ponad piętnaście minut lub jest wyjątkowo energiczne. Niekiedy jest ono sygnałem, że dziecko czuje się samotne i potrzebuje uwagi albo że doświadcza zbyt dużego stresu. Wprowadzenie w tym momencie rozwoju specjalnej zabawki lub kocyka do przytulania może je zastąpić, jeśli się tak jednak nie stanie, nie należy się tym martwić. Jeśli chcemy, aby dziecko było samodzielne w nocy, musi ono wypracować własną rutynę, której częścią jest czasem kołysanie.

Każdy nowy skok w rozwoju to nowe wyzwanie oraz szansa nauczenia się przez dziecko samodzielnego zasypiania. Z każdym kolejnym powinno być łatwiej, pod warunkiem że rodzice są zdecydowani co do swojego sposobu wychowania. W miarę dorastania i rozwoju dziecko będzie wymyślało coraz to ciekawsze sposoby na odwiedzenie rodziców od ich zamiaru. Równocześnie będzie się też uczyło coraz skuteczniejszych technik wyciszania się, a także rozpoznawania nowych granic.

Rodzice często mówią mi, że dziecko nie ustaje w podnoszeniu im poprzeczki w nocy. W moim rozumieniu próbuje ono coś im przekazać: że **chce** w końcu „ustać". Niewiele dzieci potrafi to zrobić samodzielnie. Większość potrzebuje motywacji ze strony rodziców. W krytycznym momencie, gdy ma już dosyć i zupełnie nie potrafi sobie poradzić z samym sobą, ktoś powinien je wyciszyć i ułożyć do snu. Jeśli obydwoje rodzice pracują i są cały dzień poza domem, trudno im stanowczo zostawić dziecko również w nocy. Jednak kiedy nauczą się rozpoznawać ten krytyczny moment i zamienią porę spania w przytulną i systematyczną rutynę, wszyscy w rodzinie odetchną. Dodatkowo należy pamiętać, aby osoba opiekująca się dzieckiem w ciągu dnia nie kładła go zbyt późno na popołudniową drzemkę.

Karmienie

Pora karmienia również podlega tyranii nowych sprawności ruchowych. „On w ogóle nie pozwala się już nakarmić – stwierdziła pewna mama. – Odmawia wszystkiego, co mu zaproponuję, tylko skacze na krzesełku w górę i w dół". Jak zwykle, najlepszą strategią nie będzie walka, lecz przyłączenie się do dziecka. Przedstawiam rodzicom następujące sugestie: zaangażuj paluszki dziecka oraz jego ciekawość. Im więcej samo będzie teraz jeść, tym lepiej. Koncentrując się na swoich zajęciach, połóż na stoliku przed dzieckiem szeroką gamę podstawowych składników diety, w tym białko (np. kawałki miękkiego sera i mięska), owoce i warzywa – ale nie wszystko naraz! W przeciwnym razie całe jedzenie wyląduje na podłodze, na dziecku lub na rodzicu. Należy podać kilka kawałków i się wycofać. Dziecko uwielbia samo dokonywać wyboru i samo się karmić. Być może zajęte swoimi czynnościami pozwoli w międzyczasie podawać sobie łyżeczką płynny pokarm. Jednak w tym wieku najczęściej będzie chciało – dosłownie – wziąć sprawy w swoje ręce.

Zamiast walczyć o trzymanie kubka prosto, należy sprawić dziecku specjalny kubek-niekapek, z nakładką. Ponieważ dziecko i tak natychmiast odwróci go do góry dnem, powinien się w nim znajdować dosłownie łyk napoju. Niemowlę będzie zachwycone możliwością samodzielnego napicia się. Dzieci uwielbiają kubki z nakładką (jako tymczasowe rozwiązanie przed kubkiem standardowym), gdyż mogą je wszędzie zabierać i samodzielnie się nimi posługiwać.

Opanowanie sztuki posługiwania się łyżeczką nastąpi nie wcześniej niż jakiś czas po ukończeniu 1 roku życia, ale próby naśladowania oraz stukanie i pukanie już teraz będą świetną zabawą. Dziecko powinno mieć własną łyżeczkę, a nawet po jednej w każdej rączce, aby nie przeszkadzało rodzicowi w posługiwaniu się swoją.

Ze względu na tę fascynację wszystkim innym, tylko nie piersią i butelką, rodzice zastanawiają się nad odstawieniem niemowlęcia od piersi. Butelka jest teraz przedmiotem bardzo oczywistym, osobistą własnością – czasami jest skarbem, innym razem zaś dziecko nieświadomie ciągnie ją za sobą albo gdzieś porzuca. Niektórzy rodzice martwią się, że zbyt długie zwlekanie z odstawieniem sprawi, iż później dziecko będzie się bardziej buntować. Nie zgadzam się z tym. Jeśli dziecko daje wyraźne sygnały, należy za nimi podążyć i przestać karmić. Nie ma żadnych innych znanych mi powodów przemawiających za odstawieniem dziecka od piersi czy butelki. Nie istnieje też żaden niepowtarzalny moment krytyczny, w którym odstawienie jest łatwiejsze. W rozwoju dziecka będzie wiele takich momentów, kiedy zainteresowanie czymś innym niż butelka czy pierś będzie większe. Wiele razy również stały pokarm okaże się drugorzędny. Niech w tle tych wszystkich „wycieczek w niezależność" na razie pozostanie cudowny, ciepły i bezpieczny rytuał karmienia piersią lub butelką. Wszelkie próby jedzenia rączkami to dla dziecka niezależność. Dlaczego nie pozwolić mu na mały regres w stronę mleka i zadbać w ten sposób o uzupełnienie ewentualnych braków w diecie? Z wyjątkiem karmienia piersią lub butelką posiłki dziewięciomiesięcznego dziecka nie mogą trwać długo – gdyż nie potrafi się ono jeszcze nimi delektować. Kiedy zaczyna skakać w górę i w dół oraz przestaje jeść, daje znak, że jest znudzone. Należy je natychmiast wyjąć z krzesełka i nie nakłaniać do dalszego jedzenia. Nie powinno się dokarmiać dziecka pomiędzy głównymi posiłkami, z wyjątkiem porannej i popołudniowej przekąski. Każąc mu czekać do następnego posiłku, uczymy je dyscypliny jedzenia.

Pytany o odstawienie dziecka radzę rodzicom, by zaczęli od wyeliminowania karmienia w środku dnia, pozostawiając jednak karmienie nocne i poranne. Dziecko odstawiane od piersi powinno wypijać wystarczająco dużo mleka z kubeczka (przeciętnie 480 mililitrów dziennie, w zależności od wagi ciała). Należy pamiętać, że po rozpoczęciu procesu odstawiania ilość mleka w piersiach będzie się zmniejszać i nie będzie można już z niego korzystać do woli (całodzienne zapotrzebowanie na mleko – z piersi czy krowie – dużego wagowo dziecka nie przekracza 1 litra). Jeśli mama pragnie zachować karmienie nocne i poranne ze względu na bliskość z dzieckiem, nie powinna się wahać. To bardzo przyjemny sposób rozpoczynania i kończenia dnia (zob. Huggins, 2011).

Rozwój poznawczy

Nowo nabyta niezależność ruchowa niesie ze sobą potrzebę uświadamiania sobie niebezpieczeństwa. Na przykład wkrótce po opanowaniu umiejętności raczkowania dziecko uczy się, że niebezpiecznie jest zbliżyć się do krawędzi jakiejś powierzchni. Wybitni znawcy rozwoju dziecka: James Sorce, Robert Emde, Joseph Campos, Mary Klinnert i ich współpracownicy zbadali tę rozwijającą się zdolność wykorzystywania informacji wizualnej do oceny niebezpieczeństwa w fascynującym eksperymencie (Sorce, Emde, Campos i Klinnert, 1985). Ośmiomiesięczne dziecko, które dopiero co nauczyło się raczkować, beztrosko wędruje po przezroczystej płycie z pleksi leżącej na stole, którego blat ma wzór szachownicy, przechodząc nawet poza punkt uskoku szachownicy – w połowie stołu nie widać już wzoru szachownicy, a obniżenie, tworzące wrażenie urwiska (tak zwane urwisko wzrokowe). Po około miesiącu eksperymentowania z raczkowaniem w domowych warunkach i nabijania sobie wielu guzów dziecko zatrzymuje się natychmiast, gdy widzi urwisko. Chcąc zbadać zjawisko odniesienia społecznego, badacze podnieśli urwisko tak, aby wydawała się tylko 30 centymetrów poniżej przezroczystej płyty, stwarzając w ten sposób sytuację niejednoznaczną. Pokazali, że kiedy dziecko potrzebuje informacji w sytuacji wątpliwej, wie, że przy podejmowaniu decyzji może odnieść się do swoich rodziców i liczyć na ich mimikę twarzy – czyli sygnały niewerbalne wysyłane przez nich automatycznie. Odczytuje ich podpowiedzi i interpretuje jako aprobatę lub dezaprobatę. Wędrując po przezroczystej, plastikowej powierzchni, zatrzymuje się na widok trzydziestocentymetrowego uskoku. Choć mogłoby posuwać się bezpiecznie dalej, zauważa obniżenie i czeka. Kiedy widzi swoją mamę stojącą naprzeciwko, przygląda się jej mimice. Jeśli mama się uśmiecha, dziecko wędruje dalej. Jeżeli jednak marszczy brwi i wydaje się ostrzegać dziecko, ono zatrzymuje się i nie przesuwa ani o centymetr. Ten eksperyment podkreśla zdolność dziecka do polegania na swoich rodzicach w podejmowaniu ważnych osądów. Wykorzystuje ono wszelkie sygnały – mimikę twarzy, gesty i mowę – aby zrozumieć nastawienie rodziców i przesłanie, które do niego kierują. Bezpośrednie zastosowanie tego zjawiska w dziedzinie dyscypliny jest oczywiste. Wszelkie zakazy muszą być stanowczo komunikowane nie tylko słowem „nie", ale także językiem ciała.

„A kuku!" oraz inne powtarzalne zabawy, na przykład lekkie zderzanie się czołami czy rytmiczne pocieranie nosów, to sposoby na uczenie się przewidywania i testowanie przez dziecko własnych oczekiwań. Jeśli rodzic wielokrotnie dotyka czółka dziecka swoim, mówiąc za każdym razem *aaaa-bum*, dziecko będzie przymykać oczy w oczekiwaniu na każde zderzenie. Gdy za którymś razem zamknie oczka w oczekiwaniu na to, co się wydarzy, a dorosły zmieni rytm, dziecko prawdopodobnie wybuchnie śmiechem. Nauczyło się już przewidywania i bardzo podoba mu się odejście od rutyny. Jest to jedna z najwcześniejszych form poczucia humoru. Wszystkie komedie sytuacyjne opierają się właśnie na niej.

Zrozumienie prawa stałości przedmiotów („Ta zabawka ciągle tam jest, choć ja jej nie widzę") rozciąga się teraz również na osoby („Jeśli mama i tato pójdą do drugiego pokoju, nie przestaną istnieć").

Zabawy polegające na popisywaniu się – klaskanie, „taki duży" czy „pa pa" – dają dziecku możliwość interakcji z dorosłymi. Ich urok polega na tym, że dziecko nie tylko potrafi w nich uczestniczyć, ale także nimi sterować, oraz że dorośli niezmiennie wyrażają swój zachwyt dla jego umiejętności. To są zabawy dziadków! Bazują one na naśladowaniu – nowo nabytej zdolności dziecka i jednym z najskuteczniejszych sposobów uczenia się, jakie ma ono do swojej dyspozycji.

Dziecko będzie również wypróbowywać wiele nowych dźwięków, jak *ga-ga, ma-ma, ba-ba, pa-pa,* jednak nie przypisuje im jeszcze żadnego konkretnego znaczenia. Bada

Rola zabawy

„A kuku!" i inne zabawy, w których chowamy przedmiot lub osobę, rozwijają właśnie taką świadomość. Powtarzając je ciągle od nowa, pomagamy dziecku opanować je do perfekcji. Uczy się ono, że może panować nad przedmiotami i w razie potrzeby wyjmować je z ukrycia. Nie musi się obawiać oddania komuś zabawki, bo ona wróci do niego. Uczy się tego na neutralnych przedmiotach. „A kuku!" i zabawy w chowanego są bardziej ekscytujące, gdyż dotyczą ludzi. Rozwój poczucia pewności w znanym sobie środowisku jest nieodłącznie związany ze zrozumieniem zjawiska stałości przedmiotów i osób. W tych zabawach dziecko bada również rytmiczność i wyłamuje się z niej, aby się pośmiać. Gdy rodzic zmieni rytm, dziecko spojrzy na niego, otworzy buzię w szerokim uśmiechu i będzie czekało na ciąg dalszy. Uczy się dzięki temu synchronizacji w czasie. Tego rodzaju zabawy przygotowują dziecko do komunikowania się - mówienia i dzielenia rytmu konwersacji w przyszłości.

w ten sposób dźwięki mowy. Leżąc w łóżeczku, może trelować, modulować lub powtarzać bez końca jeden dźwięk czy sylabę. Używa ich, aby przywołać nimi mamę lub tatę – płacz nie jest już jego jedyną sztuczką. Mając na celu poszerzenie swojego repertuaru, dodaje do łez gesty i sylaby, ucząc się dzięki nim manipulować rodzicami.

Prawo **przyczyny i skutku** to zupełna nowość dla dziewięciomiesięcznego dziecka. Właśnie zaczyna się go uczyć. Jak to działa? Co sprawia, że zabawkowa ciężarówka się porusza? W tym wieku badanie świata polega już na popchnięciu zabawki i wprawieniu kół w ruch. Dziecko może nawet rozpędzić samochód przed sobą i za nim podążać. Jest to przykład badania swojej przestrzeni i próby panowania nad nią. W pewnym momencie dziecko odwróci samochód i sprawdzi, jak działają koła. To tak, jakby chciało się dowiedzieć, w jaki sposób porusza się ciężarówka – dokładnie w momencie, gdy ono samo uczy się poruszania. Nie będzie jeszcze naśladować dźwięku samochodu, jakby ten również wprawiał go w ruch. Ta umiejętność przyjdzie później, mniej więcej w połowie drugiego roku, kiedy dziecko będzie w stanie skojarzyć zabawkę z prawdziwym samochodem, czyli kojarzyć symbol i to, co on reprezentuje. Dzięki tej symbolicznej zabawie nauczy się, że słowa też mogą symbolizować przedmioty, co stanowi przygotowanie do mówienia.

Oczekiwanie sukcesu lub porażki

Na podstawie zachowania dziewięciomiesięcznego dziecka potrafię ocenić, czy oczekuje ono sukcesu, czy też porażki w zadaniu wyznaczonym przez nie samo lub przez innych. Często musiałem dokonywać takiej oceny małych pacjentów Szpitala Dziecięcego w Bostonie, mimo że wiedziałem o nich bardzo niewiele. Kiedy daję dziecku do wykonania zadanie ze skali oceny niemowlęcia (np. przesiewowy test rozwojowy Denver), obserwuję jego zachowanie, gdyż jest to język, jakim się ono posługuje. Na przykład można bardzo wiele powiedzieć o dziecku na podstawie prostego testu polegającego na wręczeniu mu dwóch klocków tego samego rozmiaru. Dziecko, które oczekuje, że poradzi sobie z nowym zadaniem, często chwyta obydwa klocki, wkłada jeden do buzi, pociera nim głowę, a następnie upuszcza go na podłogę, aby sprawdzić, czy dorosły podniesie go i zwróci mu zgubę. W końcu, po wielu innych próbach i testach, ułoży klocki jeden na drugim, pokazując, że wie, iż są tego samego rozmiaru. Następnie spojrzy na osobę testującą, rozbawione i dumne, oczekując pochwały.

Z kolei dziecko, które oczekuje porażki, pokornie weźmie dwa klocki i nie zrobi z nimi zbyt wiele, jakby czuło, że nikomu i tak na tym nie zależy. Zbliży klocki do siebie, pokazując, że widzi, iż są takie same, ale nie ułoży z nich wieży. Popatrzy obojętnie na obserwatora, jakby chciało wyrazić poczucie porażki lub powiedzieć: „Jestem do niczego. Nie potrafię tego zrobić". Nie daje sobie szansy na nagrodzenie się swoim sukcesem. W wieku 12 miesięcy to samo dziecko może, niejako przypadkiem, zburzyć ułożoną przez siebie wieżę, a następnie popatrzeć lękliwie i bez nadziei. W wieku 15 miesięcy, gdy potknie się i przewróci, również będzie patrzeć z przerażeniem i poczuciem porażki. Nie będzie oczekiwało, że mu się uda.

Gdy niemowlę ma 9 miesięcy, trudno jest stwierdzić, czy takie poczucie porażki pochodzi od samego dziecka, z jego środowiska, czy też jest wynikiem obu wpływów. Rodzice i pediatra powinni dokładnie przyjrzeć się dziecku i środowisku, próbując unikać przy tym zero-jedynkowego nastawienia, czyli szukania przyczyny wyłącznie w dziecku albo obwiniania tylko opiekunów. Być może dziecko pokazuje, że potrzebuje więcej zachęty albo że ma problem z przyswajaniem informacji w procesie uczenia się. Może cierpi na opóźnienie w rozwoju, które wpływa na jego zdolność przyswajania informacji, integrowania ich oraz reagowania na nie. Może też być dzieckiem nadwrażliwym lub mieć trudności ze skupianiem uwagi. Dziecko, które nie potrafi skoncentrować się na danym zadaniu wystarczająco długo lub cierpi na niewielkie zaburzenia neurologiczno-ruchowe, może swoim zachowaniem komunikować, że każde zadanie jest dla niego tak trudne, iż z góry oczekuje porażki. Takie dzieci wymagają szczegółowego badania oraz cierpliwości, szacunku i odpowiedniej pomocy. Z wieloma zaburzeniami można sobie poradzić, jeśli zostaną właściwie zrozumiane. Jedną z poważniejszych konsekwencji opóźnienia w rozwoju jest niskie poczucie własnej wartości i oczekiwanie porażki. Można ich uniknąć, jeśli opóźnienie zostanie zdiagnozowane odpowiednio wcześnie. Mając do czynienia z dzieckiem w tym wieku, zawsze obserwuję je pod kątem wewnętrznego podekscytowania i poczucia sukcesu związanego z wykonanym zadaniem.

Perspektywa na przyszłość

Karmienie

Od tego wieku dziecko będzie chciało stopniowo przejmować kontrolę nad karmieniem. Kiedy informuję o tym rodziców, szczególnie matki odpowiadają: „Ale ono **musi** zjadać pełne posiłki". To rodzice **muszą** pamiętać, że w tym wieku jedzenie nie jest najważniejsze. Priorytetem dla dziecka jest potrzeba naśladowania, badania świata i uczenie się odmawiania. Do ukończenia 1 roku życia dziecko powinno umieć panować nad tą dziedziną. I tak się stanie. Lepiej nie wikłać się wówczas w konflikty. Zachęcam obydwoje rodziców, aby zaniechali wszelkich prób dominowania w porach posiłków – powinny one być czasem zabawy i uczenia się. Kiedy nasza córeczka miała rok, jej wybryki, odmawianie jedzenia i chęć badania świata niemal przyprawiły mnie o wrzody żołądka. Nauczyliśmy się pozwalać jej na samodzielne jedzenie. Zawsze miała wybór – mogła przyłączyć się do nas w porze posiłków albo bawić się w pobliżu stołu, jednak nigdy na stole. W tym wieku nie można oczekiwać od dziecka manier czy zjadania pełnych posiłków. Ważne, aby uczyło się jeść samo. Problem dla wielu rodziców polega na tym, że jedzenie było źródłem konfliktów w ich własnym dzieciństwie. Trudno jest nie powtarzać takich wzorców.

Sen

Wraz z nabywaniem przez dziewięciomiesięczne dziecko nowych sprawności motorycznych – umiejętności stania, poruszania się przy meblach czy chodzenia – rodzice mogą spodziewać się wybudzania w nocy. Proces uczenia się dostarcza dziecku wielu wrażeń, a to podekscytowanie może się przedłużać i pojawiać również podczas odpoczynku, w fazie snu płytkiego. Należy być przygotowanym na konieczność powrotu do kojącego, ale zdecydowanego rytuału zasypiania, który pomoże dziecku samemu się wyciszać za każdym razem. Ten sam wzorzec można zastosować przed każdą nieuchronną rozłąką. Należy zapowiedzieć, że nadchodzi czas drzemki lub odpoczynku nocnego. Jeżeli dziecko zaprotestuje, trzeba spróbować ukoić łzy, ale wyraźnie dać do zrozumienia, że mówimy poważnie. W najbliższych miesiącach, jeśli zaistnieje ryzyko przechodzenia przez barierki łóżeczka, należy obniżyć materac, o ile jest taka możliwość (zob. też rozdział 11).

Trening czystości

Istnieją różne podejścia do tego zagadnienia, a jedną z przyczyn problemów w tej dziedzinie jest presja wywierana na rodziców przez otoczenie, by dziecko nauczyło się korzystać z nocniczka jak najwcześniej. Któreś z dziadków może zasugerować, aby taki trening rozpocząć właśnie w tym wieku. Uważam, że należy w tej dziedzinie podążać za dzieckiem i pozwolić mu samemu nauczyć się korzystać z toalety. Jeśli chcemy, by cały proces przebiegał płynnie i był osobistym osiągnięciem malucha, należy dać mu czas. W wieku 2 lat dziecko samo będzie gotowe do rozpoczęcia nauki.

Niemniej jednak niektórzy rodzice już w 1 roku życia dziecka z sukcesem stosują technikę zwaną komunikowaniem potrzeb naturalnych. Jest ona bardzo podobna do metod stosowanych w wielu tradycyjnych kulturach i przypomina podejście z dawnych czasów, kiedy to pieluchy trzeba było prać ręcznie. Wymaga bliskiego fizycznego kontaktu rodzica lub opiekuna z dzieckiem, tak by w razie charakterystycznych ruchów ciała i sygnałów zapowiadających proces wydalania można było szybko przenieść malucha do toalety lub na nocniczek. Niektórych rodziców stosujących tę metodę ekscytuje bliskość kontaktu z dzieckiem i poczucie, że tak dobrze je znają. Jeśli ta metoda się sprawdza, przyspiesza pożegnanie z pieluchą. Jak dotąd nieznane są jej długoterminowe negatywne skutki. Osobiście obawiam się jednak, że jeśli wszystko nie przebiega armonijnie, zarówno rodzic, jak i dziecko mogą mieć poczucie porażki, prowadzące do dokładnie takiego rodzaju presji, jaką odradzam. Boję się też w tym kontekście o rodziców pracujących. Dla nich powrót do tej tradycyjnej praktyki wychowawczej może wydawać się kolejnym obszarem, w którym zawiedli swoje dziecko lub przegapili istotny czas, który powinni spędzić razem z nim.

Rozłąka

W kolejnych miesiącach rozstania staną się coraz trudniejsze. Przygotuj dziecko na każde swoje wyjście z domu. Przypominaj mu, że „mamusia i tatuś zawsze wracają". Pokaż raz jeszcze, że znajomy przedmiot – miś czy lalka – cały czas istnieją, nawet gdy schowasz je pod koc. Na początku zostawiaj dziecko z kimś, kogo zna i – jeśli to możliwe – tylko na krótki czas. Po powrocie daj znać, że jesteś, i przypomnij, jak mówiłeś, że zawsze wracasz. Stopniowo przedłużaj swoją nieobecność. Ten etap minie, ale może naprawdę dać się we znaki. W tej fazie rozwoju dziecko wkłada dużo energii w to, by stać się niezależne i gotowe do odejścia. Póki co, stanie się bardziej **zależne**.

Wszelkie okresy przejściowe urosną do większej rangi, ponieważ są związane z wieloma konsekwencjami. Zostawianie dziecka pod czyjąś opieką i poranne rozstania będą trudne. Jest to zwiastun rosnącej niezależności niemowlęcia. To dobry okres, by ocenić, jak opiekunowie radzą sobie z dzieckiem. Wpadnij do domu czy żłobka bez zapowiedzi. Zwróć uwagę, czy maluch jest szczęśliwy, czy nie. Sprawdź, czy jego opiekun respektuje rytm dziecka – pory snu, zabawy, jedzenia i tym podobne. Gdy opiekun patrzy na dzieci, czy one kierują na niego uwagę – czy respektują go i są na nim skupione? Jeśli tak, pomoże ci to rozstać się z dzieckiem; jeśli nie – być może trzeba będzie poszukać innego opiekuna.

Pod koniec dnia znajdź czas, aby poczuć bliskość z dzieckiem, na przykład trzymając je na kolanach w bujanym fotelu. Ból związany z nieobecnością w ciągu dnia z pewnością da o sobie znać, ale jest to nieodłączna część troski o drugiego człowieka. Rozpoznawanie tych uczuć pomoże wam zbliżyć się do siebie.

Bezpieczeństwo

Co jakiś czas zweryfikuj podjęte środki ostrożności. Na każdym kolejnym etapie rozwoju, a zwłaszcza wraz z nabyciem każdej nowej sprawności motorycznej, trzeba zrewidować wszelkie dotychczasowe zabezpieczenia. Większość przychodni dziecięcych oraz sklepów z zabawkami rozdaje broszurki przypominające o wszelkich pułapkach, o których rodzice mogli zapomnieć (zob. Woolf i in., 2001).

9

Dwunasty miesiąc

Przejście przez pierwszy rok zasługuje na świętowanie. W albumie każdego dziecka zwykle znajduje się zdjęcie pucołowatego rocznego jubilata próbującego poradzić sobie z tortem z jedną świeczką. Warto delektować się tymi urodzinami, gdyż oznaczają również ciszę przed nadchodzącą burzą. Wkrótce zachowanie dziecka znacznie się zdestabilizuje przed następnym skokiem w rozwoju. Na krótko przed postawieniem pierwszego kroku przyszły tuptuś zaczyna budzić się w nocy co 4 godziny. Za każdym razem, gdy rodzic od niego odchodzi, dziecko krzyczy. Na pewnym poziomie być może wiąże się to ze świadomością, że to ono chciałoby tak się poruszać. Każde zadanie będzie przynosić ze sobą wybuch złości i frustracji, tak samo jak każda konfrontacja czy prośba. Cały ten zamęt stymulowany jest nowym celem – opanowaniem umiejętności chodzenia, która prowadzi do niezależności!

Pamiętam pewną parę, która pojawiła się u mnie w gabinecie z jednoroczną córeczką. Kiedy byli jeszcze w poczekalni, już wiedziałem, że są. Gdy wyszedłem im na spotkanie, powitały mnie wrzaski i protesty. „Diana zawsze lubiła tu przychodzić – mówili zażenowani rodzice – a teraz każda nowa rzecz wywołuje taką reakcję". W momencie gdy dziewczynka znalazła się na podłodze, krzyki ustały. Zobaczyła akwarium i poraczkowała jak burza. Tato, chcąc zdjąć jej wierzchnie ubranie, podążył za nią, co tylko wywołało jeszcze szybsze raczkowanie. Pochylił się, a dziecko zaczęło protestować, częściowo zadowolone, że zdołało przyciągnąć do siebie rodzica. Gdy tylko Diana zdała sobie sprawę, że tata chce jej „coś zrobić", krzyki przybrały na sile. Po zdjęciu czapeczki i sweterka dziecko znów wyrwało się z rąk rodzica i podciągnęło do stania przy akwarium. W wielkim podekscytowaniu straciło równowagę, przewróciło do tyłu i uderzyło w główkę z głośnym hukiem. Rozległ się krzyk. Rodzice natychmiast podbiegli, przypuszczając, że córka bardzo się potłukła. Widząc całe zajście oraz obserwując uważną twarzyczkę i żywe oczka dziewczynki, wiedziałem, że nic poważnego jej się nie stało. Była jedynie sfrustrowana. Spytałem rodziców: „Czy sądzicie państwo, że ona zrazi się upadkami, jeśli tak bardzo chce stać?". Spojrzeli na mnie, a potem na nią. Tato podał córce rękę, aby pomóc jej wstać. Ucichła zupełnie i wyglądała na bardzo z siebie zadowoloną.

Kiedy Diana zobaczyła, że jestem gotowy przyjąć ich w gabinecie, popatrzyła mi prosto w oczy. Byłem na to przygotowany i wiedziałem, że powinienem odwrócić wzrok. W okresie walki o swoją niezależność wrażliwość jednorocznego dziecka na przekraczanie jego granic osiąga poziom szczytowy. Wkroczenie w sferę osobistą przez patrzenie na dziecko z pewnością wywoła jakąś formę obrony. Dlatego spojrzałem poza nią. Jej szczebiot odebrałem jako przyzwolenie, więc odważyłem się na słowa „Witaj, Diano". Dziecko zamarło i znów zaczęło popłakiwać. Wiedziałem, że zbytnio się pospieszyłem. Wycofałem się, co ją zaintrygowało i zaczęła za mną podążać. Teraz już wiedziałem, że wejdzie do mojego gabinetu bez protestów.

Kiedy w gabinecie mam do czynienia z jednorocznym dzieckiem, bardzo mi zależy, by podczas badania było spokojne, ciche i czuło się dobrze. Na początku proszę, aby rodzic trzymał je na kolanach i zdjął ubranko. Nie podchodzę do dziecka, dopóki nie zobaczę, że czuje się komfortowo i bawi się zabawką stojącą na stoliku obok. Wtedy, nie patrząc na nie, podchodzę bliżej i ostrożnie siadam w pobliżu. Patrzę poza dziecko, na jego rodziców. Gdy się zbliżę, ono prawdopodobnie zastygnie na chwilę w bezruchu. Przez cały czas rozmawiam z rodzicami, a dziecku wręczam jego własny kocyk lub zabawkę do przytulania. Jeśli nie ma takowych, podaję lalkę z gabinetu. Dopiero gdy po nią sięgnie i zacznie się relaksować, rozpoczynam badanie. Dotykam słuchawką dłoni rodzica, potem jego ramienia, a następnie lalki. Jeśli dziecko się nie boi, ośmielam się, na bardzo krótką chwilę, położyć stetoskop również na nim. Bardzo szybko przenoszę go znów na lalkę lub rodzica. Powtarzam ten zabieg nawiązania kontaktu z dzieckiem poprzez rodzica i lalkę wiele razy, aż do momentu, w którym maluch poczuje się swobodnie. Kiedy to nastąpi, mogę po kolei osłuchać klatkę piersiową, serce i brzuszek. Nigdy nie pozwalam przyłapać się dziecku na patrzeniu mu prosto w oczy. Wszystkie te zabiegi przedłużają badanie o parę minut, ale są warte zachodu.

Badanie uszu może być dla dziecka traumatyczne. Najpierw badam więc uszy lalki, a następnie rodziców. Potem proszę, aby rodzice odwrócili dziecko bokiem, przytrzymując jednak zewnętrzne ramię. Jeszcze raz pokazuję dziecku, jak zaglądam do ucha rodzica, i prosząc o przytrzymanie przeciwległego policzka w celu unieruchomienia główki, szybko badam zewnętrzne ucho małego pacjenta. Ponownie badam ucho lalki, prosząc o odwrócenie dziecka, i zaglądam do drugiego ucha. Następnie pokazuję, jak otworzyć szeroko buzię. Proszę o to również rodziców: „Otwórz szeroko, wystaw język i powiedz *aaaa*". Wiele dzieci naśladuje mnie i swoich rodziców. Jeśli ten zabieg się nie powiedzie, proszę, aby rodzice posadzili dziecko na kolanach twarzą do mnie i zablokowali jego ramionka i główkę chwytem nelsona. Mogę wówczas szybko otworzyć buzię małego pacjenta szpatułką, obejrzeć gardło i równie szybko się wycofać.

Kiedy zrobię to sprawnie, dziecko nawet nie protestuje. Akceptuje moje zabiegi, zdając sobie sprawę, że respektuję jego lęk przed przekraczaniem jego granic. Zabawa w naśladowanie mamy lub taty oraz zabiegi na lalce wzbudzają ciekawość dziecka i odwracają jego uwagę. Te dodatkowe czynności nie zabierają dużo czasu, a zwiększają efektywność badania. Trudno usłyszeć bicie serca u wrzeszczącego dziecka. Staram się więc uprzyjemnić mu pobyt w moim gabinecie, aby następnym razem mniej protestowało. Jest to ważne także dla rodziców – być może uzależnią od tego swoją decyzję stawienia się na kolejną wizytę. Kiedy dziecko jest zadowolone, mogę przyjrzeć się jego zabawie i – jakby mimochodem, podczas rozmowy z rodzicami – ocenić jego rozwój. Widząc próbkę umiejętności ruchowych już w poczekalni, oceniam ewentualne zaburzenia. Obserwując wzajemne interakcje, zdobywam informacje na temat relacji panujących w rodzinie. Zanim dojdzie do badania fizycznego, wiem już dostatecznie dużo na temat dziecka i rodziców.

Podczas tej wizyty dziecko otrzymuje szczepionki przeciw żółtaczce typu B (HepB) i polio (IPV), jeśli nie zostały podane w wieku 6 miesięcy; przeciw *haemophilus influenzae* (Hib), odrze, śwince i różyczce (MMR), z którymi można też zaczekać do 15 miesiąca; *varicella*, która również może być podana w 15 lub 18 miesiącu; oraz przeciwko żółtaczce typu A (HepA), która wymaga dwóch dawek w odstępie sześciu miesięcy. Jeśli szczepionki zostały podane wcześniej lub mogą zostać odłożone na później, dobrze jest skorzystać z tej możliwości i zaplanować wizytę w wieku 12 miesięcy zupełnie bez kłucia.

W trakcie tego spotkania rodzice często pytają o drażliwość dziecka: „Za każdym razem, gdy chcemy coś zrobić, ona się dąsa. Chce podejmować wszystkie decyzje – nie znosi, gdy decydujemy za nią". Takie słowa świadczą o tym, że w dziecku rodzi się potrzeba niezależności. W porównaniu z tym nowym etapem cały pierwszy rok wydaje się łatwy. Kiedy dziecko po raz pierwszy stawia opór, rodzice są zdziwieni: „To znaczy, że wszystkie dzieci w tym wieku są takie? Nikt z naszych znajomych jeszcze przez to nie przechodził. Myśleliśmy, że stworzyliśmy małego potwora". Wyrażając swoje obawy dotyczące tego nowego zamieszania w ich życiu, czują ogromną ulgę, gdy potrafię je umieścić w kontekście naturalnego rozwoju dziecka.

Nie wszystkie dzieci stają się niezależne w nagły i dramatyczny sposób, ale jeśli tak się dzieje, zawsze się z tego cieszę. Jest to kolejny kamień milowy i rodzice w końcu zaczynają rozumieć, że – jako drogowskaz – oznacza on rozwój malucha. Choć wydaje się, że znika gdzieś prostota intymności w kontakcie z dzieckiem typowa dla 1 roku życia, a interakcje stają się bardziej złożone, ten skok w rozwoju autonomii jest normalny i zdrowy. Wysiłki dziecka, aby wyrazić siebie i odnaleźć swoje granice, będą trwały wiele lat i zmieniały intensywność w zależności od wieku. Zbyt uległe dziecko będzie musiało w końcu się zbuntować i być może będzie to nawet trudniejsze niż w przypadku dzieci od początku bardziej asertywnych.

W tym momencie rozwojowym rodzice zwykle traktują manifestacje niezależności dziecka bardzo osobiście. Nie należy tego robić. Ten etap, znany jako czas negatywizmu, jest pełen żarliwych prób samodzielności. Kiedy dziecko nauczy się mówić, będzie w kółko powtarzało: „Ja sam(-a)". Napady złości i upór to przewidywalne części składowe procesu uczenia się. Będą one dotyczyły czynności podejmowanych przez dziecko, a także jego wpływu na innych. Musi ono ciągle na nowo testować granice wyznaczane przez rodziców, aby zrozumieć ich zasady – i konsekwencje ich łamania – oraz nauczyć się panować nad własnym zachowaniem. Dziecko uczy się posługiwać swoim ciałem, słowami i gestami; odkrywa, w jaki sposób może wpływać na świat i jak ten świat reaguje. Teraz, kiedy potrafi już stać, a może nawet i chodzić, musi stawić czoła nowym ograniczeniom fizycznym – „niewystarczająco szybkie", „niestabilne", „zbyt strome". Przyciąganie ziemskie to nowe wyzwanie. Przyszłość jest jeszcze daleko poza zasięgiem wyobraźni dziecka, więc gdy usłyszy komunikat „Skończyliśmy" albo „Trzeba już przestać", nie popuści teraźniejszości. Wszelkie zmiany będą trudne. Dziecko w tym wieku często angażuje wszystkie swoje zmysły w chwilę obecną. W ten sposób uczy się, ale nie jest mu łatwo przestać i odpuścić.

Z perspektywy rodziców wydaje się, że napady złości mają na celu zdominowanie ich, podkopanie ich autorytetu i upokorzenie. Jednak to przecież cały ogromny świat, razem z dorosłymi, wisi złowrogo nad biednym maluchem, którego wysiłki są dodatkowo udaremniane przez konflikt pomiędzy jego ambicjami a umiejętnościami. Brak doświadczenia i kompetencji sprawiają, że musi sobie poradzić z porażką i frustracją, które następują tak szybko jedna po drugiej. Kto w takiej sytuacji nie rzuciłby się od czasu do czasu w rozpaczy na podłogę? Zwłaszcza że nie ma innych strategii radzenia sobie z rozszalałymi emocjami.

Wraz z pojawieniem się oznak niezależności rodzice podnoszą temat rozpieszczenia. Samodzielność jednorocznego dziecka nie jest tym samym co rozpieszczenie. To ostatnie należy raczej rozumieć jako nieświadomość granic. Dziecko rozpieszczone nie nauczyło się dyscypliny, nie zna własnych granic oraz nie wie, kiedy oczekiwać wyznaczenia granic przez innych. Wprowadza to w jego życie ogromny zamęt i lęk! Zachowanie, które nazywam rozpieszczeniem, to prośba dziecka o określenie granic, których ono potrzebuje i instynktownie się domaga. Stanowczość w postępowaniu z nim oraz ustalenie takich granic pomogą mu, choć nie zapobiegną zamętowi typowemu dla 2 roku życia. Kiedy dziecko poradzi sobie z niepewnością i lękami związanymi z autonomią, stanie się bardziej znośne. Burza przycichnie, ale potrzeba dyscypliny pozostanie. Temat ten zostanie dokładniej omówiony dalej w rozdziale.

Rozwój motoryczny

Mniej więcej na początku 2 roku życia, czasami nieco wcześniej, dziecko zamienia się w „tuptusia". Świat staje przed nim otworem – świat niezależności. Wraz z pojawieniem się imperatywu chodzenia dziecko zaczyna doświadczać chaosu i niepewności. Czy zostanę sam i czy naprawdę tego chcę? Czy chcę teraz odejść, czy nie? Czy muszę to zrobić tak, jak chcą tego rodzice, czy mogę po swojemu? Żaden inny etap w rozwoju dziecka nie obfituje w tak wiele dręczących pytań, nawet wiek młodzieńczy, choć również jest to faza ogromnego chaosu. Konflikt: „Zrobić czy nie zrobić?", „Chcę czy nie chcę?" jest tak intensywny, że nie zostanie rozwiązany przez co najmniej półtora roku. W sytuacji gdy „nikogo to nie obchodzi", tuptuś położy się na podłodze i wpadnie w rozdzierającą serce złość, aby poradzić sobie z dylematem, czy przejść przez te drzwi, czy nie. Napady złości nasilą się właśnie w 2 i 3 roku życia jako nieodzowna część tego wewnętrznego konfliktu. Rodzice niezmiennie obwiniają za nie siebie. Nie muszą tego robić. Napady złości odzwierciedlają wewnętrzne zmagania dziecka. Rodzice mogli stać się impulsem do ich wywołania, ale ani nie są odpowiedzialni za wewnętrzny chaos dziecka, ani nie mogą mu zaradzić.

Dążenie do niezależności i towarzyszący mu negatywizm zaczynają się od nauki chodzenia. Jest to bardzo intensywny etap wyjątkowego skoku w rozwoju dziecka, a także trudne wyzwanie dla wszystkich rodziców. Jeśli będą oni świadomi, co ich czeka, będzie można zażegnać wiele konfliktów. Na tym etapie oczywiste staje się powiązanie między rozwojem motorycznym a emocjonalnym. Matki dzieci unieruchomionych przez jakiś czas w gipsie opowiadają, że dopóki mały tuptuś pozostawał niemobilny, był potulny, łatwo było go zadowolić i chętnie sam zadowalał innych. Kiedy stanął na nogi, jego koncepcja świata uległa całkowitej zmianie – zniknęły uległość i możliwość łatwego zadowolenia. Za pomocą umiejętności chodzenia dziecko komunikuje: „Potrafię odejść i potrafię wrócić, ale co z tego wyniknie? Mam kontrolę nad swoim losem, ale czego chcę?".

Chodzenie nie bierze się znikąd. Dziecko trenuje przez cały pierwszy rok, ćwicząc poszczególne części składowe. Jak wspomniałem, odruch kroczenia jest obecny zaraz po urodzeniu i nie zanika przez kilka pierwszych miesięcy. Składa się na niego wiele umiejętności ruchowych, które przydają się później. Kiedy w drugiej połowie pierwszego roku pojawi się możliwość świadomego poruszania się, odruch zaniknie, a jego miejsce zajmą czołganie i raczkowanie. Zanim to się stanie, to gdy w okolicach 5 miesiąca życia podciągniemy niemowlę do siedzenia, często usztywni ono całe ciałko i podniesie się do stania – na buzi pojawi się szeroki uśmiech demonstrujący wrodzone podekscytowanie pozycją stojącą. Już wtedy niemowlę uczy się panowania nad mięśniami tułowia, które przyda się podczas stania. Kiedy kolejno pojawiają się czołganie, raczkowanie, stanie i wreszcie poruszanie się wzdłuż mebli, dziecko stopniowo przećwiczy wszystkie części składowe chodzenia. W końcu poskłada je w całość. Poruszanie się wzdłuż mebli przygotuje je do poruszania nogami przy równoczesnym utrzymywaniu pozycji pionowej i równowagi. Kiedy w końcu zbierze się na odwagę i uwolni ręce, na początku będzie się chwiało i przewracało. Spróbuje jednak jeszcze raz, niezniechęcone, aż w końcu połączy wszystkie swoje osiągnięcia motoryczne i sensoryczne, niepewnie stawiając pierwsze kroki. Poczucie nowego osiągnięcia odbije się na jego buzi. Będzie kroczyć z uśmiechem wyrażającym ogromną satysfakcję. Udało się!

Zanim nastąpi ta wielka chwila, cała energia niemowlęcia, zarówno w dzień, jak i w nocy, koncentruje się na zrobieniu pierwszego kroku. Jeśli dziecko zobaczy wówczas chodzącego człowieka, może krzyknąć. Jeśli rodzic wychodzi z pokoju, maluch może wybuchnąć płaczem z frustracji. Mimo że ciągle się przewraca, próbuje dotrzymać kroku chodzącemu już rodzeństwu. W nocy ta frustracja wybucha w każdej fazie

snu płytkiego. W tym wieku fazy te są dłuższe niż głęboki sen, być może po to, żeby mózg dziecka zapisał w pamięci sekwencje ruchów, które niedługo złożą się na czynność chodzenia. Dziecko będzie się wtedy częściej wybudzać. Co 3 lub 4 godziny stanie przy barierce łóżeczka, rozpaczliwie płacząc i przypominając sobie próby opanowania swojego nowego zadania. Całonocny odpoczynek będzie niemożliwy zarówno dla niego, jak i dla jego przemęczonych rodziców.

Zmagania dziecka z opanowaniem tak ważnej umiejętności jak chodzenie wymagają zaangażowania całej rodziny. Może ono siedzieć szczęśliwe w swoim krzesełku, kiedy nagle poczuje potrzebę wstania i chodzenia. Wyraz jego oczu nagle się zmieni, a ręce, do tej pory zajęte zabawą i jedzeniem, znieruchomieją. Strącając resztki jedzenia na podłogę lub kolana rodziców, wykręci się do tyłu, chwyci oparcie krzesełka i spróbuje się uwolnić. Podniesie się na krzesełku do pozycji stojącej, niemal z niego wypadając. Stanie i chodzenie będą teraz priorytetem, głód i jedzenie zaś są na drugim miejscu.

Wszystkie codzienne czynności to przepychanka. Zmiana pieluszki jest prawie niemożliwa. Na samą sugestię dziecko wymachuje rękami i nogami, kopie i krzyczy. Trzeba nauczyć się przewijać je na stojąco. Chwilowe unieruchomienie w celu zdjęcia ubrania stanie się ingerencją ponad jego wytrzymałość. Zamknięcie powiek podczas przeciągania przez głowę koszulki lub sweterka będzie oznaczało zniknięcie celu z pola widzenia. Dziecko wpadnie w złość i rzuci się na podłogę za każdym razem, gdy jego ruchliwość będzie w jakikolwiek sposób ograniczona.

Rodzice dziecka, które nie umie chodzić po ukończeniu 1 roku życia, będą martwić się tym „opóźnieniem". Zapewniam ich, że mają szczęście, iż mogą jeszcze przez jakiś czas delektować się spokojem, zanim zostaną wciągnięci w świat tuptusia. Istnieje wiele powodów, dla których roczne dziecko nie chodzi. Tym spokojniejszym po prostu nie spieszy się do tej aktywności. W Stanach Zjednoczonych dzieci opanowują tę umiejętność przeciętnie pomiędzy 12 a 14 miesiącem. Dziecko drugie lub dalsze w kolejności może zacząć chodzić nawet później, gdyż potrzebuje zdwojonej odwagi, aby wkroczyć w świat starszego rodzeństwa, które biega dookoła i zagraża niedawno zdobytej przez malucha sprawności utrzymywania równowagi. Również ciężkie dzieci przeważnie zaczynają chodzić później, gdyż muszą sobie poradzić z większym balastem.

Z mojego doświadczenia wynika, że duże (wzrostem i wagą) dzieci mają tendencję do miękkich i rozciągliwych stawów. Takie dziecko może zacząć chodzić nawet sześć miesięcy później niż przeciętne. Jeśli stawy kolanowe i łokciowe wyginają się o ponad 180 stopni, jest bardzo prawdopodobne, że wiązadła są zbyt rozciągnięte, a mięśnie dookoła stawu zwiotczałe. Nie musi to być defekt (choć są rzadkie schorzenia, w których występuje nadmierna rozciągliwość stawów), ale jest to czynnik utrudniający i opóźniający naukę chodzenia. Z czasem takie dzieci wypracowują potrzebną siłę mięśni, która pozwala zapanować nad rozciągniętymi stawami. Kilkoro moich pacjentów, którym nauka chodzenia i biegania zabrała więcej czasu, zostało później sportowcami. To tak, jakby pragnienie opanowania danej sprawności popchnęło ich jeszcze dalej, ponad przeciętność.

Pobudzenie towarzyszące nauce chodzenia każe niektórym rodzicom zastanawiać się, czy ich dziecko nie jest nadpobudliwe. Potrzeba ruchu i przebywania w pozycji stojącej sprawiają, że dziecko nie zatrzymuje się nawet na moment – chodzi wzdłuż mebli, raczkuje jak szalone, a nawet przewraca się i turla, aby dotrzeć tam, gdzie chce. Kiedy uda mu się tam dotrzeć, natychmiast wyznacza sobie kolejny cel. Nie oznacza to, że jest nadpobudliwe. Dziecko pragnie się jedynie nauczyć, jak poruszać się na dwóch nogach. Dopóki przez kilka następnych miesięcy nie opanuje sztuki chodzenia, będzie się wydawać nadmiernie aktywne, choć z medycznego punktu widzenia wcale tak nie jest. Dopiero około 2 roku życia wyciszy się i – siedząc – odkryje kolejne umiejętności, które musi opanować, tym razem rękami. Małe dzieci są z natury bardziej aktywne, gdyż muszą wykształcić wiele sprawności ruchowych. Ponadto, jak donoszą badania, dopamina – substancja chemiczna obecna w mózgu, której nadmiar odpowiada za deficyt uwagi i nadpobudliwość ruchową

– występuje u dzieci aż do 5 roku życia w ilościach zbliżonych do cechujących ADHD. Nic dziwnego, że rodzice się martwią.

W tym wieku trudno jest zdiagnozować ADHD. To zaburzenie można rozważyć w przypadku gdy dziecko, którego naprawdę nie można zatrzymać ani skupić jego uwagi, przechodzi od jednej aktywności do drugiej, nie potrafiąc niczego się nauczyć z żadnego doświadczenia. Nie będzie ono umiało skoncentrować się na żadnym zadaniu, gdyż rozproszy je każdy dźwięk lub obraz, potrzeba ruchu zaś nie będzie związana z konkretnym celem. Dziecko nie potrafi utrzymać uwagi, gdyż każdy pojawiający się bodziec je dekoncentruje. Przebywając samo, bez odciągających uwagę czynników, może łatwiej się skupić i uczyć. Gdy jednak coś usłyszy lub zobaczy, jest zdane na automatyczną reakcję. Coś tak zwyczajnego jak spadający klocek może je rozproszyć. Widok lub dźwięk upadku zaraz odwróci jego uwagę. Nawet bez jasno postawionej w tym wieku diagnozy można pomóc takiemu dziecku w nieco dłuższym utrzymywaniu uwagi, ograniczając bodźce w jego środowisku, podając mu do zabawy jeden przedmiot lub jedno zadanie do wykonania, a gdy coś odwróci jego uwagę, delikatnie zachęcać do ponownego zainteresowania się innym aspektem danego zadania. W wieku 12 miesięcy naprawdę nadpobudliwe i nadwrażliwe dziecko może już przeczuwać swoją porażkę w bardziej złożonych zadaniach. To nastawienie będzie towarzyszyć wszystkim jego poczynaniom i jest czymś zupełnie innym niż determinacja w dążeniu do celu cechująca zdrowe dziecko uczące się chodzić (zob. też rozdział 25).

Sen

Dążenie dziecka do opanowania sztuki chodzenia zaburza rytm całego dnia. Dwie drzemki, które do tej pory były przewidywalną częścią rutyny, przestały już nią być. W czasie przeznaczonym na sen dziecko może ciągle wstawać i kłaść się. Zwykle radzę, aby rodzice nawet na krótko kładli dziecko do łóżeczka przed południem i po południu, niezależnie od tego, czy ono zaśnie, czy nie.

Jak już wspomniałem, jeśli dziecko przebudzi się w nocy, będzie stało w łóżeczku. Być może rozbudzi się całkowicie, ale nie zawsze. Może stać lub chodzić dookoła barierek na wpół śpiące. Jego frustracja i krzyki z pewnością obudzą innych. Ta faza nie powinna trwać zbyt długo. Dziecko musi nadal uczyć się, jak samemu z powrotem zasnąć. Jego każde nowe osiągnięcie zdobyte w ciągu dnia albo zmagania w celu opanowania jakiejś sprawności znajdą odzwierciedlenie w zaburzeniu cyklów snu. Rodzice powinni zareagować spokojem i stanowczością oraz powrotem do znanych rytuałów. Krótko, delikatnie poklepawszy dziecko, powinni wyjść z pokoju. Jeżeli wzmocnią wzorzec budzenia się dziecka pozostaniem w jego pokoju, zabawą lub wyjęciem z łóżeczka, przekażą mu następujący komunikat: „Jeśli będziesz wystarczająco mocno nalegać, ja się poddam!”. Rodzice, którzy zdecydowali się na dzielenie łóżka z dzieckiem, doświadczą tych samych zmian w jego cyklach snu. Chcąc uniknąć posiedzeń rozbudzonej rodziny co 3–4 godziny, muszą stanowczo nalegać, aby dziecko wróciło do snu, oraz odmówić wszelkich interakcji, gdyż inaczej maluch wybudzi się całkowicie. Należy siedzieć obok niego, przytrzymując go w pozycji leżącej, klepiąc i unikając nadmiernych reakcji, gdy będzie próbował się podnosić. Kiedy zobaczy determinację rodzica, przestanie się zmagać i zacznie uspokajać. Dzięki takiemu podejściu dziecko nie będzie miało poczucia, że rodzic pozostawił je samemu sobie i równocześnie otrzyma lekcję niezależności. Z czasem cały proces stanie się coraz łatwiejszy dla obydwu stron.

Innym pomocnym zabiegiem, który zawsze polecam, aby zapewnić przespaną noc całej rodzinie, jest obudzenie dziecka, zanim rodzice położą się spać, około godziny 22:00 lub 23:00. Należy je wówczas przytulić, a nawet nakarmić, jeśli to konieczne, i pomóc mu znów zasnąć, mówiąc: „Mamusia i tatuś są przy tobie i kochają cię. Będziemy tu, kiedy się obudzisz”. Z jakiegoś powodu złamanie rytmu snu dziecka, **zanim** ono samo się obudzi, działa jak czarodziejska różdżka. Ryzyko obudzenia o 2:00 w nocy zostanie znacznie zmniejszone.

Kiedy roczne dziecko budzi się rano, jest w stanie pobawić się samo. Jeśli rodzice nie biegną do niego zaraz po otwarciu powiek, mogą w ramach nagrody usłyszeć szczebiot dziecięcego monologu albo śpiewne powitanie. Może to być sposób na radosny początek dnia, a także na wspieranie samodzielności dziecka.

Karmienie

Jeśli rodzice nie wprowadzili jeszcze przekąsek, które można zjadać paluszkami, wkrótce odkryją, że roczne dziecko będzie stawiało zdecydowany opór przy próbach karmienia. Na tym etapie pory posiłków to terytorium dziecka. Na nic zdadzą się pokrętne manipulacje rodziców i ich próby przechytrzenia swojej pociechy. Większą część pokarmów powinny stanowić produkty stałe, zjadane paluszkami (choć mleko nadal pozostaje podstawą diety tuptusia), to w dodatku nie należy robić sobie nadziei na to, że dziecko będzie zjadać to, co zostanie mu podane. Pełnowartościowe posiłki nie muszą być celem w drugim roku życia. Dopiero w czwartym dziecko jest gotowe do zjadania wszystkiego i naśladowania manier rodziców przy stole. Natomiast rok drugi i trzeci to czas dziwnych eksperymentów.

W jednym tygodniu dziecko może lubić jajka i mięsko, z kolei w innym nie będzie chciało jajek, ale za to zje każdy rodzaj nabiału. Od czasu do czasu skusi się nawet na warzywa. Jednak nie można zawsze na to liczyć. Im bardziej rodzice będą nalegać, tym

Dzienna dieta w 2 i 3 roku życia

Dzienna dieta w 2 i 3 roku powinna się składać z następujących pokarmów (dokładne ilości należy dostosować do konkretnego dziecka – jego wzrostu, wagi, poziomu aktywności i innych czynników):

- 480 mililitrów pełnotłustego mleka lub odpowiednia ilość mleka z piersi, mieszanki mlecznej, sera, jogurtu czy lodów (mleko 2% lub z mniejszą zawartością tłuszczu nie dostarczy odpowiednich tłuszczów potrzebnych dla rozwoju mózgu w tym wieku);
- 85–110 gramów białka (gotowane, chude, mielone mięso wołowe lub wieprzowe, jajko, fasola lub tofu);
- żelazo (głównym źródłem jest mięso wołowe lub wieprzowe oraz cieciorka, soczewica, fasola, szpinak i jarmuż; żelazo jest łatwiej przyswajane, jeśli w tym samym posiłku spożywa się produkty zawierające duże ilości witaminy C, takie jak kantalupa, pomidory czy owoce cytrusowe; niektóre gotowe kaszki zbożowe wzbogacone są żelazem; suplementowanie diety tym pierwiastkiem jest ważne w przypadku dzieci, które nie otrzymują go w pokarmie);
- połowa kromki pieczywa z pełnego ziarna i pół filiżanki kaszki lub makaronu z pełnych zbóż (dostarczą one dzienną dawkę energii potrzebną przy podwyższonym poziomie aktywności rocznego dziecka; pełne ziarna zbóż zawierają ponadto błonnik zapobiegający zaparciom);
- 30 mililitrów soku pomarańczowego lub kilka małych kawałków owoców (soki owocowe należy ograniczyć do maksymalnie 170 mililitrów dziennie, ponieważ mogą powodować próchnicę oraz wypełniać żołądek dziecka, nie zostawiając miejsca na podstawowe pożywienie);
- różnorodne gotowane warzywa i zielone warzywa liściaste (nie należy zakładać, że dziecko nie będzie ich lubić, ale nie można też oczekiwać, że je zje; nie powinno się dziecka zmuszać ani robić wielkiego problemu, gdy odmówi jedzenia; można wybrać te produkty, które łatwo przygotować, aby zmniejszyć swoją frustrację w razie odmowy).

mniej skutecznie wpłyną na dziecko. Być może uda się przez jakiś czas karmić je pełnowartościowymi posiłkami. Jednak nie należy robić sobie nadziei, że tak już zostanie. Dziecko doskonale wyczuwa nastawienie dorosłych do karmienia. To tylko podkreśla, jak ważna jest teraz jego niezależność w tej dziedzinie. Chcąc ułatwić rodzicom pokazanie mu takiej autonomii, podjąłem się zdefiniowania minimalnej dziennej diety (zob. ramka powyżej).

Niedobór warzyw w diecie można uzupełnić multiwitaminą. Jeśli dziecko nie spożywa wystarczającej ilości krowiego mleka lub mieszanki wzbogaconych witaminą D, również powinno otrzymywać jej suplement. Podawanie witamin należy skonsultować z pediatrą. Z pewnością uspokoi on rodziców, zapewniając, że w czasie tego przewidywalnego okresu wybrzydzania podczas jedzenia wiele rzeczy mogą uzupełnić sami.

Gdy skrupulatne i idealistyczne matki słyszą ode mnie te słowa, pytają: „I twierdzi pan, że to wszystko, czego ono potrzebuje w ciągu 24 godzin?". Uspokajam je, że to zaspokoi podstawowe potrzeby żywieniowe w okresie, gdy najważniejsza dla dziecka jest autonomia. Kiedy starsze dziecko zacznie zjadać pełne posiłki, witaminy będą niepotrzebne. Jednak podając je, rodzice mogą darować sobie forsowanie warzyw. „Nawet tych zielonych? – pytają matki. – Nawet tych żółtych?". Wówczas jasno podkreślam, że warzywa i pełne posiłki muszą zaczekać na mniej stresujący etap rozwoju, gdy dramat dokonywania wyborów podczas karmienia dobiegnie końca. Nawet jeśli uda mi się przekonać matki, ich własne mamy z pewnością będą się nadal martwić.

Karmienie to obszar, w którym niezależność i wynikający z niej negatywizm trafiają w czuły punkt rodziców. Dzięki nim staje się ono kolejnym drogowskazem – sferą ważnego spotkania lekarza z rodzicami. Ci ostatni są przekonani, że karmienie dziecka to wyłącznie ich zadanie. Pozostawienie mu wyboru w kwestii jedzenia rodzi w nich poczucie pustki – wrażenie, że zaniedbują dziecko. Dorośli muszą zrozumieć te emocje i poradzić sobie z nimi. Jako zewnętrzny obserwator mogę ich uspokoić i udzielić wsparcia, podając minimalne wymagania dietetyczne, za co są mi wdzięczni, a nasza relacja znowu się pogłębia.

Moje zalecenia podczas rozmowy na ten temat są następujące: w momencie gdy dziecko w tym wieku traci zainteresowanie jedzeniem i zaczyna się przekomarzać, rozsmarowując jedzenie, upuszczając czy próbując wstawać na krzesełku, natychmiast je z niego zdejmij i zakończ każdy posiłek główny butelką lub piersią. Następnie zostaw dziecko w spokoju. Nie próbuj przedłużać posiłków i proponować „jeszcze troszkę". Koniec to koniec, aż do następnego posiłku lub planowej przekąski. Jeśli maluch zgłodnieje, będzie szanować czas posiłków i w końcu nauczy się jeść o wyznaczonych porach. Jednak nie należy robić sobie wielkich nadziei. Głód w jego wieku łatwo zagłuszyć bardziej ekscytującą zabawą w przekomarzanie się z rodzicami. Jeśli próbujesz karmić dziecko pomiędzy posiłkami lub zostawiasz jedzenie pod ręką, nie tylko deprecjonujesz znaczenie regularnych posiłków, ale również wywierasz niebagatelny nacisk na to, by dziecko jadło. I z pewnością przegrasz. W taki sposób można łatwo przyczynić się do powstania problemów z jedzeniem. Potrzeba dziecka, by mieć wpływ na to, co je, weźmie górę nad głodem i jakąkolwiek chęcią na jedzenie.

Jeśli dziecko zaczyna przetrzymywać jedzenie w buzi, wypluwać je, dławić się lub wymiotować, wyraźnie komunikuje, że postrzega karmienie jako stres. Świadomie lub nieświadomie rodzice wywierają na nim presję. Należy się wycofać i ocenić, co tak naprawdę dzieje się w relacji między wami.

W tym okresie rodzicom tak bardzo zależy, aby wmusić w dziecko trochę mleka, że pozwalają mu nosić butelkę ze sobą przez cały dzień. Prawdopodobnie odkryją, że wtedy mały tuptuś zjada jeszcze mniej. Taka strategia sprawia, że dziecko nie traktuje mleka jako jedzenia, a jedynie jako sposób na ukojenie łez albo prowokowanie rodziców.

Gdy dziecko przyzwyczai się do noszenia butelki, niełatwo będzie je tego oduczyć. Może o nią ciągle prosić, a nawet rzucić się na podłogę w ataku złości, aby ją dostać. Trzeba wtedy bardzo cierpliwie i stanowczo powtarzać, że w ciągu dnia może dostać przytulankę, a butelka z mlekiem jest zarezerwowana na porę posiłku. Można na jakiś czas przywiązać pustą butelkę do lalki, pluszowej zabawki lub kocyka, a gdy dziecko przeniesie swoje przywiązanie na przytulankę, odłączyć butelkę za jego przyzwoleniem. W tym czasie nie powinna być ona napełniona mlekiem. Jeśli dziecko nie wypija wystarczająco dużo mleka, można zastąpić je jogurtem, lodami lub serem (około 30 gramów sera odpowiada mniej więcej 120 mililitrom mleka). Szczególnie wówczas karmienie butelką powinno przybierać formę ważnego rytuału – dziecko musi być przytulane i karmione w ciepłej atmosferze.

Niekończące się rozgniatanie i rozmazywanie jedzenia podczas posiłków jest wymierzone również w rodziców. Dziecko bada w ten sposób świat, ale odkryje także drugorzędną korzyść – przekomarzanie się z dorosłymi. Kiedy zacznie, nie uda się go już nakarmić, więc można je wyjąć z krzesełka aż do następnego posiłku. Nie wolno robić problemu z zabawy dziecka jedzeniem, gdyż przekomarzanie dodatkowo się nasili.

Dziecko w tym wieku uwielbia bawić się łyżeczką, jednak zwykle gubi nabrane nią jedzenie. Poradzi sobie z tym zadaniem dopiero w okolicach 15 bądź 16 miesiąca. Tymczasem uczy się posługiwać różnymi narzędziami, co jest niezwykle cennym doświadczeniem.

Jeśli dziecko przywykło do smoczka, nie jest to dobry czas na odstawienie. Nie wolno nawet o tym rozmawiać. Zwrócenie na niego uwagi zwiększy jego wartość jako narzędzia służącego przekomarzaniu się z rodzicami. Można pomóc małemu tuptusiowi w jego zmaganiach, a także uniemożliwić mu torturowanie rodziców ciągłym, często celowym, nawoływaniem o podanie zguby. W ciągu dnia można przywiązać smoczek do nadgarstka dziecka, a w nocy do przytulanki lub łóżeczka – wstążeczka musi być jednak na tyle krótka, aby nie mogła zawinąć się dookoła szyi. Trzeba nauczyć dziecko, jak odnaleźć zagubiony smoczek. Jeśli rodzice nie będą robić problemu z używania smoczka, dziecko nie będzie nim manipulować.

Ząbkowanie

W 2 roku życia pojawiają się zęby trzonowe. Żucie tylnymi dziąsłami koi ból i zmniejsza obrzęk. Ponieważ dzieci w tym wieku żują wszystko, co wpadnie im w ręce, należy szczególnie uważać, aby nie zatruły się substancjami toksycznymi, na przykład farbą zawierającą ołów. U niektórych dzieci pojawia się nawet łaknienie spaczone, czyli tendencja do zjadania absolutnie wszystkiego, co jest pod ręką. Farba z ołowiem ma słodki smak, więc dziecko może odrywać ze ściany jej płatki i je zjadać. Takie farby nie są obecnie stosowane, więc ryzyko, że znajdują się we współczesnych domach, jest raczej niewielkie, jednak można je jeszcze spotkać w starym budownictwie. Jeżeli ktoś mieszka w takim domu lub gdy dziecko przebywa regularnie w takich pomieszczeniach, należy wykonać badanie na obecność ołowiu we krwi. Większość ośrodków zdrowia wykonuje takie badania na terenach, gdzie ołów jest lokalnym zagrożeniem. W takich miejscach pediatrzy powinni rutynowo sprawdzać poziom ołowiu po ukończeniu przez dziecko 1 roku życia, następnie w wieku 2 lat oraz wtedy, gdy są ku temu dodatkowe powody. Każde badanie oznacza dodatkowe kłucie dziecka i nikt nie chce go na to narażać, zatem lekarz powinien dokładnie ocenić czynniki ryzyka w danym środowisku, posługując się oficjalnymi rządowymi danymi na ten temat. Gdy istnieją wskazania, warto wykonać takie badanie pomimo stresu, na jaki narażone jest dziecko.

Mowa

Oznaki biernego przyswajania języka są w tym wieku coraz bardziej wyraźne. Poproszone o podanie zabawki czy pieluszki dziecko pokaże, że rozumie prośbę, wykonując zadanie albo jasno informując, iż odmawia, choć doskonale wie, o co rozmówcy chodzi. Polecenia krótkie, jednozadaniowe, są bardziej skuteczne niż złożone. Mówienie również staje się coraz bardziej ekscytujące. Dziecko może stanąć w łóżeczku i z poniesioną do góry rączką deklamować coś, modulując głos i dodając odpowiedni rytm, jak na mównicy. Nie można wprawdzie rozpoznać żadnych słów, ale zalążki przyszłej mowy już się kształtują. Dziecko słucha uważnie, co mówią dorośli, zwłaszcza w rozmowie z nim, rozpoznając pewne wzorce i zasady składania słów w dłuższe sekwencje. Wypowiada już kilka rozpoznawalnych słów, na przykład „mama", „baba", „kici" i „nie". Przyporządkowuje nazwy do ludzi. Wskazywanie na przedmioty i osoby oraz gesty stają się bardzo precyzyjne. Do komunikacji służą również oczy i mimika twarzy. Kiedy dziecko chce zwrócić lub utrzymać czyjąś uwagę, użyje gestu wskazującego i słowa. Jeśli wokalizacja nie będzie zbyt czysta, rodzice zwykle ją poprawią, powtarzając właściwe brzmienie. W ten sposób dają dziecku jasny komunikat, że chcą, aby jego mowa stawała się coraz bardziej wyraźna. Dziecko może powtórzyć dane słowo bardziej poprawnie natychmiast po korekcie. Chęć nauczenia się mówienia jest ogromna.

Rozwój poznawczy

Sprawdzanie prawa stałości przedmiotów i osób ciągle dominuje w zabawach rocznego malucha. Dziecko chowa się za rogiem i woła do rodzica, aby się upewnić, że ten ciągle tam jest. Gdy rodzic się nie pojawia, maluch może zacząć hałasować lub zrobić coś zakazanego, aby zmusić dorosłego do zareagowania i podejścia do niego. Po chwili złowieszczej ciszy nagle ekran telewizora zacznie mrugać. Przyjście rodzica jest dla dziecka nagrodą i żadne zakazy nie przeważą radości z przywołania go do siebie. Powrócą zmagania związane z rozłąką w ciągu dnia, a także z rozstaniem na nocny odpoczynek. Dziecko mogło do tej pory całkiem nieźle sobie radzić. Teraz jednak za każdym razem protestuje z całej siły, często zalewając się łzami. Chce mieć kontrolę nad rozłąką – ono może rodziców zostawić, ale nie pozwala im odejść od siebie.

Chcąc pomóc dziecku na tym etapie, należy zawsze informować je, że rodzice wychodzą – nie wolno po prostu „znikać". Można zacząć rozmawiać o tym jakiś czas przed wyjściem. Zanim rozdrażni je rzeczywista rozłąka, trzeba przygotować dziecko na nią, a także powiedzieć o rychłym powrocie. Jeśli dziecku naprawdę trudno poradzić sobie w takich sytuacjach, dobrze jest za pierwszym razem wyjść na piętnaście minut, a po powrocie przypomnieć, że obietnica została dotrzymana. Za każdym razem dziecko będzie się uczyło ufać rodzicom, a z czasem poradzi sobie z własnymi emocjami. Póki co, protestowanie będzie najzdrowszym z możliwych zachowań. Jeśli maluch zostaje ze znanym sobie i kochającym opiekunem, rozpozna to i zwróci się do niego po ukojenie łez. Wkrótce po wyjściu rodzica się uspokoi.

Przechowywanie

To jest nowe pojęcie. Jeśli dziecku przed ukończeniem 1 roku życia wręczymy dwa klocki, weźmie po jednym do każdej ręki. Otrzymawszy trzeci, będzie musiało jeden z nich odrzucić, aby wziąć nowy. Natomiast roczne dziecko spróbuje wymyślić sposób na zatrzymanie wszystkich trzech. Może wziąć jeden do buzi albo włożyć pod pachę, uwalniając tym samym dłoń do pochwycenia nowego klocka. Jeżeli przedmioty są wystarczająco małe, zmieści dwa w jednej dłoni. Uczy się rozwiązywać problemy i planować, jakie ruchy należy wykonać. Nauczyło się już przechowywać.

Budowanie z klocków

Dziecko podejmuje próby stawiania klocków jeden na drugim. Jeśli upadną, będzie sfrustrowane i szybko zajmie się inną zabawą. W trakcie nauki budowania stanie się coraz bardziej precyzyjne.

Naśladowanie

„A kuku!" oraz zabawy z gestami stają się bardziej ekscytujące i zajmujące. Dziecko będzie naśladować fragmenty nowych zabaw, nawet jeśli nie potrafi powtórzyć całości. Pokazuje to, że naśladowanie staje się coraz ciekawsze. W tym wieku mały tuptuś bardzo dużo uczy się od swojego rodzeństwa. Starsze dzieci będą go z chęcią uczyć, a on podejmie usilne próby, aby podołać wyzwaniom. W ten sposób podchwyci wiele zachowań, których nigdy nie nauczyłby się od rodziców czy innych dorosłych. Inne dzieci są dla malucha o wiele bardziej intrygujące niż dorośli!

Prawo przyczyny i skutku

Przed ukończeniem roku dziecko prowadzi nakręcany samochód po podłodze, popychając go rączką. W okolicach pierwszych urodzin, widząc, jak mała ciężarówka toczy się sama po podłodze, wie, że dorosły musiał coś zrobić, aby wywołać ruch. Odwróci samochód kołami do góry i będzie mu się przyglądać. Odda jednak zabawkę rodzicowi, aby powtórzył sztuczkę.

Lęki

Ponieważ świat dziecka nagle znacznie się powiększył, tym bardziej cenna stała się jego przestrzeń osobista. Świadomości tej towarzyszy rosnące poczucie niezależności oraz równoważącej ją zależności, które są różnymi stronami tego samego medalu. Roczne dziecko pozwoli się wziąć na ręce, ale gdy zda sobie sprawę, że to zależność, natychmiast wywinie się na podłogę. Równocześnie chce czegoś i nie chce. Każda bliskość zagraża poczuciu przestrzeni osobistej i kontroli nad światem. Jeśli ma możliwość przyglądania się obcym i „oswojenia" ich z bezpiecznej pozycji na rękach u rodziców, stopniowo ich zaakceptuje. Największe zagrożenie stanowi prawie znany „obcy", na przykład siostra mamy, brat taty albo dziadkowie, którzy rzadko się pojawiają. Pragnąc dać dziecku poczucie kontroli, gość musi wykazać ogromną cierpliwość i pozwolić, aby miało czas na zbadanie wszystkich subtelnych i oczywistych różnic.

Perspektywa na przyszłość

Asertywność

W kolejnym roku życia dziecka niezależność będzie się nadal rozwijać i umacniać. „Nie" stanie się jego ulubionym słowem. Wypowiadanie go połączone z kręceniem głową i charakterystycznym uśmiechem na ustach będzie najczęstszym preferowanym zachowaniem. Każda prośba spotka się z nadąsaniem i nieskrywanym negatywizmem. Trzeba się na to przygotować. Jeśli podczas wizyty z rocznym dzieckiem uprzedzę rodziców o takiej możliwości, o tym kolejnym kamieniu milowym w rozwoju dziecka i o powodach, dla których uległe niemowlę zmieni się w upartego i opornego tuptusia, nie będą się czuli winni i nieszczęśliwi. Jeżeli zaś tego nie zrobię, odbiorą negatywizm dziecka osobiście i będą próbowali go poskramiać i ograniczać.

Napady złości

Są charakterystyczne dla drugiego roku i przyprawiają rodziców o poczucie winy, jednak przyczyna leży gdzie indziej. Odzwierciedlają one intensywność emocji i zaangażowanie dziecka przy podejmowaniu każdej decyzji. Można próbować zapobiegać tym wybuchom negatywizmu, ale nie zawsze będzie to możliwe. Najbardziej pomocne jest stanowcze i neutralne nastawienie, gdyż komunikuje ono dziecku: „Chciałbym ci pomóc, ale nie potrafię. Ty zdecyduj, czego chcesz, a ja albo podążę za tym, albo się nie zgodzę. Tak czy inaczej, dobrze byłoby podjąć decyzję". Wiem, że ignorowanie napadu złości wydaje się okrutne, ale każdy, kto spróbował interweniować, odkrył, że próba pomocy przedłuża zamęt. Najlepiej odejść lub całkowicie się wyłączyć, aż dziecko się uspokoi.

Rodzice często chcą wiedzieć, dlaczego dzieci mają napady złości w miejscach publicznych. Po pierwsze, dziecko jest wówczas bardzo podekscytowane. Po drugie, zdaje sobie ono sprawę, że uwaga rodziców skupia się na czymś innym, a ono chce ich mieć dla siebie. Po trzecie, wie, że rodzice będą zażenowani, gdyż w miejscu publicznym łatwiej tracą głowę. Konsternacja rodziców oraz ich próby załagodzenia kryzysu dodatkowo go przedłużą.

Jak uspokoić dziecko?

(1) Powiedz dziecku spokojnie, że nie możecie już dłużej być w sklepie. Zrezygnuj z zakupów i zabierz stamtąd dziecko. Wróćcie do samochodu i pozwól mu się wykrzyczeć w bezpiecznym miejscu – choć musisz mu towarzyszyć, postaraj się je ignorować.

(2) Zachowuj się tak, jakby dziecko nie było twoje, i ignoruj je. Bardzo szybko przestanie. Dopiero wtedy usiądź z nim, przytul je i powiedz: „Okropna jest taka złość, prawda?" (więcej na temat ataków złości zob. rozdział 10).

Dyscyplina

Nawet jeśli rodzice potrafią odwrócić uwagę małego tuptusia i niepostrzeżenie zmienić mu pieluchę na stojąco albo usunąć z jego zasięgu cenne i kruche przedmioty, konieczne będzie również wprowadzenie dyscypliny. Dorośli nadal powinni rezerwować zakazy tylko dla ważnych sytuacji, żeby były czymś szczególnym, kiedy już się pojawią.

Tuptuś uparcie szuka sposobów zwrócenia na siebie uwagi rodziców. Łatwo przewidzieć, kiedy dziecko będzie się najgorzej zachowywać: pod koniec dnia, gdy obydwoje rodzice są zmęczeni, podczas wizyty ważnego gościa, podczas rozmowy telefonicznej lub na zakupach. To nowe, nieznośne zachowanie zmusi rodziców do poszukiwania rozwiązań. Staną się one bardziej oczywiste, jeśli dorośli zdadzą sobie sprawę, co tak naprawdę się dzieje.

Kiedy dziecko w tym wieku pragnie swoim nieznośnym zachowaniem przyciągnąć uwagę rodziców, potrzebuje przytulenia lub uznania, a nie złości. Kara fizyczna, na przykład uderzenie czy klaps, będzie oznaczała dwie rzeczy: że rodzic jest większy niż dziecko i może sobie na to pozwolić oraz że rodzic uznaje agresję za dozwolony sposób reagowania. W takiej sytuacji proponuję rodzicom następujące rozwiązanie: jeśli to możliwe, zastosuj strategię *time out*[21], czyli „czas na ochłonięcie", lub przytul dziecko, siadając z nim w bujanym fotelu, aby przerwać narastające napięcie. Pomoże to także tobie. Kiedy powstrzymasz dziecko, powiedz do niego: „Przepraszam. Kocham ciebie, ale nie to, co teraz robisz. Niestety, muszę cię powstrzymać, zanim nie nauczysz się powstrzymywać sam siebie".

Nauczenie dyscypliny to druga w kolejności najważniejsza rzecz, jaką rodzice mogą zrobić dla dziecka. Na pierwszym miejscu jest zawsze miłość, dyscyplina zaś na drugim. Dyscyplina oznacza naukę, a nie karanie. Jej celem jest to, aby dziecko samo uświadamiało sobie granice. Każda sytuacja, która wymaga dyscypliny, jest okazją do nauki. Dlatego po wydarzeniu wymagającym ustalenia granic należy wziąć dziecko na kolana, przytulić je i powiedzieć: „Nie można tego robić. Będę musiała cię powstrzymywać, zanim sam się tego nie nauczysz".

Trening czystości

Jeśli rodzice nie usłyszeli jeszcze subtelnych czy nawet bezpośrednich sugestii ze strony przyjaciół i krewnych na temat rozpoczęcia treningu czystości, mają ogromne szczęście. **To ciągle jeszcze zbyt wcześnie.** Dopiero pod koniec 2 roku życia tuptuś może być gotowy, aby zamienić pieluszkę na nocnik – i zdecydować o tym samemu.

---

[21] *Time out* – metoda wyciszenia, zwana także procedurą przerwy, przerwą w grze (przyp. red.).

Pomyślmy, czego wymagamy od rocznego dziecka: aby poczuło nadchodzący mocz lub kupkę, wstrzymało na chwilę ten proces, udało się chwiejnym krokiem do miejsca, które wyznaczyli dorośli, usiadło i w końcu wyprodukowało, co trzeba. A następnie jeszcze patrzyło, jak dorośli zabierają na zawsze to, co ono samo stworzyło, i spłukują z wodą nie wiadomo gdzie. Czy to nie za dużo jak na etap, na którym dziecko tak bardzo stara się zintegrować w konkretną osobę? Jestem przekonany, że jeśli pozwolimy mu zrozumieć koncepcję i samemu zdecydować, kiedy się do niej dostroić, nie skończy się to popuszczaniem kału, rozmazywaniem go, moczeniem czy wstrzymywaniem. Zbyt wczesny trening czystości może zakończyć się którymś z wymienionych problemów, co będzie reakcją na wywieraną presję. To musi być osiągnięcie dziecka. Rodzice powinni być cierpliwi i czekać! Ci, którzy jednak zdecydowali się na wczesny trening za pomocą metody „komunikacji potrzeb naturalnych", mogą teraz ocenić, czy jest ona skuteczna. W razie jakiegokolwiek konfliktu zalecam pozostawienie pieluszki i czekanie, aż dziecko będzie gotowe.

Gryzienie, bicie i drapanie

Wkrótce pojawią się wymienione i inne nieprzyjemne zachowania jako naturalna część rozwoju. Choć wydają się przerażające, są czymś naturalnym na tym etapie. Na początku będą to próby badania sposobów komunikacji z innymi i testowania ich reakcji. Pojawią się również w sytuacjach, gdy mały tuptuś doświadczy zbyt wielu bodźców naraz i trudno mu będzie nad nimi zapanować. Jeśli rodzic również straci panowanie nad sobą, przestraszy dziecko i wzmocni dane zachowanie. Rada jest następująca: należy oczekiwać, że takie zachowania wystąpią. Jeśli tak się stanie, trzeba chwycić dziecko, przytrzymać je, ale nie wzmacniać zachowania jakąś szczególną reakcją. Można powiedzieć: „Nie podoba się to ani mnie, ani nikomu innemu. Nie można się tak zachowywać. Będę cię powstrzymywać za każdym razem, dopóki nie nauczysz się tego robić sam". Uświadomienie sobie, że dzieci na całym świecie zachowują się czasami w ten sposób, pomoże rodzicom wypowiedzieć te słowa z całym przekonaniem.

10

Piętnasty miesiąc

Rodzice tuptusiów muszą ciągle stać na straży i pilnować, żeby mały wiercipięta był bezpieczny i nie wpadł w tarapaty. Pytania, jakie zadają mi podczas kolejnej wizyty, a także ich podzielność uwagi pokazują mi, jak wygląda codzienność – nieustanne zapobieganie szkodom, jakie dziecko mogłoby wyrządzić sobie i otoczeniu. Dlatego podczas naszego spotkania kontakt rodziców ze mną jest minimalny.

Także tuptuś ma podzielną uwagę. Jednym okiem zerka na rodziców, aby się upewnić się, że patrzą, a drugim – na zabawki. W międzyczasie próbuje jeszcze ostrożnie wybadać moje niecne zamiary wobec niego. Obserwując dziecko, skupiam się nie tylko na jego rozwoju neurologicznym i fizycznym, ale także na poczuciu pewności, z jaką podchodzi do wykonania różnych zadań. Czy oczekuje, że mu się uda? Czy podejmuje kolejne próby? Jeśli coś się powiedzie, czy spodziewa się uznania od dorosłych? Czy łatwo się poddaje? Czy rezygnuje z zadania, z którym czuje, że sobie nie poradzi? Czy ma świadomość, że coś mu nie wychodzi, i czeka na dezaprobatę rodziców? Jeśli dziecko jest przytłoczone nieznanym miejscem i czuje się zagrożone w gabinecie, jest mu trudniej pokazać, na co je stać, a mnie trudniej ocenić jego zachowanie i rozwój. Dlatego zależy mi zawsze, aby dziecko chciało przyjść na spotkanie ze mną, dzięki czemu za każdym razem mam bardziej rzeczywisty ogląd jego rozwoju i mogę przydać się rodzicom w ich staraniach i dbałości o jego dobro. W relacji pediatra – pacjent chodzi o coś więcej niż badanie stetoskopem i szczepienia ochronne.

Jeśli dziecko już chodzi, czasami proszę, aby rodzice weszli ze mną do gabinetu i pozwolili, by maluch podążył za nami. Nie zawsze się to udaje, ale im wcześniej zaczniemy respektować samodzielność dziecka, tym lepiej.

Kiedy rodzice oświadczają, że dziecko z pewnością będzie się mnie bało, wiem, że przekazane już zostały niewłaściwe sygnały, za którymi maluch posłusznie podąży – za każdym razem, gdy podejdę bliżej, zacznie krzyczeć. To oczywiste, że dzieci nie lubią być badane i nie znoszą szczepień. Co więcej, pamiętają te czynności z poprzednich wizyt. Jednak rodzice mogą nie doceniać zdolności dziecka w zakresie uaktualniania danych i radzenia sobie z sytuacją bieżącą. Jeśli będziemy respektować jego niepokój, będzie można mu zaradzić. Ponadto, gdy maluchowi uda się go okiełznać, będzie miał wewnętrzne poczucie sukcesu. Warto również zdać sobie sprawę z tego, że dziecko nie zapomina nowych zabawek dostępnych w gabinecie czy nagród wręczanych po każdym badaniu.

Podczas zabawy w gabinecie mogę obserwować osiągnięcia dziecka. Umie już wstać z pozycji siedzącej – unosi wtedy pupę do góry i podpiera się obiema rękami. Kiedy nogi są już proste, podnosi się i stoi nieco chwiejnie. Odzyskuje równowagę, gdy rozstawia nogi trochę szerzej. Jeśli chodzenie jest świeżą umiejętnością, wyciągnie ramionka do przodu dla równowagi i zacznie powoli tuptać. Kroczenie na szeroko rozstawionych nogach również jest oznaką niedawno zdobytej sprawności. W miarę praktyki odległość między obiema nóżkami będzie się zmniejszać. Kiedy maluch nabierze pewności, będzie potrafił złączyć nogi i sięgnąć ręką po zabawkę powyżej głowy. Wcześniej taki ruch zdestabilizowałby dziecko i zaburzył jego równowagę. Obserwując te charakterystyczne manewry, można określić czas opanowania sztuki chodzenia.

W zachęcaniu dziecka do współpracy dużą rolę odgrywa ogromny skok w rozwoju poznawczym, który ma miejsce w tym wieku. Chcąc zmierzyć obwód główki dziecka (przyrost obwodu głowy jest równie ważny jak wzrost linearny ciała, zarówno dla oceny stopniowego zwiększania się objętości mózgu, jak i jako podstawowe badanie pomiarowe na wypadek urazu głowy), najpierw mierzę swoją. Tuptuś spojrzy na taśmę mierniczą na mojej głowie i wybuchnie śmiechem, widząc komizm sytuacji. Może wówczas pozwolić mi zmierzyć swoją główkę. Podobnie otoskop wędruje najpierw do ucha lali, potem mamy, taty, a na końcu – dziecka. Chcąc je zważyć, proszę, aby rodzic wszedł na wagę sam, a następnie z dzieckiem. Odejmuję ciężar rodzica i uzyskuję wagę dziecka. Czasami maluch nie może się oprzeć i staje na wadze sam, a czasami nie. Jeśli mam szczęście, udaje się przeprowadzić całe badanie bez ani jednej łzy.

Wszystkie te zabiegi pozwalają mi obserwować dziecko w różnorodnych sytuacjach. Widzę jego niezależność w kontakcie ze mną – jakikolwiek przymus natychmiast wywołuje bunt. Prawidłowo! Dzięki świeżo nabytym zdolnościom poznawczym – zabawie symbolicznej – potrafi ono przenieść swój lęk przed lekarzem na lalę lub misia i uspokoić się, patrząc na wszelkie zabiegi wykonane najpierw na zabawkach. Zanim nauczyło się myśleć symbolami – uświadamiać sobie, że zabawka lub nawet słowo może reprezentować coś rzeczywistego – postrzegało lalkę jako jeszcze jeden przedmiot, którego mogło dotknąć, wziąć do buzi czy tarmosić. Teraz, w wieku 15 miesięcy, potrafi rozpoznać, że lalka wygląda prawie jak człowiek i może być jego symbolem. To bardzo ważny krok konieczny rozwoju mowy – umiejętności używania słów symbolizujących przedmioty. Rodzice mogą być dumni z tego osiągnięcia i mieć pewność, że dziecko jest na dobrej drodze do mówienia. Mogą teraz się przyglądać, w jaki sposób dzięki tej umiejętności maluch uczy się od nich.

Naśladowanie rodziców jest bardzo charakterystyczne dla tego wieku. Obserwuję, czy dziecko chętnie modeluje swoich rodziców. Trzeba pamiętać, że wszystkie te umiejętności są dopiero w fazie kiełkowania. Staram się również zauważyć, czy maluch potrafi zachować spokój w sytuacji inwazyjnego badania. Jeśli umie stawić czoła stresowi przy pomocy rodziców, lali czy mojej osoby, demonstruje już własne strategie radzenia sobie w trudnych sytuacjach. Należy pamiętać, że badanie oznacza dla dziecka naruszenie jego przestrzeni osobistej, która jest teraz dla niego tak ważna. Dlatego jest to dla niego bardzo trudne doświadczenie i trzeba mu w nim pomóc.

Szczepienia zostawiam na sam koniec wizyty. W tym wieku powinna zostać podana czwarta dawka szczepionki przeciwko błonicy, tężcowi i krztuścowi (DTaP) – można ją również przełożyć na 18 miesiąc; czwarta dawka *hemophilus influenzae* (Hib) i przeciwko pneumokokom (PCV), pierwsza dawka MMR (odra, świnka, różyczka) i *varicella* (ospa) – jeśli nie podano ich wcześniej; *hepatitis A* (HepA) – szczepionka ta wymaga dwóch dawek w odstępie sześciu miesięcy, najlepiej pomiędzy 12 a 18 miesiącem życia; polio (IPV) oraz *hepatitis B* – jeśli nie podano ich wcześniej, w 6 lub 12 miesiącu. Zaleca się ponadto coroczne szczepienie przeciw grypie. Ta wizyta to najbardziej skomplikowany punkt kalendarza szczepień – później dziecko nie będzie już narażone na tyle wkłuć za jednym razem.

Nieuchronnie taka liczba zastrzyków będzie ogromnym ciosem dla dziecka i może się ono poczuć oszukane. Proszę rodzica, aby przytrzymał malucha, a ja demonstruję szczepienie na misiu lub lali. Chciałoby się zataić fakt, że będzie bolało, jednak o wiele ważniejsze jest powiedzenie prawdy: „Będzie bolało, ale króciutko". Kiedy rodzic trzyma dziecko, proszę, aby je mocno przycisnął podczas podawania zastrzyku, a zaraz potem wstał i tańczył z dzieckiem. Ten taniec oraz obecność mamy lub taty pomagają odwrócić jego uwagę, umożliwiają mu dojście do siebie, a także poradzenie sobie z bólem i lękiem z powodu zostania „zaatakowanym". Kiedy jest już po wszystkim, proponuję dziecku w nagrodę jakiś drobiazg. Często go nie przyjmuje. Próbuję wówczas wyjaśnić: „Wiem, że jesteś na mnie zły, i rozumiem to, ale ten zastrzyk jest dla twojego dobra. Chcę być twoim przyjacielem i twoim lekarzem. Lekarz to ktoś, kto chce, aby dzieci były zdrowe i mogły się bawić. I kocha dzieci". Czasami dziecko przyjmuje nagrodę. Ważniejsze jednak w tej sytuacji jest to, że ani rodzice, ani lekarz nie zignorowali lęku dziecka, tego cudownego i kruchego poczucia siebie jako niezależnej istoty.

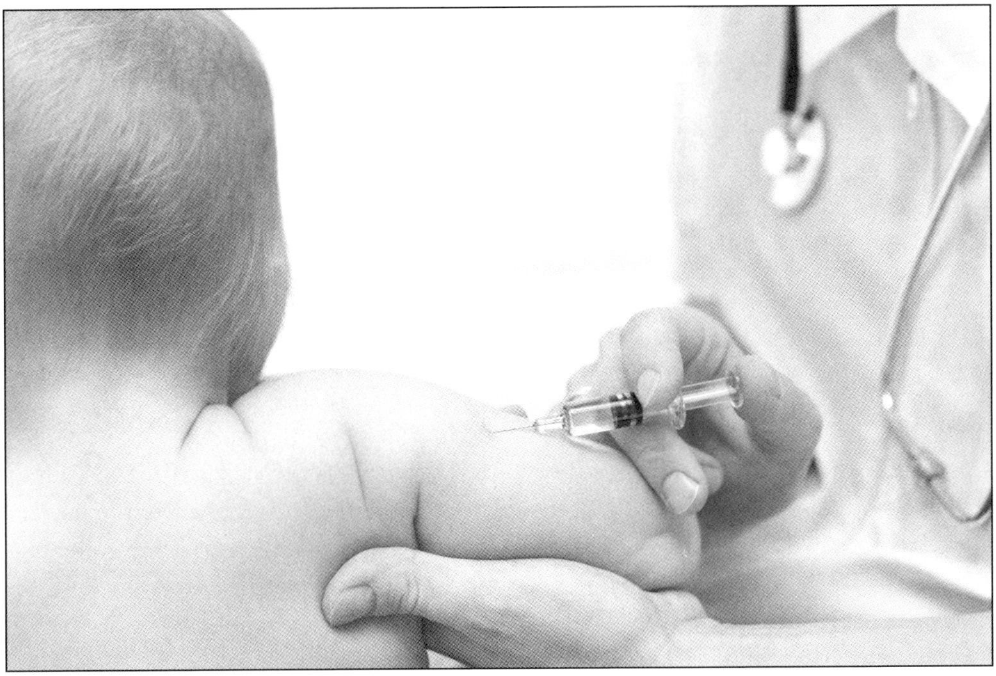

Dyscyplina

W 2 roku życia dyscyplina staje się istotna. Należy ją traktować jako projekt długoterminowy. Najważniejszym krokiem w kierunku jego realizacji oraz podstawą dyscyplinujących decyzji jest zrozumienie dziecięcej potrzeby uczenia się granic. Ważniejsze niż zachowanie rodzica w danej sytuacji są jego nastawienie i myślenie wybiegające w przyszłość. Z tego powodu dobrze jest wybrać tylko kilka ważnych aspektów codzienności jako kontekst wprowadzania dyscypliny. Nieuchronny niepokój rodziców związany z ich chęcią poskromienia dramatycznej niezależności tuptusia sprawia, że ten kamień milowy w rozwoju dziecka jest kolejnym ważnym momentem otwartej komunikacji z lekarzem.

Wiele par, zwłaszcza tych, które decydują się na dziecko później, nie chce zmieniać swojego stylu życia. Pragną raczej nauczyć dziecko, by nie dotykało żadnych cennych przedmiotów w domu. Nawet jeśli jest to wykonalne, muszą poświęcić na taki trening dużo czasu i energii, które mogłyby być przeznaczone na ważniejsze sprawy. Może warto na jakiś czas pochować precjoza? Wówczas mniej będzie kwestii spornych na co dzień. Dziecko tak czy inaczej, w wielu innych sytuacjach, nauczy się samodyscypliny i respektowania praw innych osób. Każde rozsądne zachowanie rodziców będzie wzorem dla dziecka – proces uczenia się na pewno ma miejsce, choć nie jest natychmiast widoczny.

Czy używać kojca?

Nie jestem zwolennikiem kojca, chyba że w danym momencie jest to jedyny sposób na zapewnienie dziecku bezpieczeństwa. Tuptuś czasami potrzebuje takiego bezpiecznego zakątka, aby mógł swobodnie eksperymentować. Jeśli nie uda się zaaranżować pokoju w bezpieczny sposób, to w momentach, gdy rodzice nie mogą pilnować dziecka, muszą ograniczyć jego przestrzeń do kojca. Nie należy jednak pozostawiać go w nim zbyt długo. To zniewaga w wieku, w którym doświadczanie wolności i ruchu są maksymalnie nasilone. Optowałbym za tym, żeby dać dziecku wolność odkrywania. Jednak pozwolenie na wolność oczywiście oznacza, że przez cały czas ktoś musi mieć dziecko na oku.

Rodzice wyjątkowo niefrasobliwych dzieci pytają mnie, jak rozpoznać, kiedy dziecko potrzebuje dyscypliny. Odpowiedź tkwi w dziecku – trzeba jedynie patrzeć i słuchać. Kiedy dotyka czegoś zakazanego i patrzy, czy rodzice widzą, lub coraz bardziej prowokuje swoim zachowaniem, oczywiste jest, że prosi o interwencję. Chce usłyszeć: „Przestań, już dosyć".

Napady złości zaznaczyły już swoją niepożądaną obecność w życiu piętnastomiesięcznego dziecka (zob. rozdział 9). Są niewygodne i żenujące dla rodziców, zwłaszcza gdy zdarzają się w miejscach publicznych. Wszyscy zgromadzeni patrzą wówczas na nich, jakby planowo i zawodowo znęcali się nad dzieckiem. W takiej sytuacji rodzice mogą zwrócić się do widzów z propozycją: „Czy ktoś z państwa chciałby pomóc mi poradzić sobie z dzieckiem?". Tłum natychmiast się rozpierzchnie.

Kiedy zdesperowani rodzice po raz pierwszy opowiadają mi o napadzie złości u dziecka, dotykają ważnego dla siebie i niego tematu. Wykorzystuję ten moment, aby ich wesprzeć, i widzę, jak oddychają z ulgą, słysząc, że takie zachowania są typowe dla dwulatka. U dziecka „z charakterem" z pewnością wystąpią w 2 roku życia. Choć zachowanie rodziców lub ich prośby mogły przyczynić się do ich wywołania, napady złości wynikają z wewnętrznego zamętu dziecka. Są przejawem jego prób poradzenia sobie z intensywnymi emocjami. Tylko ono samo może rozwiązać to niezdecydowanie, które jest ich przyczyną. Może się także nauczyć samodzielnie wyciszać, naśladując niezmącony spokój swoich rodziców w reakcji na jego złość. Gdy poradzi sobie z takim napadem, przybędzie mu pewności siebie i wewnętrznej siły.

Przypominam rodzicom, co mogą zrobić. Po pierwsze, powinni pamiętać o możliwościach wyboru rozwiązania, z których każde ma ostatecznie na celu oddanie sprawy w ręce dziecka. Mogą je podnieść i spokojnie przytulić bądź zabrać w bezpieczne miejsce, aby tam mogło dojść do równowagi. Jeśli to bezpieczne, mogą zniknąć dziecku na chwilę z oczu. Bez rodzica emocje nieco opadną. Następnie mogą zaraz wrócić, aby powiedzieć: „Przykro mi, ale nie mogę ci więcej pomóc. Jestem tutaj i kocham cię. Ten napad złości to twoje zadanie". Pozostawienie dziecku przestrzeni na opanowanie wewnętrznego zamętu nie jest tym samym co zostawienie go na pastwę losu. Należy zrobić to w taki sposób, aby wiedziało, iż jest nam przykro, że nie możemy mu pomóc. Obie strony wiedzą, że jakiekolwiek zabiegi jedynie przedłużą zamęt. Stanowcze określenie granic da dziecku pewność, że nie jest zdane tylko na siebie i nie znajdzie się w niebezpiecznej sytuacji, bez poczucia kontroli.

Niektórym rodzicom trudno jest opuścić złoszczącego się malucha, gdyż boją się, że zrobi sobie krzywdę. Kiedy rzuca się gwałtownie po podłodze czy uderza o nią głową, rzeczywiście można się wystraszyć. Niemniej jednak ryzyko wyrządzenia sobie krzywdy jest niewielkie. Jeśli ruchy dziecka są zbyt gwałtowne, można je przenieść na dywan lub do łóżeczka. Na szczęście w większości przypadków napad złości wycisza się, zanim stanie się coś złego.

Wiele lat temu spędziłem tydzień w stanie Oregon u rodziny z pięcioraczkami. Jedno z nich miało dramatyczne napady złości. Pozostała czwórka podchodziła wtedy blisko, próbując je powstrzymać. Ich próby skutkowały tylko nasileniem złości. Jedno dziecko próbowało trzymać brata za rękę, drugie położyło się obok na podłodze i nuciło, kolejne krzyczało na niego, a czwarte oblało go zimną wodą. Nic nie pomogło, więc się poddały. Brat natychmiast przestał płakać. Podniósł się i zaczął z nimi bawić, jakby nic się nie stało. To doświadczenie było wyraźnym dowodem na to, że napady złości są odzwierciedleniem wewnętrznego zamętu oraz że tylko samo dziecko może je opanować. Jedyną pomocą, jaką można zaproponować, jest wsparcie, ale nie ingerencja. Gdy jest po wszystkim, rodzice mogą zapewnić dziecko, iż rozumieją, jak ważne dla niego jest to wewnętrzne zmaganie oraz jak trudno jest poradzić sobie z tak intensywnymi emocjami.

Ważnym celem dla rodziców jest znalezienie prostych sposobów nauczenia dziecka samokontroli, bez wikłania się w jego zmagania i zniżania do jego poziomu. Stosowanie metody wyciszenia (*time out*) – jako sposobu na ochłonięcie, a nie jako kary – jest bardzo skuteczne pod koniec drugiego roku. Stanowcze, krótkie przytrzymanie dziecka, włożenie go na chwilę do łóżeczka lub zaniesienie do jego pokoju służą przerwaniu narastającego nieznośnego zachowania. Dobrze jest to zrobić, zanim dziecko całkowicie straci panowanie nad sobą. Kiedy się uspokoi, należy mu powiedzieć, że rodzice zostali zmuszeni do takiego działania jego zachowaniem, a teraz mają mu do zaoferowania mnóstwo całusów i chcą je przytulić.

Lęki

Wraz z nadejściem cudownej niezależności i nowej świadomości wynikającej z odkrywania świata nieuchronnie pojawią się różnego rodzaju lęki. Dziecko może zacząć bać się kąpieli w wannie. Rozwiązaniem może być wspólna kąpiel z rodzicem.

Należy przy tym uważać, aby nie zostawiać dziecka samego – wanna jest śliska i maluchowi trudno będzie w niej ustać. Mycie głowy będzie powodem przeraźliwych wrzasków, więc nie należy tego robić zbyt często. Być może znów pomocne okaże się wejście do wanny razem z dzieckiem. Można pozwolić mu nałożyć szampon na włosy rodzica, zanim zamoczymy jego włoski. Trzeba wprowadzić w tę czynność element zabawy – i pamiętać, że szampon nie może drażnić oczu. Spłukanie go może stanowić pewien problem, gdyż lęk tuptusia przed utratą równowagi podczas przechylenia głowy w tył jest w tym okresie życia największy.

Rozwój motoryczny

Kiedy dziecko nauczy się stawiać pierwsze kroki, będzie zawzięcie ćwiczyło tę umiejętność przez cały dzień. Wygięte lędźwie, wystający brzuszek, stopy rozstawione szeroko i skierowane na zewnątrz – maluch wygląda jak kaczuszka. Kiedy nabierze doświadczenia i poradzi sobie z równowagą, zacznie stawiać stopy równolegle. Dopiero po dłuższej praktyce będzie potrafił wykonywać równocześnie jeszcze inne czynności. Jeśli umie chodzić i trzymać w rączce zabawkę, oznacza to, że chodzi już od miesiąca. Sięganie rączką lub patrzenie w górę wymaga dwumiesięcznego doświadczenia. Z kolei obracanie się oraz kucanie wymagają od dwóch do trzech miesięcy praktyki.

Najlepiej uczyć się chodzić boso. Paluszki chwytają się wtedy podłoża i wykształca się wklęsłość w stopach. Jest to doskonałe ćwiczenie. Buty przydadzą się później. Będą zabezpieczeniem przed zimnem i ostrymi powierzchniami.

Uwaga

Jeszcze raz przypominam, że schody powinny być zabezpieczone od dołu i od góry. Wchodzenie i schodzenie po nich będzie bardzo intrygującą czynnością. Dziecko powinno się jej nauczyć, ale nie jest jeszcze gotowe, aby zrobić to w samotności. Wchodzenie na schody wysłane dywanikami będzie łatwiejsze i bezpieczniejsze, jednak niezależnie od tego wymaga asysty dorosłych.

Karmienie

Podczas tej kolejnej wizyty chcę się upewnić, że mały tuptuś samodzielnie wybiera, co chce zjeść. Pytam rodziców, czy dziecko samo dokonuje wyboru i czy oni są w stanie dać mu takie prawo. Powracam do kwestii diety minimalnej, gdyż wiem, jak trudno jest rodzicom (a zwłaszcza mamie) zgodzić się na niezależność dziecka w tej dziedzinie.

Dorośli mają poczucie, że powinni przemycić na łyżeczce przynajmniej zmiksowane papki. Jednak dziecko w tym wieku nie potrzebuje już papek. Wszystko, co rodzice chcą podać mu w takiej formie, można zamienić na kawałeczki, które zje paluszkami, lub podać mu inaczej. Kiedy rodzice protestują: „Nie będę się starać i przygotowywać czegoś specjalnie dla niej tylko po to, aby ona odmówiła jedzenia", proszę ich, by się tak nie przejmowali. Reagują emocjonalnie na pozorną nieakceptację ich kuchni przez dziecko, ale prawda leży jednak gdzie indziej – rodzice mają potrzebę kontrolowania diety swojej pociechy. Rozwiązanie jest proste – należy przestać gotować „dla dziecka", a posłuchać, co ono samo próbuje zakomunikować: „Chcę sam(-a) decydować". Sugestie rodziców w rodzaju: „Popatrz, co specjalnie dla ciebie ugotował tatuś", „Chcesz trochę tej pysznej fasolki szparagowej z talerza mamusi?" albo: „Popatrz, twoja starsza siostrzyczka **uwielbia** warzywa" są oczywistą próbą wywierania presji, która z pewnością odstraszy malucha i doprowadzi do problemów w odżywianiu. Jeśli rodzice odpuszczą i nie będą nalegać, dziecko najprawdopodobniej zje posiłek. Należy jedynie zadbać, aby to, co dają dziecku do wyboru, mieściło się w diecie minimalnej: mięso zawierające żelazo, jajka, zboża, mleko, owoce i witaminy (zob. też rozdział 9).

Dzieciom, które nie lubią mleka, jogurtu czy lodów, można podać produkty zastępcze (jeśli nie będą one zawierały witaminy D, należy ją uzupełnić). W pierwszych latach życia ze względu na rozwój mózgu należy podawać mleko o zawartości tłuszczu większej niż 2%. Jeśli dziecko chce zacząć pić z kubka, mimo że rozlewa, można osłonić podłogę i pozwolić mu na to albo podać kubek w kąpieli. Na jakiś czas trzeba przymknąć oko na bałagan. Nie należy się do niczego spieszyć i ponaglać dziecka, by zrezygnowało ze swojego kubeczka z nakładką. W jego rozwoju zachodzą właśnie ważne procesy.

Takie niedyrektywne podejście do karmienia jest trudne dla wielu rodziców, zwłaszcza dla matek. Karmienie postrzega się bowiem jako czynność przynależną instynktowi macierzyńskiemu. Niewłaściwe odżywianie rzeczywiście stanowi poważny światowy problem, ale nie jest zbyt prawdopodobne, aby dotknęło dzieci, które mają dostęp do odpowiedniego pokarmu. Jeśli rodzicom trudno poradzić sobie z tą krytyczną sferą niezależności dziecka, szukam odpowiedzi w tym, co psychoanalityk Selma Fraiberg nazywa „duchami nad kołyską". Niektóre matki opowiadają mi straszne historie o karmieniu na siłę czy zostawianiu dziecka przy stole na kilka godzin, aby dokończyło posiłek. Obawiam się, że wczesne zmagania z jedzeniem mogą zostawić trwałe ślady, i próbuję przekonać rodziców, że nie muszą podejmować takiego ryzyka. Najlepszym środkiem zapobiegawczym przy jakichkolwiek problemach w tej dziedzinie będzie wycofanie się i pozostawienie karmienia w rękach dziecka. Odnajdzie ono równowagę i rozwinie poczucie niezależności. Każdy dorosły wie, że jedzenie, które się samemu wybiera, smakuje lepiej.

W tym wieku można podjąć próby posługiwania się kubkiem i łyżeczką. Jeśli rodzice potraktują to jak zabawę, dziecku przybędzie poczucia pewności siebie. W międzyczasie wystarczą mu proste posiłki oraz dużo mleka lub mieszanki mlecznej.

Sen

Zwykle wkrótce po opanowaniu sztuki chodzenia dziecko wraca do przesypiania całej nocy. Należy jednak nadal przestrzegać rytuału samodzielnego układania się do snu. Niektórym dzieciom wystarczy teraz jedna drzemka w ciągu dnia – najlepiej wczesnym popołudniem, aby nie zaburzyć pory odpoczynku nocnego. Jeśli dziecko budzi się w środku nocy, można spróbować wybudzać je na chwilę przed położeniem się rodziców – dzięki temu wszyscy będą się wysypiać.

Rodzice, którzy zdecydowali się na dzielenie łóżka z dzieckiem, być może rozważają teraz inne rozwiązanie. Dziecko śpiące razem z rodzicami może budzić się częściej niż inne dzieci, na przykład o 2:00 i 5:00 nad ranem. Można zastosować rozwiązanie przejściowe polegające na ustawieniu łóżeczka dziecka obok łóżka rodziców. Łatwo będzie wówczas bez wstawania pomóc mu w ponownym zaśnięciu, gdy wybudzi się w fazie snu płytkiego. Rodzicom, którzy doświadczyli jakiejś straty w przeszłości bądź mieli w dzieciństwie problemy ze snem lub rozłąką, trudno będzie zrezygnować ze spania z dzieckiem. Nawet gdy się na to zdobędą, każde uniesienie powieki lub jęknięcie będzie stanowiło dla nich sygnał do natychmiastowej reakcji i prób ukojenia. Każde dziecko, które otrzyma takie wzmocnienie, będzie walczyło o następne.

Zabawa

Głównym celem malucha podczas wizyty w gabinecie będzie przyciągnięcie uwagi mojej i rodziców, więc bawiąc się, zrobi wszystko, co w jego mocy, aby utrudnić naszą rozmowę. Biorąc jedną zabawkę po drugiej i mówiąc: „to, to", ma nadzieję sprowokować nas do reakcji. Choć nie potrafi jeszcze skupiać uwagi przez dłuższy czas, staram się, aby dokładnie obejrzał każdą zabawkę. Czy można zmotywować dziecko, żeby długo bawiło się jedną rzeczą? Czy łatwo się rozprasza i przechodzi do następnej zabawki? Czy niepokój związany z pobytem w gabinecie uniemożliwia mu koncentrację?

W tym wieku trudno jest rozróżnić, kiedy mamy do czynienia z naturalnie krótkim okresem utrzymywania uwagi, wynikającym z niespożytej energii typowej dla malucha, a kiedy z deficytem uwagi. Istnieje jednak kilka objawów, które mogą pomóc to ocenić. Jeśli dziecko jest nadpobudliwe, najprawdopodobniej nie potrafi także utrzymać uwagi – przenosi ją z jednej zabawki na drugą, nie czerpiąc zadowolenia z żadnej z nich. Nie daje sobie czasu ani na dokładne przyjrzenie się, ani dłuższą zabawę. Nie pozwala mu na to jego rozproszenie. Każdy dźwięk lub bodziec wizualny odrywa je od tego, co robi. Próg wrażliwości na bodźce jest bardzo niski, uniemożliwiając dziecku selektywne skupienie się na użytecznych lub interesujących informacjach. Za to rozproszenie płaci ono wysoką cenę. Ciągle jest w ruchu, jakby chciało w ten sposób poradzić sobie z nadmiarem bodźców. Na jego buzi może malować się obojętność albo zmartwienie.

Jeśli uda się wcześnie zdiagnozować deficyt uwagi, mogę pomóc rodzicom zmniejszyć liczbę bodźców wokół dziecka. W niektórych sytuacjach wymagających koncentracji, na przykład w porach posiłków lub przyswajania jakiejś umiejętności, będzie to bardzo istotne. Jeśli takie dziecko jest dodatkowo nadwrażliwe na bodźce, co się często zdarza, może się z czasem nauczyć sposobów panowania nad sobą w sytuacjach nadmiernej stymulacji: stosowania metody wyciszenia (nie jako kary, ale sposobu na wyciszenie), sięgnięcia po przytulankę lub rozpoczęcia jakiejś aktywności w celu odcięcia się od niepożądanych bodźców. Jeżeli takie dziecko jest również nadpobudliwe, pomoże ograniczenie bodźców, a także uważne trzymanie się rytmu dnia i rutyny, aby zrównoważyć działania angażujące motorykę dużą i małą. Jeśli rodzice nie rozpoznają tego problemu, będą postrzegać dziecko jako rozpieszczone albo zwyczajnie niegrzeczne. Ich nadmierna reakcja może jeszcze dolać oliwy do ognia, a wówczas napięcie oraz chaos w rodzinie sięgną zenitu. Rodzice takich dzieci potrzebują wsparcia podczas każdej wizyty oraz w domu, a być może również skierowania do ośrodka wczesnej interwencji (zob. rozdział 25).

W tym wieku większość dzieci potrafi już ułożyć wieżę z czterech klocków. Na ogół umieją też odnaleźć ukrytą zabawkę, gdy najpierw widzą, jak dorosły chowa ją pod jeden, a potem pod drugi kocyk. To zadanie nosi nazwę „dwa przemieszczenia". Testowanie stałości przedmiotów to urocza zabawa, a jednocześnie wiele mówiące zadanie poznawcze. W pierwszych miesiącach drugiego roku zaczyna się także zabawa symboliczna. Czy dziecko karmi lalkę zabawkową butelką? Czy nuci jej i nosi ją, tak jak rodzice je? Czy buduje z klocków garaż – symbolicznie zaznacza przestrzeń?

Kiedy dorosły rozpoczyna rytmiczne zabawy, na przykład „Tu sroczka kaszkę warzyła...", czy dziecko wie, co nastąpi dalej? Czy śmieje się, kiedy trzyma się jego rączki i klaszcze nimi, a potem przestaje? Czy potrafi rozpoznać powtarzany wielokrotnie wzorzec, a następnie zareagować zdziwieniem i radością na jego nagłą zmianę?

Dziecko zaczyna lepiej rozumieć prawo przyczyny i skutku. Może już samo próbować nakręcić zabawkę, a nie wyręczać się rodzicami. Każdy aspekt zabawy – która, jak powiedział Michel de Montaigne, jest „najpoważniejszym zadaniem dziecka" – określa jego dojrzałość. Widzimy, jak odzwierciedla ona rozwój poznawczy, motoryczny i emocjonalny dziecka.

Mowa

W tym aspekcie nadal dominuje bełkot dźwięków, zwłaszcza w nocy i w łóżeczku. Powtarzanie słów i wyrażeń oraz modulacja głosu świadczą o tym, że dziecko przygotowuje się do mówienia. Dorośli nie mogą się oprzeć poprawianiu wszelkich błędów, choć w rzeczywistości nie chodzi tu o korektę – prezentując właściwą wymowę, prowadzą dziecko do następnego etapu.

Wydaje się, w tym okresie dziecko używa bardzo mało czasowników, przymiotników czy przysłówków – jego celem są rzeczowniki: „mama", „tata", „piciu". Od czasu do czasu pojawi się „jeszcze" lub „nie". Jednak dziecko przez cały czas uważnie słucha języka dorosłych, próbując rozszyfrować, w jaki sposób słowa łączą się ze sobą oraz jak określa się czynności związane ze znanymi już rzeczownikami. Wskazując na przedmiot lub kiwając główką, wyraża działania bez czasowników – „chcę" lub „daj" weszły już do jego niewerbalnego repertuaru. Dzieci w tym wieku potrafią być naprawdę sfrustrowane brakiem umiejętności mówienia. Precyzyjnie używają gestów i rozumieją niemal wszystko, co mówią do nich dorośli.

Perspektywa na przyszłość

Drugi rok życia dziecka to uczenie się rodzicielstwa na nowo. Pierwszy rok i towarzyszące mu zakochanie w dziecku to czas przewidywalności i satysfakcji. Wysiłki rodziców spotykały się z natychmiastową reakcją ze strony niemowlęcia. Teraz już tak nie będzie. Od tej pory mały tuptuś będzie dokonywał własnych wyborów. Rodzice skarżą się: „Czy ona jest głucha? A może słyszy mnie, ale nie obchodzi jej, co mówię? Co mam zrobić, aby mieć na nią wpływ?". Etap, który określa się mianem „straszne dwulatki", może być koszmarny dla rodziców, ale nie dla dzieci. Drugi rok to okres przyspieszonego uczenia się. Wiele razy gdy dziecko „buntuje się" lub „nie słyszy", zmaga się ze swoimi reakcjami i skupia całą swoją uwagę, aby uporać się z emocjami. Nie jest to łatwy czas dla rodziców, gdyż mają poczucie, że albo nie panują nad dzieckiem, albo cały jego negatywizm jest skierowany przeciwko nim. Stoi przed nimi trudne zadanie odróżnienia, kiedy dziecko zmaga się z samym sobą, a kiedy rzeczywiście buntuje się i potrzebuje dyscypliny. Skok w niezależność niesie ze sobą niezwykłą energię do odkrywania i uczenia się świata. Podobnie jak wcześniej, uczenie się rodzicielstwa w drugim roku polega na uczeniu się na błędach. Satysfakcja, jaką rodzice czerpali z zadań w pierwszym roku, dawała im siłę do podążania za wskazówkami dziecka. Teraz muszą odnaleźć własną drogę – na zupełnie innym poziomie.

W drugim roku pojawia się ważny moment rozwojowy wynikający z intensywnej potrzeby dziecka próbowania wszystkiego samemu – czy jest na to gotowe, czy nie – oraz dramatycznych wysiłków rodziców, aby dotrzymać mu kroku i zapanować nad sytuacją. Skonfrontowani z niepohamowanym parciem dziecka naprzód rodzice zastanawiają się, kto dyktuje warunki. Jeśli wyrażą swoją potrzebę kontroli, dziecko odpowie negatywizmem i oporem. Rodzice mogą mieć poczucie, że ponieśli porażkę. Ciągła reorganizacja w celu znalezienia nowego sposobu radzenia sobie z opornym maluchem – oto wizja rodzicielstwa w drugim roku. Umiejętność odwracania uwagi jest nieodzowna, ale nie zawsze skuteczna. Inna ważna strategia to konsekwentne i stanowcze skupianie się na rzeczach ważnych, a pomijanie tych mniej istotnych. Dobrze jest też nauczyć się przekazywać dziecku kontrolę – oczywiście w dziedzinach, w których można mu zaufać, i wycofywać się z tych, które mają znaczenie tylko dla niego. Dla rodziców, którzy nie mają elastycznego podejścia, rzeczywiście może to być straszny rok. Natomiast dla tych, którzy potrafią stawić mu czoła z poczuciem humoru, może być fantastyczny!

Oczywiście łatwiej powiedzieć, niż zrobić. „Za każdym razem, gdy proszę go o coś, stawia opór", „Nawet swoją postawą mówi »nie«", „Albo w ogóle nie reaguje, albo wygina się z całej siły do tyłu" – ten negatywizm pojawia się, gdyż każda sugestia czy prośba rodzica rodzi w dziecku dylemat: „Zrobić czy nie zrobić?", „Chcę czy nie chcę?". Jeśli zależy nam na jakimś zachowaniu, nie możemy dawać dziecku wyboru. Skuteczne może też być powiedzenie, aby czegoś nie robiło. Jeśli coś jest ważne, trzeba być stanowczym, jeśli zaś nie – można odpuścić. Im mniej konfrontacji, tym lepiej. Okaże się wówczas, że nawet z tych kilku dziecko wiele się nauczyło.

Trening czystości

Podczas każdej wizyty podkreślam wciąż na nowo, jak ważne jest, aby zaczekać z treningiem czystości do końca 2 roku życia. Rodzice, którzy są niecierpliwi, mówią: „Ale on już zdaje sobie sprawę, co się dzieje. Kiedy zrobi kupkę, ciągnie za spodenki" albo: „Chowa się w kąt i robi kupkę do pieluszki". To są niezwykle jasne sygnały, które tym bardziej podkreślają fakt, że kiedy nadejdzie właściwy czas, dziecko będzie chciało panować nad wypróżnianiem. Należy być cierpliwym. Czekamy, aż dziecko samo poczuje, że potrafi to zrobić – musi chcieć zrobić to dla siebie samego, nie zaś tylko po to, by zadowolić rodziców.

Alergie

Najlepszym sposobem radzenia sobie z alergią jest zapobieganie jej. Wielu z nas ma genetyczne skłonności do uczulenia na określone substancje i do reakcji alergicznej po kontakcie z nimi. Niektóre objawy alergii, na przykład wysypka lub nagłe, poważne trudności w oddychaniu, mogą być wywołane przez pojedyncze czynniki, takie jak użądlenie pszczoły, lateks, skorupiaki czy orzeszki ziemne. Z kolei choroby o podłożu alergicznym, jak katar sienny, astma i wyprysk (egzema), mogą zostać wywołane przez kombinację alergenów. Do wywołania pewnych objawów alergii, takich jak kichanie, świszczący oddech czy zatkany nos, potrzebny jest więcej niż jeden czynnik wyzwalający. Mechanizm ten można porównać do stawiania wieży klocek po klocku, aż się w końcu przewróci. Do pewnego poziomu wiele łagodnych alergenów może nie wywoływać objawów. Kiedy jednak dodamy do siebie kota, futro, kurz, pleśń, pierze, materace wypełnione włosiem oraz stres, organizm może takiej dawki nie wytrzymać i efektem tego będzie świszczący oddech astmatyczny, katar sienny lub wyprysk. Objawy te mogą zostać wywołane przez jeden alergen, a kolejnym razem przez inny. Ponieważ stres emocjonalny czy rozłąka mogą wywołać objawy astmy, niektórzy rodzice się obawiają, że ich niepokój albo presja mogły przyczynić się do wystąpienia dolegliwości u dziecka. Wynikiem takiego obwiniania się jest zaprzeczanie – mechanizm obronny, który może ich powstrzymywać od działania w celu pozbycia się czynników wywołujących nawroty. Zaprzeczanie może wystąpić w przypadku chorób, których objawy pojawiają się i znikają, dając nadzieję, że nigdy nie powrócą.

Wczesne, pierwotne zapobieganie alergii (niedopuszczenie do uczulenia na specyficzne alergeny) jest ważnym zadaniem, szczególnie w przypadku dzieci, które mogły odziedziczyć skłonność do reakcji alergicznych. Najlepszym znanym sposobem zapobiegania alergii jest unikanie kontaktu z popularnymi substancjami wywołującymi reakcje alergiczne w krytycznym okresie wrażliwości, który najprawdopodobniej trwa przez co najmniej sześć pierwszych miesięcy życia, jeżeli nie przez większość pierwszego roku. Można zapobiec alergiom – zwłaszcza pokarmowym – poprzez wstrzymanie się z wprowadzeniem do diety takich pokarmów jak zboże, jaja, truskawki, orzeszki ziemne i inne, które łatwo wywołują uczulenie i alergię podczas pierwszych dziewięciu miesięcy lub dłużej. Wydaje się, że takie postępowanie może również zapobiec astmie i wypryskowi (egzemie) lub zmniejszyć ich nasilenie w późniejszym okresie. Tak samo istotna jest wtórna prewencja. U dziecka, które jest już uczulone na jakąś substancję, ale nie ma z nią kontaktu, z upływem czasu reakcje alergiczne mogą stać się łagodniejsze, a ich wywołanie – trudniejsze. Z mojego doświadczenia wynika, że im starsze jest dziecko w momencie pojawienia się reakcji alergicznej, tym więcej potrzeba kontaktów z alergenem, aby wywołać objawy.

Zalecam zatem, aby we wczesnym dzieciństwie za wszelką cenę starać się zapobiegać reakcjom alergicznym. Jeżeli pojawi się wysypka, rodzice powinni potraktować ją poważnie i wyeliminować wszystkie nowe pokarmy. Jeżeli wysypka nadal się utrzymuje, należy zmienić mydło na hipoalergiczne, a do prania ubranek dziecka używać hipoalergicznego detergentu. Trzeba sprawdzić, czy w ubraniach i kocach nie ma wełny, oraz unikać poduszek, pufów i materaców z pierza. Jeżeli „winowajcą" jest pluszowa lub inna zabawka, stopniowo trzeba ja zamienić na inną, nieszkodliwą. Jeżeli dom ogrzewany jest wymuszonym obiegiem ciepłego powietrza, należy zasłonić wyloty w pokoju dziecka ośmioma warstwami gazy, która będzie pełniła rolę filtra. W okresie pylenia najlepiej zamknąć wylot i nie otwierać okna na noc w pokoju dziecka. Pomocny będzie również oczyszczacz powietrza.

Kiedy dziecko będzie starsze, należy mu powiedzieć, jak ma postępować z alergią. Rodzice powinni pozwolić, aby samo sygnalizowało, kiedy potrzebuje leku na skórę, świszczący oddech albo katar. Gdy podają mu lekarstwo w okresie zaostrzenia astmy albo rozpoznają alergen, który może być wyeliminowany, powinni pamiętać o poinformowaniu dziecka: „Widzisz, wiedziałeś, co trzeba zrobić, a kiedy to zrobiliśmy, zadziałało".

Najbardziej przerażającym aspektem zaburzeń alergicznych wywołującym niepokój dziecka jest uczucie, że nikt nie wie, jak mu pomóc. Dla rodziców mam kilka sugestii. Przede wszystkim powinni podjąć działania prewencyjne, takie jak opisane wyżej. W przypadku reakcji alergicznych potencjalnie zagrażających życiu, które pojawiają się nagle – takich jak obrzęk i ciężka duszność po użądleniu przez pszczołę – powinni nauczyć się podawania zastrzyków z adrenaliną i mieć zawsze w pogotowiu ampułko-strzykawkę (trzeba pamiętać o jej zabraniu na każdą wycieczkę). Jeżeli pojawi się jakikolwiek objaw alergii, należy szybko zadzwonić po pomoc. Rodzice powinni powiedzieć dziecku, co robią i dlaczego. Najlepszym sposobem zapobiegania niepokojom i uczuciu bezradności, które niekiedy towarzyszą takim sytuacjom i zaostrzają pewne objawy alergiczne, takie jak astma czy egzema, będzie umożliwienie dziecku panowania nad objawami alergii w późniejszym wieku (zob. też rozdział 14).

Zmieniające się przywiązania

Dziecko niemal zawsze będzie traktowało każdego z rodziców w inny sposób. Najtrudniejsze zachowania zachowa dla tego, na którego może częściej liczyć, czyli dla mamy, gdyż najprawdopodobniej to ona spędza z nim więcej czasu. Tatę może zaś traktować jako kogoś wyjątkowego, zwłaszcza jeśli niezbyt często go widuje. Takie różnice w traktowaniu mogą wywołać zazdrość. Należy sobie jednak uświadomić, że są one normalne i jawią się jako naturalny sposób testowania siły przywiązania.

W następnych miesiącach dynamika rodziny nadal będzie się zmieniać – dziecko, które do tej pory było oczkiem w głowie rodziców, zacznie wykazywać większą niezależność. Jeśli mama lub tato ciągle jeszcze pozostają z nim w domu, zaczną się wówczas zastanawiać nad powrotem do pracy, być może na część etatu, lub nad włączeniem dziecka na przykład do grupy zabawowej[22]. Takie myśli nieprzypadkowo pojawiają się w tym właśnie okresie życia dziecka, w którym równoważą się dwie tendencje w jego zachowaniu: niezależność i manifestująca się podążaniem za rodzicem krok w krok zależność. W tym wieku taka mała grupa rówieśnicza to doskonały pomysł. Dziecko bardzo dużo uczy się od równolatków. Kiedy we własnym tempie przywyknie do towarzystwa jednego lub dwójki dzieci, łatwiej będzie podjąć decyzję co do rodzaju dalszej opieki nad nim. Drugi rok to doskonały czas na początek nawiązywania relacji z innymi dziećmi.

Różnice indywidualne

Drugi rok wydobywa na światło dzienne różnice między dziećmi. Te spokojne i czujne stają się jeszcze bardziej uważne i „osiadłe", żywe i dynamiczne zaś pozostają nieustannie w ruchu. Te drugie wydają się nie mieć czasu na naukę mówienia czy zademonstrowanie swoich umiejętności poznawczych. Cały czas są w ruchu. Rodzice określają je jako nadpobudliwe, gdyż rzeczywiście potrafią skupić uwagę tylko na krótko. Mają ogromną potrzebę ruchu. Natomiast dzieci mniej aktywne koncentrują całą swoją energię na rozwijaniu drobnych umiejętności motorycznych i obserwacji.

Rodzice martwią się tymi różnicami. Potrzebują zapewnienia, że wszystko jest w porządku, jeżeli ich dzieci mieszczą się na którymś krańcu spektrum. Spędzają bardzo dużo czasu na porównywaniu swojego dziecka do innych: „Dlaczego nasze jeszcze nie chodzi?", „Nie jest taki ruchliwy jak inne dzieci", „Nie zatrzymuje się. Nie usiedzi ani na chwilę, aby obejrzeć książeczkę czy wtulić się we mnie. Inne dzieci to takie przylepki, a on nie".

---

[22] Grupy zabawowe (*play group*) to spotkania rodziców z małymi dziećmi odbywające się kilka razy w tygodniu i trwające kilka godzin (przyp. tłum.).

Ponieważ wielu rodziców dokonuje takich porównań, zastanawiał mnie ich cel. Doszedłem do wniosku, że obserwując inne dzieci, rodzice zdobywają informacje o procesie rozwojowym. Analizując różnice, potrafią stworzyć pełne spektrum. Wiem z własnego doświadczenia, ile można się nauczyć z obserwacji indywidualnych stylów zachowań poszczególnych dzieci. Martwi mnie tylko fakt, że ten proces porównywania wprowadza niepokój i dręczy rodziców. Zamiast zaakceptować dziecko takim, jakie jest, dorośli chcą je wcisnąć we wzorzec dziecka „idealnego". Gdybym mógł jako pediatra wpłynąć na jedną rzecz, to życzyłbym sobie, aby rodzice cieszyli się indywidualnością swojej pociechy. Niebezpieczeństwo porównywania polega na tym, że dziecko może nabawić się poczucia niższości. Na przykład mali chłopcy zwykle rozwijają się nieco wolniej niż dziewczynki, ale potem nadrabiają różnice. Natomiast ich rodzice chcą, aby od razu byli szybcy i aktywni. Zamiast zmuszać dziecko do wpasowania się w jakiś szablon, powinni raczej skupić się na nim samym i czerpać radość z jego indywidualnego tempa rozwoju.

Kiedy w rozmowie z rodzicami pojawiają się porównania, próbuję chwalić ich dziecko, podkreślając jego własny styl uczenia się – jego szczególne zachowania, zmagania i zwycięstwa.

11

Osiemnasty miesiąc

Kiedy mały tuptuś wchodzi do mojego gabinetu, od razu zaczyna penetrować teren. Rozpromienieni rodzice są pełni dumy i radości, gdy podzielam ich podziw dla stabilności dziecka podczas chodzenia oraz jego nieustającego zapału w odkrywaniu świata. Każde słowo wypowiedziane przez malucha – może z wyjątkiem jednego – jest dla nich jak perełka spływająca z jego ust. Rodzice upewniają się, czy doceniam także lingwistyczne zdolności dziecka. Jednak kiedy zbliża się ono do mojego biurka, lampki lub półki z książkami i chce po coś sięgnąć, mówiąc „Nie!", domyślam się, czego będą dotyczyły pytania rodziców podczas tej wizyty. Niecierpiące zwłoki będą te związane z nasilającym się negatywizmem. „W ogóle mnie już nie słucha! Nie chcę jej dawać klapsa, ale czasami nie wiem, co robić. Nakręca się i nakręca, aż w końcu muszę jakoś zareagować. A na podłogę rzuca się w najbardziej publicznym miejscu" – mamy często ze łzami w oczach opowiadają o zmianach w zachowaniu swoich dzieci. Ojcowie przeważnie poruszają temat kar. Wiem, że moim najtrudniejszym zadaniem będzie pomóc im zrozumieć ten trwający ciągle skok w niezależność i towarzyszący mu negatywizm. To jest najważniejszy proces w tym momencie rozwoju. Pytania rodziców odzwierciedlają ich perspektywę – próby pogodzenia wspierania asertywności dziecka z dyscypliną, która ma nauczyć je panowania nad sobą. Jest to zadanie długofalowe.

Kiedy przypominam im, że wszystkie dzieci przechodzą przez taką fazę, z ulgą kiwają głowami. Wiedzą, że ich tuptuś uczy się tak wielu rzeczy i w takim tempie, iż trudno mu ogarnąć to wszystko bez kryzysów. Jednak moje zapewnienia wystarczają tylko na chwilę. Ważne będzie więc również zrozumienie, że negatywne zachowania mają pomóc dziecku poradzić sobie z ogarnięciem swojej niezależności. Prowokacyjne zachowanie malucha, na które rodzice muszą reagować dyscypliną, odzwierciedla jego desperackie dążenie do określenia granic. Rodzice muszą znaleźć skuteczne sposoby dyscyplinowania, które nakreślą te granice. Wewnętrzny chaos prowadzący do napadów złości pokazuje intensywność emocji dziecka oraz wskazuje, że potrzebuje ono pomocy w poradzeniu sobie z nimi. Gdy rodzice zrozumieją cel dziecka, może będą umieli podziwiać, jak daje sobie z tym wszystkim radę, i cieszyć się zachodzącym procesem.

W dzisiejszych czasach wielu rodziców małych dzieci pracuje i przez cały dzień przebywa poza domem. Kiedy wracają wieczorem, marzą o cudownym spotkaniu z rodziną. Często w zamian dostają coś zupełnie innego. Zdrowy tuptuś zachowuje wszystkie najbardziej intensywne emocje dla nich. Czeka cały dzień, aby w momencie spotkania – w domu lub w żłobku – wybuchnąć. Na widok rodziców może wyrzucić z siebie wszystko naraz – przewrócić się, krzyczeć, kopać i uderzać głową o podłogę. Podczas ubierania będzie przeraźliwie wrzeszczeć i wyrywać się. Pewien tato opowiadał mi, że w takiej sytuacji niemal upuścił dziecko, a co najgorsze – chciał to zrobić: „W pośpiechu zakończyłem pracę, tak byłem podekscytowany, że jadę odebrać córkę ze żłobka. W nagrodę dostałem krzyki i przerażenie. Jak ja jej wtedy nie lubiłem. Najgorsze, że opiekunka widziała to wszystko i powiedziała: »Ona nigdy tego nie robi, gdy zostaje ze mną«. Boże, jak ja się wtedy czułem!".

Być może opiekunka ze żłobka chciała tylko zapewnić tatę, że dziecko miało się dobrze przez cały dzień. Jednak jej uwaga jest też przykładem trzymania straży. Wspomniałem już o nieświadomej, niepisanej rywalizacji pomiędzy dwojgiem rodziców (zob. rozdział 1). Ma ona miejsce również pomiędzy opiekunami a rodzicami. Gdyby opiekunka powiedziała: „Tak bardzo czekała na pana. Nigdy wcześniej nie ujawniała tylu emocji", tato nie odczytałby tego kryzysu dziecka jako odrzucenia. Zawodowi opiekunowie rzadko są obdarzani takimi emocjonalnymi wybuchami, jakimi witani są rodzice.

Negatywizm to jedna strona medalu – druga to współpraca i troska. W każdym procesie rozwojowym muszą pojawić się emocje komplementarne. Mały tuptuś musi wypróbować obydwu – zarówno tych negatywnych, jak i pozytywnych. Bez intensywnego okresu negatywizmu dziecko byłoby bierne i przeżywałoby wewnętrzny konflikt. W 2 roku życia nieuchronne jest pojawienie się sprzecznych emocji, które trzeba w jakiś sposób wyrazić. Zadaniem rodziców jest uznanie ich za część ważnego procesu rozwojowego i zaakceptowanie, ale także nauczenie dziecka sposobów panowania nad nimi. Uczenie się samokontroli i życia z ambiwalentnymi uczuciami to długi proces, a pierwsze lekcje mogą przebiegać bardzo burzliwie. Gdy podczas którejś wizyty podziwiałem negatywizm dziecka, jego poirytowana matka powiedziała: „Wydaje się, że pan uwielbia negatywnie nastawione dzieci". Owszem, pod warunkiem że nie są moje.

Dyscyplina

Mały tuptuś musi zbadać granice wytrzymałości każdego ze swoich opiekunów. Każdy z nich zobaczy inne jego oblicze. Niania lub babcia mogą zauważyć, że znalazły sposób na uspokojenie dziecka, gdy jest ono bardzo poirytowane: „Jeśli jej nie wyciszę, staje się nie do opanowania, niszczy wszystko i rzuca się na podłogę. Jest wtedy taka biedna. Kiedy biorę ją na kolana i kołyszę, uspokaja się. Natomiast gdy po południu pojawiają się rodzice, zaczyna znów naciskać. Nie dają sobie z nią rady. Nie lubię, gdy znów staje się nie do opanowania. Ale jak mogę im pomóc?". Odpowiadając na to pytanie, po pierwsze, zapewniam opiekunkę, że dzięki jej zabiegom dziecko stopniowo uczy się samokontroli. Po drugie, zaznaczam, że dzieci wobec każdego dorosłego zachowują się inaczej. Po trzecie, sugeruję, że dziecko zwykle na koniec dnia zachowuje dla rodzica wszystkie najbardziej intensywne emocje. Zalecam, aby opiekun się wycofał, gdy wracają rodzice. W przeciwnym razie będą mieć do czynienia z trójkątem, w którym nikt nie wygra. Dziecko czerpie cenne informacje z różnorodności postaw i stylów opieki, zarówno każdego z rodziców, jak i opiekuna.

Wydaje się, że w tak krótkim czasie, jaki mają do swojej dyspozycji pracujący rodzice, niemożliwe jest wprowadzenie konsekwentnej dyscypliny. „Tak się cieszymy, że już jesteśmy z dzieckiem, ale po pół godzinie kopania i krzyków zaczynamy żałować, że wróciliśmy z pracy. Podczas weekendów wygląda to tak, jakby ona badała, na co jeszcze może sobie pozwolić. Testuje nas, aż wybuchamy złością i jesteśmy wykończeni. Wiem, że karze nas za nieobecność w ciągu tygodnia, ale co mam zrobić? Wcale nas nie cieszą te wspólne weekendy". Poczucie winy dodatkowo nasila kryzys. Rodzice nie zdobędą się na egzekwowanie dyscypliny, jeśli są nieobecni przez cały dzień. Jednak dyscyplina jest dla dziecka ważna. Testujący tuptuś wysyła bardzo jasny komunikat. Potrzebuje pomocy w rozszyfrowaniu, co może, a czego mu nie wolno.

Dyscyplina nie jest tym samym co kara. Dyscyplina oznacza uczenie i jest długoterminowym procesem. Za każdym razem, gdy trzeba wyznaczyć granicę, jest to okazja do nauczenia czegoś: „Muszę powstrzymywać cię za każdym razem, gdy chcesz to zrobić, aż sam się nie nauczysz, że tego nie wolno". Kara fizyczna może zwrócić uwagę dziecka szybciej i powstrzymać niepożądane zachowanie, ale działanie będzie krótkotrwałe i wprowadzi w relację strach i rozżalenie. Ponadto oznacza ona dla dziecka: „Jestem od ciebie większy i silniejszy, i mogę to wykorzystać". Co jednak będzie później, kiedy to zdanie już nie będzie prawdziwe? Kara fizyczna, która znaczy: „Robię ci krzywdę, ponieważ jesteś niegrzeczny", nie uczy dziecka niczego. Natomiast powstrzymanie niepożądanego zachowania, wyjaśnienie, że jest ono nieakceptowalne oraz że dziecko może nauczyć się lepszego, nauczą je w końcu zachowywać się inaczej – nawet pod nieobecność rodzica – bez rozżalenia czy uległości.

Najważniejszym argumentem przeciwko karze fizycznej jest jeszcze jeden komunikat, jaki ona niesie: „Nie szanuję cię". Czy właśnie taką informację rodzic pragnie przekazać dziecku? A może to, że zachowanie dziecka nie zasługuje na szacunek?

Jeżeli rodzice potraktują dyscyplinę jako konieczny składnik miłości, nie będzie ona wywoływać w nich poczucia winy. Zawsze powtarzam rodzicom, aby zarezerwowali wyznaczanie granic na ważne sytuacje. Kiedy zobaczą prowokacyjne zachowanie, powinni je jak najwcześniej przerwać. Wziąć dziecko na ręce, aby powstrzymać nakręcanie się spirali. Jeśli to nie zadziała, zastosować procedurę wyciszenia – umieścić dziecko w jego pokoju, w łóżeczku lub posadzić na krześle. Da mu to czas na ochłonięcie, a rodzicowi na pozbieranie myśli, wyciszenie się i porozmawianie z dzieckiem – z szacunkiem i skutecznie. Trzeba dać dziecku do zrozumienia, że stanowczo oczekujemy zaprzestania niepożądanego zachowania. Następnie rodzic powinien usiąść z maluchem i pomóc mu zrozumieć, dlaczego go powstrzymał. Nie należy z tym czekać zbyt długo ani przedłużać tej rozmowy (zob. też Brazelton, 2003b).

Jeśli rodzic mówi: „To się nigdy nie uda, gdy ona wpadnie w szał. Jest wtedy zbyt rozdrażniona, ja zresztą też", proponuję następującą strategię: zawczasu zdecyduj o zasadach i zaplanuj swoje reakcje. W przypadku niepohamowanych napadów złości najlepiej działa spokojne opuszczenie miejsca zajścia, pod warunkiem że możesz na chwilę bezpiecznie zostawić dziecko. W sytuacji testowania granicy nie należy czekać na kolejny test. Zareaguj na pierwsze oznaki jasnym przypomnieniem zasady i poinformuj, jakie są konsekwencje jej złamania. Jeśli test się powtórzy – nawet tylko jeden raz – podejdź do dziecka, powstrzymaj je, weź na ręce i przenieś z miejsca „wykroczenia". Po wyciszeniu przypomnij jeszcze raz zasadę i twoją reakcję w przypadku jej złamania. Następnie zapewnij dziecko, że je kochasz. Powiedz mu, że wiesz, iż może pracować nad swoim zachowaniem, aż pewnego dnia uda mu się nad nim zapanować. Nie oczekuj jednak, że od razu się zmieni. Powtarzanie przez dziecko niewłaściwego zachowania nie oznacza, że twoje wysiłki idą na marne. W tym wieku, chcąc skutecznie je czegoś nauczyć, trzeba to powtarzać wiele razy. Jeśli na to samo zachowanie rodzice za każdym razem reagują inaczej, dziecko będzie odczuwało potrzebę nieustannego ich testowania i wyczuje każdą wątpliwość.

Wykorzystuj wszelkie okazje, aby wzmacniać dobre zachowanie. Przytulaj, kiedy maluch zachowuje się lepiej. Usiądź z nim i pokołysz go. Musi wiedzieć, że rodzice nie są na niego źli przez cały czas. Dyscyplina to część procesu troszczenia się o dziecko i uczenia go granic. Potrzeba na to dużo czasu. Żadna metoda nie jest w magiczny sposób skuteczna. Klaps może powstrzymać jakieś zachowanie, ale nie uczy samokontroli, a ponadto wysyła niewłaściwy komunikat. Pokazuje dziecku, że rodzice optują za siłowym rozwiązywaniem problemów – później mogą tego przesłania bardzo żałować! Jak dowodzą badania, dzieci, które otrzymywały kary fizyczne, są bardziej agresywne i lękliwe.

Karmienie

Podczas każdej wizyty należy poruszyć temat karmienia. Dziecko w tym wieku nadal będzie eksperymentować i odkrywać świat. Może nauczyć się posługiwać łyżeczką i widelcem, ale w pewnym momencie będzie chciało wrócić do paluszków. Można mu przygotowywać takie posiłki, aby miało wybór – może albo nabijać jedzenie na widelczyk, albo jeść paluszkami.

Mamy, które nadal karmią piersią, mają dylemat: „Chciałam odstawić dziecko, gdy miało rok. Teraz trudno jest to zrobić – dziecko ciągle przychodzi i rozpina mi bluzkę. Jest to żenujące, ale trudno mu odmówić". Nalegam na odstawienie dziecka jedynie wtedy, gdy wpływa to negatywnie na jego autonomię. Natomiast jeśli jest ono samodzielne w innych dziedzinach, bliskość uzyskiwana dzięki karmieniu piersią wyjdzie mu tylko na dobre.

Karmienie piersią

Badałem zwyczaje w kulturach, w których matki karmią niemowlę jedną piersią, a pozostałe dzieci - aż do 5 roku życia - drugą (starsze dzieci już nie przychodzą). Dzieci czują się z tym dobrze, ale matki są wyczerpane. W Stanach Zjednoczonych kobiety karmiące dzieci powyżej 1 roku życia spotykają się z niezrozumieniem. Znajomi podejrzewają je o karmienie dla przyjemności. Dlaczego nie? Pojednanie przy piersi jest niezwykle uroczym momentem po całym dniu pracy albo buntu i zamętu.

W tym okresie rozwoju rodzice zastanawiają się także, jak odstawić dziecko od butelki. Wiele dzieci nie pije już z niej mleka podczas regularnych posiłków, ale często w ciągu dnia trzyma ją w buzi. Może to przyczynić się do powstania próchnicy ząbków, chyba że butelka jest pusta lub wypełniona wodą. Podobnie jak podczas odzwyczajania od smoczka (zob. rozdział 9), można pomóc dziecku w stopniowym przejściu do kocyka, lali lub innej przytulanki, przywiązując butelkę do jednej z nich (należy pamiętać, aby wstążka była krótka, żeby nie zawinęła się dziecku wokół szyi).

Jak odzwyczaić dziecko od butelki?

(1) Podawaj mleko w butelce tylko w porach posiłków, trzymając dziecko w ramionach.
(2) Kiedy dziecko prosi o butelkę między posiłkami, obiecaj mu, że dostanie ją przed popołudniową drzemką lub wieczornym odpoczynkiem, ale nakarmią je rodzice. Niech karmienie będzie częścią rytuału usypiania. Zacznijcie od przeczytania ksią-

żeczki w bujanym fotelu, a następnie przejdźcie do mleka. W ten sposób dziecko odpręży się i zrobi się senne. Dobrze jest zakończyć karmienie podaniem wody, aby oczyścić ząbki przed spaniem.

(3) Nie zostawiaj dziecku butelki na noc. Niech karmienie będzie wyjątkowym czasem dzielonym z rodzicem. Podczas samodzielnego dokarmiania z butelki w nocy mleko pozostawione w jamie ustnej może zaszkodzić przyszłym ząbkom, a dziecko straci też coś ważniejszego – istotny rytuał i poczucie bezpieczeństwa. Jeśli maluch potrzebuje jeszcze butelki, to znaczy, że potrzebuje bliskości rodziców.

Sen

Wybudzanie w nocy jest odpowiedzią na każdy nowy stres doznany w ciągu dnia, na przykład nieobecność któregoś z rodziców, wizytę dziadków, wyjazd do miasta czy zamieszanie w grupie zabawowej. Potrzebne będą wówczas zdecydowanie i spokój rodziców. Chcąc nauczyć dziecko samodzielności w nocy, mogą się oni uciec do strategii, które stosowali w innych sytuacjach, na przykład nagradzając próby samodzielności i wyciszania się w ciągu dnia. Ten sam wzorzec oczekiwania od dziecka samodzielności zastosowany w nocy będzie już znajomy.

W 2 roku rodzice mogą oczekiwać co najwyżej jednej drzemki w ciągu dnia. Sugeruję, aby podać dziecku drugie śniadanie na tyle wcześnie, żeby spało między 12:00 a 14:00. Późniejsza drzemka nie powinna już mieć miejsca, chyba że dziecko jest w stanie położyć się wieczorem o rozsądnej porze nawet po dłuższym popołudniowym odpoczynku. Dla wielu dzieci nie będzie to jednak łatwe.

Tak czy inaczej, trudności z zasypianiem wzrosną. Zachęcam rodziców do zdwojenia wysiłków i determinacji w **trzymaniu się rytuałów i ustalonych zasad**. Im bardziej dziecko jest podekscytowane w porze wieczornej, tym trudniej będzie mu odpuścić zabawę. Usypianie tuptusia w tym wieku nie jest zajęciem dla ludzi o słabych nerwach. Wprowadzenie rytuałów polegających na kołysaniu w fotelu na biegunach czy czytaniu bajki na dobranoc z pewnością będzie pomocne. Przytulanka – kocyk lub miś – stanie się w tych momentach jeszcze bardziej nieodzowna. Dziecko może znajdować w niej oparcie w ciągu dnia oraz podczas przebudzenia się w nocy. Rodzice często mają wątpliwości co do przytulanek, szczególnie gdy są już w opłakanym stanie i wyglądają żałośnie. Uważają, że dziecko z przytulanką wygląda na zaniedbane. Otóż z mojego doświadczenia wynika, że jest dokładnie odwrotnie. Kiedy badałem dzieci ze Szpitala Dziecięcego w Bostonie nie wiedząc nic o ich przeszłości, zawsze radował mnie widok tych, które potrafiły pocieszyć się kciukiem lub przytulanką. Takie dziecko demonstruje swoją wewnętrzną siłę. Pokazuje, że w domu jest otaczane troską. Zdolność do samouspokojenia rozwija się dzięki troskliwym rodzicom.

Rozwój motoryczny

Często rodzice są zaniepokojeni posturą malucha: „Czy zawsze będzie miał taki wystający brzuszek?". Odchylenie do tyłu i krągłość z przodu przetrwają aż do 3 roku życia. Wówczas w magiczny sposób dziecko wyprostuje się i napnie mięśnie brzucha.

Między 18 a 24 miesiącem życia dziecko całymi dniami eksperymentuje. Raczej biega niż chodzi, a jego podekscytowanie badaniem świata bierze górę nad i tak niewielką kontrolą, jaką ma nad swoją impulsywnością. Wspinanie się, gdzie tylko się da, jest coraz bardziej fascynujące. Nie należy liczyć na jego lęk wysokości – rodzice muszą sami je chronić. Prawdopodobnie jest jeszcze zbyt niestabilne i brak mu osądu, by pozwolić mu samemu znaleźć się na schodach, więc blokady (zabezpieczone przed otwarciem) na górze i u dołu schodów powinny być nadal w użyciu. Niezależnie od tego, czy rodzice pozwalają mu od czasu do czasu wspinać się po schodach, czy też nie (jeśli tak, to zawsze w obecności opiekuna, na wypadek gdyby trzeba było pomóc), należy zadbać o to, aby stopnie były pokryte dywanikami lub miękkim obiciem, gdyż maluch może znaleźć sposób na obejście nawet najbardziej starannie domkniętych blokad.

Jeśli dziecko chodzi już od kilku miesięcy, nadszedł czas na próby tańca, skakanie, ćwiczenie obrotów i testowanie wszystkich nowych sprawności ruchowych –

balansowanie, wirowanie, bieganie. Spróbuje także oddalać się od rodziców, ilekroć pojawi się taka sposobność – w sklepie, na ulicy, gdziekolwiek się da. Dorosły zawsze musi mieć jedną rękę zarezerwowaną dla dziecka, w przeciwnym razie zniknie ono z pola widzenia.

Rozłąka

Rozłąka w 2 roku życia dziecka będzie dla niego najboleśniejsza. Będzie ono wtedy gwałtownie protestować. Zawsze uważałem, że skala sprzeciwu jest wprost proporcjonalna do siły jego woli, pewności siebie i asertywności. Innymi słowy, protest jest zdrowym sposobem na poradzenie sobie z rozstaniem. Dlaczego dziecko miałoby chcieć rozłąki, jeśli potrafi już świadomie przeżywać relacje z rodzicami i samo chce decydować, kiedy od nich odejdzie?

Co mówią badania?

Prowadziłem niegdyś badania dotyczące oporu, jaki stawiały małe dzieci zostawiane rano przez mamę. Te zawczasu przygotowane rozpoczęły adaptację wcześniej i w momencie pożegnania były już na nie gotowe. Zarówno dzieci, jak i matki rozstawały się spokojniej – bez ociągania i przedłużania oporu. Z kolei dzieci nieprzygotowywane w domu dzieliły się na dwie grupy. Niektóre głośno protestowały, a inne zamykały się w sobie i bardzo boleśnie przeżywały rozstanie. Te ostatnie martwiły nas najbardziej. Nie były w stanie poradzić sobie z własnym smutkiem i bawić się z resztą dzieci.

Pierwszym krokiem mierzenia się z rozstaniem jest uprzednie przygotowanie dziecka. Można na przykład powiedzieć: „Wychodzimy pozałatwiać sprawunki. Będziemy w domu przed twoim deserem i wtedy razem obejrzymy zakupy!". Rodzice powinni się następnie przygotować na zdrowy wybuch protestu. Trzeci krok to obietnica powrotu, której złożenie i dotrzymanie należy przypomnieć po przyjściu do domu. To są fundamenty zaufania na przyszłość.

Nauka i zabawa

Rekompensatą dla rodziców za burzliwe zachowanie malucha jest ogromny skok w jego rozwoju. Jeśli dorośli mają wystarczający dystans, by zauważyć przyspieszony proces uczenia, jaki odbywa się w tym całym zamieszaniu, nie będą musieli określać swoich pociech mianem „straszne dwulatki". Nauka przez naśladowanie innych przybiera w drugim roku na sile. Mały tuptuś potrzebuje rówieśników. Wystarczy jeden lub dwóch stałych towarzyszy zabaw, jednak jest to czas na wyjście z kokonu matka – ojciec – dziecko do „brutalnego" świata innych dzieci. Jeśli maluch ma rodzeństwo, nie jest to aż tak pilne, gdyż ma szansę pobierać lekcje od starszego brata lub siostry. Będzie to czas uczenia się siebie i relacji z innymi. Kontakty towarzyskie z rówieśnikami pozwolą mu bardzo wiele się nauczyć.

Jedną z najbardziej niesamowitych rzeczy jest obserwowanie dwojga dzieci bawiących się blisko siebie. Potrafią siedzieć i bawić się obok siebie przez bardzo długi czas. Kiedyś uważano, że w tym wieku zabawa odbywa się wyłącznie równolegle. Przyjmowano, że dwoje bawiących się maluchów nigdy na siebie nawet nie patrzy. Dowiedziono jednak, że nawet młodsze dzieci, już w wieku 7 miesięcy, są żywo sobą zainteresowane, komunikując się za pomocą mimiki twarzy, rąk, a nawet paluszków stóp. W 2 roku życia podczas zabawy podpatrują siebie nawzajem i naśladują wiele zachowań. Wygląda na to, że chłoną te wzorce zabawowe wzrokiem peryferyjnym. Powielają całe sekwencje czynności z zabawkami i sposoby komunikacji, nawet jeśli nie patrzą na siebie. Gdy jedno dziecko nakazuje zabawce: „Nie! Nie! Nie!", drugie powtórzy to samo. Kiedy jedno buduje wieżę – drugie też. Jedno mówi „Nie!" i burzy ją, drugie je naśladuje. Władcze gesty, postawa ciała i mimika twarzy – wszystko jest takie samo. Pomyślmy, jak wiele oboje uczą się od siebie i jak cenna jest to nauka.

Co mówią badania?

Hildy Ross, psycholog z Kanady, obserwowała w prowadzonym przez siebie badaniu dziecko roczne i dwuletnie bawiące się obok siebie. Ich pragnienie komunikowania się ze sobą oraz wzajemnego naśladowania kazało im zaadaptować swoje style zabawy. Tak bardzo zależało im na wspólnej komunikacji, że każde z nich bawiło się na poziomie dziecka mniej więcej piętnastomiesięcznego – dwulatek cofał się to tego wieku, dziecko roczne zaś nadrabiało różnice. To badanie pokazało, jak ważne w procesie uczenia się małego dziecka są jego relacje z innymi dziećmi.

W pragnieniu poznania się nawzajem dzieci mogą czasem zejść na manowce. Jeśli pojawi się gryzienie, ciągnięcie za włosy, drapanie i bicie, to również będzie naśladowane. Często adresatem tych zachowań może się okazać najlepszy kolega. Przerażeni rodzice i opiekunowie reagują nieadekwatnie do sytuacji i karzą winowajcę. Ich przesadna reakcja jednak wzmacnia wzorzec, wcale go nie eliminując. Być może łatwiej byłoby im pohamować wzburzenie, gdyby zdali sobie sprawę, że agresywne zachowania dzieci nie mają określonego celu. Występują wówczas, gdy dziecko nie radzi sobie z nadmiarem bodźców i traci kontrolę nad sobą. Po danym incydencie agresor jest tak samo rozdrażniony jak adresat jego poczynań. Gdy rodzice zbyt ostro interweniują, pojawia się w nim poczucie winy. Następnym razem kiedy dziecko nie będzie potrafiło poradzić sobie ze stymulacją, wzorzec się powtórzy i istnieje ryzyko, że maluch nabierze przekonania, iż jest zbyt „niegrzeczny", aby nauczyć się panowania nad sobą. Przesadzona reakcja dorosłych dodatkowo wzmacnia to poczucie.

Gryzienia dorośli obawiają się najbardziej. Wszyscy rodzice boją się, że ich dziecko może kogoś ugryźć albo zostać ugryzione. Wydaje się, że najbardziej przerażające dla rodziców jest to, iż dziecko traci panowanie nad sobą. Zastanawiają się, jak długo to potrwa. Radzę, aby w sytuacji agresji pocieszać obie strony – zarówno dziecko gryzące, jak i to ugryzione. Pierwsze potrzebuje wyznaczenia granic, a także przytulenia, gdyż może być przerażone utratą kontroli nad sobą, nawet bardziej niż jego ofiara atakiem. Opiekun powinien usiąść z dzieckiem i powiedzieć: „Nikt nie lubi być gryzionym. Ty także byś tego nie chciał. Następnym razem, gdy poczujesz się tak jak dziś, pamiętaj, że mogę ci pomóc poradzić sobie z tym". Trzeba będzie powtórzyć to wiele razy. Pewna pomysłowa matka kupiła swojej córeczce gumową kość dla psa, aby mogła gryźć ją zamiast swoich przyjaciół.

Kiedyś trzymałem w swoim gabinecie listę dzieci, których rodzice byli zainteresowani stworzeniem grupy zabawowej lub umówieniem się na zabawę z innym dzieckiem. Dwoje lub troje dzieci będących mniej więcej na tym samym etapie rozwoju może się bardzo wiele od siebie nauczyć. Zawsze miałem przeczucie, że dwóch małych „gryzoni" lub „bokserów" może bawić się razem. Gdy jeden dokuczy drugiemu, a ten odda, popatrzą na siebie, jakby chcieli powiedzieć: „To zabolało. Dlaczego to zrobiłeś?". Już nigdy tego nie powtórzą. Myślę, że dzieci w tym wieku nie wiedzą, że to boli. Nie chcą nikogo skrzywdzić i są potem przerażone. Ponieważ gryzienie jest wynikiem utraty kontroli nad sobą, w danym momencie trudno się zatrzymać. Jednak z czasem dziecko może się nauczyć panowania nad sobą, gdyż chce tego. Relacja pomiędzy dziećmi w tym wieku opiera się na równowadze między braniem a dawaniem i jest najlepszym sposobem uczenia się. Jeśli dorośli przesadnie zareagują, mogą przeszkodzić w ważnym procesie.

Mamy małych „gryzoni" zastanawiają się czasem, czy powinny reagować takim samym zachowaniem. Nie! Byłoby to zejście do poziomu dziecka, poniżające zarówno dla niego samego, jak i dla dorosłego. Celem dorosłych jest nauczenie dziecka, że gryzienie innych jest niedopuszczalne, a także zaproponowanie mu zastępczego rozwiązania – zabawki do tarmoszenia lub lali do gryzienia.

Zabawa to dla dziecka najskuteczniejszy sposób uczenia się. Może ono przetestować wiele różnych sytuacji i zachowań, i sprawdzić, które są dla niego najlepsze. Takie jest jego zadanie i ostatecznie jego dzieło – testowanie siebie i swoich pomysłów. Obserwowanie zabawy dziecka daje dorosłemu wgląd w jego świat. Zabawa jest dla małego dziecka bezsprzecznie najważniejsza.

Samoświadomość

Psycholog Michael Lewis dzięki niezwykle pomysłowemu i klasycznemu już eksperymentowi pragnął się dowiedzieć, jak dziecko postrzega swoje ciało, wręczył więc dziecku lustro, w którym oglądało ono siebie (zob. Konner, 1991). Po jakimś czasie z dala od lustra i niepostrzeżenie badacz nałożył na nos dziecka róż, a następnie postawił je z powrotem przed lustrem. Okazało się, że reakcja zależy od wieku: roczne dziecko przygląda się uważnie, zauważając dziwny kolor na nosie; dziecko w wieku 15 miesięcy dotyka swojego odbicia w lustrze i próbuje zmazać z niego róż – rozpoznaje się i uświadamia sobie, że coś się zmieniło; z kolei osiemnastomiesięczny maluch próbuje zmazać róż ze swojego nosa – wydaje się, że teraz dziecko już rozumie, iż w lustrze widzi własne odbicie, co oznacza niezwykły skok w samoświadomości.

W tym właśnie wieku wzrasta zainteresowanie dziecka samym sobą. Mały tuptuś jest zaintrygowany swoimi oczami, nosem i ustami. Jeśli ma sposobność, bada pępek i genitalia. Mali chłopcy są zafascynowani swoimi penisami, ilekroć rodzice zdejmą im pieluszkę. Dziewczynki wkładają palce do pochwy. Te części ciała są dla nich szczególnie interesujące, gdy w końcu mają do nich dostęp, ponieważ przeważnie pozostają pod ubraniami, a więc poza zasięgiem. Nic dziwnego, że skupia się na nich cała uwaga dzieci. Rodzice nie powinni przeszkadzać w tych eksperymentach. Są to ważne części ich ciała i dzieci muszą się z nimi zapoznać.

Perspektywa na przyszłość

Trening czystości

Sugeruję, aby jeszcze chwilę zaczekać. Jeśli metoda komunikowania potrzeb naturalnych nie została wprowadzona wcześniej, teraz jest już za późno. Takie fizjologiczne warunkowanie może zadziałać w przypadku niemowląt, gdyż są one bardziej bierne. Z kolei starsze dzieci będą chciały wziąć te bardzo osobiste funkcje w swoje ręce, a pragnąc samodzielnie osiągnąć sukces w tej dziedzinie, muszą zaczekać na gotowość emocjonalną i poznawczą.

Wprawdzie większość rodziców godzi się na to i czeka, aż tuptuś zrozumie sedno ich oczekiwań i dojrzeje do ich realizacji, jednak niektórzy są bardzo niecierpliwi. Mówią: „Nie chcę, aby poszła na studia w pieluszce". Rzeczywistym powodem takiej presji jest wymaganie większości przedszkoli, aby dziecko potrafiło samo korzystać z toalety. Wiele placówek wychowawczych wymaga, by dzieci uświadamiały sobie swoje potrzeby najpóźniej do wieku 2,5 lat. Ja jednak radzę poszukać takiej placówki, która respektowałaby potrzebę dziecka dotyczącą podjęcia decyzji o rozpoczęciu samodzielnego korzystania z toalety. Gotowość nie następuje magicznie w wieku 2,5 lat. Nie powinni też o niej decydować dorośli – istotne jest, aby pozostawić decyzje dziecku. Nie wierzę, że rodzice pragną przymusić swoje dziecko do czegokolwiek, ale wielu będzie chciało przekonać je do nocniczka, zanim rzeczywiście maluch będzie na to gotowy – chyba że wcześniej uświadomią sobie swoją wewnętrzną potrzebę, aby dziecko jak najszybciej było „czyste i suche".

W tym okresie, antycypując rozwój wydarzeń, można obserwować, czy nie pojawiają się pewne sygnały gotowości. Gdy pod koniec 2 roku życia zbiegną się ze sobą pewne etapy rozwojowe, dziecko będzie gotowe na samodzielne korzystanie z toalety i można będzie mu przekazać całkowitą odpowiedzialność za ten proces.

Przede wszystkim będzie miało za sobą pierwszą ekscytację umiejętnością chodzenia i spokojnie usiądzie. Ponadto łatwiej zrozumie takie wyjaśnienia, jak: „To jest twój nocniczek. Moja toaleta jest większa. Któregoś dnia usiądziesz na nocniczku, tak jak ja siadam na toalecie". W okolicach drugich urodzin dzieci wchodzą w okres naśladowania tego, co robią ich rodzice – chcą być takie jak oni. Próbują wtedy wszystkiego. Chłopcy chodzą jak ojcowie, a dziewczynki jak mamy. W bardzo subtelny sposób identyfikują się z ważnymi dorosłymi w swoim życiu. Chcą nosić ich ubrania i powtarzają ich gesty. Mogą wówczas, na zasadzie naśladowania, zacząć używać toalety. Również w tym wieku dziecko zaczyna odkładać rzeczy na swoje miejsce. W jego świadomości pojawia się pojęcie porządku – zauważa, jak utrzymują go rodzice. Pragnienie odkładania rzeczy tam, gdzie robią to rodzice, może zostać przeniesione na kupkę i siusiu. I jeszcze jedno – opór dwulatka szybko mija. Wcześniej

Na co zwracać uwagę?

Kiedy dziecko postękuje i pociąga za spodenki podczas oddawania moczu czy robienia kupki do pieluszki, pokazuje, że jest świadome procesu wydalania. Gdy osiągnie stosunkowo spokojny etap rozwoju - niezbyt negatywny i niezbyt buńczuczny - należy się przyglądać, czy jest gotowe do rozpoczęcia treningu. Czy interesuje się porządkiem? Czy naśladuje innych? Czy może wykonać jedno lub dwa polecenia? Czy słysząc sekwencję poleceń: „Podejdź do szafki, znajdź moje pantofle i przynieś mi je", potrafi je wykonać? Jeśli tak, oznacza to, że rozwijają się jego receptywne umiejętności językowe i umie utrzymać w pamięci serię poleceń.

trudno się go pozbyć. Zaczynanie nauki korzystania z toalety przed ukończeniem 2 roku życia oznaczałoby pewną porażkę.

Wszystkie te mechanizmy rozwojowe mogą sprzyjać dostosowaniu się dziecka do wymagań społecznych i pozostawaniu „czystym i suchym" przez cały dzień i całą noc.

Biorąc pod uwagę pułapki na drodze do korzystania z toalety, niektórzy rodzice zastanawiają się, czy niepodejmowanie żadnych działań w tym kierunku pozwoli im uniknąć błędów. Jednak w takim przypadku dziecko może nie zrozumieć, czego się od niego oczekuje. Konieczne jest pokazanie mu kolejnych kroków i pozostawienie dziecku decyzji o ich zaakceptowaniu. Ponieważ na ogół trudno sobie wyobrazić współpracującego osiemnasto- lub dwudziestomiesięcznego tuptusia, najlepiej odłożyć naukę korzystania z nocniczka do momentu osiągnięcia przez dziecko gotowości. Wtedy trzeba mu jednak pokazać poszczególne kroki.

Sytuacje wymagające stanowczości

W niektórych sytuacjach, na przykład podczas przechodzenia przez ulicę, trudno czekać na decyzję dziecka. Rodzice powinni dać mu do zrozumienia, że dana sytuacja wymaga powagi i nie ma czasu na wyjaśnienia czy negocjacje. Nie należy się upierać przy wprowadzaniu do posiłku nowego warzywa, ale są okoliczności, w których autorytet rodzica musi wziąć górę. Czasami mama lub tato dzwonią do mnie zdesperowani, że dziecko nie chce przyjąć lekarstwa. W tak ważnych momentach należy jasno postawić sprawę – nie ma tu miejsca na dyskusje, tak jak podczas posiłków.

W dzisiejszych czasach większość lekarstw dla dzieci ma łatwą do połknięcia postać i przyjemny smak. Jednak to, czy dziecko je zażyje, będzie zależeć od słów i tonu głosu rodziców. Sugeruję wypowiedzenie stanowczego polecenia z przekonaniem i determinacją: „Teraz nie masz wyboru. Muszę ci to podać, a ty musisz to zażyć".

Uwaga

W poważnych, nagłych wypadkach lek może podać jedna osoba, podczas gdy druga przytrzyma dziecko chwytem nelsona (jedna ręka przytrzymuje obie ręce dziecka, a druga unieruchamia głowę). Dziecko odchylone do tyłu nie wypluje leku i z pewnością go połknie, aby uniknąć zadławienia. Kiedy wyczuwa powagę sytuacji, zwykle nie stawia oporu zbyt długo.

Jeśli dziecko zaczyna wychodzić z łóżeczka, należy wyłożyć podłogę poduszkami lub matami. Na szczęście wypadnięcie z łóżeczka zdarza się rzadko. Niekiedy można obniżyć poziom materaca – wówczas barierka, którą dziecko musi pokonać przy przechodzeniu, się podniesie, co nieco przyhamuje zapędy malucha. Jeśli wychodzenia nie można już powstrzymać, należy całkowicie obniżyć barierkę, aby zmniejszyć ryzyko zrobienia sobie przez dziecko krzywdy. Nie należy jeszcze zamieniać łóżeczka na łóżko „dużej dziewczynki/dużego chłopca", gdyż mimo możliwości schodzenia z niego wedle upodobania dziecko będzie się czuło bardziej komfortowo, będąc nadal zabezpieczone szczebelkami (należy jedynie się upewnić, czy waga dziecka nie przekracza dozwolonego limitu).

Kiedy barierki nie stanowią już problemu i nagle łóżeczko poszerza swoje granice do rozmiaru pokoju, trzeba sprawdzić wszystko pod kątem bezpieczeństwa. Opanowanie umiejętności bezszelestnego opuszczania łóżeczka może wymagać umieszczenia w drzwiach pokoju bramki odgradzającej dziecko od ewentualnych zagrożeń w innych częściach domu, których rodzice nie zdołali usunąć. Miejmy nadzieję, że przechodzenie przez barierki nie rozpocznie się zbyt wcześnie. Urok łóżeczka polega na tym, że komunikuje dziecku: „To jest twoje miejsce i tu masz przebywać w nocy". Kiedy dzieci śpią w łóżku lub na podłodze, mają swobodę wędrowania. Bardzo pomocne jest jednak ustalenie jasnej zasady: „Jeśli zostałeś położony do łóżka, masz w nim pozostać". W ten sposób można – przynajmniej z niektórymi dziećmi – ustalić, że rodzice stanowczo oczekują od nich pozostania w nocy w jednym miejscu. Niestety nie ze wszystkimi dziećmi będzie to możliwe. Najbardziej niebezpieczne jest samotne wędrowanie malucha po domu. Gdyby to się kiedyś zdarzyło, rodzice będą musieli zamykać pokój dziecka na klucz, aby nie mogło go samo otworzyć (muszą mieć jednak możliwość szybkiego otworzenia go w razie pożaru). Dobrze będzie też zabezpieczyć przed maluchem cały dom – na wszelki wypadek.

Łóżeczko jest symbolem granic bezpieczeństwa dziecka w nocy. Będą jednak takie sytuacje, na przykład podczas podróży, w których nie będzie ono dostępne. Wówczas trzeba zadbać o inne rozwiązania. Można zabrać ze sobą łóżeczko przenośne. Większość hoteli dysponuje łóżeczkami i można je zarezerwować. Jakiś czas temu sam miałem w domu dwuletniego gościa – dziewczynkę. Położyliśmy ją na popołudniową drzemkę na kanapie w dużym pokoju. Jej babcia, a potem mój syn nakazali jej, aby nie odchodziła nigdzie z tego miejsca. Dziewczynka dokładnie wykonała polecenie, położyła sobie na oczkach swojego misia i spokojnie zasnęła przy muzyce.

W wieku 18 miesięcy mały tuptuś jest praktycznie nieustraszony. Nie ma świadomości, że postawienie jednego kroku za dużo na klatce schodowej może oznaczać skok w przepaść. Trzeba go nauczyć, jak poruszać się po schodach w górę i w dół – albo na czworakach, albo za rękę z rodzicem. Nauczy się dosyć szybko, ale bramka nadal będzie bardzo potrzebna. Należy cieszyć się nieustraszonością, hałaśliwością i nienasyconą energią dziecka, ale trzeba też umieć ją okiełznać, gdyż towarzyszy jej jeszcze niewiele zdrowego rozsądku. Bramki, łóżeczko i chroniące ręce opiekunów oznaczają bezpieczeństwo oraz granice.

12

Dwulatek

Im dłuższy czas pomiędzy kolejnymi wizytami, tym bardziej widoczne i ekscytujące będą postępy dziecka. Rodzice są dumni, gdy mogą mi je zaprezentować, a ja jestem zainteresowanym odbiorcą. Mama i tato aż promienieją z radości, gdy słyszą ode mnie: „Czyż on nie jest wspaniały?".

Jedną z najbardziej uroczych cech dwulatka wchodzącego do mojego gabinetu jest jego sposób chodzenia, imitujący rodziców. Oczywiście maluch pamięta – aż nazbyt dobrze – co działo się podczas ostatniej wizyty: szczepienie, badanie i obcość. Jeśli rodzice wykonali swoje zadanie, możemy pokusić się o pojednanie, choć i tym razem być może czekają nas wkłucia. Jeśli wcześniejsze szczepienia były planowe, staram się odłożyć pozostałe na później – chcę, żeby ta wizyta była czasem odbudowania zaufania. Proszę, aby w ciągu najbliższego roku rodzice przyszli z dzieckiem na co najmniej cztery dodatkowe wizyty. Z mojej strony jest to próba pomocy dziecku w poradzeniu sobie z wcześniejszą traumą. Chcę, żeby znów przyzwyczaiło się ono do mnie i mi ufało. Wyjaśniam rodzicom, że mogę pomóc dziecku poradzić sobie z lękiem, jeśli uda się nam spotkać kilka razy dodatkowo (i nieodpłatnie) pomiędzy planowymi wizytami medycznymi – będzie to bardzo cenne doświadczenie zarówno dla mnie, jak i dla nich. Jeśli dziecko nabierze do mnie zaufania, nie będzie krzyczało na mój widok ani opierało się badaniu i rozmowom ze mną w przyszłości. Znowu będziemy przyjaciółmi. Te wizyty odbywają się zwykle według pewnego schematu:

- Na pierwszą dziecko wejdzie wczepione w swojego rodzica, patrząc na mnie ze złością lub niepewnością. Wręczam mu zabawkę z nadzieją, że weźmie ją ode mnie. Jeśli któreś z rodziców wyciągnie rękę, nalegam, aby dziecko samo odebrało zabawkę.
- Podczas drugiego spotkania proponuję kolejny prezent, ale tym razem chcę, aby dziecko zeszło z kolan rodziców, by go dostać.
- Za trzecim razem dziecko samo przechodzi przez cały gabinet po zabawkę, a ja przyglądam się mu, czekając na reakcję.
- Na koniec, przy czwartym spotkaniu, chcę, aby samo weszło z poczekalni do gabinetu. Mam dla niego prezent, a na szyi stetoskop, żeby zaakceptowało mnie jako lekarza. Na tym etapie większość dzieci zaczyna odzyskiwać poczucie bezpieczeństwa i jest w stanie odseparować się od rodziców, aby zaakceptować lekarza. To ogromny wyczyn dla dwulatka – niektóre bardzo ostrożne dzieci będą potrzebować więcej spotkań na oswojenie się.

Po tych krótkich wizytach podczas następnego spotkania w gabinecie dziecko zwykle bawi się samodzielnie w kąciku z zabawkami, a lekarz i rodzice mogą spokojnie rozmawiać. Jeśli nadal będzie wczepione w rodziców i zbyt przestraszone, aby ich na chwilę zostawić, możemy zacząć się zastanawiać, dlaczego tak się dzieje. Cieszę się, gdy rodzice zadają pytania typu: „W jakim stopniu mamy wspierać jego niezależność? Na ile możemy mu pozwalać? Jak dyscyplinować?". Jeśli w tym wieku dziecko jest zbyt grzeczne, martwi mnie to.

U moich małych pacjentów próbuję doszukać się pewności siebie i poczucia bezpieczeństwa charakterystycznych dla kogoś, kto oczekuje, że mu się w życiu powiedzie. Już po chwili widać, czy te cechy są obecne. Obserwacja dziecka pozwala mi na wyciągnięcie wniosków na temat następujących aspektów rozwoju.

Co obserwujemy u dziecka?

- Poczucie pewności siebie. Dziecko, wchodząc do mojego gabinetu, musi poradzić sobie ze wspomnieniami z poprzednich wizyt. Jeżeli jest pewne siebie, pomaszeruje prosto do kącika z zabawkami, tak jakby były jego własnością. Wejdzie przed rodzicami, mając pewność, że oni za nim podążą. Jego zdecydowany krok pokazuje, że jest gotowe przezwyciężyć wspomnienia zastrzyków i innych inwazyjnych procedur medycznych. Ciekawość nowych zabawek świadczy o badawczym umyśle gotowym na nowe wyzwania.
- Kompetencja. Dwulatek idzie zdecydowanym krokiem, jego nogi są bliżej siebie niż poprzednim razem, ramiona trzyma naturalnie z boku ciała, postawa jest wyprostowana.

Kiedy koncentruje się na zabawkach i pochyla się, aby je podnieść, chwyt jest skoordynowany i pewny.

- Mowa. Wypowiadane przez dziecko „cześć", „auto" lub „nie" dźwięczą melodyjnie, a nie wojowniczo. Mają miłe brzmienie.
- Identyfikacja z płcią kulturową. Do tej pory chłopiec prawdopodobnie przejął zachowania taty, a dziewczynka - mamy. W wieku 2 lat identyfikacja z płcią kulturową jest już raczej oczywista - pozwala na to wyobraźnia dziecka. Jego wczesna świadomość przynależności już się kształtuje.
- Prawo- i leworęczność. Jeśli dziecko sięga po nową zabawkę prawą ręką, prawdopodobnie jest praworęczne. Tę rękę będzie również wyciągało na powitanie. Jeśli jest leworęczne, pewniej będzie używało ręki lewej, chyba że było już do tego zniechęcane. Jeżeli jest oburęczne, należy obserwować subtelne sygnały świadczące o rozwijaniu sprawności ręki lewej, która może stać się dominująca w wielu ważnych czynnościach (zob. Wolman, 2005).

Zabawa i rozwój

Rozmawiając z rodzicami, jednocześnie obserwuję zabawę dziecka. Już w tym wieku odzwierciedla ona jego fantazje oraz doświadczenia. Zabawa na niby małego tuptusia pokazuje jego umiejętność odbierania i zapamiętywania zachowań i wydarzeń, których jest świadkiem, oraz odczytywania ich znaczenia. Stanowi dowód nie tylko kompetencji poznawczej dziecka, ale również jego wolności emocjonalnej. Zabawa na niby dziecka napiętego i nieszczęśliwego będzie nieczytelna, powtarzalna albo nie wystąpi wcale.

Wiele dwulatków bawi się w moim gabinecie, ale nie wszystkie. Zabawa umożliwia mi zrozumienie dziecka, więc za każdym razem chciałbym mieć okazję do jej obserwowania. Mogę wtedy również ocenić kompetencję poznawczą dziecka. Zbieram w ten sposób ważne wskazówki dotyczące jego rozwoju. Na przykład dziecko może ułożyć kwadrat z klocków, taki niby-pokój, w którym stawia lalkę-dziewczynkę. Następnie wprowadza do zabawy lalkę-chłopca, do której mówi: „Idź do domu", a potem: „Puk, puk! Proszę!". Odsuwa jeden klocek, aby wpuścić chłopca do środka. Ten wchodzi i obydwie lale się przytulają.

W tej scenie dziecko demonstruje swoją zdolność do **zabawy symbolicznej**. Używa lalek, aby za ich pomocą przedstawiać osoby ze swojego życia. Dla tego dziecka ważnym wydarzeniem mógł być powrót taty z pracy. Jego umiejętność myślenia symbolicznego pozwala mu odtwarzać z pamięci podobne wydarzenia. Zabawa symboliczna opiera się na **naśladowaniu** i wymaga tej właśnie zdolności. Poprzez zachowanie lalek dziecko demonstruje już swoją świadomość różnic rodzajowych. Powtarzanie zasłyszanych pytań i rozmów, które odbywają się w domu, świadczy o tym, jak ważne jest dla niego zachowanie rodziców. Wychwytuje i odtwarza też subtelne zmiany modulacji ich głosu.

Nawet taka krótka scenka potwierdza różnego rodzaju osiągnięcia rozwojowe. Gdy dziecko odsuwa klocek, aby wpuścić lalkę-chłopca, demonstruje zdolność **planowania** motorycznego (sekwencji ruchów potrzebnych do wykonania zadania) oraz znajomość prawa **przyczyny i skutku** (jeśli otworzy się drzwi, będzie można wejść). Dziecko może wprowadzić do „domu" z klocków nakręcaną ciężarówkę, układając na niej lalki – ostrożnie, płasko i równolegle do podłogi, tak aby nie wypadły – a następnie nakręcić samochód. Delikatność obchodzenia się z zabawkami oraz jego **mała motoryka**, czyli sprawność ruchowa rąk widoczna na przykład przy uruchamianiu samochodu, wskazują, że ten aspekt układu neuromotorycznego jest prawidłowo rozwinięty. Dziecko z łagodnym porażeniem mózgowym czy innym schorzeniem neurologicznym upośledzającym małą motorykę ma niezręczne, drżące ruchy i często nie trafia do celu. Wszystko to można zaobserwować w trakcie krótkiej zabawy dziecka.

Równocześnie próbuję ocenić, jakim kosztem odbywa się przyswajanie przez dziecko danych z otoczenia, ich przetwarzanie i organizowanie do działania. Przyglądam się jego zabawie, aby zauważyć, jak jego układ nerwowy przyjmuje, przetwarza i wykorzystuje informacje. Czy próbuje poradzić sobie z subtelnymi opóźnieniami w przetwarzaniu danych? Utrzymywanie uwagi przez dłuższy czas oraz umiejętność wykluczania niepotrzebnych zabawek, a wybierania tych, które akurat pasują do danej zabawy symbolicznej, jest dowodem na to, że dziecko panuje nad napływającymi bodźcami. Jeśli układ nerwowy dziecka jest nadwrażliwy, rozprasza je każdy bodziec wizualny i słuchowy. Przerzuca uwagę z jednej zabawki na drugą, a głosy rozmawiających obok osób odwracają jego uwagę.

Czasami w wieku 2 lat dziecko nadwrażliwe umie już radzić sobie z rozpraszającymi je dźwiękami. Na przykład gdy pobliskie głosy powodują nerwowe kierowanie wzroku w ich stronę, maluch może spuścić głowę, skupiając się na zabawkach, aby zmniejszyć stymulację swojego niedojrzałego układu nerwowego. Nauczył się panować nad bodźcami poprzez zdwojenie koncentracji na zabawie. Taka wytężona uwaga jest skuteczną adaptacją, jednak dziecko płaci za nią pewną cenę: opiera się wszelkim zmianom, gdyż trudno jest mu porzucić zadanie, na którym skupia się w dwójnasób, i rozpocząć kolejne. Innym sposobem radzenia sobie z nadwrażliwością będzie większa aktywność ruchowa, która łagodzi zarówno nadwrażliwość, jak i jej skutki. Takie dziecko będzie potrzebowało szczególnej uwagi, kiedy pójdzie do żłobka lub przedszkola – być może wówczas się okaże, że cierpi na ADHD (zaburzenie charakteryzujące się deficytem uwagi i nadwrażliwością na bodźce). Radzenie sobie z rozproszeniem uwagi w grupie dzieci będzie dla niego trudne. Bodźce mogą łatwo je przeciążyć i wytrącić z równowagi bądź kazać mu nieustannie działać i przełączać uwagę z jednej czynności na drugą. Wówczas gabinet pediatryczny może nie dawać próbki realnego zachowania dziecka i konieczna będzie obserwacja w grupie (zatłoczona poczekalnia również może posłużyć jako kontekst diagnostyczny).

Oceniając objawy nadwrażliwości, wielokrotnie klaszczę w dłonie, aby zaobserwować, czy dziecko potrafi odciąć się od tych powtarzalnych bodźców. Dzieci nadwrażliwe będą mrugać powiekami przy każdym klaśnięciu, pozostałe zaś przestaną po kilku pierwszych razach. Chcąc zdiagnozować zdolność dziecka do organizowania informacji wizualnych, daję mu do ułożenia proste puzzle – dziecko, które nie radzi sobie z zależnościami przestrzennymi, szybko zniechęci się do zadania.

Wszystkie te obserwacje oraz inne, dotyczące sprawności sensorycznych, poznawczych, lingwistycznych i motorycznych, mogą być poczynione podczas zabawy dziecka oraz rozmowy z rodzicami. Jeśli zaobserwuję jakiekolwiek problemy w tych dziedzinach, badam dziecko pod kątem często ledwo dostrzegalnych deficytów neurologicznych (tzw. miękkich objawów neurologicznych) i/lub deficytu uwagi i zaburzenia przetwarzania sensorycznego. Gdy znajdę coś niepokojącego, kieruję dziecko na szczegółowe badania właściwe dla danego wieku. Wszelkie odstępstwa od normy powinny być zdiagnozowane jak najwcześniej. Często pierwszymi osobami, które mogą poczynić wstępne obserwacje, są uważni rodzice. Wielu opowiada mi o swoich spostrzeżeniach dotyczących dziecka, które – w przeciwieństwie do rodzeństwa na adekwatnym etapie rozwoju – nie potrafi wykonać prostych zadań.

Rodzice mogą na przykład zaobserwować, że dziecko:

- marszczy czoło przy wykonywaniu zadania;
- potrzebuje dwa razy więcej czasu niż powinno, aby powtórzyć coś, co już raz wykonało;
- rezygnuje z nowej aktywności i polega na tym, co znane i wyćwiczone dzięki rutynie;
- stosuje wszelkie możliwe zabiegi, aby odwrócić uwagę dorosłych od zaproponowanego przez nich zadania, którego nie potrafi wykonać.

Wszystkie obserwacje rodziców uświadomiły mi, jak zaradne i pomysłowe może być dziecko w pokonywaniu trudności na drodze do przyswojenia i wykorzystywania napływających informacji, a także jak kruche może być jego poczucie wartości. Rozmowa na temat trudności dziecka i sposobów zaradzenia im przyniesie rodzicom ulgę.

Jeśli zaburzenia są niewielkie, sugeruję następujące działania: spróbuj zmniejszyć presję i zaproponować dziecku większe wsparcie. Najpierw powiedz mu, że rozumiesz, iż dane zadanie jest dla niego trudne, ale że **potrafi** je wykonać. Następnie wybierz taki moment, kiedy nic innego nie będzie was rozpraszało. Usiądźcie razem w jakimś przestronnym miejscu, aby zająć się zadaniem. Mów spokojnie i używaj w danej chwili tylko jednej modalności – głosu, ruchu lub bodźca wzrokowego. Bez zbytniej presji, która zniechęciłaby dziecko, zademonstruj mu zadanie krok po kroku, rozkładając je na prostsze etapy, jeśli będzie to konieczne. Pozwól dziecku na kolejne próby i porażki. Pokaż mu jeszcze raz, powoli, każdy krok. Kiedy poradzi sobie z jednym, zachęć łagodnie do następnego. Gdy się zawaha, przypominaj mu dotychczasowe osiągnięcia. Jeśli poradzi sobie kolejno z poszczególnymi etapami, nabierze pewności siebie, aby wykonać następne. Każdy kolejny podniesie jego poczucie kompetencji, które do tej pory mogło zostać nadszarpnięte. Pozwól mu na przerwę, nabranie oddechu i powrót do zadania za jakiś czas.

Dla takiego dziecka ważne jest właściwe tempo. Jeśli samo nauczy się dostosowywać je do swoich możliwości, będzie to ogromny krok w kierunku zapanowania nad własnym układem nerwowym i jego tendencją do przeciążania. Najtrudniejszym zadaniem dla rodziców będzie zrezygnowanie z nadopiekuńczości i ciągłego czuwania nad dzieckiem. Muszą mu pozwolić na lekką frustrację, tak aby wykonanie zadania było **jego** osiągnięciem, nie rodziców. Dziecko powinno nauczyć się pokonywania frustracji i bycia wytrwałym. Ważne jest wycofanie się i pozwolenie mu na samodzielne działanie. Niełatwo być rodzicem takiego dziecka, jednak pokazanie mu jego własnych możliwości osiągnięcia sukcesu przygotuje je na przyszłe wyzwania. Chcąc zwiększyć jego motywację, należy zawsze zaczynać i kończyć zadaniami, które dziecko potrafi dobrze wykonać (zob. też rozdziały 17, 25 i 35).

Oswojenie z lekarzem

Przebywając w gabinecie, dziecko powinno zdecydować, na czyich kolanach będzie siedzieć i czy chce zostać przeniesione na specjalny stół do badania. Pozwalam mu zdjąć skarpetki, aby miało poczucie kontroli. Nie zdejmujemy pieluszki w celu symbolicznego uszanowania intymności dziecka. Mam nadzieję, że przyniesie ono brudną, wysłużoną lalkę lub misia, które – sfatygowane i podniszczone – będą prawdziwym dowodem na to, jak bardzo są ulubione. Jeśli nie, proponuję dziecku nieporównywalny substytut z kącika z zabawkami. Pytam: „Czy mogę być panem doktorem misia?". Dziecko przeważnie się uśmiecha i może powiedzieć: „Doktor misia". „Może położysz słuchawkę na jego serduszku?" – pozwalam mu wziąć stetoskop, a potem otoskop. „Czy możesz potrzymać misia, aby się nie zmartwił, gdy będę mu badał uszka?" – przytulając misia z całych sił do siebie, dziecko nastawia do badania jedno, a potem drugie ucho zabawki. Zbadanie uszu dziecka potrwa teraz tylko krótką chwilę. „Pokaż misiowi, jak trzeba otworzyć buzię: **szeroko**. Nie będziemy potrzebować szpatułki, jeśli pokażesz mu, jak się otwiera buzię naprawdę szeroko". Dziecko w taki sam sposób pozwala mi zbadać brzuszek misia, a potem własny oraz genitalia. „Miś jest naprawdę wspaniały. I ty też" – dziecko pojaśnieje z dumy, a gdy

zejdzie ze stolika, może samo pobiec w stronę wagi, aby dać się zważyć i zmierzyć. Nawet nie muszę go za bardzo nagradzać na koniec wizyty – nagrodą dla niego jest poradzenie sobie ze stresem. Jeśli uda się nam dzięki takim momentom zbudować stabilną relację opartą na szacunku, jest to dla dziecka ważne osiągnięcie, a dla mnie możliwość wglądu w jego rozwój.

Mowa

Choć dialog z rodzicami prawdopodobnie jest najważniejszym doświadczeniem wczesnego dzieciństwa wpływającym na rozwój mowy, nie jest to jedyny sposób zdobywania przez dziecko tej umiejętności. Katherine Nelson, psycholog z City University of New York, nagrywała mowę jednego dziecka od 21 miesiąca do 3 roku życia. Wśród nagrań były monologi wypowiadane samotnie w łóżeczku. Doktor Nelson i jej współpracownicy, grupa wybitnych naukowców, wśród nich Jerome Bruner i Daniel Stern, przeanalizowali te nagrania i opisali swoje wnioski (zob. Nelson, 2006). Według jednej z teorii powstałych w wyniku tego badania monologi dziecka nie są jedynie ćwiczeniem nowego języka czy zabawą, ale próbami nadania sensu codziennym doświadczeniom. Istnieją dowody na to, że małe dziecko odtwarza w nich swój świat. Kluczowe wydarzenia w życiu badanej dziewczynki (w wieku 32 miesięcy), na przykład pozostawienie w żłobku, były na nowo opowiadane i interpretowane: „Jej mama i tata będą tu cały czas, a moja mama i tata – nie. Mówią mi tylko, co się dzieje, i idą od razu do pracy, bo ja nie, bo ja nie, bo ja nie płaczę".

Takie monologi pokazują, w jaki sposób dziecko nadaje sens wydarzeniom oraz jak rozwija się jego poczucie tożsamości. Pojawią się one u „starszego" dwulatka[23], który naturalnie potrafi więcej niż „świeżo upieczony dwulatek". Jednak mowa jest od samego początku ważna dla małego tuptusia – będzie ją nieustannie ćwiczył.

Dwulatek używa czasowników do tworzenia krótkich zdań i zaczyna dodawać przymiotniki: „Idź sklepu", „Ładna sukienka", „Daj to. To ładne". Jeśli rodzice chcą, aby dziecko wypowiadało więcej słów, mogą je delikatnie zachęcić, mówiąc: „Myślę, że wiem, co chcesz, ale musisz to powiedzieć. Czy to jest auto, domek czy lala?". Mały tuptuś może zechcieć powtórzyć usłyszane słowo. Prawdopodobnie nie posługuje się jeszcze przysłówkami, takimi jak „szybko", „wolno", ale na pewno mówi „do góry", gdy chce być wzięty na ręce, oraz „dół", gdy chce się znaleźć na ziemi. Być może rozumie te polecenia i używa ich już od kilku miesięcy. Poproszony: „Idź do swojego pokoju, przynieś zabawkę i połóż ją na krześle" zademonstruje swoje umiejętności receptywne – doskonale zrozumie i zapamięta kolejność tych trzech kroków. Jednak czas pojawienia się tych umiejętności zależy od konkretnego dziecka.

U tych, które jeszcze nie mówią, ważnym czynnikiem diagnostycznym są gesty czy język niewerbalny. Gesty obserwuje się też u dzieci mówiących, gdy nie wiedzą dokładnie, jak coś zakomunikować. Wskażą wówczas na pożądany przedmiot lub odegrają scenkę w jasny i zrozumiały sposób. Jeśli dziecko jeszcze nie mówi, ale używa zrozumiałych gestów oraz mimiki twarzy i języka ciała do wyrażenia tego, czego chce, to potrafi się komunikować i nie powinno być opóźnione intelektualnie. Warto też obserwować, w jaki sposób używa ust do innych celów. Jeżeli jeszcze się ślini lub ma trudności z połykaniem bądź widoczne jest niskie napięcie mięśni języka i ust, wówczas trudności z koordynacją mięśni ust i gardła mogą opóźnić mowę. Choć wiele dzieci nadrobi zaległości w przeciągu kilku miesięcy, sugeruję, aby niemówiący wyraźnie dwulatek został poddany specjalistycznym badaniom logopedycznym. Jest to tym bardziej wskazane, gdy dziecko agresywnie wyraża swoją frustrację nieumiejętnością komunikowania się.

Jest wiele przyczyn opóźnienia w mówieniu. Przede wszystkim w razie jakichkolwiek wątpliwości należy zawsze wykluczyć wadę słuchu. Rodzice powinni także się zastanowić, czy nie są nadopiekuńczy i czy dbając o zaspokajanie potrzeb dziecka, nie ułatwiają mu życia do tego stopnia, że nie musi ono nawet mówić, czego chce. Ponadto, trzecie lub czwarte dziecko w rodzinie prawdopodobnie zacznie

---

[23] W wieku dwóch lat i kilku miesięcy (przyp. tłum.).

mówić później, gdyż rodzeństwo wyręcza je we wszystkim. Należy zaobserwować, czy dziecko używa do komunikacji przynajmniej języka niewerbalnego.

Jeśli wymienione przyczyny zostały wykluczone, należy zbadać dziecko pod kątem zaburzeń przetwarzania bodźców słuchowych. Powinny być one rozpoznane przez specjalistę od zaburzeń słyszenia i uczenia się. Jeśli problemy nie ustąpią, rodzice muszą poprosić pediatrę o skierowanie na dalsze badania. Inną możliwą diagnozą może być dziecięca apraksja mowy, uważana przez wielu za schorzenie neurologiczne skutkujące trudnościami w koordynacji i sekwencjonowaniu ruchów mięśni biorących udział w procesie mówienia – ust, języka i podniebienia miękkiego – niezbędnych do wyprodukowania zrozumiałej mowy. Dzieci cierpiące na to zaburzenie zaczynają mówić późno, wypowiadają tylko kilka spółgłosek i opuszczają dźwięki trudne do wymówienia. Jako niemowlęta nie głużyły i nie gaworzyły oraz mogą doświadczać trudności podczas karmienia.

Dzieci cierpiące na zaburzenia ze spektrum autyzmu (takie jak autyzm, zespół Aspergera lub całościowe zaburzenia rozwoju), zaczną mówić później, czasami z pewnymi ograniczeniami w mowie, a niekiedy nie będą mówić wcale. Będą mieć trudności ze zrozumieniem społecznego aspektu języka, zarówno werbalnego, jak i niewerbalnego. Mogą nie być w stanie właściwie interpretować mimiki twarzy, a nawet nie patrzeć na twarze innych w celu odczytywania z nich informacji (zob. rozdział 17).

Rodzice często się martwią, kiedy dziecko się jąka. Gdy słowa napływają zbyt szybko, wszystkie dwu- i trzylatki jąkają się i zacinają. Nie są w stanie fizycznie nadążyć, tak samo jak potykają się o własne nogi i przewracają podczas nauki chodzenia. Poprawianie albo wyręczanie dziecka w mówieniu dodatkowo pogarsza sytuację. Trzeba dać mu czas i nie naciskać, a także nie pozwalać, aby czuło na sobie presję. Wszyscy dorośli nieświadomie wywierają presję na dziecku, które uczy się mówić. Każde wypowiedziane prze nie słowo od razu jest poprawiane. Można powiedzieć, że jesteśmy zaprogramowani, aby prowadzić dziecko w kierunku mowy dorosłych. Jeśli rodzice się wycofają, będą się cieszyć wszelkimi próbami dziecka i dadzą mu czas, ten rodzaj jąkania rozwojowego minie. Jednak gdy będzie się utrzymywać wraz z towarzyszącym mu rosnącym napięciem dziecka i pomimo wysiłków rodziców, aby zmniejszyć presję, należy poprosić o konsultację logopedę. Stwierdzi on, czy w danym przypadku występuje jąkanie rozwojowe, czy też dużo rzadsza trwała wada wymowy. W wypadku neurologicznego upośledzenia wczesna interwencja jest skuteczniejsza niż próby przeczekania problemów.

Jeżeli dziecko jest naprawdę opóźnione – nie rozumie napływających informacji i nie potrafi się komunikować – potrzebna będzie pełna diagnoza. Logopeda potrafi ocenić jego mocne i słabe strony. Niektórych opóźnień nigdy nie da się precyzyjnie zdiagnozować, ale na szczęście terapia może tu bardzo pomóc. Nawet jeśli dziecko nie cierpi na poważne zaburzenia, takie jak apraksja czy autyzm, ale trudno je zrozumieć w wieku 2 lat, sugeruję przebadanie go przez eksperta. W każdej placówce opiekuńczej powinny być dostępne programy wczesnej interwencji, służące między innymi zwiększaniu gotowości szkolnej. Terapia umożliwi małemu dziecku poradzenie sobie z tymi problemami, a także przygotuje je na społeczne i edukacyjne wyzwania przedszkola i szkoły podstawowej.

Dziecko mające kontakt z dwoma językami równocześnie uczy się ich równolegle, mniej więcej w tym samym czasie co dziecko słyszące jeden język. Czasami może zacząć mówić odrobinę później albo – co zdarza się rzadziej – nawet rok później. Choć musi sobie przyswoić różne dźwięki charakterystyczne dla poszczególnych języków, zwykle nie stanowi to problemu, zwłaszcza gdy słyszy oba języki już od 1 roku życia. Musi również rozróżnić jeden od drugiego. Niezwykłe jest to, jak rzadko myli je ze sobą i jak wcześnie uświadamia sobie, z kim używać którego języka. Nawet jeśli wystąpi jakieś opóźnienie w mówieniu, warto odrobinę zaczekać, gdyż w ten sposób dziecko przyswoi sobie dwa języki tą częścią mózgu, która – według naukowców – nie będzie już później dostępna w dalszej nauce języka. Wydaje się, że dziecko dwujęzyczne będzie łatwiej przyswajało kolejne języki – a jest to coraz bardziej przydatna umiejętność w świecie, w którym rozumienie różnych kultur stało się ważniejsze niż kiedykolwiek wcześniej.

Mówienie „dziecięcym językiem"

Większość rodziców używa w rozmowach w dzieckiem „dialektu dziecięcego". Czy może to opóźnić przyswojenie mowy dorosłych? Nie sądzę. Używanie języka dziecięcego przez dorosłych niesie następujący komunikat: „Teraz rozmawiam tylko z **tobą**, z nikim innym". Jednak, jeżeli to możliwe, około 2 roku życia dziecka można już z niego zrezygnować. Będzie to oznaczało: „Jestem dumny z tego, że dorastasz i chcesz uczyć się mówić". Rodzice posługujący się językiem dorosłych staną się wówczas wzorem, na którym dziecko będzie modelować swoje umiejętności.

Sen

Nowe osiągnięcia w dziedzinie mowy mogą być słyszalne w okresach snu płytkiego, kiedy dziecko próbuje wejść z powrotem w sen głęboki. Nie do końca rozbudzone może zacząć wypowiadać wszystkie niedawno przyswojone słowa, wyciszając się nimi do snu. Rodzice, którzy wycofali się z rytuału usypiania dziecka, z zadowoleniem usłyszą teraz, jak w nocy ponownie zasypia, mówiąc samo do siebie. Leżąc w łóżeczku po skończonym wieczornym rytuale, powtórzy wszystko, czego nauczyło się w ciągu dnia. Adresatem tych „narracji z łóżeczka" są czasami lala lub pluszowa zabawka. Rodzice rozpoznają w nich doświadczenia minionego dnia. Takie monologi mogą trwać nawet dwa lub trzy kwadranse, po czym dziecko zasypia. Wszystkie wcześniejsze wysiłki rodziców, aby nauczyć malucha samodzielnego zasypiania, teraz się opłaciły. Ten dar autonomii umożliwia ekscytujące poczucie panowania nad sobą. Przypominanie sobie wydarzeń dnia i ich interpretowanie umożliwia dziecku poradzenie sobie z resztkami frustracji lub napięcia.

W tym wieku, a u niektórych dzieci nawet wcześniej, zaczynają się pojawiać koszmary nocne. Przerażają one bardziej rodziców niż dziecko, które nie jest w pełni przebudzone, a następnego ranka w ogóle ich nie pamięta. Koszmary występują w trakcie przejścia ze snu głębokiego do płytkiego, charakteryzują się niekontrolowanymi krzykami i rzucaniem się w łóżeczku. Spokojna obecność rodzica i zadbanie o to, aby dziecko nie zrobiło sobie krzywdy, na ogół wystarczają. Próby obudzenia dziecka czy uspokojenia go mogą prowadzić do większego rozdrażnienia. Choć mogą się wydawać przerażające, koszmary nocne nie są zwykle niczym poważnym. Jeśli pojawiają się częściej niż kilka razy w krótkim odstępie czasowym, mogą oznaczać, że dziecko doświadcza stresu. Zmartwieni rodzice mogą podzielić się swoimi obawami z pediatrą (zob. też Brazelton, 2003c).

Karmienie

Kiedy podczas wizyty z dwulatkiem pytam rodziców o karmienie, odpowiadają: „Jest strasznym flejtuchem". Jeśli dwulatkowi spadnie jedzenie z widelca, będzie sfrustrowany. Może rozsmarować je po całym stoliku albo zrzucić wszystko na podłogę. Chce mieć kontrolę nad posiłkiem i nie pozwoli, aby rodzice mu pomagali. Jeśli ktoś skomentuje, co dziecko robi, bądź cokolwiek zasugeruje, ono może wybuchnąć płaczem. Rodzice muszą mu pozwolić jeść po swojemu. Dwulatek tak bardzo chce nauczyć się posługiwania sztućcami, że każda porażka to dla niego cios. Być może już teraz będzie chciał jeść „po dorosłemu", tak jak jego rodzice.

Pozwolenie na taką niezależność jest bardzo trudne dla wielu rodziców. Ważne, aby nie naciskać. Im więcej wysiłku włożonego w przyrządzenie „czegoś wyjątkowego", tym bardziej dziecko może się opierać. Ono **musi** mieć pewność, że decyduje. Oczywiste pragnienie rodziców, aby dziecko zjadło to „coś wyjątkowego", od razu budzi jego czujność. Nawet gdy dorosły wypowie jedynie sugestię typu: „Groszek łatwiej utrzymać na łyżeczce niż na widelcu", ono wybuchnie: „Nie chcę groszku!". Rodzice, którzy nalegają, sami proszą się o problemy z jedzeniem. Jeśli respektują wysiłki dziecka uczącego się jeść „po dorosłemu", pozwalają mu na dokonywanie wyboru oraz akceptują bałagan nieodłącznie związany z nauką używania sztućców, kiedyś posiłki staną się przyjemnością. Uczenie manier musi zaczekać. Może się to wydawać wiecznością, ale dziecko będzie potrzebować jeszcze około roku, zanim będzie można rozpocząć naukę w tym zakresie.

Trening czystości

Nauka korzystania z toalety musi zostać odłożona do co najmniej 2 roku życia dziecka, chyba że rodzice spędzili większość pierwszego roku na treningu komunikowania potrzeb naturalnych. Nawet dwulatek musi jednak zdecydować, czy jest już gotowy. Wszelką presję ze strony dziadków, wychowawczyń w żłobku czy życzliwych przyjaciół należy zlekceważyć. To **musi** być osiągnięcie dziecka – i niczyje inne.

Trening czystości może się rozpocząć tylko wtedy, gdy wszystkie oznaki gotowości omówione w poprzednim rozdziale (język, naśladowanie, porządek, mniejszy negatywizm) będą obecne. Prawdopodobnie będzie to miało miejsce zaraz po ukończeniu przez dziecko 2 lat.

Etapy treningu czystości

(1) Daj dziecku nocniczek, aby mogło go zabierać, gdziekolwiek zechce. To będzie jego nocniczek i trzeba dać mu czas na oswojenie się z nim. Duża toaleta należy do rodziców, a mały nocniczek jest dla dziecka - do nauki.

(2) Po tygodniu zachęć dziecko, aby usiadło na nim w ubraniu, podczas gdy ty usiądziesz na muszli. Przeczytaj mu bajkę lub podaj przekąskę, aby pobyło przez chwilę na nocniczku. Wszystko po to, żeby ustaliła się codzienna rutyna siadania na nim – póki co w ubraniu. Zdjęcie ubrania mogłoby być zbyt inwazyjne i przestraszyłoby dziecko.
(3) W następnym tygodniu spytaj dziecko, czy możecie zdjąć pieluszkę, aby raz dziennie usiąść na nocniczku. Ty usiądź na swoim, a ono na swoim. Powtarzaj przy tym: „Mamusia robi to codziennie. I tatuś robi to codziennie. I babcia. Twoje lalki i misie też mogą tu usiąść. Chodzimy do nocniczka, gdy jesteśmy tacy duzi jak ty".
(4) W trzecim tygodniu podejdźcie do nocnika z brudną pieluszką i wyrzućcie do niego kupkę. Powiedz na przykład: „Pewnego dnia będziesz mógł robić kupkę do nocniczka. Mamusia i tatuś robią to codziennie. To jest twój nocnik, a to mój". Nie spuszczaj kupki do toalety, gdy dziecko jeszcze patrzy. Wprawdzie niektórzy rodzice twierdzą, że dziecko jest zachwycone, kiedy kupka nagle znika, i być może tak jest, ale zastanawia się również, gdzie ona się podziała. Może myśleć o tym przez całe lata. Każde dziecko ma poczucie, że to część jego samego. Na tym etapie nie należy spłukiwać kupki, dopóki dziecko nie odejdzie.
(5) Następny krok leży całkowicie w gestii dziecka. Jeśli kiedykolwiek wcześniej poczujesz z jego strony opór, należy na jakiś czas zaniechać treningu. Pokazujesz mu jedynie poszczególne kroki, aby kiedyś samo je podjęło. Teraz, jeśli poprzednie etapy zainteresowały dziecko, możesz zaproponować mu zdjęcie pieluszki i bieganie po domu z gołą pupą. Jeśli jest gotowe, zasugeruj skorzystanie z nocniczka w razie potrzeby – można go ustawić w pokoju dziecka lub w ogrodzie. Może do niego podejść samo, jeśli będzie chciało. Można mu przypominać co godzinę lub w porach dla niego typowych, aby spróbowało. Gdy dziecko rzeczywiście jest gotowe, będzie współpracowało. Jeśli uda mu się coś „wyprodukować" do nocniczka, zostaw to na jakiś czas, aby można to było podziwiać. Możesz mu pogratulować, ale nie należy przesadzać. Zbyt wiele pochwał stłumi jego podekscytowanie własnym osiągnięciem.
(6) Jeśli dziecko jest gotowe, można pozwalać mu biegać bez pieluszki i majteczek coraz dłużej. Gdy się zsiusia albo zrobi kupkę na podłogę, nie wolno robić z tego problemu. Możesz mu założyć z powrotem pieluszkę i powiedzieć: „Spróbujemy jeszcze raz. Nie ma pośpiechu. Pewnego dnia zrobisz to tak jak mamusia, tatuś i babcia". Wykorzystujesz tu pragnienie dziecka naśladowania osób, które są dla niego ważne, i utożsamiania się z nimi.

Każdy krok musi być wykonany w tempie odpowiadającym dziecku. Jeśli nagle posmutnieje albo będzie stawiało opór, natychmiast się wycofaj i na jakiś czas odpuść próby. Niektóre dzieci są tak podekscytowane nową czynnością, że będą mieć napady złości związane z tym, czy usiąść na nocniczku, czy nie. Staną przed drzwiami toalety, skacząc i mówiąc: „Chcę siku". Ból na twarzy pokaże jednocześnie wątpliwości i opór przed współpracą. Siedząc już na nocniczku, mogą wstrzymywać mocz lub kupkę. Każda próba zmobilizowania dziecka będzie oznaczała zwiększenie presji, a gdy układ nerwowy jest już i tak przeciążony, wówczas – tak jak w napadach złości – ingerencja spowoduje jedynie wzmocnienie i przedłużenie tego stanu. W dziedzinie wypróżniania, w której autonomia jest elementem zasadniczym, dziecko musi samo poradzić sobie z wewnętrznym zmaganiem i samo podjąć decyzję. Podobnie jak w napadach złości, rodzic może ten stan jedynie przedłużyć - lecz nie może mu zaradzić. Wybór należy do dziecka. Musi go dokonać, jakkolwiek będzie to bolesne, i dopiero wtedy korzystanie z toalety może stać się jego własnym osiągnięciem. Powróćcie do pieluszek, zwłaszcza podczas popołudniowej drzemki i odpoczynku nocnego. Na jakiś czas trzeba będzie zrezygnować z kolejnych prób. Dziecko wie, czego się od niego oczekuje, i zrobi to, gdy będzie gotowe.

Rodzice często opowiadają: „On wstrzymuje kupkę. Stoi przed nocnikiem i wrzeszczy, jakby z bólu. Mówimy mu: »Jasiu, tylko spróbuj. Przecież wiesz, co robić. Jak zrobisz kupkę do nocniczka, przestanie cię boleć«". To nie tak. Ten ból jest w głowie - to ból koszmarnego braku decyzji. Zaangażowanie rodziców tylko go pogłębia. Muszą się wycofać i założyć dziecku pieluszkę. Jeśli mówią, że dziecko zachowuje się tak, jakby założenie pieluchy było dla niego formą kary, być może nadali treningowi czystości zbyt duże znaczenie. Mogą się teraz jedynie wycofać i pozostawić dziecku decyzję co do ponownej próby. Mogą też mu powiedzieć: „Pieluszki są tylko po to, abyś mógł zrobić siku lub kupkę, kiedy tylko zechcesz". Jeśli rodzice mówią: „Przecież skończy się tym, że ono pójdzie w pieluszce do szkoły!", pokazują tylko, jak bardzo się niecierpliwią, aby dziecko w końcu przestało ją nosić. Chcąc się wycofać i pozostawić decyzję maluchowi, będą musieli jeszcze raz przyjrzeć się swoim emocjom. Tym, którzy sami byli przymuszani do nocniczka zbyt wcześnie albo zbyt forsownie, trudno jest nie narzucać tego swoim dzieciom. Postarajmy się jednak tego nie robić.

Powstrzymywanie kupki to bunt dziecka przeciwko presji - narzuconej przez siebie samego lub innych. Z powodów, które mogą nie mieć nic wspólnego z rodzicami, może samo chcieć korzystać z nocniczka, zanim będzie na to rzeczywiście gotowe. Wstrzymywanie wydalania może szybko doprowadzić do zaparć. Stare przekonanie, że zatruwa ono również organizm, nie mają żadnego uzasadnienia. Dzieci, które wypróżniają się tylko raz w tygodniu, mogą cieszyć się doskonałym zdrowiem. Jelito grube powiększa się w procesie adaptacji, a gdy zaparcia miną, znów powróci do normalnych rozmiarów. Dlatego najlepiej nie ingerować w ten proces i zaczekać, aż faza oporu minie.

Zaparcia mogą stanowić problem, gdy zbierający się kał nie tylko zwiększa swoją objętość, ale i twardnieje. Podczas wydalania może on uszkodzić zwieracz odbytu, a powstała w ten sposób szczelina jest bolesna. Przy każdej następnej próbie oddania stolca rana będzie się odnawiać i przypominać o bólu. Zwieracz odbytu zaciska się, aby nie dopuścić do wydalania. Tak powstaje błędne koło - wstrzymywaniu kału z powodów psychologicznych towarzyszy odruchowe zaciskanie zwieracza odbytu w celu uniknięcia bólu. Może to doprowadzić do cyklicznych zaparć, przewlekłych szczelin odbytu, a nawet schorzenia znanego jako jelito olbrzymie.

Jeśli pojawią się opisane objawy, należy **za wszelką cenę** unikać jakiejkolwiek presji. Trzeba powrócić do pieluszek przynajmniej na czas snu i powiedzieć dziecku: „Możesz teraz bezpiecznie zrobić kupkę i zobaczysz, że to nie będzie bolało". Dobrze jest też posmarować odbyt parafiną, aby zabezpieczyć szczeliny. Pediatra powinien przepisać środek rozluźniający kał. Być może trzeba go będzie stosować bardzo długo, dopóki dziecko i zwieracz odbytu nie zapomną bólu. Należy zadbać o luźne stolce, aby nie raniły już zwieracza. Rodzice mogą ponadto powiedzieć: „Całe to zamieszanie z nocniczkiem spowodowało, że robienie kupki boli. Teraz jednak zadbamy o to, aby już nie bolało. Na razie zostawimy nocniczek w spokoju. Zaczniesz go używać, kiedy będziesz chciała. To będzie twoja decyzja, nie nasza".

(7) Naukę siusiania do toalety należy rozpocząć od pozycji siedzącej. Jeśli mały chłopczyk nauczy się oddawać mocz najpierw na stojąco, nie będzie potem chciał usiąść – zbyt dużo frajdy sprawiają mu siusianie na klapę sedesu (czy na ścianę), dźwięk rozpryskującego się moczu i manipulowanie penisem. Kiedy opanuje siedzenie na nocniczku, tata może wziąć go ze sobą do toalety, aby zademonstrować siusianie na stojąco.

Niektórzy ojcowie nie są pewni, czy poradzą sobie z zażenowaniem. Trzeba pamiętać, że mały chłopczyk będzie przeszczęśliwy, iż może dzielić z tatą to doświadczenie, więc nie trzeba się wstydzić. Jeśli dziecko nie chce usiąść na nocniku po ekscytacji doznanej dzięki siusianiu na stojąco, ojciec może posłużyć mu jako model – ono w naturalny sposób będzie go naśladować.

Należy być też przygotowanym na to, że dziecko zechce porównywać wielkość penisa, a nawet dotknąć penisa taty. Można wtedy powiedzieć: „To jest coś osobistego. Ja dotykam mojego, a ty – swojego. Mój jest większy, bo ja jestem większy – moje stopy, ręce, cały jestem duży. Kiedyś ty również cały urośniesz"; jeśli dziecko spyta o włosy łonowe: „Któregoś dnia ty też będziesz miał włosy na twarzy, na ciele, wokół penisa, tak jak ja". Może pojawić się wiele pytań i choć ojciec nie będzie na nie przygotowany, odpowiedzi uzyskane od niego będą dla dziecka ważniejsze niż od kogoś innego.

(8) Trening nocny powinien rozpocząć się dopiero wówczas, gdy dziecko będzie suche po drzemce w ciągu dnia i da do zrozumienia, że chce przespać noc bez pieluszki. Należy zaczekać na całkowitą gotowość – suchą pieluszkę lub trzymanie moczu przez co najmniej 4 do 6 godzin w ciągu dnia oraz chęć współpracy w nocy – dopiero wtedy będzie to miało sens. Jeśli nie wystąpi taka gotowość albo spontaniczne wstrzymywanie moczu, należy odłożyć trening nocny jako projekt na przyszłość – kiedy dziecko będzie miało 3 lata lub więcej. Wiele dzieci przesypia noc bez pieluszki dopiero w wieku 4–5 lat.

Dziewczynki są wcześniej niż chłopcy gotowe na taki trening. Nie wiadomo do końca, jaka jest tego przyczyna. Gotowość ta polega na umiejętności wybudzenia się, wstania i pójścia do toalety raz lub dwa razy w ciągu nocy. Samo powstrzymywanie i kontrolowanie moczu nie wystarczy. Nie powinno się też zanosić dziecka do nocniczka w nocy – ono samo musi dostać sygnał, wstać i opróżnić pęcherz. Zadaniem rodziców jest tylko pokazanie poszczególnych kroków, a potem wycofanie się. Gotowość na samodzielność w tej dziedzinie pojawia się u różnych dzieci w różnym wieku – rozpiętość może tu dochodzić nawet do roku.

Jako społeczeństwu zbyt zależy nam na wczesnym treningu czystości. Nie podoba mi się sam ten termin. Określenie „trening czystości" powinno się zamienić na „nauka korzystania z toalety". Jeśli w domu jest więcej dzieci, tylko pierwsze trzeba nauczyć pewnych kroków – każde następne uczy się od starszego rodzeństwa. Należy pamiętać, aby nie przesadzić z oczekiwaniami wobec starszego dziecka. To zadziwiające, ile dzieci mogą się nauczyć od siebie nawzajem, a cały ten proces przebiega właściwie bezboleśnie.

Seksualność

Trening czystości zwiększy zainteresowanie genitaliami – u obu płci. Badanie swojego ciała i masturbacja stanowią również kamienie milowe na drodze rozwoju dziecka i w tym wieku są jak najbardziej naturalne. Mali chłopcy bawią się swoimi penisami, a dziewczynki wkładają do pochwy różne przedmioty – takie zachowania są częścią normalnych poszukiwań i odkryć dziecka. Rodzice pytają: „Ale gdzie jest granica, która wyznacza normę?". Jeśli dziecko masturbuje się, gdy dookoła są inne ekscytujące aktywności, albo chce sprowokować rodziców lub inne osoby, wówczas może to być oznaką wewnętrznego napięcia. W przypadku masturbacji w miejscu publicznym należy zapewnić dziecko, że można dotykać siebie i badać swoje ciało, ale jest to bardzo intymne i trzeba to zatrzymać dla siebie. Następnie należy poszukać przyczyn, jeśli zdarza się to zbyt często. Zarówno ssanie kciuka, kołysanie się, uderzanie głową, jak i masturbacja mogą oznaczać, że w życiu dziecka jest zbyt dużo napięcia. To są normalne i zdrowe zachowania, jeśli mają miejsce pod koniec dnia lub w momentach kulminacyjnych i służą uwalnianiu napięcia, jednak gdy są uporczywe i występują zbyt często, rodzice powinni zrezygnować z jakiejkolwiek presji, na przykład uczenia dziecka dobrych manier przy stole czy korzystania z toalety. Wraz z wiekiem dziecko znajdzie sobie inne, bardziej akceptowalne sposoby uwalniania napięcia. Rodzice powinni porozmawiać ze swoim pediatrą o wykorzystywaniu seksualnym, jeśli dziecko rzeczywiście ma obsesję na punkcie masturbacji i rezygnuje na jej rzecz z innych aktywności albo gdy demonstruje gesty, o których nie mogłoby wiedzieć, gdyby nie niewłaściwe zachowania seksualne ze strony dorosłych.

Nie należy się martwić, gdy dziewczynka próbuje włożyć sobie coś do pochwy – z pewnością nie zrobi sobie krzywdy ani nie przerwie błony dziewiczej. Jeśli rodzice są oburzeni jej odkrywaniem świata, muszą odpuścić. Gdyby obsesja masturbacją była zbyt intensywna, należy oczywiście przyjrzeć się przyczynom, ale wszystkie małe dziewczynki próbują odszukać „miejsce, skąd wychodzi siusiu" oraz dowiedzieć się, dlaczego mają pochwę. Wszyscy mali chłopcy również badają swoje ciała. Czasami masturbacja może nawet spowodować erekcję. „Spokojnie – mówię w takiej sytuacji rodzicom. – Jeśli pojawią się pytania, odpowiedzcie na nie, ale bez długich i skomplikowanych wywodów. Dzieci będą się niepotrzebnie zastanawiać, dlaczego tak się ekscytujecie tymi częściami ciała".

Wszyscy martwimy się zwiększonym zainteresowaniem seksualnością u dziecka w tym wieku. W moim gabinecie mam lalkę z dziurką w plecach. Najpierw chciałem ją wyrzucić, aby nie zaburzała moim małym pacjentom ich wizji świata, jednak teraz używam jej jako narzędzia diagnostycznego. Kiedy zauważę, że tuptuś patrzy na nią pytająco, mogę powiedzieć: „Zastanawiasz się, dlaczego ta dziurka jest tutaj, prawda? Ty i ja wiemy, że mamy otwory w innych miejscach ciała – w pępku, pupie, penisie czy pochwie. Ta lala nie jest do nas podobna, prawda?". Już osiemnastomiesięczne dziecko spojrzy na mnie z ulgą. Ono wie, gdzie ma pępek, odbyt i genitalia. Potrzebuje jedynie akceptacji swojej ciekawości świata oraz odpowiedzi na pytania o mniej wyeksponowane części ciała.

Negatywizm i agresja

Dwulatki nadal będą doświadczać nagłych zmian nastroju. W jednej sekundzie mogą wybuchnąć złością i stać się nie do opanowania. Każda interwencja ze strony rodziców zakończy się gryzieniem, kopaniem lub uderzaniem głową.

Podczas napadów złości mogą się zdarzyć okresy świadomego wstrzymywania oddechu. Rodzice będą w takich momentach przerażeni, zastanawiając się, czy dziecko zacznie znów oddychać. Czy zsinieje i dojdzie do uszkodzenia mózgu? Nie jest to prawdopodobne. Gdy dojdzie do zatrzymania oddechu, dziecko odpuści złość, a nawet jeśli straci przytomność – co jest bardzo rzadkie – podejmie w tym stanie oddychanie i prawidłowe utlenienie krwi zostanie przywrócone. Wstrzymywanie oddechu jest przerażające, ale niegroźne dla dziecka. Niemniej jeśli zdarzy się dwa lub więcej razy, należy to skonsultować z pediatrą. Rodzice mogą zacząć się tym martwić i rozważać nawet zrezygnowanie z dyscyplinowania dziecka. Nie należy tego robić – potrzebuje ono granic tak samo jak przedtem, a nawet bardziej, jednak wyznaczanych z większą stanowczością i równoczesnym wsparciem dla dziecka, dodaniem mu otuchy czy przytuleniem. Najskuteczniejszą strategią podczas napadów złości jest przytulenie dziecka, a następnie pozostawienie w jego pokoju, tak by było bezpieczne, ze słowami: „Przyjdę, gdy to się skończy. Nie podoba mi się twoje zachowanie i wydaje się, że nie potrafię nic na nie poradzić". Następnie dobrze jest dodać dziecku otuchy, mówiąc: „Kiedyś nauczysz się sam nad tym panować".

Uwaga Może zdarzyć się również nieświadome wstrzymywanie oddechu; najczęściej występuje ono w 2 roku życia i także nie jest niebezpieczne. W bardzo rzadkich przypadkach może spowodować omdlenie i drgawki – należy wówczas powiadomić o tym lekarza dziecka.

Dziecko, które jest agresywne w grupie, zabiera innym zabawki i bije, gdy ktoś się sprzeciwia, może nie wiedzieć, w jaki sposób zmienić swoje zachowanie. Rodzice rówieśników nie lubią takich dzieci, a ono samo doskonale to wyczuwa i nie jest to dla niego łatwe. Można porozmawiać z dzieckiem, **zanim** wejdzie do grupy, i przypomnieć, że nikt nie lubi być popychany. Można je ostrzec, że w przypadku nieodpowiedniego zachowania będzie musiało wyjść z rodzicami, a następnie należy dotrzymać słowa. Gdy wychodzi, trzeba mu powiedzieć, że ma do wykonania zadanie – musi nauczyć się panować nad sobą. Takie dziecko może potrzebować zaostrzonej dyscypliny – powstrzymania i izolowania. Da mu to poczucie bezpieczeństwa, że ktoś zapanuje nad jego utratą kontroli. W międzyczasie rodzice powinni znaleźć towarzysza zabawy, który będzie tak samo agresywny. Dzieci nauczą się od siebie, jakie skutki może mieć ich zachowanie, a także jak nad nim zapanować.

Jeśli dziecku trudno jest podzielić się swoimi zabawkami, należy porozmawiać o tym przed spotkaniem z innymi dziećmi. Można zdecydować, którymi zabawkami mogą się bawić wspólnie, a resztę odłożyć. Dzielenie się z innymi to trudna lekcja dzieciństwa. Jeśli rodzice będą takiej postawy oczekiwać, dziecko nauczy się jej – można zacząć już w tym wieku.

13

Trzylatek i perspektywa na przyszłość

Trzeci rok życia dziecka to czas, który można nazwać drugim miesiącem miodowym. Negatywizm i zmagania małego tuptusia zaczną w cudowny sposób tracić na intensywności. Okres pomiędzy 30 a 36 miesiącem życia cechują spokój i współpraca, dla których warto było przeczekać ostatnie półtora roku. Rodzice nie mogą uwierzyć, że to się dzieje naprawdę. Ten błogostan przypomni im cudowne zakochanie się w dziecku w połowie pierwszego roku, kiedy wszystko wyglądało tak różowo. Teraz jednak dodatkowo rodziców przepełnia duma z wypracowanego z trudem przez dziecko panowania nad sobą. Ten okres spokoju przypada pomiędzy wymagającym rokiem 2 a 4–6 rokiem życia – etapem, który można nazwać próbą generalną przed wiekiem młodzieńczym (zob. też Brazelton i Sparrow, 2013). Relacja pomiędzy dzieckiem i jednym z rodziców wyłączająca drugiego oraz nowa świadomość agresji mogą wywołać wtedy duże zamieszanie w rodzinie, jednak póki co teraz rodzice i dziecko przeżywają błogosławiony czas harmonii.

Jeśli nie zostały jeszcze rozwiązane jakieś wcześniejsze problemy, dobrze jest zrobić to teraz. W naszej klinice w Szpitalu Dziecięcym w Bostonie zajmujemy się właśnie takimi sprawami. Rodzice są już w stanie stawić czoła trudnościom ze spaniem, karmieniem czy z napadami złości. Być może po okresie przyspieszonego uczenia się, zarówno przez dziecko, jak i przez dorosłych, nie było czasu ani sił, aby się zatrzymać i zająć tymi nierozwiązanymi jeszcze kwestiami.

Karmienie

Posiłki to teraz czas dzielony z całą rodziną. W wieku 3 lat dziecko jest już gotowe na jedzenie tylko w porach posiłków i na regularne przekąski. Oprócz tych przed- i popołudniowych przekąsek nie musi być dokarmiane niczym innym między głównymi posiłkami, a z pewnością nie potrzebuje żadnego niezdrowego, zawierającego puste kalorie jedzenia. Powinno cieszyć się z okazji do rozmowy i odczucia przyjemności płynącej z przebywania z innymi osobami przy stole, dlatego ważne jest, aby tak zaplanować jego dzień, by nie pozbawiać go tego doświadczenia. Wszyscy mogą wstać wcześniej, aby w miarę spokojnie zjeść razem śniadanie, a pod koniec dnia priorytetem powinna być wspólna kolacja. Nawet porę podwieczorku można ustalić tak, aby wszyscy byli obecni. Należy podkreślić: „W naszym domu posiłki jemy wspólnie – razem je przygotowujemy i jesteśmy z tego dumni".

Dla niejadka dieta minimalna nie będzie zbyt wyszukana (choć konkretne ilości będą zależeć od wielkości dziecka i jego poziomu aktywności): 480 mililitrów mleka, 85–110 gramów białka, pół kromki chleba z pełnego ziarna, pół kubka pełnoziarnistych kluseczek lub kaszki zbożowej, do 250 gramów owoców oraz multiwitamina z żelazem, jeśli odpowiednia ilość witamin nie jest zawarta w posiłkach. Rodzice powinni wystrzegać się „duchów znad kołyski", czyli powtarzania własnych przykrych doświadczeń, gdy byli zmuszani do siedzenia przy stole godzinami nad niedokończonym posiłkiem i konsumowania go później niż reszta rodziny. Mając w pamięci swoją determinację i doznane upokorzenia, mogą uniknąć powtórki z historii. Proste i stanowcze zasady oraz brak nacisku ze strony rodziców pomogą uniknąć problemów w tym zakresie.

Zasady dla dziecka

Między posiłkami jemy tylko przekąski przed- i popołudniowe.
Nie wracamy do stołu po odejściu od niego. Dziecko nie musi siedzieć przy stole do końca posiłku, jednak gdy już od niego wstanie – nie ma powrotu.

Zasady dla rodziców

Demonstruj maniery obowiązujące przy stole, ale nie przesadzaj z ich egzekwowaniem.
Nie przekupuj dziecka deserem.
Nie rozmawiajcie o jedzeniu i nie namawiaj dziecka do jedzenia.
Nie gotuj dla dziecka specjalnych potraw – gdy ich nie zje, będziesz rozczarowany.
Nie spełniaj wszystkich jego zachcianek – będziesz tego żałować. Proponuj mu to, co zostało podane dla wszystkich i znajduje się na stole. Jeśli dziecko tego nie zechce, będzie musiało poczekać do następnego posiłku.

Jeśli dziedzina posiłków nie stała się do tej pory miejscem bitwy, trzylatek zacznie naśladować osoby ze swojego otoczenia. Będzie zjadał to, co one. Podchwyci nawet pewne zachowania obowiązujące przy stole. Jeżeli rodzice sprawią, że czas posiłków będzie się dziecku kojarzył z radością bycia razem i z przyjemnością, jedzenie nie stanie się problemem. To rozwiązanie nie jest łatwe dla rodziców pracujących, gdy w grę wchodzą różne rozkłady dnia, presja czasu i tym podobne, jednak tym bardziej wtedy, gdy rodzina poddana jest stresowi, ważne jest, aby każdego dnia wspólnie zasiąść przy stole raz lub dwa razy.

Również dlatego istotne jest, aby w tych porach każdy włączył się do przygotowań. Rodzice nie powinni wyręczać dziecka we wszystkim. Nakrywanie do stołu, przygotowywanie prostych dań czy sprzątanie po posiłkach to doskonały trening dla dziecka na przyszłość. Choć zachęcanie go do aktywnego uczestnictwa może zabrać dwa razy więcej czasu, niż gdyby rodzic zrobił wszystko sam, włożony wysiłek się opłaci. Nie należy przymilnie prosić ani usilnie namawiać dziecka do pomocy. Trzeba mu pokazać, jak wykonać daną czynność, zachęcić do włączenia się i wymagać jej codziennie. Poczucie bycia użytecznym i kompetentnym ogromnie wzmacnia poczucie własnej wartości dziecka: „Jestem częścią mojej rodziny i mogę pomóc w tym, co każdy robi!".

Ponieważ wielu towarzyszy zabaw dziecka będzie jadło słodycze i piło słodkie napoje, rodzice mogą się niepokoić, że nie podając mu tego rodzaju produktów, podkreślają jego „inność". Można przedstawić dziecku powody, wyjaśnić, że „tak jest w naszej rodzinie", i zachęcić, aby było z tego dumne. Zamiast wprowadzać całkowity zakaz spożywania ciasteczek i cukierków, co tym bardziej zwiększy ich atrakcyjność, można podawać je dziecku od czasu do czasu, nie robiąc z tego szczególnego wydarzenia i nie zwiększając w ten sposób ich znaczenia. Jeśli dziecko będzie „nadrabiać" jedzenie łakoci u sąsiadów, można z nimi – lub z innymi „winowajcami", na przykład dziadkami – odbyć szczerą rozmowę i wyjaśnić swoje starania o to, by dziecko nabrało zdrowych i przewidywalnych nawyków jedzeniowych. Jeśli rodzice nie spotkają się ze zrozumieniem, powinni jasno wytłumaczyć dziecku, dlaczego w ich domu nie ma niezdrowego jedzenia, równocześnie zapewniając mu mnóstwo zdrowych przekąsek. Opiekunowie z zewnątrz muszą znać punkt widzenia rodziców.

Trening czystości

Korzystanie z toalety będzie dla trzylatka tak oczywiste, jakby robił to od zawsze – przynajmniej w ciągu dnia. Jakakolwiek wpadka – kupka czy siusiu w majtki – będzie dla niego bardzo poważną sprawą. Regres w tej dziedzinie pojawi się w zrozumiałych sytuacjach, na przykład przy okazji wyjazdu mamy lub taty czy pojawienia się kolejnego dziecka w rodzinie. Rodzice powinni dać trzylatkowi do zrozumienia, że to tylko nieistotny incydent – w przeciwnym razie może on mieć poczucie winy, a sytuacja go przerośnie. Poradzi sobie z nią i wybaczy sam sobie tylko wtedy, gdy rodzice wyjaśnią mu, że tak się czasami zdarza, kiedy ktoś jest w stresie. Takie wpadki będą się powtarzać, jeśli presja rodziców będzie zbyt duża lub gdy dziecko nie jest jeszcze gotowe na samodzielne korzystanie z toalety. (Dużo rzadszym powodem nawracającego moczenia się może być problem medyczny, na przykład zakażenie układu moczowego, warto więc skonsultować to z pediatrą. Niektóre dzieci cierpiące na łagodną chorobę dziedziczną – rodzinne moczenie nocne – mogą się moczyć nawet przez kilka lat). Rodzice nie mogą dopuścić do tego, by dziecko czuło, że sobie nie radzi. Powinni używać pieluszki nie jako sposobu upokorzenia dziecka, lecz uwolnienia go od lęku przed wpadką. Kiedy zacznie ono znów kontrolować wydalanie, muszą przypomnieć mu, jak wiele już osiągnęło do tej pory, zapewnić, że to jego własny sukces, oraz wyrazić swoją dumę z dziecka – nie robiąc jednak wokół całej sprawy zbyt dużego zamieszania.

Gdy tylko dziecko zacznie kontrolować swoje potrzeby fizjologiczne, można zacząć używać majteczek treningowych. Ich ogromną zaletą jest to, że dziecko może samo je łatwo zdjąć. Nie należy proponować „majteczek dla dużej dziewczynki/dużego chłopca", zanim maluch nie będzie rzeczywiście na to gotowy. W razie ich zmoczenia może mieć on poczucie porażki i wrócić do punktu wyjścia. Zawsze radzę, aby podążać za dzieckiem, pozostając jeden krok w tyle. Z jego punktu widzenia wyprzedzanie go oznacza presję.

Nauka korzystania z toalety to ważny kamień milowy dla dziecka i dla rodziców. Za zdobycie nowych umiejętności zawsze płacą obie strony. Autentyczne zrozumienie trudu dziecka oraz jego potrzeby pokonywania każdego etapu we właściwym dla siebie tempie pozwoli zapobiec takim problemom jak moczenie nocne czy zaparcia. Dziecko samo da rodzicom znać, kiedy będzie chciało zdjąć pieluszkę na noc. Takim sygnałem będzie sucha pieluszka podczas drzemki w ciągu dnia oraz pierwszej połowy nocy. Ponadto w dzień zademonstruje ono swoją gotowość do powstrzymania moczu w sytuacji parcia na pęcherz. Rodzice muszą czekać na wskazówki gotowości i chęci zdjęcia pieluszki na noc – to dziecko ma ich prowadzić.

W pewnym momencie dziecko po prostu zdaje sobie sprawę z tego, że chce dorosnąć – być takie, jak inni w jego otoczeniu. Większość dzieci zaczyna ten proces pomiędzy 3 a 4 rokiem życia. Motywacja może przyjść od kolegi w przedszkolu: „Śpisz jeszcze w nocy w pieluszce? Ja nie. Mam suche majteczki!". Słuchacz zaczerwieni się i odpowie: „Ja też", choć nie będzie to prawdą. Jak widać, presja rówieśników zaczyna się dosyć wcześnie. Dodawanie do niej presji ze strony rodziców nie ułatwi dziecku życia.

Niezależnie od tego, jak wiele wsparcia daję rodzicom w tej dziedzinie, oni nieodmiennie wyobrażają sobie, że to właśnie **ich** dziecko będzie zawsze używać pieluszki. Żaden rodzic nie ma pewności, kiedy jego dziecko zrobi następny krok. W tak drażliwym temacie jak moczenie się niewypowiedziane obawy rodziców mogą prowadzić do konfliktów – będą za bardzo zdeterminowani, zwłaszcza gdy sami zmagali się z tym problemem w przypadku rodzinnego moczenia nocnego. Schorzenie to występuje częściej u chłopców niż u dziewczynek, a objawia się niedojrzałością pęcherza moczowego i niedojrzałością faz snu, które zmniejszają prawdopodobieństwo obudzenia się w nocy w razie parcia na pęcherz moczowy. Takim dzieciom trudno jest nauczyć się wstrzymywać mocz przez 8 godzin snu. Wiele z nich nie jest gotowych do spania bez pieluszki aż do wieku 6–8 lat, kiedy to ich pęcherz dojrzeje; śpią zbyt głęboko, by w odpowiednim momencie się obudzić. Presja ze strony rodziców i rówieśników jedynie pogłębia poczcie winy i wewnętrzny konflikt. Rodzice w takiej sytuacji powinni umieć wspierać dziecko i nie pozwolić, by czuło się gorsze. Pewne sugestie z ich strony mogą dziecku pomóc, ale należy z nimi zaczekać, aż ono samo o nie poprosi. Jeśli tak się stanie, mogą powiedzieć: „Kiedy będzie ci się chciało siusiu w ciągu dnia, możesz za każdym razem próbować wytrzymać trochę dłużej". W ten sposób dziecko może świadomie „trenować" swój pęcherz. Jednak należy być bardzo ostrożnym – nawet takie podejście może oznaczać dla dziecka presję oraz dewaluację. Ostatecznie to musi być jego osiągnięcie, w przeciwnym razie każdy pozorny postęp będzie i tak odczytywany jako porażka.

Rodzicom, którzy chcą pomóc dziecku, przedstawiam następujące sugestie: kiedy dziecko wyrazi swoją gotowość, zaproponuj postawienie nocniczka blisko łóżka. Choć łazienka jest tuż obok jego pokoju, pokonanie drogi może być dla dziecka wysiłkiem. Specjalny nocniczek będzie oznaczał, że chcesz pomóc. Można pozwolić dziecku, by pomalowało go nietoksyczną farbą fluorescencyjną, tak jak samo zechce. Następnie zaproponuj, że wysadzisz je przed twoim zaśnięciem. Jeśli dziecko rzeczywiście chce i jest gotowe, przebudzi się, gdy nadejdzie ten moment. Jeżeli się nie obudzi, posadzenie go na nocniczku będzie mijało się z celem. Wszystkie te zabiegi zmierzają do nauczenia dziecka, jak **samemu** wybudzać się w nocy. Gdy będzie gotowe, rozpozna sygnał przepełnienia pęcherza w fazie snu płytkiego, a następnie wstanie, aby go opróżnić. Zrobi to również zaraz po przebudzeniu się rano. Ważne jest, aby nie zdejmować dziecku pieluszki na noc, dopóki nie będzie na to naprawdę gotowe i „skazane na sukces". Łatwo je zniechęcić do kolejnych prób, jeśli kilka razy z rzędu nie powiedzie mu się i zmoczy łóżko. W pewnym momencie dziecku zaczyna naprawdę zależeć, a wtedy porażka jest dla niego straszna.

Inną przeszkodą na drodze do skutecznego treningu czystości jest wstrzymywanie stolca. Wiele dzieci odczuwa wewnętrzny konflikt i nie chce oddawać kupki do toalety. Nigdy nie udało mi się dojść do tego, dlaczego niektóre dzieci mają z tym więcej problemów niż inne, ale z całą pewnością należy ten ich nieświadomy konflikt uszanować. Szybko tworzy się błędne koło wstrzymywania stolca, odkładania coraz większych jego ilości i twardnienia, a następnie bolesnego wypróżniania i kolejnego wstrzymywania. Dziecko boi się bólu związanego z defekacją, a świadomy lęk potęguje nieświadomą chęć wstrzymywania stolca.

Gdy tylko rodzice rozpoznają ten schemat, należy jak najszybciej go przerwać. Najpierw powinni poprosić pediatrę o wykluczenie medycznej przyczyny zaparć (m.in. takich rzadkich schorzeń jak celiakia, niedoczynność tarczycy czy choroba Hirschsprunga), a następnie o wypisanie środka zmiękczającego stolec. Inne wskazówki znajdują się w rozdziale 43 niniejszej książki, na przykład dotyczące podawania dzieciom produktów zawierających dużo błonnika czy smarowania popękanego odbytu parafiną. Ważne jest powiedzenie dziecku, że zabiegi te zapobiegną bólowi, a proste słowa, dodawanie otuchy i zapewnianie, że dziecko poradzi sobie w końcu ze wszystkim, pomogą mu zapanować nad świadomym i nieświadomym lękiem. Dobrze jest przekazać dziecku komunikat, że posmarowanie parafiną zmniejszy ból, a zażycie lekarstwa oraz spożywanie odpowiedniego jedzenia sprawią, że kupka będzie miękka. Dziecko samo powinno zdecydować, kiedy zechce skorzystać z nocniczka. Po wypróżnieniu kupkę należy pozostawić w toalecie, aż maluch straci nią zainteresowanie, a następnie poprosić go o spuszczenie wody. Być może trzeba będzie zaproponować dziecku założenie pieluszki na czas drzemki w ciągu dnia czy odpoczynku nocnego, aby mogło wypróżnić się w poczuciu bezpieczeństwa. Choć nie potrafimy tego wyjaśnić, dużo częściej na tego rodzaju zmagania są narażeni chłopcy niż dziewczynki.

Lęki i fobie

Poszerzający się świat trzylatka i budząca się świadomość własnej małości względem niego będą przyczyną wielu lęków i fobii. Dziecko może zacząć bać się wyjących syren czy szczekających psów bądź przeżywać strach związany z pójściem do nieznanych sobie miejsc czy gabinetu lekarskiego. Być może w rzeczywistości dziecka będą istniały realne przesłanki tych lęków – rodzice mogą próbować im zaradzić, odpowiednio się do tego przygotowując i starając się zrozumieć, co się dzieje, nie oczekując jednak, że ich zapewnienia zniwelują obawy dziecka. U podłoża lęków leżą niekiedy ważne przyczyny, a puste zapewnienia mogą mieć odwrotny skutek i podkopać zaufanie malucha.

Trzylatek zaczyna zdawać sobie sprawę z istniejących w nim wrogich uczuć, te zaś zaczną się uzewnętrzniać i przekładać na lęki nocne. Dziecko może się też obawiać, że coś mu się przytrafi. Będzie przeżywało wszystkie te lęki i śniło o nich w nocy. Nawet jeśli nauczyło się już samodzielnie zasypiać po wybudzeniu, w fazie REM mogą się pojawiać przerażające sny. Główne role będą w nich odgrywać walczące ze sobą potwory i czarownice, co może wzbudzić lęk przed zasypianiem, ciemnością i pozostawaniem samemu. Takie koszmary będą zaburzać sen dziecka w 3 i 4 roku życia. Prawdopodobieństwo ich wystąpienia wzrośnie, jeśli środowisko dziecka jest stresogenne albo gdy musi się ono przystosować do nowej sytuacji. Z czasem nauczy się dodawać sobie otuchy, jednak nie stanie się to od razu (zob. rozdział 21).

Przykładem innego rodzaju lęku może być strach przed niemowlętami. Dziecko nie zbliży się do drzwi żadnego domu w sąsiedztwie, w którym znajduje się noworodek. Jego mała siostrzyczka może mieć już 9 miesięcy, więc rodzice będą zdziwieni tym nagłym rozdrażnieniem. Myśleli, że do tej pory zdążyło się już „przyzwyczaić". Jednakże starsze dziecko nigdy w pełni nie przyzwyczaja się do młodszego rodzeństwa. Rywalizacja pojawia się na każdym kolejnym etapie rozwoju. Kiedy niemowlę staje się bardziej mobilne, a przez to przyciągające uwagę, rywalizacja wybucha na nowo. Za przerażeniem związanym z małymi dziećmi może się zatem kryć wewnętrzne zmaganie dziecka z jego agresją wobec młodszej siostrzyczki. Kiedy pojawia się w nim chęć agresywnego zachowania wobec niej, musi włożyć wiele wysiłku, aby się powstrzymać. A to sporo je kosztuje. Wtedy właśnie pojawiają się lęki, fobie i koszmary nocne. Pokazują one, jaką cenę płaci dziecko za niechciane, lecz nieuniknione emocje.

Rodzice mogą porozmawiać z dzieckiem o przeżywanych emocjach i przygotować je na możliwość pojawienia się lęku, gdy usłyszą syrenę wozu strażackiego czy szczekającego psa, choć oczywiście w tym wieku dziecko nie dostrzeże związku agresji psa z własną. Musi się ono także nauczyć, jak się otwierać i wyrażać agresję w bezpieczny sposób. Przedstawiam rodzicom następujące sugestie: dziecko uczy się tych sposobów, naśladując rodziców. Weź je ze sobą, gdy idziesz pobiegać lub uprawiać inne formy sportu. Opowiedz mu wtedy o tym, jak radzić sobie z niebezpiecznymi uczuciami. Gdy podczas jazdy samochodem inny kierowca zajedzie wam drogę, zamiast wybuchnąć inwektywami, raczej powiedz: „Jestem taki zły, że mógłbym go stuknąć, ale nie zrobiłem tego". Dziecko może nie zrozumieć w pełni, ale będzie to dla niego ulga, że o emocjach, które je przerażają, można rozmawiać. Gdy takie uczucia kiedyś się w nim pojawią, być może zwerbalizuje je i zacznie zadawać pytania. Kiedy uda mu się przejść obok malutkiej siostrzyczki, powstrzymując się od uderzenia jej, zauważ to: „No proszę, jak pięknie zapanowałeś nad sobą!".

Wyobraźnia i fantazja

Właśnie w wieku 3 lat ożywa wyobraźnia. Dziecko patrzy wtedy na wszystkich inaczej niż dotychczas. Uczy się ich nie tylko na podstawie obserwacji, ale tworzy całe scenariusze – z nimi w roli głównej. Przyswaja nowe informacje poprzez zabawę symboliczną, w której wykorzystuje lalki i inne zabawki, aby odgrywać wydarzenia i interakcje. Ten rodzaj zabawy pojawił się już w drugim roku, teraz jednak dziecko wykorzystuje osoby z otoczenia jako inspirację dla postaci, które biorą w niej udział.

Najstarsze dzieci oraz jedynacy stwarzają sobie w tym czasie wyimaginowanego przyjaciela. Może on dokonywać cudów – w wyobraźni dziecka robić wszystkie złe rzeczy oraz doświadczać wszystkich wspaniałych. Trzylatek opowiada o nim tak, jakby był prawdziwy. Rodzice, którzy przywykli, że są dla dziecka wszystkim, mogą nawet odczuwać zazdrość o tego ukochanego towarzysza, a także martwić się uciekaniem dziecka od rzeczywistości. Niepotrzebnie. Każde najstarsze dziecko może stworzyć sobie takiego wyobrażonego przyjaciela – chce mieć kogoś, na kim może polegać. Drugie czy trzecie dziecko rzadko ma taką możliwość – nie pozwala mu na to starsze rodzeństwo, które może deprecjonować wyobrażonego przyjaciela lub nawet wyśmiewać jego istnienie: „Masz przyjaciela, ale on wcale nie jest prawdziwy". Ponadto młodsze dziecko ma już towarzysza zabaw w osobie starszego brata lub siostry. Natomiast w przypadku pierwszego dziecka taki wyimaginowany przyjaciel może służyć wielu celom – brać udział w wielu wyobrażonych doświadczeniach.

Dorośli powinni respektować prywatność takich fantazji. Są one bardzo cenne. Jeśli zaczną ingerować i zadawać pytania, mogą wszystko zepsuć – fantazja zostanie skażona rzeczywistością rodziców. Kiedy rodzice rozmawiają o wyimaginowanym przyjacielu, jego postać zaczyna się rozmywać. Dziecko może opowiedzieć o nim raz, a potem już nie wspominać – albo niewidzialny towarzysz przenosi się do podziemia, albo cała magia pryska. Kiedyś spytałem swojego wnuka, jak wygląda jego „przyjaciel", a on z wyższością odparł: „Dziadziu! To **tylko** wyobraźnia". Jak powiedział Ralph Waldo Emerson: „Odnoś się z szacunkiem do dziecka. Nie przekraczaj granic jego prywatności".

Wraz z bujną wyobraźnią pojawią się dwa inne atrybuty. Prawdopodobnie pojawi się poczucie humoru oraz zdolność dziecka do okazywania empatii wobec innych. Gdy niemowlę zapłacze, trzylatek będzie chciał do niego podejść. Kiedy kolega lub koleżanka zrobi sobie krzywdę, dziecko będzie uważnie obserwowało, jak sobie z tym poradzi, a niekiedy okaże nawet swoje współczucie. Skąd się biorą te nowe cechy charakteru? Z wielu omawianych już źródeł: utożsamiania się z rodzicami i innymi osobami z otoczenia dziecka, a także z uważnej obserwacji ich reakcji i sposobów wyrażania troski oraz z uświadamiania sobie coraz bardziej złożonych emocji – agresji i pragnienia przekroczenia dozwolonych granic. Najbogatszym źródłem poczucia humoru, empatii i współczucia jest wyobraźnia dziecka i bogate doświadczenie zawarte w tworzonych przez nie fantazjach.

Telewizja

W przeciwieństwie do cudownej fantazji i wyobraźni trzylatka telewizja może mieć bardzo negatywny wpływ na jego zabawę. Małe dzieci czują się wyczerpane po kontakcie z telewizorem. To bardzo zaborczy środek przekazu – wymaga od dziecka pewnego rodzaju wyłączności – całkowitego zafiksowania uwagi wzrokowej i słuchowej. Po obejrzeniu programu, na którym się koncentrowało, dziecko będzie krnąbrne i nie do opanowania. Większość z nas zna to uczucie dezorientacji i oderwania od świata po wyjściu z kina na rozświetloną słońcem ulicę.

Na szczęście większość trzylatków nie przesiaduje długo przed telewizorem. Są za bardzo zafascynowane innymi aktywnościami. Jeśli tak nie jest, trzeba się temu przyjrzeć. Jednak oglądanie niewielkiej liczby starannie dobranych programów jak najbardziej umożliwia naukę również poprzez to medium. Dziecko naśladuje to, co widzi, a więc agresję i przemoc, ale także empatię postrzeganą u przyjaznych i opiekuńczych bohaterów. Z pewnością wychwytuje dużo informacji z oglądanych przez siebie programów. Gdy zobaczy literkę „A" w jakiejś książce, zacznie śpiewać piosenkę, którą słyszało w *Ulicy Sezamkowej* – w odcinku poświęconym tej literze. Ten potencjał tym bardziej nakazuje dorosłym monitorować jakość i liczbę oglądanych przez dziecko programów. Powinniśmy je starannie dobierać, z uwzględnieniem potrzeb i umiejętności rozwojowych dziecka, oraz pozwalać na ich oglądanie nie dłużej niż pół godziny co najwyżej dwa razy dziennie. Bardzo pożądane jest uczestnictwo dorosłej osoby przynajmniej w jednej takiej sesji.

Nowe rodzeństwo

„Kiedy najlepiej starać się o kolejne dziecko? – pytają kobiety. – Najlepiej? Ale dla kogo? – zwykle proszę o doprecyzowanie. – No cóż, chciałabym, żeby starsze dziecko chciało pojawienia się rodzeństwa i traktowało jego obecność jako coś naturalnego". To są pobożne życzenia. Pierwsze dziecko nigdy nie będzie chciało inwazji drugiego w swoje życie. Rodzice powinni sami zdecydować, kiedy są gotowi poradzić sobie z kolejnym potomkiem. Często martwią się, że ich silna więź z pierwszym dzieckiem zostanie zaburzona. Gdy słyszę takie obawy, cieszy mnie to, gdyż dowodzi prawdziwości uczuć – jeśli rodzice po przeżyciach z dwulatkiem nadal go kochają, musi to być autentyczne! W momencie gdy poczują, że dadzą sobie radę z kolejnym, pierwsze dziecko również sobie poradzi. Choć nie jest to łatwe doświadczenie, rodzeństwo będzie dla niego darem. Będzie musiało się nauczyć dzielić. Jedynak może posiąść tę umiejętność, ale nie musi, rodzeństwo zaś niejako ją wymusza.

Starsze dziecko może identyfikować się z rodzicami i pomagać przy młodszym. Być może nie polubi swojej siostry czy brata, ale nauczy się akceptować niemowlę jako swoje rodzeństwo, a także wzbogaci się na wiele innych sposobów w całym procesie (zob. też rozdział 37).

Relacje z rówieśnikami

Między 2 a 4 rokiem życia relacje z rówieśnikami stają się coraz ważniejsze i są bardzo dziecku potrzebne. Nie tylko umożliwiają mu naukę wzorców zachowań od innych, ale pozwalają także wypróbowywać własne zachowania w bezpiecznym kontekście. Wszystkie trzylatki przekomarzają się ze sobą. Zmuszają się nawzajem do przekraczania granic, których same nie miałyby śmiałości przetestować. Doprowadzają się do gniewu i łez. Nie mogą się doczekać spotkania ze sobą. Przytulają się, zapalczywie splatając ramionka i nóżki. Uczą się od siebie bezpiecznych i niebezpiecznych sposobów wyrażania nowych i złożonych emocji. Ważne są dla nich przyjaźnie, a krytyczną częścią przyjaźni jest rywalizacja. Trzylatek będzie traktował swojego drogiego i pewnego przyjaciela jako rywala, niemowlę, któremu trzeba matkować, czy jako rodzica – będzie mu przypisywał jeszcze wiele innych ról. Częścią tego procesu uczenia się będą również eksploracje seksualne. Większość trzylatków bawi się „w doktora" w taki czy inny sposób. Daje im to możliwość bezpiecznego odkrywania własnego ciała.

> Zabawa eksploracyjna oraz doświadczanie relacji z innymi prowadzą do większej pewności siebie. Jeśli dziecko w tym wieku nie zaczyna tworzyć relacji dających mu poczucie bezpieczeństwa, jest to powód do zmartwienia. Gdy nie jest lubiane przez inne dzieci, trzeba potraktować sprawę poważnie. Rówieśnicy czują, kiedy inne dziecko ma z tym kłopot, i utrzymują dystans. Dziecko niespokojne, agresywne bądź takie, które nie nauczyło się jeszcze interakcji z innymi, zagraża równowadze emocjonalnej i umiejętności radzenia sobie z lękiem i agresją, jakie zwykle zdobywają dzieci w tym wieku. Jeśli dziecko jest izolowane przez rówieśników, z pewnością istnieje jakaś tego przyczyna.

Czasami rodzice mogą pomóc, aranżując spotkania w grupie dzieci. Jeśli zabawa w grupie rówieśniczej jest dla dziecka czymś nowym, należy zacząć od zapoznania się z jednym kolegą z tej grupy. Trzeba wybrać kogoś o podobnej osobowości, umówić się na spotkanie, zabierać dzieci na wspólne wycieczki, pozwolić na wzajemne uczenie się siebie. Jeśli dziecko nauczy się radzić sobie w kontakcie z jednym kolegą, będzie on mógł pomóc mu wejść do grupy.

Jeżeli problemem dziecka jest dzielenie się, rodzice mogą zawczasu porozmawiać z nim o tym. Najpierw powinni przyznać, że trudno jest dzielić się z innymi, a następnie zastosować pewne techniki. Na przykład pozwolić dziecku zachować dla siebie jedną lub dwie cenne zabawki, a poprosić o podzielenie się wszystkimi innymi. Gdy dziecko zrobi nawet niewielki krok w pożądanym kierunku, należy to zauważyć i podkreślić. Umiejętność dzielenia się to najtrudniejsza lekcja życia.

Empatia zaczyna się rodzić wówczas, gdy dziecko z własnej woli dzieli się czymś z innymi. Owszem, słyszało często: „Musisz nauczyć się dzielić", ale w pewnym momencie robi to bez zewnętrznego nacisku, na przykład: „Chcesz kawałek ciastka?". Natychmiast spojrzy na twarz koleżanki, aby sprawdzić, czy ta nowo odkryta hojność się opłaciła. Wie, że potrzebuje i chce przyjaciółki. To pierwsze światełko zapowiadające bardzo ważną ludzką cechę – altruizm.

Uczenie się tożsamości rodzajowej

Wydaje się, że trzylatek zaczął już uczyć się identyfikować z każdym z rodziców. Potrzebuje wiedzy o tym, jak oni funkcjonują i co robić, aby się do nich upodobnić, a co, aby się **nie** upodabniać. Przez jakiś czas jego uwaga i energia będą całkowicie nakierowane na jednego z nich – z wyłączeniem drugiego. Uważna obserwacja dziecka w tym wieku pozwoli zauważyć u niego subtelne, lecz charakterystyczne cechy jednego z rodziców – w stylu chodzenia, rytmie mówienia, preferencjach pokarmowych czy innych dziedzinach. Wkrótce jednak dziecko zupełnie zmieni front, jakby ten wybrany rodzic zupełnie nie istniał. Teraz ulubieńcem stanie się ten drugi i dziecko będzie naśladowało go we wszystkim, tak jakby poprzedni faworyt był zupełnie niewiarygodny. Ignorując go, jednocześnie podchwytuje każdy gest i każde słowo ulubionego w danej chwili rodzica. Dlaczego dziecko potrzebuje takiej huśtawki preferencji? Według mnie ze względów ekonomicznych. Chcąc precyzyjnie wchłonąć wzorce charakterystyczne dla każdego z rodziców, musi skupić całą swoją uwagę najpierw na jednym, a potem na drugim. Gdyby poświęcało uwagę obydwojgu naraz, proces uczenia byłby mniej intensywny i trwałby dłużej. Przywiązanie do rodzica płci przeciwnej zostało nazwane przez Freuda kompleksem Edypa. Kiedy występuje ono w wieku nastoletnim, przebiega jeszcze bardziej intensywnie i dramatycznie. Ta pierwsza „próba generalna" przygotowuje dziecko – i jego rodziców – do poukładania ważnych aspektów własnej tożsamości w późniejszym czasie.

Nie trzeba chyba mówić, że takie zmiany będą niezmiernie bolesne dla wyłączonego rodzica. „Kiedyś czekała na moje powroty do domu – mówi tęsknie ojciec. – Tak się cieszyła na mój widok, a teraz odwraca się plecami. Może to zabrzmieć głupio, ale czuję się odrzucony".

Jeśli rodzice wiedzą, co się dzieje, i zachowają cierpliwość podczas tych zmian koalicji, nie będą się czuli zranieni. Namawiam ich, aby się nie poddawali – dziecko wróci. Nie należy tylko dopuścić do tego, aby i ono poczuło się odrzucone. Najlepiej jest nie traktować tych zmian zbyt osobiście. W jakimś spokojnym momencie można powiedzieć: „Chciałbym pobyć chwilę tylko z tobą", i poczytać dziecku wieczorem albo zabrać je w weekend na wycieczkę. Nie oczekuj zbyt wiele i nie narzucaj się.

To również sposób na cementowanie waszej więzi, podczas gdy dziecko wykonuje swoje zadanie – uczy się każdego z was z osobna. Takie zachowanie potrwa kilka miesięcy, a potem się zmieni. Rodzic, który w danym momencie jest w centrum uwagi, może pomóc temu drugiemu poprzez przyznanie się do poczucia odrzucenia będącego tak niedawno jego udziałem.

Czasami bycie faworytem również nie jest zbyt komfortowe. Kiedy mała dziewczynka będzie się wdzięczyć i zachowywać zalotnie, tata może poczuć się z tym nieswojo. Jeśli spojrzymy na to jak na naturalną próbę identyfikacji ze swoją mamą, wszyscy będą mogli odetchnąć. Taki flirt może też mieć miejsce w relacjach z innymi mężczyznami. W ten sposób dziecko będzie przekomarzać się ze swoim ojcem i kamuflować intensywne uczucia wobec niego.

Uczucia agresywne

Najtrudniejsze zadanie tego etapu życia to nauczenie się, jak radzić sobie ze złością i agresją. To długi proces, który prawdopodobnie przybierze różne formy. Dziecko, mając do dyspozycji wiele możliwości, będzie testowało każdego z rodziców aż do wywołania jego reakcji, aby się dowiedzieć, co jest, a co nie jest akceptowalne. Może nastąpić powrót do wypróbowanych wcześniej napadów złości. Dziecko może albo otwarcie wyrażać gniew i stać się nieprzewidywalne, albo będzie zbyt grzeczne i zbyt spolegliwe. Bardziej niepokojąca jest ta druga zmiana. Wolałbym widzieć trzylatka złoszczącego się, przekomarzającego z rodzicami i prowokującego ich do wyznaczania granic. Dziecko, które demonstruje swoje wewnętrzne zmagania, by rodzice zareagowali odpowiednią dyscypliną, uczy się więcej niż to, które nie testuje rodziców. Cały proces ma je nauczyć, jak zapanować nad sobą.

Ilekroć rodzice zdadzą sobie sprawę z tego, że utknęli w impasie zmagań z dzieckiem, należy zweryfikować, co się dzieje. Niezależność jest niezmiernie istotna dla rozwoju poczucia wartości dziecka, a sprawowanie kontroli to sprawa rodziców. Dorośli powinni respektować dziecięcą potrzebę autonomii, jednak nie musi to być sprzeczne z trzymaniem dyscypliny. Trudności pojawią się, jeśli w rodzicach dojdą do głosu „duchy znad kołyski" – nierozwiązane konflikty z dzieciństwa. Trzeba będzie najpierw stawić im czoła, a potem poszukać wyjścia z impasu.

Pobożne życzenia a rzeczywistość

W ciągu następnych kilku lat pojawi się wiele zachowań, które będą dla rodziców dużym wyzwaniem, takich jak kłamstwa, kradzieże i oszukiwanie. Postrzegam je jako próbę pogodzenia przez dziecko swoich wybujałych pragnień z rzeczywistością, której nie można zmienić. Dzieci kłamią w nadziei, że kłamstwa okażą się prawdą, kradną, bo nie znoszą nie posiadać czegoś, co nie jest ich, i oszukują, kiedy nie mogą się pogodzić z przegraną. Wprawdzie muszą się nauczyć, że wszystkie te zachowania są nieakceptowalne, ale rodzice nie powinni być zbyt zaniepokojeni, gdy te przewidywalne incydenty wystąpią. Najważniejsze jest ustalenie granic, zastosowanie wymiernych konsekwencji – na przykład zwrócenie skradzionej rzeczy właścicielowi – a także przebaczenie winowajcy.

Przesadna reakcja najprawdopodobniej dodatkowo wzmocni ten wzorzec. Pojawienie się takiego zachowania u dziecka może niepokoić, więc jeśli rodzice zaczną reagować przesadnie, następujące wskazówki pozwolą im powrócić na właściwą ścieżkę: usiądź z dzieckiem i porozmawiajcie o problemie. Podkreśl, że nie chciałeś być aż tak surowy. Powiedz dziecku, że **ono** nie jest „złe"[24] oraz że nauczy się panować nad sobą, gdy będzie troszkę starsze. Dziecko musi usłyszeć od rodzica zapewnienie, że jest wspaniałe oraz że z czasem i z pomocą wyznaczanych przez rodzica granic nauczy się radzić sobie z danym problemem. Każdy trzylatek musi ciągle na nowo słyszeć, że jest respektowany i kochany właśnie taki, jaki jest (zob. też rozdział 29).

Rozwój poznawczy

W dzisiejszym świecie pełnym presji z wielu stron rodzice trzylatków zastanawiają się, kiedy zacząć uczyć dziecko czytać i pisać. Moja odpowiedź brzmi: nie zaczynać, dopóki dziecko nie będzie się tego domagać samo. Łatwo przesadzić z nauką literek i cyferek, a istotny jest tutaj nie tyle wiek, ile pragnienie dziecka. Impuls do uczenia się **musi** pochodzić od dziecka. Bardzo łatwo nakłonić je do wczesnej edukacji, gdyż jest ono w tym wieku raczej posłuszne, jednak może to przynieść więcej szkody niż pożytku (szerzej o zagadnieniu wczesnego uczenia zob. Brazelton i Sparrow, 2013).

Dzieci przymuszone do nauki zaczną czytać wcześniej niż ich rówieśnicy w przedszkolu i pierwszej klasie, jednak w drugiej i trzeciej mogą już nie nadążać za resztą. Uczenie pamięciowe nie przekłada się na rozwój bardziej złożonego i abstrakcyjnego myślenia potrzebnego w latach późniejszych. Kiedy dziecko spadnie z czołowych pozycji w klasie, utraci też aprobatę dorosłych, na którą tak starało się zasłużyć do tej pory. Nie będzie już gwiazdą i rozczaruje rodziców, więc poczuje się opuszczone i smutne. Pomimo istniejących dowodów na to, że wczesna edukacja jest zbyt dużym obciążeniem dla niegotowego na nią malucha, niektórzy rodzice nadal zmuszają do niej swoje dzieci, zamiast jedynie rozbudzać w nich ciekawość. Jest coraz więcej

[24] Złe jest to, co się wydarzyło – zachowanie dziecka, lecz nie ono samo (przyp. tłum.).

Kiedy dziecko się uczy?

Dziecko najskuteczniej uczy się wtedy, gdy robi to dla **siebie**, nie zaś dla innych. Uczy się poprzez zabawę, próbując różnych technik, aby odkryć, co jest najlepsze dla **niego**. Jeśli nie może sobie poradzić z czymś, co chce umieć robić, frustruje się. Ta frustracja każe mu odkrywać inne sposoby. Kiedy w końcu mu się udaje, pojawia się to niewiarygodne poczucie: „Zrobiłem to **sam**!". To najbardziej skuteczna motywacja do uczenia się w przyszłości. Ambitni rodzice muszą się nauczyć pozostawać w tle i jedynie obserwować dziecko, pozwalając mu na uczenie się samemu. To trudne, ale konieczne. Zadaniem rodziców w tych pierwszych latach jest podziwiać i aprobować, ale nie zmuszać. Dopiero gdy nadejdzie czas przedszkola i szkoły podstawowej, potrzebna będzie zachęta do systematyczności i dyscypliny, tak przydatnych w przyszłym procesie edukacji.

książek i programów obiecujących „nauczyć twoje dziecko czytać", adresowanych do coraz młodszych odbiorców. Należy trzymać się od nich z daleka. Najlepszym sposobem, aby pomóc dziecku w nauce, jest wspieranie go w odnajdywaniu radości z odkrywania odpowiedzi na jego własne pytania dotyczące świata. Najistotniejsze w tym procesie jest poczucie bezpieczeństwa w najważniejszych dla dziecka relacjach.

Wybierając przedszkole, należy kierować się tą samą filozofią. Zabawa jest najskuteczniejszą metodą uczenia się najważniejszych w tym wieku zadań – budowania relacji z rówieśnikami i pracy w grupie, budowania relacji z dorosłymi oraz poznawania samego siebie jako istoty społecznej. Wiele tych zagadnień to edukacja emocjonalna: (1) doświadczanie kontaktów z innymi, (2) uczenie się o agresji, (3) uczenie się identyfikowania z różnymi osobami w otoczeniu. Rozwój poznawczy opiera się na rozwoju emocjonalnym i obydwa są równie istotne. W wyborze przedszkola należy kierować się ludźmi, którzy je prowadzą i opiekują się dziećmi, nie zaś oferowanymi programami edukacyjnymi. Jeśli będzie zbyt duża presja na ćwiczenia pamięciowe, może zabraknąć czasu na to, aby dzieci poznawały same siebie. Rodzice powinni wybrać się do danej placówki i mieć możliwość zaobserwowania, ile zajmuje nauka, a ile czasu mają dzieci na poznawanie samych siebie. Uczenie się o sobie i swoich rówieśnikach to najlepsza edukacja w latach przedszkolnych. Chciałbym, aby wszystkie dzieci w tym wieku miały możliwość poczuć i powiedzieć o sobie: „Jestem ważny! Wszyscy mnie lubią!". Fundamentem troski o innych jest silne poczucie własnej wartości.

Część 2

Wyzwania w procesie rozwoju

14

Alergie i astma

Alergie

Najlepszym lekiem na alergię jest prewencja.

Alergia – definicja

Według Amerykańskiej Akademii Alergii, Astmy i Immunologii (American Academy of Allergy, Asthma and Immunology) alergia to nabyta skłonność do przejawiania reakcji alergicznych. Są one wynikiem immunologicznej odpowiedzi na powszechne i dla innych osób zwykle nieszkodliwe substancje w środowisku; mogą objawiać się w postaci swędzenia, łzawienia oczu, kichania, kaszlu, świszczącego oddechu, wysypki czy – w poważniejszych przypadkach – zagrażających życiu spadków ciśnienia lub obrzęków utrudniających oddychanie. Reakcje alergiczne u dzieci z grupy podwyższonego ryzyka mogą prowadzić także do rozwoju astmy.

U niektórych dzieci reakcje alergiczne pojawiają się częściej niż u innych. Jeśli w rodzinie występowały wcześniej przypadki astmy, kataru siennego (alergiczny nieżyt nosa), egzemy o podłożu alergicznym lub wysypki skórnej (atopowe zapalenie skóry), dziecko może odziedziczyć skłonność do przejawiania reakcji alergicznych.

Znając historię chorób występujących w danej rodzinie, mogę pomóc rodzicom podjąć dodatkowe środki ostrożności mające na celu unikanie najpowszechniejszych alergenów w pierwszych latach rozwoju dziecka (lekarz może także ocenić skórę dziecka, czy nawet zlecić badanie krwi, aby określić ryzyko alergii, szczególnie gdy istnieją wyraźne przesłanki wynikające z wywiadu). Wszystko wskazuje na to, że jest pewien krytyczny okres – co najmniej większość 1 roku życia – podczas którego dziecko, które odziedziczyło podatność na alergię (nazywaną także atopią), ma większą skłonność do uczulenia na alergeny. W późniejszych latach podatność na te substancje będzie już mniejsza, jednak uprzednie uczulenie może nadal wywołać reakcję alergiczną. Dzieci, które zbyt wcześnie wdychają dym papierosowy i spaliny czy zjadają pewne stałe pokarmy, będą prawdopodobnie zmagać się później z alergią. Podatność na reakcje alergiczne może być zminimalizowana u wszystkich dzieci poprzez unikanie we wczesnych fazach rozwoju kontaktu z dymem papierosowym i alergizującymi pokarmami stałymi.

Co ciekawe, ostatnie doniesienia naukowe sugerują, że coraz częściej przypadki astmy są w pewnej mierze związane z **brakiem** kontaktu z pewnymi substancjami. Dzieci z dużych rodzin mieszkające z psem, kotem czy innym ulubieńcem domowym oraz te, które w 1 roku życia spędzają dużo czasu w placówce wychowawczej, są mniej skłonne do zachorowania na astmę! Nasze coraz bardziej higieniczne środowisko oraz nadużywanie antybiotyków mogą przyczyniać się do tego problemu. Ciągła troska rodziców o sterylizowanie środowiska dziecka może nie być aż tak potrzebna i konstruktywna, jak się kiedyś wydawało. Układ odpornościowy małego dziecka potrzebuje kontaktu z takimi doświadczeniami we wczesnej fazie rozwoju, aby „nauczyć się" nie reagować alergią w późniejszym okresie życia; nie dotyczy to prawdopodobnie jedynie tych dzieci, u których alergia ma podłoże genetyczne.

Wprawdzie za wcześnie jeszcze na zalecanie, aby wystawiać małe dzieci na działanie potencjalnych alergenów w celu zapobieżenia późniejszym reakcjom alergicznym, jednak z pewnością możemy stwierdzić, że ryzyko uczulenia można zmniejszyć poprzez unikanie kontaktu z pewnymi znanymi toksynami i alergenami w 1 roku życia. Oprócz dymu papierosowego są to: pszenica, jaja, produkty sojowe, ryby, orzeszki ziemne i inne orzechy. Jeśli dziecko jest uczulone, istnieje ryzyko wystąpienia reakcji alergicznej. W takiej sytuacji zapobieganie będzie oznaczało unikanie kontaktu z substancją alergizującą. Niekiedy dziecko z czasem wyrasta z alergii.

Dzieciom z alergią trudno poradzić sobie nawet z prostymi infekcjami, bowiem mogą się one przedłużać i komplikować. Na przykład przeziębienie może trwać dwa lub trzy tygodnie, a następnie przejść w następną infekcję, która nałoży się na tę pierwszą, zwiększając obrzęk śluzówek i blokując drogi oddechowe. Również prosty ból gardła może się skomplikować poprzez ten sam mechanizm, co przedłuża czas trwania infekcji o tydzień. Tkanki ulegają obrzękowi, co sprawia, że dziecko chrapie, a migdałki gardłowe się powiększają i blokują kanały prowadzące do ucha środkowego lub do zatok. Infekcje ucha środkowego mogą wymagać leczenia antybiotykiem, aby zmniejszyć obrzęk, który wywiera ciśnienie na błonę bębenkową, powodując ból.

Leczenie rozwiniętej alergii jest o wiele trudniejsze niż jej zapobieganie czy zapewnienie kuracji na wczesnym jej etapie. W mojej praktyce lekarskiej zawsze zależy mi na współpracy z rodzicami w celu wczesnego rozpoznania u dziecka skłonności do alergii – ryzyko jej pojawienia się rośnie, jeśli alergia występowała wcześniej w rodzinie oraz gdy dziecko zdradza wczesne objawy astmy, kataru siennego lub alergicznej wysypki na skórze. Jedynym niebezpieczeństwem doszukiwania się możliwych alergii jest to, że rodzice mogą całkowicie zdrowemu dziecku doczepić etykietkę uczulonego. Jeśli jednak da się tego uniknąć, możemy być prawie pewni, że zapobieganie alergii albo leczenie jej od samego początku mogą zapobiec efektowi błędnego koła: pojawianie się objawów wywołuje niepokój, a ten – jeszcze więcej objawów. Unikanie ich może być dużo wygodniejsze niż leczenie, kiedy jednak już się pojawią, dobrze jest znaleźć skuteczną terapię, gdyż przyniesie to dziecku ogromną ulgę.

Wydaje się, że jeśli w pierwszych latach życia uniknie się uczulenia, próg tolerancji alergenów stopniowo podniesie się wraz z wiekiem. Zawsze uważałem, że łatwiej jest przekroczyć ten próg kombinacji kilku alergenów, a nie pojedynczej substancji. Chociaż dziecko może być uczulone na jeden czynnik – na przykład sierść kota, czekoladę czy ryby – i rozwinąć typowe objawy alergii, takie jak wysypka na skórze czy świszczący oddech, już po pierwszym kontakcie z alergenem, to dzieci z astmą lub egzemą mogą zareagować dopiero na kilka alergenów. Mechanizm ten można porównać do układania klocków jeden na drugim. Dziecko może przebywać w obecności kilku słabych alergenów, na które jest średnio uczulone, i nie wykazywać żadnych objawów. Jednak kiedy nabawi się infekcji dróg oddechowych lub dostanie w spadku poduszkę wypełnioną piórami (okazuje się, że syntetyczne poduszki także mogą być siedliskiem alergenów, więc również muszą mieć poszewki), wieża z klocków może runąć, a dziecko dostać poważnego ataku astmy lub egzemy.

Badania sugerują, że nie wszystkie dzieci reagują na alergeny zwykle kojarzone z astmą – na przykład sierść i naskórek zwierząt, roztocza kurzu domowego, dym papierosowy czy pyłki roślin. Może się okazać, że dziecko jest szczególnie wrażliwe tylko na jeden lub kilka tych czynników. W rezultacie rodzice, którzy skrupulatnie próbują pozbyć się większości z nich z domu, mogą dalej mieć problemy z dzieckiem reagującym na jedną lub dwie substancje, których rodzice są nieświadomi albo nie są w stanie zidentyfikować. W takiej sytuacji należy skonsultować się z pediatrą alergologiem. Czasami testy skórne pomagają zidentyfikować nierozpoznany wcześniej alergen i może się wówczas okazać, że rodzice nie muszą tak bardzo się martwić o te inne substancje, które z takim uporem starali się wyeliminować.

Podejmowanie kroków zapobiegawczych

Zapobieganie należy rozpocząć jak najwcześniej. Z tego powodu zachęcam matki do karmienia piersią. Kobiety pochodzące z alergicznych rodzin, a także mamy wcześniaków lub noworodków z niską masą urodzeniową (grupy zwiększonego ryzyka podatności na alergie), powinny wiedzieć, że karmienie piersią może pomóc w zapobieganiu alergii u dziecka. Nigdy nie spotkałem się z dzieckiem uczulonym na mleko matki. Natomiast widziałem zbyt wiele niemowląt uczulonych na mieszankę mleczną, reagujących zatkanym nosem, wymiotami, biegunką i – co najgorsze – zaawansowaną egzemą. Zastąpienie w mieszance mleka krowiego sojowym zniweluje objawy nietolerancji laktozy (nie są one reakcją alergiczną, zwykle powodują ból brzucha i biegunkę) i reakcje alergiczne na białko w mleku (mogą się objawiać powtarzającym się wypluwaniem jedzenia, wymiotami, bólami brzucha, biegunką, krwawymi stolcami, wysypką, a nawet problemami z oddychaniem), chociaż całkowite ustąpienie objawów może nastąpić po tygodniu lub później. Niektóre dzieci mogą reagować alergicznie również na mleko sojowe; uważa się, że soja nie zmniejsza ryzyka wystąpienia chorób o podłożu alergicznym u dzieci z obciążeniami w wywiadzie rodzinnym.

Wysypka na skórze u niemowlęcia poniżej 1 roku życia zwykle występuje po wprowadzeniu do diety nowego rodzaju pokarmu, na który maluch może być uczulony. Pojawia się ona zwykle cztery lub pięć dni po podaniu. Uczulenie na pokarm w 1 roku życia może przyczynić się do podatności na różne alergeny i astmę w późniejszym okresie. Aby uniknąć tego problemu, sugeruję rodzicom, żeby w pierwszych pięciu miesiącach jak najdłużej zwlekali z wprowadzaniem stałych pokarmów do diety dziecka. Wielu rodziców spieszy się z tym w nadziei, że pomoże to dziecku przesypiać noc. Być może tak – choć nie ma na to żadnych dowodów – jednak na dłuższą metę choroby o podłożu alergicznym, których można było uniknąć, na pewno pozbawią dziecko o wiele więcej snu! Zapewniam także rodziców, że mleko powinno być podstawowym pokarmem przez cały 1 rok życia (dzieci karmione piersią będą potrzebowały suplementacji witaminą D od 2 miesiąca po urodzeniu oraz suplementów żelaza od 4–5 miesiąca życia[25]).

Większość objawów alergii na białka zawarte w mleku zaczyna się pojawiać w pierwszych miesiącach, ale mogą się one w pełni nie ujawniać, dopóki nie dojdzie więcej alergenów – na przykład w postaci dodatków do żywności w gotowych produktach dla dzieci czy wypełniaczy w kaszkach. Kiedy rodzice zdecydują się na wprowadzenie do diety dziecka stałych pokarmów, radzę im, aby zachowali następujące środki ostrożności. Należy wprowadzać każdorazowo jeden nowy produkt i zaczekać od siedmiu do dziesięciu dni na reakcję. Nie wolno używać mieszanek produktów,

---

[25] Zob. rozdział 5 (przyp. tłum.).

chyba że jesteśmy pewni, iż zawierają tylko jeden nowy składnik. Mieszanki zbożowe i połączenia innych produktów, jak owoce zagęszczane mąką czy tapioką, mogą sprawić dużo kłopotu. Należy czytać etykietki na słoikach i kupować najprostsze, jednoskładnikowe produkty, a najlepiej przygotowywać je samemu. Nie musi to oznaczać skomplikowanego gotowania przed każdym karmieniem. Można zamrozić porcje przetartych owoców i warzyw w pojemniku do mrożenia kostek lodu i odmrażać jedną lub dwie kostki na dany posiłek.

Spośród pokarmów wprowadzanych do diety w 1 roku życia najbardziej prawdopodobnymi alergenami są jaja i pszenica. Ta ostatnia jest mniej groźna, kiedy dziecko skończy 6–7 miesięcy. Z żółtkiem należy zaczekać do 10 miesiąca życia, a z białkiem jaja kurzego – do 12. Jest to jeszcze jeden przykład wzrostu tolerancji (ochrony przed uczuleniem) wraz z wiekiem. Na szczęście jedzenie nie pozostaje na długo kluczowym alergenem i większość dzieci wyrasta z łagodnych tendencji alergicznych w 2 roku życia. Kiedy niemowlę nagle dostaje wysypki lub ostrych objawów żołądkowo-jelitowych spowodowanych podaniem nowego produktu, docenimy stopniowe urozmaicanie jego diety. Jeśli wiadomo, co spowodowało reakcję alergiczną, można natychmiast wyłączyć to z diety. Wysypka zniknie, a dziecku zaoszczędzimy sporo stresu i dyskomfortu. Im krótszy jest czas ekspozycji na alergen lub im rzadziej taki kontakt miał miejsce, tym bardziej prawdopodobne jest, że dziecko „wyrośnie" z tej alergii. Jednak nie należy podawać mu ponownie tego samego pokarmu bez uprzedniego skonsultowania się z lekarzem.

Niektóre pokarmy, jak orzechy czy skorupiaki, częściej niż inne wywołują poważne reakcje (np. trudności z oddychaniem), nawet jeśli dziecko było narażone na kontakt z nimi tylko przez krótki czas. Wiele lat praktyki przekonało mnie, że najlepszym rozwiązaniem jest prewencja. Unikanie kontaktu z potencjalnymi alergenami w ciągu 1 roku życia i eliminowanie „podejrzanych" substancji natychmiast po rozpoznaniu objawów reakcji alergicznej to gra warta świeczki.

Eliminacja substancji alergizujących

Kiedy dziecko stanie się już uczulone na pewną substancję i zareaguje na nią objawami, trudno będzie pozbyć się tej alergii. W takiej sytuacji czasami konieczne będzie wyeliminowanie nie tylko bezpośredniego alergenu, ale także tych łagodniejszych, które mogą zwiększać podatność na alergię. Jeśli rodzic wykaże gotowość i zdolność do podjęcia takiego działania, dziecko lepiej poradzi sobie z tolerowaniem od czasu do czasu głównego alergenu. Tak więc w przypadku dziecka, które ma katar sienny przy każdym przeziębieniu czy reaguje egzemą na zjedzenie pszenicy lub zdenerwowanie, prewencja będzie polegała na wyeliminowaniu jak największej liczby alergenów z otoczenia, choć na ogół może sobie ono z nimi radzić. Oczywiście niemożliwe jest wyeliminowanie wszystkich alergenów, a pozbycie się tylko jednej, głównej substancji uczulającej jest lepsze niż niepozbycie się żadnej, ale im więcej zdziałamy – w granicach zdrowego rozsądku – tym lepiej.

Radziłbym najpierw wysprzątać cały pokój dziecka, wraz z łóżeczkiem, jako że spędza tam ono najwięcej czasu. To duże przedsięwzięcie: być może trzeba będzie pozbyć się piór, materaców z włosia, wełnianych koców i pufów, pluszaków, lalek z prawdziwymi włosami, kudłatych zwierzątek, które są kłębowiskiem kurzu, oraz kwitnących roślin. Domowi ulubieńcy nie powinni mieć wstępu do pokoju dziecka, a w niektórych przypadkach rodzina musi podjąć smutną decyzję o oddaniu ukochanego, ale powodującego alergię psa lub kota w inne dobre ręce. Poduszki i materace wypełnione pianką lub innym materiałem syntetycznym również mogą być siedliskiem alergenów, dlatego należy je zabezpieczać nieprzepuszczającym powietrza, bezpiecznym dla dzieci plastikowym materiałem. Do kąpieli i prania należy używać łagodnych środków. Ślady detergentów zostają na ubraniach i mogą powodować wysypki skórne u wrażliwych niemowląt. Niektóre oliwki dla dzieci, pudry i kremy także mogą być alergizujące. Jeśli pojawi się wysypka, doskonałym zamiennikiem tych produktów jest skrobia kukurydziana i olej mineralny. Jeżeli jednak taki stan będzie się utrzymywał, źródła alergii trzeba będzie poszukać gdzie indziej,

na przykład w kurzu gromadzącym się w dywanach czy zasłonach. Cotygodniowe zmywanie podłogi środkiem nabłyszczającym pomaga kontrolować kurz i pleśń. Klimatyzacja i filtry powietrza są drogie, ale pomagają chronić dzieci przed zanieczyszczeniami i alergenami, które powodują infekcje. Podczas sezonu pylenia najlepiej zamykać drzwi i okna. Filtry powietrza i osuszacze wówczas mogą się okazać pomocne. Bardzo ważne jest, aby powietrze w domu było wolne od dymu tytoniowego.

Chociaż wszystko to brzmi przytłaczająco, należy rozważyć powyższe działania, jeśli zauważymy, że dziecko wpadło w błędne koło kataru siennego lub astmy. Kiedy ma za sobą dwie łagodne infekcje układu oddechowego, które skończyły się zapaleniem oskrzeli, bądź dwa przeziębienia, które przeniosły się na uszy lub powodowały długotrwały obrzęk śluzówek, radziłbym podjąć opisane działania. Jeśli takie środki zapobiegawcze nie zostały jeszcze podjęte, z pewnością byłoby dobrze porozmawiać z lekarzem prowadzącym o innych sposobach pomocy dziecku, w tym użyciu leków.

Jedną z najważniejszych korzyści świadomej prewencji jest to, że zarówno rodzice, jak i dziecko mają poczucie kontroli nad objawami alergii. Nie pozwalając, aby urosły one do rangi poważnego problemu, mogą skutecznie zapobiec pojawieniu się psychologicznego komponentu tej choroby.

Jak ochronić dziecko przed powszechnymi alergenami

Rodzice mogą podjąć pewne kroki mające na celu usunięcie najbardziej powszechnych alergenów z otoczenia małych dzieci z grupy podwyższonego ryzyka i tych, u których już pojawiły się niepokojące objawy. Aby nie narażać i tak już osłabionego układu immunologicznego dziecka na kolejne czynniki stresujące, należy sprawdzić, czy w otoczeniu znajdują się następujące alergeny.

Sierść i naskórek zwierząt

Jeśli nie możesz zrezygnować z domowego zwierzaka, trzymaj go z daleka od mebli, pokoju dziecka i innych pomieszczeń, gdzie maluch spędza większość czasu. Odkurzaj dom co najmniej dwa razy w tygodniu. Niektóre rasy psów prawdopodobnie rzadziej wywołują alergię.

Pióra

Wymień wsady poduszek dekoracyjnych i inne części mebli pokryte tapicerką na niealergizujące; jeśli nie potrafisz zrezygnować z hodowanego ptaka, postępuj zgodnie z zaleceniami dotyczącymi zwierzęcej sierści.

Pluszaki, poduszki do spania i materace wypełnione piórami, włosami, puchem i innymi materiałami alergizującymi

Zacznij korzystać z materiałów niewywołujących alergii (lub pokryj materace bezpiecznymi dla dzieci nieprzepuszczającymi powietrza materiałami syntetycznymi).

Tapicerka, zasłony, dywany

Czyść lub odkurzaj regularnie.

Odchody karaluchów

Oprócz regularnego czyszczenia i odkurzania należy skontaktować się z firmą dezynsekcyjną, która w bezpieczny dla dziecka sposób pozbędzie się szkodników. Sprzątanie kuchni bezpośrednio po przygotowaniu posiłków i częste osuszanie mokrych powierzchni w kuchni i łazience również pomoże je opanować. Jak podają niektóre źródła, kwas borowy w małych ilościach – umieszczany poza zasięgiem dzieci, na przykład pod zlewem czy za lodówką – także jest skuteczny (szafkę pod zlewem należy zabezpieczyć specjalnym mechanizmem uniemożliwiającym otwarcie jej przez dziecko).

Pyłki

Podczas okresu pylenia roślin okna powinny być zamknięte; klimatyzacja i filtry mogą wtedy również pomóc.

Pleśń

Postępuj zgodnie ze specjalnymi procedurami czyszczenia pleśni i używaj urządzeń do osuszania powietrza.

Kurz

Odkurzaj przynajmniej raz w tygodniu, zakładając specjalne filtry, które wyłapują małe cząsteczki. Ścieraj podłogę regularnie, używając łagodnego nabłyszczającego środka czyszczącego, który dobrze usuwa kurz.

Rośliny kwitnące, lalki z prawdziwymi włosami

Jeśli to możliwe, najlepiej się ich pozbądź.

Oliwka dla dzieci, puder, kremy, detergenty

Używaj produktów hipoalergicznych.

Dym papierosowy

Trzeba zadbać o to, aby dziecko z astmą nigdy nie było narażone na wdychanie tego najbardziej oczywistego czynnika wywołującego ataki tej choroby.

Astma

Astma - definicja

Astma jest przewlekłą chorobą płuc, w której zapalenie i nadreaktywność dróg oddechowych utrudniają przepływ powietrza. Choroba ta dotyczy co najmniej 5–10% amerykańskich dzieci[26], a rozpoczyna się najczęściej w ciągu pierwszych 5 lat życia. Do ataków dochodzi, gdy nasilenie stanu zapalnego, skurcz i zwiększone wydzielanie śluzu prowadzą do świszczącego oddechu i duszności (jeśli podstawowym objawem jest nawracający kaszel bez cech infekcji, zdarza się, że astma zostaje nierozpoznana). Atak może być wywołany przez wysiłek, zimne powietrze, czynnik alergiczny, stres emocjonalny albo infekcję górnych dróg oddechowych.

Zapobieganie przerażającym dla dziecka nawrotom astmy jest niezmiernie istotne dla jego przyszłego dobrostanu. W dzisiejszych czasach dysponujemy wieloma skutecznymi sposobami pomocy dzieciom z tego typu problemami, dlatego można i warto podjąć zdecydowane działania od samego początku. Jeśli podczas ataku astmy nie zaproponujemy dziecku skutecznego leczenia, zawładną nim rosnący lęk i bezradność. To właśnie w tym momencie reakcje emocjonalne – strach i niepokój – mogą zacząć odgrywać w całym procesie istotną rolę, pogarszając stan zdrowia dziecka.

Astmie często towarzyszy wyprysk (egzema) – czerwona, swędząca, sącząca się i łuszcząca wysypka wywołana alergenami. Swędzenie prowokuje drapanie, a drapanie nasila problem, prowadząc do stanu przewlekłego. Potrzeba drapania może stać się automatyczną reakcją na niepokój, a nawet znudzenie czy frustrację, i zbyt wcześnie przejść w nawyk w przypadku niemowląt oraz małych dzieci.

Wybrane powszechne alergeny pokarmowe

W wielu kulturach dzieci karmione są wszelkimi nowymi produktami, jakie pojawiają się na stole podczas posiłków. Zalecam, by rodzice zwracali na to uwagę, wprowadzając naraz po jednym nowym pokarmie w odstępie co najmniej jednego tygodnia. Wówczas po wystąpieniu reakcji alergicznej można szybko zidentyfikować szkodliwy produkt i wstrzymać się z jego podawaniem. Następujące pokarmy należą do tych, które szczególnie często wywołują reakcje alergiczne:

Jaja - unikaj do końca 1 roku życia.

---

[26] Statystyki w Polsce są podobne (przyp. red. meryt.).

Pszenica – unikaj do końca 1 roku życia.
Orzechy, szczególnie orzeszki ziemne – unikaj do końca 3 roku życia, ponieważ orzechy mogą być również przyczyną zadławień.
Skorupiaki – unikaj przynajmniej do końca 1 roku życia.
Białko mleka krowiego – najlepiej unikać, karmiąc dziecko piersią. Niemowlęta karmione sztucznie, u których rozwinie się alergia na białko mleka krowiego zdiagnozowana przez pediatrę, powinny zostać przestawione na mieszankę mleczną na bazie soi.
Wiele gatunków owoców cytrusowych i jagód – unikaj ich do końca 1 roku życia, ponieważ one również mogą – z większym prawdopodobieństwem niż inne owoce – wywołać uczulenie.

Astma i niepokój

Rodzice nie powinni dopuścić do tego, by wyprysk czy astma wywoływały u dziecka lęk. Chcąc przerwać błędne koło obaw i objawów, próbuję zwrócić rodzicom uwagę na pocieszający fakt: w rodzinie ze skłonnościami alergicznymi im starsze jest dziecko w momencie pojawienia się pierwszych objawów alergii, tym mniejsze jest ich nasilenie i łatwiejsze leczenie. Jeśli objawy pojawią się w 1 roku życia dziecka, mogą się manifestować jako wyprysk na całym ciele; jeśli zaś w 2 roku życia, będą to zaledwie delikatne zmiany w zgięciach łokciowych i pod kolanami.

Chociaż na astmę lub wyprysk może nakładać się trauma kilku przebytych epizodów tej choroby, chciałbym wyraźnie zaznaczyć, że nie uważam, iż schorzenia te **wywoływane** są przez problemy psychologiczne dziecka czy ukryte problemy rodzinne. Prawdopodobnie ich przyczyną jest predyspozycja genetyczna wzmacniana przez alergeny środowiskowe. Dopiero gdy choroby te same się zamanifestują, lęki osoby cierpiącej mogą nałożyć się na jej objawy i skłonność do wystąpienia kolejnych ataków.

Dzieci z astmą często na różne sposoby demonstrują rodzicom swój niepokój. Martwią się swoją dusznością nawet wtedy, gdy nie są chore, albo wzbraniają się przed podejmowaniem aktywności fizycznej. Przytulają się do rodziców i odmawiają pójścia do szkoły. W chwilach zmęczenia lub z chęci prowokacji, buntu czy zwrócenia na siebie uwagi mogą nawet czuć się lub zachowywać tak, jakby miały atak astmy. Rodzice zostaną zmuszeni do zareagowania na objawy, gdyż wzbudzą one w nich oczywisty niepokój. Jeżeli nie będą w stanie zapanować nad objawami dziecka, ich poczucie winy, gniew i troska zwiększą napięcie w rodzinie, a także w relacji z dzieckiem. W taki sposób astma łatwo może stać się skrajnie emocjonalnym punktem skupienia uwagi całej rodziny.

Doświadczenie astmy może być nakręcającym się błędnym kołem. Kiedy dziecko ma świszczący oddech i z trudem łapie powietrze, pojawia się przerażenie. Duszność wywołuje lęk, a lęk nasila duszność. Dziecko ma poczucie bezradności i niemożności poradzenia sobie z chorobą oraz związanym z nią strachem. Nie potrzeba wielu takich cykli, aby astma nabrała cech choroby psychosomatycznej. Chcąc temu przeciwdziałać, nawet bardzo małym dzieciom trzeba przekazać jasny komunikat, że rodzice i one same będą wiedzieć, co należy zrobić, aby zapobiegać astmie i opanowywać jej ataki.

Pewien mały chłopiec, którego nazwę Tymoteusz, nauczył mnie, jak ważne jest owo poczucie kontroli. Tymek był żywym chłopcem, który uwielbiał grać w piłkę, przekomarzać się z kolegami i żartować ze mną, kiedy przychodził na rutynowe kontrole. Chorował na astmę. Gdy pojawiał się u niego świszczący oddech, cała jego sylwetka i nastawienie ulegały radykalnej zmianie. Wyglądał wtedy jakby go pobito, był zmartwiony, a oczy zdradzały udrękę. Jego twarz stawała się blada i unikał mojego wzroku, gdy wchodził do gabinetu.

Siadał ze zgarbionymi ramionami, dysząc, a jego klatka piersiowa poruszała się silniej niż można było się tego spodziewać – nawet przy tak silnym ataku astmy. „Tymek – powiedziałem któregoś dnia – wygląda na to, że bardzo się o siebie martwisz. – Pan też by się martwił – odparował – jeżeli nikt by nie wiedział, jak panu pomóc, i wszystko było nie tak jak trzeba". W tych kilku słowach Tymek przekazał mi wiele informacji: czuł się przerażony, zniechęcony i bezradny. Kiedy podałem mu zastrzyk z adrenaliną, aby ułatwić oddychanie, powiedziałem, jakiej reakcji się spodziewam. Chwilę później, gdy już poczuł się lepiej, zauważyłem: „Widzisz, my naprawdę wiemy, co jest skuteczne. Musimy znaleźć takie sposoby, które pomogą tobie i twoim rodzicom poradzić sobie z dusznością, zanim jeszcze do mnie zadzwonicie".

Omówiliśmy dwa rodzaje leków, które rodzice powinni mu podawać – długofalowe leki „kontrolujące" astmę (do codziennego stosowania) oraz leki „ratunkowe" (do podawania tylko w czasie napadów). Podkreśliłem, że długofalowe leki zapobiegające zwiększą liczbę dni bez objawów, dając szansę na normalne życie, a szybko działające leki ratunkowe poprawią stan Tymka w czasie ataku duszności natychmiast po zażyciu. Biorąc pod uwagę stopień nasilenia astmy u Tymka, wyjaśniłem chłopcu i jego rodzicom, że będzie musiał codziennie zażywać leki kontrolujące (przeciwzapalne, np. wziewne kortykosteroidy, kromoglikany czy leki antyleukotrienowe), aby **zapobiec** stanom zapalnym dróg oddechowych i atakom astmy, oraz leki ratunkowe (rozszerzające oskrzela, np. albuterol), aby **powstrzymać** ataki astmy, gdy tylko się zaczną.

Następnie dałem Tymkowi kilka zadań do wykonania „dla własnego dobra", na przykład ścieranie biurka czystą, wilgotną szmatką (powoli, tak aby nie wzniecić kurzu), trzymanie się z dala od kotów, bo mogłyby wywołać kichanie i swędzenie, włączanie odświeżacza powietrza, kiedy tylko będzie uważał, że jest mu to potrzebne, i zwracanie się do rodziców z prośbą o leki ratunkowe, gdy będzie czuł, że zaczyna się świszczący oddech. Podczas kolejnych spotkań, kiedy moje sugestie zaczęły pomagać, rozmawialiśmy o tym, jak Tymek sam sobie radzi ze świszczącym oddechem.

Pewnego dnia chłopiec wpadł z impetem do mojego gabinetu, z przeziębieniem, delikatnie świszcząc, ale wykrzykując radośnie: „Doktorze Brazelton, proszę nie dawać mi zastrzyku. Biorę codziennie leki i mam w kieszeni inhalator. Użyję go, gdy tylko pan mnie zbada. Proszę posłuchać najpierw moich płuc, a potem pokażę panu, jak **sam** potrafię zatrzymać świszczący oddech!". Zbadałem go. Potem dumnie zrobił sobie inhalację z leku i usiadł w poczekalni. Kiedy go zaprosiłem po trzydziestu minutach, aby posłuchać, jak stopniowo poprawia się jego oddech, popatrzył na mnie błyszczącymi oczami, jakby chciał powiedzieć: „Prawda, że tym razem daliśmy sobie radę?".

Tymek wyrósł z astmy w okresie dojrzewania, co zdarza się wielu dzieciom, których alergia jest prawidłowo kontrolowana. Nauczył mnie bardzo dużo na temat psychologicznego wpływu na dziecko, kiedy choroba ciągle nawraca i nikt z dorosłych nie wie, co robić. Zobaczyłem również, że dzięki wsparciu dziecko może zacząć samo panować na chorobą.

Zalecenia dotyczące panowania nad astmą u dziecka

(1) Musisz sam poradzić sobie ze swoją paniką, aby nie przenosić jej na dziecko. To pierwszy i prawdopodobnie najtrudniejszy krok.

(2) Unikaj powszechnych alergenów i wyeliminuj z domu dym tytoniowy.

(3) Jeżeli infekcje dróg oddechowych trwają dłużej niż tydzień lub wywołują świszczący oddech bądź nasilony obrzęk, spytaj lekarza, czy mogą się do tego przyczyniać alergie. Jeżeli tak, to należy bardzo aktywne przystąpić do leczenia każdej infekcji górnych dróg oddechowych, a przez to przeciwdziałać rozwojowi bardziej nasilonych objawów. Jeżeli dziecko ma nawracający kaszel bez infekcji, może to być objaw astmy – w rzeczywistości jest on często niezauważany.

(4) Świszczący astmatyczny oddech powinien być natychmiast leczony poprzez wyeliminowanie alergenów ze środowiska dziecka oraz za pomocą skutecznych leków. Gdy stan zdrowia dziecka się poprawi, trzeba mu wyraźnie powiedzieć, że leki ratunkowe zadziałały i dzięki nim znów może swobodnie oddychać. Jednak zarówno ono, jak i jego rodzice powinni pamiętać, że astma to zazwyczaj przewlekłe schorzenie i najistotniejsze jest codzienne stosowanie leków w celu zmniejszenia częstotliwości i stopnia nasilenia ostrych ataków. Leki długofalowe, do codziennego stosowania, są przepisywane w celu zapobiegania przewlekłej astmie w przypadkach o łagodnym, średnim i ciężkim przebiegu, jako że ich działanie polega na zredukowaniu stanu zapalnego w płucach predysponującego do ostrych napadów astmatycznych. Kiedy do codziennego podawania przepisywane są kortykosteroidy wziewne, co jest częstą, skuteczną i szeroko stosowaną praktyką, rodzice powinni omówić swoje niepokoje związane z ubocznymi objawami stosowania leku z pediatrą, którego zadaniem jest dokładne monitorowanie takich objawów.

(5) Zapewnienie dziecka, że „wiemy, co robić", da mu poczucie kontroli i pomoże przezwyciężyć naturalną panikę, która często towarzyszy stanom duszności i świszczącego oddechu.
(6) Skonsultuj się z lekarzem swojego dziecka w sprawie leków ratunkowych, nebulizatorów domowych i komór inhalacyjnych (spejserów), które pomogą dziecku skuteczniej korzystać z leków inhalacyjnych. Im wcześniej rozpocznie się efektywne leczenie, tym łatwiej będzie przerwać błędne koło świszczącego oddechu i paniki.
(7) Jeżeli leki zastosowane w domu i ambulatoryjnie nie pomagają, poproś swojego pediatrę o skierowanie do specjalisty od astmy. Pomóc może też alergolog, przeprowadzając testy identyfikujące specyficzne dla dziecka czynniki uczulające, a nawet proponując leczenie modyfikujące odpowiedź układu immunologicznego na alergeny.
(8) Zachowaj cierpliwość i pamiętaj, że dorastanie może być prawdziwym punktem zwrotnym. Wiele dzieci uwalnia się od astmy wraz ze zmianami zachodzącymi w tym okresie.

15

Moczenie nocne

Moczenie nocne jest niepokojącym problemem. Jedno ważne pytanie, które należy zadać, brzmi: czyj to problem? Z początku – rodziców. Jeżeli tylko słyszą, że inne dzieci w tym samym wieku nie moczą się w nocy – a będzie to około 3–4 roku życia – zaczynają się martwić, że z ich dzieckiem jest inaczej. Gdy zaś pojawia się presja ze strony rówieśników, wtedy zaczyna to być również problem dziecka. W grupie bawiących się ze sobą trzy- i czterolatków pojawia się współzawodnictwo: „Ja już nie noszę pieluch. A ty? – Nie. – Czy sikasz do łóżka? – Oczywiście, że nie!". Każdy dorosły, słysząc to, podejrzewa, że przynajmniej jedno z tych dzieci nie mówi prawdy. Dziecko w tym wieku (częściej jest to chłopiec) czuje się zawstydzone i poddane presji rówieśników. Moczenie się w 5 roku życia jest przez społeczeństwo uważane za problem.

Gotowość dziecka

Kiedy rodzice powinni zacząć się martwić moczeniem nocnym? Jeżeli trening czystości zorientowany jest na dziecko i przechodzenie do poszczególnych etapów pozostawia się w jego rękach, większość maluchów zaczyna panować nad swoimi potrzebami naturalnymi około 3 roku życia. Czy istnieje przewidywalny czas na osiągnięcie sukcesu również w nocy? Wiele dzieci nie jest jeszcze gotowych do przesypiania nocy z suchą pieluszką, gdy dorośli tego od nich oczekują. Niektóre mogą mieć niedojrzały pęcherz moczowy, co utrudnia kontrolę nad nim w nocy. Z kolei u innych dzieci niedojrzałe są fazy snu. Wzorce wybudzania nie są na tyle rozwinięte, aby dzieci te mogły uświadomić sobie, że trzeba wstać z łóżka, by go nie zmoczyć. Potrzebują one możliwości rozwijania się według swojego modelu, co trzeba uszanować. Uważa się również, że w przeciwieństwie do innych, niektóre dzieci moczące się mogą nie wydzielać w nocy zwiększonych ilości hormonu antydiuretycznego (ADH) ograniczającego objętość wytwarzanego moczu. W wyniku tego może im być trudniej przespać noc bez oddawania moczu. Bez względu na przyczynę, presja rówieśników i rodziców dodatkowo zwiększy poczucie winy i porażki, ale nie przyśpieszy osobniczych wzorców rozwoju dziecka. Rodzice muszą być cierpliwi i nauczyć się czekać. Powinni również pomóc dziecku zrozumieć przyczyny „braku sukcesu". W przeciwnym razie przyczynią się do jego niskiej samooceny i postrzegania siebie jako nieudacznika. Pewnego razu w moim gabinecie sześciolatek popatrzył na mnie błagalnym wzrokiem i spytał: „Czy ja kiedykolwiek będę w stanie »to« zrobić?". Zrobić „to" oznaczało obudzić się w suchym łóżku i zadowolić najbliższych. Jego oczy wyrażały poczucie porażki i bezradności – już w wieku 6 lat! Początkowo moczenie się może nie być problemem emocjonalnym, ale z czasem może się nim stać.

Jeżeli dziewczynki nadal moczą się w nocy w wieku 5 lat, a chłopcy w wieku lat 6, albo gdy zaczęli się ponownie moczyć po sześciomiesięcznym lub dłuższym okresie suchych nocy (moczenie wtórne), należy wykonać pełną diagnostykę. Powinno się zbadać mocz, aby wykluczyć infekcję, cukrzycę i inne medyczne przyczyny ponownego lub przewlekłego moczenia się. Wchodzi to w zakres każdego prawidłowego badania kontrolnego w sytuacji, gdy dziecko ma problemy moczowe. Badanie moczu może pomóc w wykryciu infekcji nerek lub pęcherza, które mogą przyczyniać się do nietrzymania moczu zarówno u chłopców, jak i dziewczynek. Niekiedy krótki, chwilowy nawrót moczenia się u dziecka, które nauczyło się już kontrolować oddawanie moczu w nocy, może nastąpić, gdy doświadcza ono stresu – po przeprowadzce, pojawieniu się małego brata lub siostry, a nawet podczas przechodzenia przez kolejny etap rozwoju, który wymaga od niego zapłacenia aż tak wysokiej ceny.

Kontrolowanie oddawania moczu w ciągu dnia wydaje się łatwiejsze dla dziewczynek (średnio udaje im się to 2,46 miesiąca wcześniej niż chłopcom), które również rzadziej moczą się w nocy. W pewnym stopniu może to wynikać z różnic biologicznych, ale zawsze się zastanawiałem, czy ma to również związek z różnicami w oczekiwaniach społecznych i delikatnych wzorcach zachowań powiązanych z płcią oraz z oczekiwaniami, jakie mają wobec siebie mali chłopcy. W wieku 5 lat chłopiec będzie raczej ukrywał swój „defekt". Zaprzeczanie problemowi się utrwali, a dziecko nie podzieli się z nikim swoim wstydem czy poczuciem porażki. Podczas badania w gabinecie uruchomi mechanizmy obronne: skrzyżuje nogi, gdy będę próbował zbadać penis, zaczerwieni się lub zacznie hałasować, gdy zostanie poruszony temat korzystania z toalety. Bezradność i poczucie winy stały się już jego udziałem. Kiedy lekarz wykluczy przyczyny medyczne, rodzice powinni zapewnić dziecko, że wszystko jest z nim w porządku, a oni zrobią, co w ich mocy, aby zmniejszyć wywieraną na nim presję.

W jaki sposób rodzice mogą pomóc

Przede wszystkim przesypianie nocy w suchym łóżku musi stać się celem dziecka, a nie życzeniem rodziców czy wymogiem społecznym. Rodzice muszą znaleźć sposób na zmniejszenie swojego napięcia i oczekiwań w tej dziedzinie. Jeżeli wydaje się to niemożliwe, mogą rozważyć zwrócenie się z tym problemem do psychologa lub kogoś, kto pomoże im zredukować nadmierną presję wywieraną na dziecku, a także ich zaangażowanie w ten proces. Dzięki temu mogą odkryć, że kierują nimi własne krępujące wspomnienia z dzieciństwa, jako że moczenie, które utrzymuje się powyżej 5 roku życia bez ustalonej przyczyny medycznej, często jest problemem rodzinnym. Pomoże im to skoncentrować się na swoim zadaniu polegającym na wsłuchaniu się w uczucia dziecka i wspieraniu jego wysiłków w kierunku przesypiania nocy „na sucho".

Jeżeli pojawiają się problemy niskiej samooceny, niedojrzałości psychicznej albo samodewaluacji, trzeba się nimi zająć. Jeśli dziecko jest poddawane zbyt wielu naciskom – w szkole, w grupie rówieśniczej czy w rodzinie – powinno być jak najszybciej od nich uwolnione. Ojciec powinien wzmacniać bliskość z synem. Wspólne regularne cotygodniowe wycieczki dadzą chłopcu szansę identyfikowania się ze swoim tatą, a ojcu możliwość zrozumienia samooceny syna. Rodzice nie powinni za bardzo dociekać, ale być zawsze dostępni dla dziecka.

Wskazówki, które można przekazać, gdy dziecko będzie gotowe (zalecane zwłaszcza rodzicom małych chłopców)

(1) Poradź dziecku, aby w ciągu dnia spróbowało przytrzymać mocz w pęcherzu nieco dłużej i w ten sposób zwiększało swoją kontrolę nad nim.
(2) Za zgodą dziecka zbudź je, zanim sam położysz się spać, aby skorzystało z toalety. Jednak żeby strategia była skuteczna, ono samo musi przejąć kontrolę - nie zanoś go do łazienki na rękach.
(3) Przykładem wsparcia rodziców może być zorganizowanie specjalnej wyprawy do sklepu po nocniczek (można go pomalować farbą fluorescencyjną). Możesz potem obudzić dziecko, aby skorzystało z nocnika. Cały proces należy przeprowadzić we wspierającej atmosferze, bez wywierania presji. Niezależnie od tego, jak blisko znajduje się toaleta, ten specjalny symbol może mieć dla dziecka duże znaczenie.
(4) Budzik koło łóżka nastawiony na godzinę 2:00 może być pomocny, ale tylko wtedy, gdy dziecko jest na to gotowe. Inaczej będzie to niepotrzebne wywieranie presji, które nie przyniesie spodziewanego rezultatu.
(5) Delikatne próby budowania poczucia pewności i „męskości" oraz zaznaczanie sukcesów w ciągu dnia mogą motywować małego chłopca do wstawania w nocy. Jednak jeśli będą przesadzone, wprawią dziecko w zakłopotanie.
(6) Kiedy dziecko tego zechce, możecie porozmawiać o jego uczuciach, wywieranych na nie naciskach i o tym, że być może jego pęcherz potrzebuje czasu, żeby dojrzeć, a dziecko - żeby nauczyć się budzić we właściwym momencie. Jeśli będzie to prawdziwy dialog, może dodać dziecku prawdziwej otuchy.
(7) Możesz pomóc zburzyć mit, że istnieje magiczna data graniczna, w wieku 5-6 lat, powyżej której wszystkie dzieci przestają się moczyć. Naciski ze strony środowiska wraz z oczekiwaniami rodziców są zbyt wielkim obciążeniem dla małego dziecka.

Jeżeli po ukończeniu 5 lat w przypadku dziewczynek lub 6 w przypadku chłopców dziecko nadal moczy się w nocy albo gdy moczenie wpływa na proces jego adaptacji – samoocenę, umiejętność kontaktowania się z rówieśnikami lub zdolność postrzegania siebie jako kompetentnego osobnika płci męskiej – pora, aby skontaktować się z pediatrą, który zajmuje się takimi zagadnieniami. Kiedy zostaną wykluczone przyczyny medyczne, można poprosić o konsultację psychiatrę dziecięcego lub psychologa. Podniesienie samooceny dziecka będzie dla niego wzmocnieniem w tak ważnym okresie rozwoju. Być może trzeba będzie zastosować inne strategie – leki albo podkładkę, która daje sygnał, kiedy dziecko zaczyna się moczyć, ale tylko wtedy, gdy ono to zaakceptuje, oraz pod warunkiem, że wszystkie te działania służą jako pomoc, a nie kara. Jeżeli dziecko poprosi o ten rodzaj pomocy albo jeżeli zechce go wypróbować, zapewnij je, że nawet jeśli nie będzie on skuteczny, ono samo – prędzej czy później – wyrośnie z tego problemu. Nie można pozwolić, aby nieudane próby stosowania danej strategii jeszcze bardziej zniechęciły dziecko.

16

Płacz i kolka

Płacz dziecka wywołuje w rodzicach bezradność. Wszystkie dzieci płaczą, czasami wydaje się, że wręcz muszą sobie popłakać. Kiedy należy zacząć się martwić, a kiedy można liczyć na to, że dziecko samo sobie poradzi?

Zanim zaczniemy postrzegać płacz jako problem, należy sobie uświadomić, że jest on powszechnym zachowaniem adaptacyjnym i najskuteczniejszą formą komunikacji dziecka. Jak wspominałem w rozdziałach 2, 3 i 4, małe niemowlęta posługują się co najmniej sześcioma rodzajami płaczu, a każdy z nich komunikuje coś innego: ból, głód, zmęczenie, nudę, dyskomfort albo potrzebę uwolnienia napięcia pod koniec stresującego dnia.

Matka dziecka uczy się rozpoznawać różne rodzaje jego płaczu do trzech tygodni po porodzie. Jak wskazują badania, już po trzech dniach kobieta odróżnia płacz swojego dziecka od płaczu innych noworodków.

Kolka

Ostatni typ płaczu powszechnie nazywa się kolką – jest to trudny do wyjaśnienia płacz pojawiający się pod koniec dnia; zaczyna się w okolicach 3 tygodnia życia, nasila do 8 i ustępuje około 12. Kiedyś uważano, że jest spowodowany dyskomfortem w układzie pokarmowym. Choć obecnie wiadomo już, że nie jest to prawdą, nazwa „kolka" pozostała.

Język łez

Ocena płaczu – jego rytmu, tonu, latencji (czasu potrzebnego dziecku, aby się rozpłakać) – a także umiejętności samodzielnego uspokajania się i pozostawania w stanie wyciszenia to ważna część badania noworodka. Jakość płaczu oraz proces kojenia łez stanowią dla pediatry dwie ważne wskazówki dotyczące przyszłości dziecka – jego temperamentu i pracy, jaką muszą włożyć rodzice, aby je wyciszyć. Aktywne, dynamiczne i zdecydowane dziecko będzie miało tendencję do krótkiego okresu latencji oraz głośnego, piskliwego płaczu, który trudno będzie ukoić. Z kolei dziecko spokojne i wrażliwe będzie się wolniej rozpędzało i wydobywało tony niższe, ale za to przeciągłe i jęczące. Może podejmować próby samodzielnego wyciszenia się poprzez ssanie kciuka, rozglądanie lub zmianę pozycji. Jeśli nie uda mu się uspokoić, płacz będzie ciągły i niepokojący. Te różne wzorce składają się na temperament i styl zachowania dziecka. Wydaje się, że są stałe u danego dziecka i w dużym przybliżeniu wskazują na jego przyszłą osobowość (szerzej o różnicach indywidualnych zob. Brazelton, 1983). Kształtują one obraz dziecka w oczach rodziców oraz wpływają na proces przystosowania, jaki muszą przejść rodzice, aby poznać swoje dziecko.

Spełnienie żądania kryjącego się za płaczem noworodka to jedno z pierwszych wyzwań dla młodych stażem rodziców. Czy jest głodny? Czy jest mu niewygodnie?

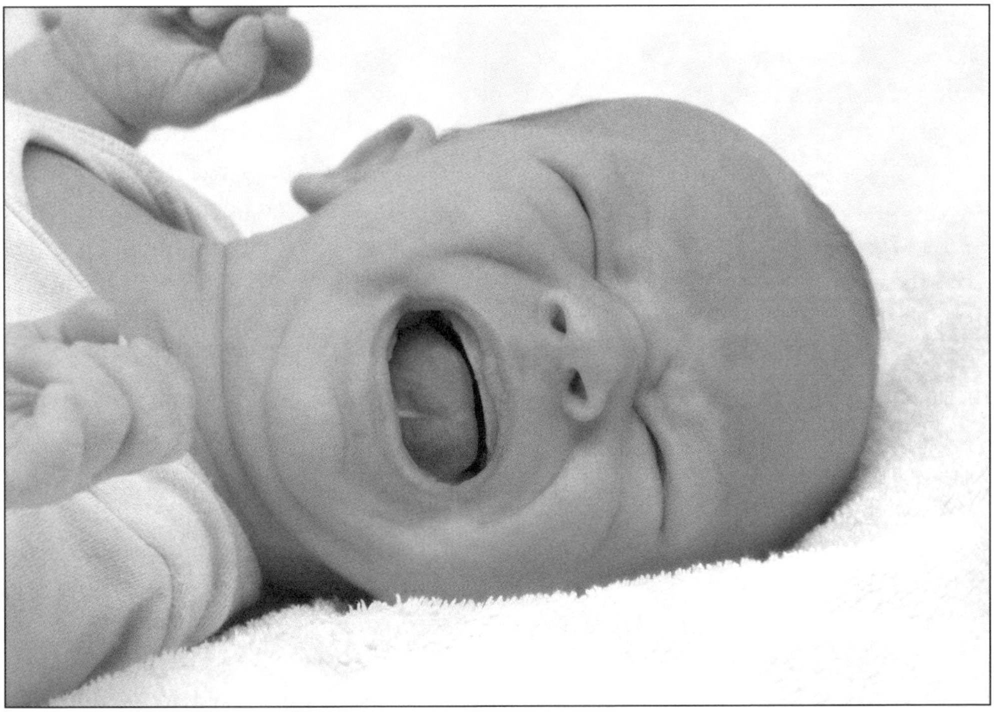

Czy trzeba zmienić mu pieluszkę? Czy jest zmęczony lub znudzony? A może coś go boli? Wszystkie te pytania mobilizują dorosłych i podnoszą poziom adrenaliny, zmuszając do szukania rozwiązania.

Mobilizacja

Mobilizacja to reakcja, która oznacza natychmiastową gotowość do działania, przyspieszone krążenie i zwiększone ciśnienie krwi, a także podaż tlenu do mózgu w obliczu nagłej sytuacji podbramkowej.

Każde skuteczne działanie nagradzane jest poczuciem sukcesu, nieskuteczne zaś każe wypróbowywać kolejne techniki, często przy coraz większym napięciu i niepokoju. Jednak rodzice więcej uczą się z porażek niż sukcesów. Nieudana próba znalezienia rozwiązania może sprawić, że dorośli zatrzymają się, popatrzą na sytuację z boku i zapytają, co dalej, a w międzyczasie nauczą się obserwować dziecko i dowiadywać o nim coraz więcej.

Płacz przedłużony lub marudzenie

Około 85% moich pacjentów w wieku pomiędzy 3 a 12 tygodniem życia przechodziło przez okres rozdrażnienia, marudzenia czy płaczu pod koniec dnia, który często nazywany jest kolką i wiązany z zaburzeniami w układzie pokarmowym. Czasami rzeczywiście płacz jest objawem takich zaburzeń i pediatra powinien taką możliwość rozważyć. Jednak zdarza się to u niewielkiego odsetka dzieci, które cierpią na refluks żołądkowo-przełykowy, mają alergię na mleko lub inne problemy. Dla młodych rodziców niewyjaśniony płacz dziecka jest poważnym sprawdzianem ich umiejętności opiekuńczych i stanowi ważny kamień milowy w rozwoju. Przygotowuję rodziców na taką ewentualność, gdy dziecko ma 2–3 tygodnie. Kiedy dorośli zrozumieją, że takie regularne i przewidywalne okresy płaczu są powszechne, odetchną z ulgą, wiedząc, że jest to zjawisko normalne i nie będzie trwało w nieskończoność. Pomagam im zawczasu potraktować takie zachowanie jako próbę „wypuszczenia pary", czyli codzienny rytuał wprowadzania ładu w niedojrzały jeszcze układ nerwowy. Podając przyczyny i patrząc na płacz z perspektywy dziecka, mam nadzieję zapobiec cierpieniu rodziców i ich przesadnym reakcjom, które pojawiłyby się w przypadku braku takiego przygotowania. Nieświadomość i wynikające z niej usiłowania wyciszenia dziecka za wszelką cenę nie będą tak skuteczne, jak pozostawienie go samego na krótki czas, aby samo próbowało sobie poradzić.

Kiedy dziecko zacznie regularnie płakać pod koniec dnia, rodzice muszą podjąć decyzję, jakie przyjąć nastawienie. Powinni działać z wewnętrzną pewnością, że system emocjonalny i fizjologiczny dziecka dojrzeje w takim stopniu, iż około 12 tygodnia życia ten rodzaj płaczu stanie się już zbędny. Zazwyczaj najlepszym rozwiązaniem okazuje się zmniejszenie liczby bodźców. Jeśli rodzice reagują na płacz niepokojem i niepewnością, zwykle robią zbyt dużo, tym samym wzmacniając reakcję dziecka. Pod koniec dnia, kiedy układ nerwowy niemowlęcia jest bardzo wrażliwy, nadgorliwe i nadopiekuńcze czynności mogą dodatkowo go obciążyć i dziecko nie będzie potrafiło przyjąć troski rodziców i skorzystać z niej. W rezultacie zacznie płakać jeszcze bardziej. Zostaną zasiane pierwsze ziarna porażki we wzajemnych interakcjach. Nieustanne próby ukojenia płaczu przez rodziców mogą nawet zaburzyć usiłowania dziecka mające na celu samodzielne wyciszenie i pocieszenie.

Mimo że w wieku 12 tygodni skończy się okres marudzenia, rodzice mogą utknąć w postawie nadgorliwości lub wycofania. Płacz dziecka nie wywoła wówczas właściwej reakcji – dorośli przybiegną zbyt szybko, nadmiernie je stymulując, pozostaną głusi na jego wołania lub będą niewłaściwie się z nim obchodzić. Przygnębieni lub rozzłoszczeni przeleją swoje emocje na dziecko. Pojawi się jeszcze więcej trudnego do zinterpretowania płaczu. Rezultatem utknięcia w takim błędnym kole będzie przerażone niemowlę, do którego trudno będzie dotrzeć.

Jeśli płacz w tym okresie się nasili, a typowe manewry ograniczenia stymulacji nie powstrzymają go ani nie zmniejszą jego intensywności, albo gdy przeciągnie się do ponad 2 godzin każdego wieczoru, dziecko będzie wymagało dodatkowej diagnozy. Może się okazać, że jest nadwrażliwe i jego układ nerwowy łatwo ulega przeciążeniu. W takim przypadku skuteczne mogą być kojące czynności o bardzo małym natężeniu. Rodzice odkryją, że ich nadwrażliwe dziecko płacze bardziej, jeśli jednocześnie patrzą na nie, mówią do niego i je kołyszą. Najlepiej robić tylko jedną z tych czynności w danym momencie. Gdy zabiegi kojące nie skracają czasu płaczu, może to oznaczać problem medyczny, na przykład refluks żołądkowo-przełykowy lub alergię na mleko, które wymagają konsultacji pediatrycznej.

Niektóre dzieci płaczą z powodu braku właściwej opieki. Ich nieutulony płacz może odzwierciedlać dezorganizację lub przygnębienie rodziców. Intensywność płaczu, jego długotrwałość i pozorny brak przyczyny mogą wskazywać na załamanych rodziców, którzy potrzebują pomocy, aby zrozumieć swoje aktywne i dynamiczne niemowlę i nauczyć się troszczyć o nie. Pediatra powinien ocenić, czy tak rzeczywiście jest, i – jeśli zachodzi taka potrzeba – znaleźć konsultanta lub inne wsparcie dla nieradzących sobie dorosłych. Około 10% kobiet doświadcza depresji poporodowej. Jeśli zostanie przeoczona poważna depresja, może to prowadzić do problemów zarówno u matki, jak i u dziecka (np. wzorce autodestrukcyjne, konflikty między małżonkami czy opóźnienia w rozwoju dziecka). Można im zapobiec, odpowiednio lecząc depresję poporodową. Uważam, iż dolegliwość ta jest bardziej powszechna i wyniszczająca w społeczeństwach zachodnich niż w innych kulturach, gdyż młodzi rodzice nie otrzymują właściwego wsparcia i ochrony.

Rodzice wyjątkowo wrażliwego niemowlęcia będą potrzebować dużo dodatkowego wsparcia. U takiego dziecka nieutulony płacz może zostać wywołany wieloma czynnikami – nowym doświadczeniem, zmianą czy obecnością nieznanej osoby. U niektórych dzieci może to prowadzić do nieustannej, chaotycznej aktywności, a te bardzo wrażliwe będą unikały kontaktu wzrokowego, powtarzały pewne zachowania, jak uderzanie lub kręcenie główką, wyrywanie włosów, szczypanie twarzy lub innych części ciała. Nie można będzie uspokoić niemowlęcia zwykłymi metodami. Nie pomoże przemawianie łagodnym głosem, przytrzymywanie rączek w celu zapobiegnięcia nagłym odruchom czy nawet otulenie, podanie smoczka lub nakarmienie. Wydaje się, że takie dzieci płaczą w nadziei na otrzymanie głębszego zrozumienia.

Zarówno one, jak i ich rodzice potrzebują konsultacji wykwalifikowanego specjalisty – psychologa lub psychiatry dziecięcego. Taki specjalista może ocenić, w jakim stopniu dziecko przyczynia się do istniejącego problemu, i pomóc rodzicom zrozumieć jego potrzeby, a także ich własne błędy mogące mieć wpływ na pogłębianie trudności. W niektórych przypadkach przyczyną może być problem neurologiczny wynikający ze stresu okołoporodowego lub z narażenia dziecka na wpływ narkotyków, leków, nikotyny czy innych toksyn jeszcze w macicy. Zdarza się, że rodzice odczuwają instynktowną, głęboko zakorzenioną ambiwalencję wobec dziecka. Często zarówno problemy dziecka, jak i rodziców będą się wzajemnie wzmacniać. Jeśli uda się pomóc dorosłym zrozumieć zachowanie malucha, a także odnaleźć jego przyczyny we własnej przeszłości (duchy znad kołyski), będą mogli nauczyć się nawiązywać kontakt ze swoją pociechą. Uważam, iż takim trudnościom jak najbardziej można zaradzić, jeśli tylko rodzice zwrócą się o pomoc we wczesnym stadium problemu.

Płacz jako część procesu rozwoju

Na kolejnych etapach niemowlęctwa płacz, tak samo jak u noworodka, odzwierciedla stan wewnętrzny dziecka i wymaga uwagi rodziców. Jak już wiemy, jego różne rodzaje, oznaczające głód, ból, znudzenie, zmęczenie, dyskomfort czy potrzebę uwagi, mają szczególne cechy akustyczne, co można zmierzyć odpowiednimi urządzeniami. Na przykład niezwykle charakterystyczny jest płacz wyrażający ból: jest to ostry wrzask, po którym następuje krótki bezdech, a następnie powtórzone wielokrotnie przenikliwe krzyki, i znów ostry, przeszywający wrzask. Wszystkie inne rodzaje płaczu rejestrują się w innym miejscu spektrum analizy akustycznej. Płacz sygnalizujący ból, w przeciwieństwie do innych, nie ustaje nawet po wzięciu dziecka na ręce. Rodzice nie potrzebują żadnych urządzeń do analizy płaczu swojej pociechy – uczą się interpretować go intuicyjnie w ciągu kilku pierwszych tygodni.

Wraz z rozwojem dziecka rodzice uczą się rozpoznawać, które rodzaje płaczu wymagają ich uwagi, a kiedy i jak dziecko może się nauczyć koić łzy samodzielnie. Zawsze cieszy mnie, gdy widzę, że niemowlę w wieku od 6 do 9 miesięcy potrafi już wyciszyć się samo – za pomocą kciuka, smoczka, kocyka, przytulanki czy jakiegoś szczególnego zachowania. Kiedy mam takiego małego pacjenta w Szpitalu Dziecięcym w Bostonie, wiem, że czuje się on kochany i wypracował swoje wewnętrzne zasoby, na których może polegać w razie samotności czy zmartwienia. Z kolei dziecko zaniedbywane lub ignorowane nie nauczy się odnajdywać ukojenia ani w swoim otoczeniu, ani w sobie samym. W płaczu takich dzieci słychać pewnego rodzaju pustą beznadzieję, która sprawia, że chciałoby się podejść i je przygarnąć. Jednak próby przytulenia kończą się ich wycofaniem i zamknięciem w sobie – trudno je przytulić z powodu fizycznego oporu, jaki stawiają. Chcąc umożliwić takim dzieciom rozwój emocjonalny, a w przyszłości nawiązywanie właściwych relacji z innymi, należy w jakiś sposób zainterweniować.

W okresach regresji związanych z nagłymi skokami w rozwoju – kamieniami milowymi lub drogowskazami opisanymi w części pierwszej – płacz jest elementem typowego, chaotycznego zachowania. Rodzicom również trudno go zrozumieć. Jeśli zaangażują się zbyt intensywnie w jego opanowanie, mogą go jedynie spotęgować. W pewnym momencie trzeba zachęcić dziecko do nauczenia się samodzielnego wyciszania. Bardzo przydaje się wówczas kciuk lub smoczek. Naukę najlepiej przeprowadzać w ciągu dnia, kiedy dziecko nie jest zbyt rozdrażnione. Następnie można podpowiadać mu to samo rozwiązanie o innych porach. Czy rzeczywiście powinniśmy zachęcać do stosowania takiego ułatwienia? Wydaje się, że odpowiedź musi być twierdząca. Żyjemy w stresujących czasach i nawet niemowlęta powinny wcześnie nauczyć się, jak radzić sobie ze stresem oraz z otaczającymi je osobami.

Niespokojne i niezaradne dziecko, które często marudzi, jęczy i dużo płacze, może być postrzegane jako rozpieszczone. Choć tego rodzaju płaczliwość ma na celu sprowokowanie dorosłych do reakcji, wydaje się ona komunikować: „I tak nie jesteś w stanie mnie usatysfakcjonować". Rozpieszczone dziecko to takie, które nie nauczyło się swoich granic i żyje w nadopiekuńczym środowisku pełnym bodźców przeciążających jego układ nerwowy. Z powodu własnych wewnętrznych konfliktów i ambiwalencji rodzice mogą próbować wyręczać je we wszystkim. Często reagują zbyt szybko, zanim w dziecku zdąży się zrodzić chęć samodzielnego działania, co powoduje frustrację i potrzebę próbowania od nowa. Ta natychmiastowa reakcja rodziców często nie pozwala również dziecku na doświadczenie najważniejszego: „Zrobiłem to **sam**!". To poczucie zasadniczo wpływa na przyszłe wyobrażenie dziecka o samym sobie, na jego poczucie kompetencji.

Czasami jeśli dziecko dużo choruje albo miało trudny start lub gdy rodzice stracili poprzednie dziecko i postrzegają obecne jako cud – dar od Boga – mogą być nadopiekuńczy. Nie pozwalają mu na żadną frustrację, na radzenie sobie z małymi wypadkami, na upadek i pozbieranie się samemu. Nazywamy to zjawisko syndromem dziecka bezradnego (*vulnerable child syndrome*). Dzieci te wyglądają na smutne i nieszczęśliwe, dużo płaczą. Ich płacz wymaga ciągłej uwagi dorosłych, tak jakby trzeba było wypełnić lukę wynikającą z braku zaradności i świadomości własnej kompetencji. Nieustannie testują i prowokują dorosłych, szukając ciągłej uwagi z ich strony i chcąc zrekompensować bezradność, jaką nauczyły się w sobie dostrzegać. Wydają się rozpieszczone, ponieważ bardzo intensywnie domagają się postawienia granic i szukają potwierdzenia swojej kompetencji.

Wiele takich dzieci potrzebuje granic wyznaczanych rodzicielską dyscypliną. Począwszy od 9 miesiąca, a zwłaszcza w 2 roku życia, dyscyplinowanie staje się drugim najważniejszym zadaniem rodziców. Dyscyplina oznacza uczenie, a nie karanie. Jej celem jest podarowanie dziecku szansy na poznanie swoich granic, co daje mu poczucie bezpieczeństwa. Dziecko rozpieszczone sprawdza te granice, poszukując tym samym oparcia. Jeśli dziecko ciągle prowokuje, testuje lub płacze, aby przyciągnąć uwagę, rodzice powinni potraktować to bardzo poważnie (zob. też sugestie i techniki wyznaczania granic w rozdziale 19).

Kiedy w 2 i 3 roku życia dziecko często płacze i prowokuje, rodzice – bezskutecznie wypatrujący poprawy – mogą się zastanawiać: „Czy my mamy z nim kontakt? Czy jest jakiś głębszy problem, którego nie zauważyliśmy?". Jeśli to możliwe, należy dobrze się przyjrzeć i znaleźć przyczynę problemu oraz pomóc dziecku ją zrozumieć (np. pojawienie się młodszego brata lub siostry, wyjazd rodzica, nowe przedszkole, agresywny kolega czy nawet depresja; zob. rozdział 18). Kiedy dziecko skończy 3 latka, można poprosić je o pomoc w znalezieniu sposobu na zatrzymanie procesu dezintegracji prowadzącego do płaczu, uporu i krnąbrności. Jeśli maluch poda jakiekolwiek sugestie, rodzice powinni je wykorzystać, a następnie pochwalić dziecko, że wzięło za siebie odpowiedzialność i wybrało skuteczne rozwiązanie.

W miarę upływu czasu płacz powinien stać się dla dziecka skutecznym środkiem komunikacji, a rodzice powinni uświadomić sobie własną rolę w procesie zaspokajania potrzeb wyrażanych takim komunikatem. Niepokojący może być płacz bez powodu lub celu – u małego tuptusia lub starszego dziecka należy go uznać za objaw depresji i poszukać fachowej pomocy. Natomiast jeśli płacz pojawia się w fazie poprzedzającej skok w rozwoju bądź ma funkcję przystosowawczą, jest jak najbardziej na miejscu i ma charakter przejściowy. Ważna zasada dla rodziców: jeśli nie ma oczywistych przyczyn płaczu, spróbuj zgłębić istotę problemu i zrozumieć, co tak naprawdę się dzieje.

17

Opóźnienia w rozwoju i zaburzenia rozwojowe

Zawsze miałem poczucie, że rodzice dzieci doświadczających trudności w rozwoju na każdy krok milowy dziecka sami muszą zrobić dwa: po pierwsze, wyzbyć się jakichkolwiek oczekiwań postępu, a po drugie, wspierać dziecko w pokonywaniu kolejnych etapów we własnym tempie. Wiele razy słyszałem od rodziców takich dzieci, że obowiązująca chronologia poszczególnych etapów rozwoju nie pomaga im w tym procesie, wręcz przeciwnie – bezlitośnie przypomina im o braku akceptacji otoczenia dla różnic między poszczególnymi dziećmi. Dzięki ich doświadczeniom zacząłem dostrzegać wartość zachęcania każdego dziecka specjalnej troski do wyznaczania własnej ścieżki rozwoju i stawiania kolejnych kroków milowych w swoim tempie.

Jeśli w rodzicach pojawi się jakakolwiek wątpliwość dotycząca rozwoju dziecka, nie należy zwlekać. Musi zbadać je lekarz, w pierwszej kolejności pediatra, a w razie konieczności odpowiedni specjalista, na przykład pediatra zajmujący się problemami behawioralno-rozwojowymi, neurolog, logopeda, specjalista od terapii zajęciowej, psychiatra lub psycholog dziecięcy czy inny ekspert – w zależności od natury problemu. W kwestii rozwoju i samopoczucia dziecka rodzice powinni najpierw brać pod uwagę własne obserwacje i intuicję. Jeśli jakikolwiek aspekt rozwoju – motorycznego, poznawczego, emocjonalnego czy behawioralnego – będzie stanowił powód do niepokoju, należy skonsultować to z lekarzem. Jeżeli pediatra lub pielęgniarka środowiskowa stwierdzą: „To jest normalne, dziecko z tego wyrośnie", trzeba zadać następujące dwa pytania: „Ile czasu to potrwa?" oraz „Jeśli później okaże się, że coś jest nie tak, czy zwlekanie z podjęciem leczenia może wpłynąć na ten stan niekorzystnie?". Jeśli lekarz twierdzi, że wszystko jest w porządku, a mimo to problem nie ustępuje, należy poprosić o skierowanie do specjalisty.

Ocena rozwoju

W pierwszej części niniejszej książki przedstawiliśmy ogólny zarys rozwoju dziecka od poczęcia do 3 roku życia.

Istnieją różne mapy rozwojowe służące ocenie postępów dziecka. Jedną z pierwszych, odnoszącą się do rozwoju ogólnego, stworzył Arnold Gesell. Później została ona wzbogacona przez innych, między innymi Nancy Bayley, autorkę skali rozwoju niemowląt i dzieci starszych w pierwszych kilku latach życia. Test rozwoju Denver (później poszerzony o skalę oceny emocji) również jest bardzo praktycznym wskaźnikiem dla opiekunów i rodziców.

Te i inne testy przesiewowe i diagnostyczne mają na celu ocenę rozwoju dziecka. Wiedza zdobyta w ostatnich latach wskazuje na ogromne możliwości naprawy niedojrzałego układu nerwowego, a więc na konieczność wczesnej interwencji w przypadku jakichkolwiek oznak opóźnienia. Wiele problemów motorycznych, poznawczych i emocjonalnych można wyeliminować, a przynajmniej zmniejszyć ich rozmiar. Im wcześniej zostaną one rozpoznane i im szybciej znajdziemy odpowiednie sposoby wsparcia i kompensacji, tym lepsze rezultaty. Ważne jest, aby w wypadku jakichkolwiek wątpliwości natychmiast szukać pomocy.

Rodzicom często trudno jest rozpoznać opóźnienie u swojego dziecka. Niekiedy wręcz nie chcą zauważać niepożądanych objawów. Kiedy pediatra mówi: „Proszę się nie martwić – dziecko z tego wyrośnie", może to uśpić ich czujność i zmarnują cenny czas. W przypadku opóźnienia im wcześniejsza interwencja, tym lepiej. Bez fachowej pomocy zaniepokojeni rodzice mogą być wobec dziecka nadopiekuńczy lub na siłę zachęcać je do nadrabiania różnic. Gdy próby dziecka okazują się bezskuteczne, poczucie porażki i beznadziei dodatkowo nasila pierwotny problem. Niektóre objawy warte zdiagnozowania zostały opisane w kolejnych podrozdziałach.

Nadwrażliwość u dzieci z hipotrofią wewnątrzmaciczną

Niektóre dzieci zaraz po urodzeniu są długie i chude. Łożysko, które je żywiło, jest małe i nieodpowiednie, często z niewyjaśnionych powodów. Wiele takich dzieci cierpi na nadwrażliwość na bodźce – ich układ nerwowy łatwo ulega przeciążeniu. Można załagodzić ten stan, adaptując środowisko i sposób obchodzenia się z dzieckiem tak, aby poziom bodźców był przez nie tolerowany. O takich dzieciach mówi się, że są małe jak na wiek płodowy, dystroficzne albo cierpią na niedożywienie wewnątrzmaciczne.

W Szpitalu Dziecięcym w Bostonie badałem wiele takich dzieci. Choć nieodpowiednia dieta matki, wypadki, alkohol, nikotyna, narkotyki i infekcje mogą upośledzać funkcję łożyska, to kobiety uczestniczące w badaniach nie były poddane żadnym powyższym czynnikom, a mimo to ich dzieci nie zdążyły zgromadzić odpowiednio dużo tłuszczu przed urodzeniem. Ich skóra była sucha i łuszcząca, z niewielką liczbą włosków, buzia zmęczona, „stara" i zmartwiona. Każdy bodziec wywoływał odruchowe wzdrygnięcie całego ciała, a zdolność odcinania się od powtarzających się bodźców była znacznie obniżona (zob. omówienie mechanizmu habituacji w rozdziale 2). Dzieci te nie potrafiły przebywać w fazie snu głębokiego ani dłużej utrzymać uwagi na czymś interesującym – można je było łatwo wybić z każdego z tych stanów. Z fazy snu czy czuwania od razu przechodziły w tak intensywny płacz, jakby był to jedyny sposób panowania nad środowiskiem. Taka szybka zmiana stanów nie pozwalała rodzicom na komunikowanie się z dzieckiem za pomocą dotyku, głosu czy bodźców wizualnych. To z kolei wywoływało nerwowość opiekunów, którzy podwajali swe wysiłki, co prowadziło do wyczerpania mamy i taty oraz przeciążało dziecko.

Celem moich badań było znalezienie sposobów na przerwanie tego błędnego koła nadpobudliwości i zbyt nerwowych działań rodziców. Kiedy w kontakcie z dziećmi używane były stonowane bodźce, byłem w stanie pomóc niemowlętom się zorganizować. Odkryłem, że aby do nich dotrzeć, należy zmniejszyć stymulację. Zabawa i karmienie w przyciemnionym pomieszczeniu pozwalały na kontakt, a hałaśliwe, rozpraszające środowisko powodowało odwracanie wzroku oraz odmowę kontaktu. Absorbowanie uwagi dziecka podczas karmienia kończyło się zwróceniem pokarmu. Czas pomiędzy 3 a 12 tygodniem życia szczególnie obfitował we łzy, a długie okresy płaczu uniemożliwiające kontakt wydawały się chronić niemowlę przed nadmierną stymulacją.

Kiedy ten kilkutygodniowy etap płaczu dobiegł końca, dziecko pozostawało nadmiernie wrażliwe i łatwo ulegało wszelkim rozproszeniom. Szczególna wrażliwość na każdy bodziec wizualny i dźwiękowy powtórzyła się w wieku 5 i 9 miesięcy, jednak wówczas płacz został zastąpiony aktywnością jako sposobem na uwolnienie narastającego wewnętrznego napięcia wynikającego z nadmiernej stymulacji. Od dłuższego czasu podejrzewam, że taka może być etiologia nadmiernej aktywności pewnej podgrupy dzieci cierpiących na ADHD.

Zrozumienie tej przyczynowej nadwrażliwości jest bardzo pomocne dla opiekunów i rodziców dzieci nadpobudliwych. Ograniczając liczbę bodźców do jednego (stonowanego) w danej interakcji oraz wycofując się przy każdym wykrzywieniu twarzy czy każdej zmianie stanu i szybkiej reakcji dziecka, można stopniowo je wyciszyć i nauczyć się z nim komunikować. Trzeba je brać na ręce powoli i delikatnie, przytulić do siebie i trzymać, dopóki się nie zrelaksuje. Dopiero wtedy można nawiązać kontakt wzrokowy. Na początku może to wywołać kolejne spięcie, ale w końcu dziecko ponownie się rozluźni. Wówczas można zacząć do niego przemawiać łagodnym, śpiewnym głosem. Znów może się pojawić napięcie, po którym nastąpi rozluźnienie. W końcu będzie można równocześnie kołysać dziecko, śpiewać mu i patrzeć na nie – nauczyło się już bowiem radzić sobie z kilkoma bodźcami naraz. Ponieważ rodzice są zwykle bardzo przejęci, mają tendencję do przesadzania w próbach nawiązania kontaktu ze swoim wrażliwym dzieckiem. W rezultacie zarówno oni, jak i dziecko mają za każdym razem poczucie porażki. Kiedy wyjaśniam im, że konieczne jest wprowadzanie kolejno pojedynczych bodźców, wielu potrafi zaakceptować to nowe podejście. Czynność karmienia i inne ważne aktywności, takie jak zmiana pieluszki, zabawa, kołysanie i usypianie, najlepiej wykonywać w spokojnym, wyizolowanym otoczeniu bez zbędnych bodźców. Każde wyciszone i stonowane działanie daje dziecku możliwość nauczenia się radzenia sobie z własnym nadwrażliwym układem nerwowym.

> Wyzwaniem dla rodziców jest pokonanie naturalnego zamartwiania się potęgowanego przez poczucie winy – często bowiem się zastanawiają, dlaczego właśnie ich dziecko jest nadwrażliwe. Nie znam odpowiedzi na to pytanie. Wiadomo tylko, że z czasem wiele dzieci uczy się radzić sobie coraz lepiej, **jeśli** otoczenie stara się rozumieć je i chronić. Ostatecznym celem jest wychowanie dziecka, które oczekuje, że mu się uda, i jest nastawione na odnoszenie sukcesów pomimo trudności (zob. także dalej w rozdziale).

Opóźnienia w rozwoju motorycznym

Niepokojące są dwa stany napięcia mięśni u niemowląt – mięśnie hipotoniczne (wiotkie) lub hipertoniczne (napięte lub nadmiernie aktywne). Czy dziecko używa wszystkich kończyn? Czy podnosi główkę i inne części ciała z pozycji leżącej? Czy pewne mięśnie są nieustannie napięte? Dziecko, które ma spięte mięśnie, ale potrafi od czasu do czasu się zrelaksować, prawdopodobnie nie cierpi na żadne schorzenie neurologiczne. Jednak gdy napięte mięśnie nie pozwalają mu próbować nowych rzeczy i uczyć się nowych sprawności, należy je zbadać. Na przykład badania neurologicznego wymagają paluszki zaciśnięte w piąstkę ze sterczącym nieporadnie pomiędzy nimi kciukiem. Czy dziecko precyzyjnie sięga po przedmioty? Czy jego ruchy są niepewne i rwane, gdy sięga po coś lub próbuje stanąć? Czy ta niepewność i szarpany charakter ruchu zwiększają się, gdy działa w stresie lub gorączce? Może to wskazywać na uszkodzenie neurologiczne, które pozwala na normalne funkcjonowanie w optymalnych warunkach, ale nie w stresie. Dziecko, u którego nie ma równowagi pomiędzy mięśniami – zginaczami i prostownikami – będzie potrzebować pomocy w opanowywaniu sprawności motorycznych. Takie objawy mogą być zaobserwowane przez rodziców, a następnie powinny zostać potwierdzone przez lekarza lub pielęgniarkę. Pewnych problemów odpowiedzialnych za opóźnienia w rozwoju motorycznym nie można zidentyfikować od razu – należą do nich łagodna postać porażenia mózgowego oraz inne zaburzenia neurologiczne i nerwowo-mięśniowe.

Jeśli pediatra stwierdzi opóźnienie w rozwoju motorycznym, powinien skierować dziecko do neurologa, który zaleci terapię. Najbardziej skuteczne terapie wykorzystują zdolność dziecka do wykonania określonych zadań oraz jego motywację, wzmacniają chęć naśladowania i ciągłego ulepszania pożądanych ruchów. Efektywne techniki nie zmuszają dziecka do zachowań, które wykraczają poza jego umiejętności. Zniechęcenie i poczucie porażki mogą bowiem zniweczyć cały proces. Dlatego właśnie ważne jest, żeby profesjonaliści pomogli rodzicom zrozumieć ten ważny aspekt każdej wczesnej interwencji, tak aby zarówno oni, jak i dziecko mogli rozpocząć proces zdrowienia (zob. też rozdział 25).

Opóźnienia w rozwoju poznawczym

Jak pokazałem w części pierwszej, rozwój poznawczy odbywa się zgodnie z pewnymi przewidywalnymi etapami. Na przykład świadomość stałości przedmiotów i skutków grawitacji wskazuje na rosnące zdolności mentalne dziecka. Oczekiwanie pewnych zachowań ze strony ważnych osób z otoczenia oznacza, że dziecko pamięta swoje doświadczenia i może je uogólnić na nowe sytuacje. Już dwumiesięczne niemowlę będzie demonstrowało różnice w swoich oczekiwaniach – od mamy będzie się spodziewało zachowań opiekuńczych, a od taty zabawy. Wyrazi te różnice poprzez odmienne zachowanie wobec każdego z rodziców. W wieku 5 miesięcy jego wyraźnie określone oczekiwania ujawnią się, gdy będzie się uważnie przyglądało nieznanemu sobie miejscu lub zareaguje wzdrygnięciem na nieznany głos. W kilku następnych miesiącach dziecko powinno zacząć rozumieć prawo przyczyny i skutku.

W 15 miesiącu powinno już umieć myśleć symbolicznie. Widząc zabawkowy telefon, przykłada go do ucha, jakby był prawdziwy. Natomiast jeśli uderza nim o podłogę, bierze go do buzi i bawi się nim w sposób, który wskazuje, że nie rozumie, do czego może służyć (czego jest symbolem), może to oznaczać opóźnienie w rozwoju poznawczym, często występujące u dzieci cierpiących na zaburzenia ze spektrum autyzmu (takie jak autyzm, zespół Aspergera lub całościowe zaburzenia rozwoju). Może to również oznaczać, że u dziecka wystąpi opóźnienie w nauce mówienia, ponieważ słowa także są symbolami i nie mogą być używane skutecznie, dopóki dziecko nie zrozumie, że symbole zastępują coś innego.

Opóźnienie w pojawieniu się tych umiejętności może wskazywać na upośledzenie zdolności rozumienia spowodowane zaburzeniami w procesie przetwarzania informacji, takimi jak upośledzenie procesów uczenia się czy inne formy dezorganizacji układu nerwowego. Może być również spowodowane niewystarczającym kontaktem z zabawkami czy ludźmi. We wspierającym środowisku przy wykluczeniu wcześniactwa i innych podobnych czynników trudno wyjaśnić ponad dwumiesięczne opóźnienie w kształtowaniu wspomnianych umiejętności poznawczych.

Warto zauważyć, że opóźnienie lub upośledzenie w rozwoju motorycznym nie musi oznaczać opóźnienia poznawczego. Na przykład dziecko bez kończyn lub cierpiące na rozległe porażenie mózgowe, czyli niemające możliwości wywierania wpływu na swoje środowisko, mimo tego jest w stanie rozwinąć świadomość stałości przedmiotów czy zrozumieć prawo przyczyny i skutku. Ośmiomiesięczne dziecko z wątłymi rączkami i kikutami zamiast nóg szuka wzrokiem upuszczonej na podłogę zabawki. Następnie zafascynowane (bo wie, że przyczyna będzie miała skutek) przygląda się, jak nakręcam zabawkę, i podąża za nią wzrokiem, gdy puszczam ją na blacie stołu. Kiedy zabawka się zatrzymuje, niemowlę spogląda na mnie i mruczy, jakby chciało powiedzieć: „Zrób coś, żeby ruszyła". Wyciąga głowę i szyję do przodu, patrząc mi w oczy. Jego matka mówi: „Tak właśnie się zachowuje, gdy wie, co trzeba zrobić, ale nie może tego zrobić samo". Nauczyło się prawa przyczyny i skutku wyłącznie z obserwacji.

W przeciwieństwie do niego inna dziewczynka w tym samym wieku przebywająca w szpitalu z powodu zaburzeń odżywiania i rozwoju wynikających z zaniedbania (odmawiała przyjmowania jedzenia i nie przybierała na wadze) nie reagowała w żadnym z powyższych zadań. Nie miała doświadczenia z zabawkami, z którego mogłaby się uczyć, nie było w niej też oczekiwania, że może wywrzeć wpływ na swoje otoczenie. Dzięki opiece i uwadze, jakie otrzymywała w szpitalu, zaczęła interesować się zabawkami i ludźmi. W przeciągu dziesięciu dni stała się podatna na procesy edukacyjne. Wystarczył zaledwie jeden dzień, aby pojęła zjawisko stałości przedmiotów, a kilka dni – aby zrozumiała ideę nakręcanej zabawki. Najpierw spojrzała na mnie, żeby upewnić się, że można mi zaufać, a następnie wręczyła mi zabawkę, żebym wprawił ją w ruch.

Przyczyny opóźnienia poznawczego są zbyt liczne, aby opisać je wszystkie w tej książce. Wśród nich są między innymi zespół Downa i płodowy zespół alkoholowy. Z początku wiele zaburzeń w procesie uczenia może również dać o sobie znać jako niewielkie opóźnienia w rozwoju poznawczym. Jeśli rodzice i lekarz zgodnie twierdzą, że występuje opóźnienie, lub gdy niepokój rodziców nie ustępuje, należy poprosić o konsultację z neurologiem, psychiatrą lub psychologiem dziecięcym, w zależności od natury problemu.

Zaburzenia w rozwoju zmysłu wzroku czy słuchu niezdiagnozowane zaraz po urodzeniu również mogą być przyczyną opóźnienia poznawczego. Wczesna diagnoza jest niezmiernie istotna, gdyż interwencja na wczesnym etapie może pomóc dziecku nadrobić wszelkie zaległości. Niektóre proste badania można wykonać w gabinecie pediatrycznym, ale bardziej subtelne problemy może zdiagnozować jedynie okulista, audiolog i otolaryngolog (zob. też rozdział 40).

Opóźnienia w rozwoju emocjonalnym i społecznym

Wiele czynników wpływa na rozwój emocjonalny dziecka oraz jego umiejętności interpersonalne. W wyniku stresu prenatalnego lub przedwczesnego porodu dziecko może być nadwrażliwe na bodźce słuchowe, wizualne, dotykowe, kinetyczne (ruchowe) i oralne, co może prowadzić do odcinania się od nich, a w rezultacie utrudniać budowanie relacji z rodzicami. Niemowlę może odwracać wzrok przy każdej próbie nawiązania kontaktu; drżeć lub usztywniać ciałko podczas przytulania; stawiać opór lub „przelewać się" przez ręce, gdy rodzice spróbują je podnieść. Jeśli dziecko wypluwa jedzenie, odpycha podawany pokarm czy ma trudności z połykaniem, opiekunowie mogą potraktować to zbyt osobiście i poczuć odrzucenie. Poczucie porażki, a nawet złości u dorosłego nie pozwoli na ciepłe kontakty i autentyczną zabawę. Bez pomocy z zewnątrz taka relacja utknie w martwym punkcie i spiętrzy problemy rozwojowe dziecka.

Niektóre opóźnienia są wywołane pewnymi uwarunkowaniami podczas ciąży, porodu lub wczesnego niemowlęctwa. Na przykład niedożywienie matki, wpływ nikotyny czy narkotyków, leki podawane podczas porodu, niedotlenienie dziecka czy wewnątrzmaciczne zahamowanie rozwoju – wszystkie te czynniki mogą utrudniać nawiązanie kontaktu z dzieckiem. Będzie ono narażone na emocjonalne i społeczne opóźnienie oraz może doświadczać problemów w rozwoju motorycznym. Na przykład podczas karmienia może być zwiotczałe i nie reagować na bodźce, słabo ssać, krztusić się i mieć tendencję do zwracania pokarmu. Nawet jeśli takie dziecko reaguje w kontakcie z innymi, jest to ledwo zauważalne. Może nie podnosić rączek do buzi, nie podnosić główki do pionu podczas podciągania do pozycji siedzącej i nie przejawiać innych reakcji, które satysfakcjonowałyby gorliwych, zatroskanych rodziców. Jeżeli nie rozumieją, dlaczego tak się dzieje, mogą być przerażeni i lękać się trwałego uszkodzenia. Ważne jest, aby lekarz czy pielęgniarka udzielili pomocy na wczesnym etapie i wyjaśnili rodzicom, że z czasem stan większości takich dzieci zmienia się na lepsze, gdy poprawia się karmienie, przestają działać leki, a układ nerwowy dochodzi do równowagi. Jeśli nie stanie się to w ciągu kilku pierwszych tygodni, należy skonsultować się z neurologiem. Po wykluczeniu uszkodzenia neurologicznego pomocna może być wizyta u specjalisty w dziedzinie pediatrii zachowawczej lub psychiatry dziecięcego.

Podczas badania dziecka, które miało trudne początki, najpierw należy znaleźć potwierdzenie nienaruszenia układu nerwowego. Oprócz umiejętności motorycznych trzeba dokładnie zbadać również zdolność wodzenia wzrokiem za twarzą przesuwaną z jednej strony na drugą oraz zwracania się w kierunku źródła dźwięku, takiego jak grzechotka czy głos ludzki. We wczesnych miesiącach nadal powinny się rozwijać sprawności interpersonalne. W pierwszych kilku tygodniach dzieci powinny nauczyć się utrzymywać uwagę podczas kontaktu z osobami z otoczenia i wydłużać czas tej koncentracji. Uśmiech i inne rodzaje mimiki twarzy, wokalizacja oraz ruchy ciała w kontakcie z opiekunem nie tylko sygnalizują, że dziecko potrafi odpowiednio reagować, ale także służą podtrzymaniu interakcji. Jeżeli dziecko w tej grupie wiekowej nie wyostrza uwagi na głos mamy albo nie okazuje ruchami ciała podekscytowania na widok taty, powinno zostać szczegółowo przebadane. Odwracanie wzroku, grymasy na twarzy oraz gaszenie prób nawiązania kontaktu mogą być skutkiem nadwrażliwości układu nerwowego. Ich powodem może być też środowisko, które albo przeciąża dziecko, albo nieodpowiednio na nie reaguje, uniemożliwiając przez to nawiązanie z nim kontaktu.

Co powinno zwrócić uwagę rodzica?

Jeśli dziecko wydaje się obojętne na zabawki i znajome sobie osoby, a jego emocje są przygaszone, jest to powód do niepokoju. Przebadania wymagają również powtarzające się zachowania – kiwanie głową, przewracanie oczami, kiwanie całym ciałem, kręcenie palcami we włosach, częste zakrywanie rączkami twarzy lub uszu. Nieuśmiechające się dziecko, które nie nawiązuje relacji z innymi, przejawia powtarzające się, bezcelowe zachowania i reaguje na próby nawiązania z nim kontaktu rozmytym, beznamiętnym wzrokiem, wykazuje objawy uszkodzenia neurologicznego lub zaburzenia ze spektrum autyzmu (zob. dalej).

U dziecka w wieku od 8 do 16 miesięcy niepokojące jest opóźnienie w zainteresowaniu zabawkami lub ludźmi. Jeśli na podaną zabawkę dziecko reaguje beznamiętnie i apatycznie, bawi się nią bezcelowo, powtarzając ruchy, a zgubienie zabawki nie stanowi problemu, może to oznaczać upośledzenie rozwoju emocjonalnego. W tej grupie wiekowej oznaki depresji lub skierowania uwagi do wewnątrz, na przykład bezcelowe powtarzanie pewnych zachowań, takich jak wymachiwanie rączkami, a także nierozróżnianie rodziców i osób nieznajomych, niestawianie oporu czy brak negatywizmu są oznakami problemów, które wymagają fachowej konsultacji.

Szczegółowe badanie zachowania dziecka oraz wywiad z rodzicami przeprowadzony przez specjalistę, który weźmie pod uwagę ich lęki i obawy, dają możliwość zidentyfikowania przyczyn opóźnienia. Podczas takiego badania można pomóc rodzicom dostosowywać ich reakcje do możliwości dziecka.

Zaburzenia ze spektrum autyzmu

Opisane wcześniej objawy – beznamiętne nastawienie, uporczywe powtarzanie pewnych ruchów oraz brak zainteresowania ludźmi – mogą być oznakami autyzmu. Ważnym wyznacznikiem zaburzeń z tej grupy jest trudność w nawiązywaniu relacji i komunikowaniu się. Dziecko cierpiące na autyzm ma problem z odczytywaniem znaczenia mimiki twarzy, co inne dzieci potrafią już w wieku 9 miesięcy. Półtoraroczne lub dwuletnie dziecko z autyzmem nie rozumie jeszcze, że zabawki mogą symbolicznie przedstawiać inne przedmioty, oraz nie będzie wiedziało, jak się nimi bawić. W wieku 2,5 do 3 lat, kiedy zdrowe dzieci zaczynają rozumieć, że inni ludzie odczuwają emocje i myślą, dziecko cierpiące na autyzm nie jest w stanie odnosić się do nich ze świadomością przeżywanych przez nich emocji.

Ponadto dziecko dotknięte autyzmem może unikać kontaktu fizycznego i kontaktów towarzyskich, mieć trudności z budowaniem przywiązania i najprawdopodobniej będzie opóźnione w rozwoju mowy, a zwłaszcza społecznego aspektu języka, oraz w posługiwaniu się sygnałami niewerbalnymi. Może być też nadwrażliwe na bodźce sensoryczne – wzrokowe, słuchowe i dotykowe. Niektóre obrazy lub dźwięki mogą doprowadzać je do szału, podczas gdy inne nie będą zauważane w ogóle. Takie

dziecko będzie się angażowało w czynności powtarzalne – na przykład huśtanie czy kręcenie w kółko – które będą dostarczać mu tych wrażeń zmysłowych, jakich zdaje się potrzebować.

Zdiagnozowanie zaburzeń ze spektrum autyzmu nie jest łatwe. Rodzice dzieci autystycznych często jednak mówią, że od samego początku podejrzewali, iż coś jest nie tak: gdy próbowali nawiązać kontakt wzrokowy, dziecko go unikało; kiedy je przytulali, ono zawsze wypinało się i spinało całe ciało; jeśli próbowali się z nim komunikować, wydawało się niezainteresowane lub przytłoczone nadmiarem bodźców.

Najpierw należy wykluczyć upośledzenie słuchu lub wzroku. Dziecko powinno zostać zbadane przez pediatrę specjalizującego się w zaburzeniach rozwojowych, psychiatrę dziecięcego lub neurologa dziecięcego. Często potrzebna jest również konsultacja terapeuty zajęciowego, logopedy, audiologa i innych specjalistów w celu postawienia pełniejszej diagnozy i ustalenia terapii. Pediatra i zespół terapeutyczny powinni także rozważyć możliwość wpływu toksyn środowiskowych na zachowanie i rozwój dziecka. Przyczyny autyzmu nie są jeszcze znane, choć poczyniono już duże postępy w tej dziedzinie. Ponieważ istnieje wiele różnych szkół leczenia, proponuję, aby rodzice zapoznali się z odpowiednimi źródłami. Wczesne rozpoznanie i terapia są tu niezmiernie istotne.

Niepokojące problemy rozwojowe w późniejszym okresie

Dzieci, których rozwój w dziedzinie ruchowej, poznawczej i emocjonalnej przebiega bez zakłóceń w pierwszych miesiącach życia, mogą doświadczać problemów emocjonalnych w późniejszym czasie, co może być przyczyną opóźnienia rozwoju na tym właśnie etapie. Dwu- lub trzylatek, który jest „zbyt grzeczny", powinien wzbudzać niepokój. Dziecko, które nie przejawia negatywizmu ani napadów złości, być może nie pozwala dojść do głosu swojej potrzebie autonomii. To, które jest samotnikiem i tchórzy w kontakcie z rówieśnikami, demonstruje poczucie oddzielenia i pasywności, co również wymaga uwagi. Jeśli inne dzieci izolują je od siebie, może to być szczególnie istotny objaw. Dziecko doświadczające problemów emocjonalnych będzie siedzieć przed telewizorem, ssąc kciuk, kręcąc palcami we włosach i dotykając ciągle nosa lub twarzy. Może wycofywać się z sytuacji, które są dla niego wyzwaniem, na przykład z interakcji z dziadkami, nieznanymi osobami lub innymi dziećmi. Może mieć słabe napięcie mięśniowe, blade powłoki skórne i marny apetyt; może też być beznamiętne, niereagujące i obojętne wobec ekscytujących aspektów życia.

Dzieci znajdujące się na drugim biegunie, przejawiające prawdziwą mieszankę ekstremalnych emocji, często nieadekwatnych do sytuacji, również potrzebują konsultacji. Jeśli przechodzą od płaczu przez śmiech do beznamiętności albo jeśli w ten sam sposób traktują zabawki i ludzi, także wymagają pomocy. Dziecko z problemami szybko się „nakręca" i nie reaguje na łagodne i troskliwe działania; wydaje się nie mieć kontaktu z osobami ze swojego otoczenia. Chichotanie, histeryczny śmiech, szloch czy płacz mogą prowadzić do napadów złości, na przemian z zachowaniami depresyjnymi niezwiązanymi z bodźcami, które je zainicjowały.

Jeśli takie zachowanie się utrwali, przerażeni rodzice mogą nie wiedzieć, do kogo zwrócić się o pomoc. Przyjaciele czy profesjonaliści medyczni bez odpowiednich kwalifikacji psychologicznych mogą stwierdzić: „Ono z tego wyrośnie", jednak gdy objawy nie ustępują, rodzice powinni zaufać swojemu osądowi i udać się do psychiatry dziecięcego[27]. Właściwa diagnoza pozwoli na zrozumienie problemów emocjonalnych i rozwojowych dziecka i będzie można rozpocząć terapię, zanim problemy się nasilą.

---

27 W Polsce taka wizyta nie wymaga skierowania (przyp. red. meryt.).

18

Depresja

Wszystkie dzieci są od czasu do czasu smutne lub mają okresy przygnębienia. W takich momentach potrzebują dodatkowego wsparcia i miłości. Jeśli owe stany wynikają ze zwyczajnych, nieuchronnych rozczarowań dzieciństwa, smutek będzie krótkotrwały. Jednak niektóre objawy powinny wyostrzyć uwagę rodziców i uświadomić im konieczność poszukania pomocy.

Rozpoznanie depresji

Płacz to aktywna, zdrowa reakcja na smutek lub niezaspokojoną potrzebę. Uspokajam się, gdy widzę, że zasmucone dziecko płacze.

Objawy występujące u dziecka z depresją

- **Wycofanie** - rodzice, rodzeństwo, rówieśnicy i inni ludzie nie mogą nawiązać z nim kontaktu.
- **Znudzony i przygaszony wygląd** - oczy dziecka nie błyszczą, mimika twarzy jest ograniczona, a ruchy ciała sporadyczne.
- **Utrata energii** - dziecko jest nietypowo zmęczone i nieaktywne.

- **Poczucie beznadziei, braku wartości i winy** - dziecko przejawia mało inicjatywy i podejmuje niewiele wysiłków, aby wyrazić swoje emocje.
- **Brak radości** - dziecka nie cieszą już dotychczasowe typowe źródła radości.
- **Zmiany w rutynie jedzenia, spania, a nawet wypróżniania czy oddawania moczu** - nawyki we wszystkich tych obszarach mogą zostać zaburzone.
- **Bóle głowy i brzuszka** - mogą się one pojawić przed jakimkolwiek nowym wydarzeniem, jak pójście do przedszkola, na plac zabaw czy przyjęcie.
- **Przygnębiający wpływ na innych** - osoby z otoczenia dziecka czują się przygnębione; nikomu nie pozwala ono zbliżyć się do siebie; często jest drażliwe, poirytowane, łatwo wpada w złość z najdrobniejszych powodów.
- **Zmiana nawyków** - dziecko brudzi się, nie dopasowuje ubrań, jego włosy są w nieładzie.

Jeśli wymienione objawy nie są tymczasowe (czyli trwają dłużej niż dwa tygodnie) i nie stanowią reakcji na konkretne, przygnębiające wydarzenie lub rozczarowanie w życiu dziecka, wymagają interwencji.

Chcąc rozstrzygnąć, czy objawy te są oznaką poważnej depresji, rodzice mogą zadać sobie kilka pytań. Po pierwsze: kiedy pojawia się smutek? Jeśli występuje tylko po krytyce lub nieszczęśliwym wydarzeniu, jest właściwą reakcją. Natomiast gdy pojawia się bez przyczyny albo jest obecny cały czas, może być powodem do niepokoju. Dziecko prawdopodobnie chce dać w ten sposób do zrozumienia, żeby uważniej przyjrzeć się jego emocjom. Kiedy smutek zabarwia również radosne wydarzenia, rodzice powinni podjąć pewne kroki.

Po drugie: czy istnieje jakiś konkretny powód smutku, na przykład strata psa lub ulubionej zabawki, nieobecność rodzica, pojawienie się młodszego rodzeństwa bądź utrata przyjaciela w przedszkolu? Czy w przedszkolu, sąsiedztwie lub w domu miały miejsce wydarzenia, które mogą stanowić wyjaśnienie tego smutku? Może wydarzyło się kilka rzeczy, które nałożyły się na siebie? Nagromadzenie przygnębiających wydarzeń może wywołać depresję. Jednak jeśli można je nazwać oraz zachęcić dziecko do wyrażenia emocji, a przez to do zmiany nastroju, wówczas przygnębienie mija. Trzeba jednakże uważnie obserwować, czy ta zmiana jest trwała. Dziecko, które zwykle jest energiczne i otwarte, może doświadczać okresów smutku. Jeśli nie trwają one dłużej niż dwa tygodnie, są częścią normalnego procesu zmian nastroju, od którego nikt z nas nie jest wolny.

Natomiast jeżeli okresy smutku i wycofania są nieproporcjonalne do wydarzenia i wydają się już ugruntowane, rodzice mają prawo być zaniepokojeni. Mogą dać sobie dwa tygodnie na obserwację i czekanie. Dziecko z natury ciche, nieśmiałe lub wycofane, którego stan dodatkowo się pogłębia, powinno być potraktowane bardzo poważnie. Dziecko z trudnościami w nauce lub zaburzeniami uwagi ma już wystarczająco

dużo powodów do smutku i wycofania, jest więc w grupie szczególnego ryzyka. Jego poczucie własnej wartości zostało już zachwiane, zatem każdy objaw przygnębienia powinno się uważnie obserwować. Depresja w wywiadzie rodzinnym zwiększa ciężar gatunkowy ewentualnych objawów.

Jak reagować na smutek i depresję

Wskazówki dla rodziców

Próbując ocenić objawy i podjąć decyzję, czy potrzebna jest pomoc z zewnątrz, rodzice powinni reagować na stan dziecka w następujący sposób:

(1) Potraktuj dziecko poważnie. Próby wytrącenia go z tego stanu za pomocą żartów i poczucia humoru nic nie dadzą – znieważą jedynie jego uczucia. Często potwierdzenie i uznanie smutku bez prób „wytrącenia" z niego pomagają dziecku zrozumieć własne emocje.

(2) Zachęcaj do stonowanych działań, które dziecko preferuje i z którymi dobrze sobie radzi. Do niczego jednak nie zmuszaj. Wzmacniaj poczucie wartości dziecka, doceniając małe sukcesy i pokazując, że podziwiasz jego kompetencję.

(3) Wyraźnie zakomunikuj, że rozumiesz, iż dziecko odczuwa smutek.
(4) Nie zmuszaj dziecka do wyjawienia głęboko skrywanych przyczyn smutku, chyba że wiesz, iż poradzisz sobie z nimi. Jeśli przeczuwasz, że to coś poważnego, i obawiasz się tego, lepiej zwróć się o pomoc z zewnątrz.
(5) Zadbaj o to, żeby dziecko czuło się bezpieczne i otoczone troską. Powiedz mu: „Rozumiemy z tatą (mamą) jak się czujesz. Możemy ci pomóc i zrobimy to. Jesteśmy tutaj i kochamy cię".

Smutek i depresja to wołanie o pomoc. Wprawdzie poczucie straty, samotności, niższości, niemożliwej do wyrażenia złości czy smutku to normalne uczucia występujące u wszystkich dzieci, jednak rodzice muszą ocenić, czy są one przejściowe i dziecko poradzi sobie z nimi, czy może jest nimi zbyt przytłoczone. Jeżeli nie ustępują lub zagrażają i tak już niepewnym próbom adaptacyjnym wrażliwego dziecka, powinno ono zostać przebadane przez terapeutę. Zarówno dziecko, jak i rodzice odetchną, gdy ktoś z zewnątrz będzie umiał zrozumieć jego smutek i ochronić je przed lękiem i poczuciem winy spotęgowanymi przez poczucie bezradności. Lekarz może skierować dziecko do psychiatry lub psychologa dziecięcego[28].

Jeśli depresja dziecka poważnie zaburza jego typowe aktywności, na przykład dbanie o siebie, kontaktowanie się z rodziną i przyjaciółmi, naukę, albo gdy jest tak zaawansowana, że będzie ono próbowało zrobić sobie krzywdę, psychiatra może zapisać leki antydepresyjne. Decyzji takiej nie należy jednak podejmować pochopnie. Być może potrzebna będzie druga opinia. Antydepresanty mogą wprawdzie pomóc, ale mogą też mieć poważne skutki uboczne, w tym objawy wycofania się po odstawieniu. Wiele z nich nie ma atestu dla zastosowania u dzieci, jednak są im przepisywane. W poważnych przypadkach, wymagających dokonania wyboru między dalszym cierpieniem dziecka a ryzykiem utraty zdrowia psychicznego na dłuższą metę, ich użycie może być uzasadnione, ponieważ jednak ich wpływ na rozwój mózgu dziecka nie jest znany, powinny być one stosowane bardzo ostrożnie (zob. Wilens, 2010).

[28] W Polsce potrzebne jest skierowanie do psychologa, nie jest zaś wymagane w razie wizyty u psychiatry (przyp. red. meryt.).

19

Dyscyplina

Obok miłości dyscyplina jest drugim najważniejszym darem rodziców dla dziecka. O ile jednak otaczanie dziecka miłością wydaje się proste, o tyle dyscyplinowanie skłania do zadawania trudnych pytań. W jakim wieku powinno się zacząć wprowadzać dyscyplinę? Kiedy rodzic jest zbyt pobłażliwy, a kiedy zbyt surowy? Czy dyscyplina wymaga kar? Z takimi zagadnieniami spotykam się nieustannie w swojej praktyce pediatrycznej. Wprawdzie wielu dorosłych zdaje sobie sprawę, że wyznaczanie granic jest bardzo istotne, jednak konsekwentne i skuteczne realizowanie tego programu jest jednym z najtrudniejszych zadań rodzicielskich. Z jednej strony wszyscy chcemy mieć grzeczne dzieci, jednak z drugiej boimy się gasić ich ducha czy przytłaczać je zbyt wieloma ograniczeniami.

Wydaje się, że współcześni rodzice odczuwają coraz więcej konfliktów wewnętrznych związanych z dyscypliną. Jednak w dzisiejszych burzliwych czasach staje się ona

Dyscyplinowanie a karanie

Dyscyplina to nie to samo co kara. Dyscyplina oznacza uczenie, a jej ostatecznym celem jest nauczenie dziecka samodyscypliny. Jest to zadanie długofalowe i każdy epizod jest szansą do powiedzenia dziecku: „Muszę cię powstrzymać, dopóki sam nie nauczysz się tego robić". Właściwe granice i kary dostosowane do wieku dziecka i jego „wykroczenia" to środki dyscyplinujące, ale nie sedno dyscypliny.

bardziej istotna niż kiedyś. Gdy obydwoje rodzice pracują do późna, nie lubią być dyscyplinującymi „strażnikami" podczas cennych krótkich chwil spędzanych z dzieckiem. Jednak dzieci właśnie dla nich zachowują swoje prowokujące zachowanie, chcąc je wypróbować w bezpiecznym środowisku kochających rodziców. Ich potrzeba uczenia się granic jest tak samo ważna, gdy obydwoje rodzice przebywają w ciągu dnia poza domem, jak i wtedy, gdy są w domu.

Niektórzy mają mieszane odczucia co do dyscypliny, gdyż sami doświadczyli jej zbyt mocno. Nie chcą powtarzać własnych bolesnych doświadczeń, ale często nie mają innych wzorców, kiedy uczą się dyscyplinować swoje dzieci. Jeśli doświadczali przemocy w dzieciństwie, boją się utraty panowania nad sobą, która kazała ich własnym rodzicom stosować przemoc wobec nich. Dorośli muszą wówczas świadomie sobie poradzić z duchami znad kołyski, aby mogli uniknąć powtórki z historii i jednocześnie zaspokoić potrzebę swojego dziecka dotyczącą wyznaczenia granic.

Wspieranie samodyscypliny

Wiemy już, że słowo „dyscyplina" oznacza uczenie. Chcąc pomóc dziecku zaakceptować daną lekcję, po wyznaczeniu konsekwencji przekroczenia pewnych granic (np. tymczasowym odebraniem jakiegoś przywileju) należy usiąść z dzieckiem i zapewnić je: „Kocham cię, ale nie mogę ci pozwolić na takie zachowanie. Pewnego dnia nauczysz się powstrzymywać się od takiego zachowania sam, a wtedy ja nie będę już musiała interweniować".

Dzieci wiedzą, że potrzebują granic, i zrobią wszystko, aby zmusić rodziców do ich wyznaczenia[29]. W pewnym momencie, pod koniec 2 roku życia, dziecko wyraźnie zademonstruje tę potrzebę jawnym testowaniem. Niezależnie od tego, czy będzie to dotykanie zakazanych przycisków w odbiorniku telewizyjnym, zrzucanie jedzenia na podłogę czy gryzienie, dziecko zacznie badać, co jest, a co nie jest dozwolone. Jego ekscytującym eksploracjom będzie oczywiście towarzyszył lęk. Kiedy zacznie być mobilne, życie „na krawędzi" stanie się jego codziennością.

Bez wyznaczonych granic dzieci w 2 roku życia zaczynają przejawiać zachowania, które dorośli określają jako rozpieszczenie. Stają się niespokojne, wystawiają rodziców na próbę, prowokują, aby wymusić określenie, co wolno, a czego nie – ponieważ wiedzą, że nie potrafią tego zrobić same. Obserwując takie zdeterminowane maluchy, nauczyłem się, jak ważne jest ustalenie granic stanowczo i ze zrozumieniem. Konsekwentna dyscyplina stosowana w ważnych kwestiach pomaga dziecku czuć się bezpiecznie. Pozwala mu uczyć się o sobie samym, o swojej potrzebie dyscypliny oraz o sposobach panowania nad sobą.

Etapy uczenia się granic

(1) Testowanie granic poprzez eksplorację.
(2 Przekomarzanie się, aby wydobyć od innych informację o tym, co jest, a co nie jest dozwolone.
(3) Uwewnętrznienie tych dotychczas nieznanych granic.

Na przykład kiedy moja mała córeczka zaczęła raczkować, wielce pożądanym przez nią celem stała się kuchenka. Za każdym razem, gdy ruszała w jej kierunku, reagowaliśmy w dramatyczny, a dla niej satysfakcjonujący sposób. Wiedząc, że zareagujemy, oglądała się za siebie, upewniając się, że patrzymy, a następnie wyciągała rączkę, aby dotknąć piekarnika. Jeśli nie zwracaliśmy na nią uwagi, to albo odchodziła, albo wydawała jakiś dźwięk, żeby zwrócić naszą uwagę. Dopóki nie powiedzieliśmy oczekiwanego przez nią: „Nie dotykaj", przeżywała wewnętrzny zamęt. Gdy byliśmy niezdecydowani, zaczynała sięgać w kierunku kuchenki, aby zmusić nas do reakcji. Kiedy nasza odpowiedź była zbyt gwałtowna, co zdarzało się po długim,

[29] Na temat wyznaczania granic polecamy książki *Kiedy pozwolić? Kiedy zabronić?* (GWP 2013) oraz *Uparte dzieci* (GWP 2012; przyp. red.).

nużącym dniu pracy, wybuchała płaczem. Szlochając, śledziła jednak nasze twarze i zdawało się nam, że widzimy w jej oczach pewną ulgę. Po kilku miesiącach podchodziła – już na dwóch nóżkach, nie na czworakach – do tej samej kuchenki, stawała przed nią i mówiła głośno do samej siebie „nie", a następnie chwiejnym jeszcze krokiem odchodziła do innych ekscytujących zajęć. Nasze granice stały się jej własnymi. Retrospektywny ogląd sytuacji pokazuje nam, że każda nasza niepewność rodziła niepewność w dziecku. Jeśli jednak komunikat był jasny, tak jak w przypadku niebezpiecznych przedmiotów, na przykład kuchenki, dziecko czuło to i akceptowało wyznaczane przez nas granice jako własne.

Większość spraw nie jest jednak tak oczywista. Najczęściej dzieci droczą się o rzeczy, które nie są istotne dla rodziców. Dorośli są wówczas niezdecydowani: „Czy warto się przy tym upierać? Jeśli zignorujemy to ten jeden raz, czy spróbuje ponownie? Czy powinienem być stanowczy teraz, aby dziecko posłuchało mnie w naprawdę ważnej kwestii?". Ponieważ dziecko wyczuwa każde niezdecydowanie, ma tendencję do powtarzania danego zachowania, a nawet wzmacniania go. Wtedy można przez cały dzień mówić małemu tuptusiowi „nie", podczas gdy on nadal będzie prowokował.

Zawsze powtarzam rodzicom, żeby dyscyplinowali dziecko tylko w ważnych kwestiach – będą wtedy mogli być stanowczy i zdecydowani. Dziecko to wyczuje, a dyscyplina będzie skuteczna. Wyznaczanie granic zadziała tylko wtedy, gdy rodzic jest w pełni przekonany o słuszności danej zasady, a dziecko czuje, że respektowanie decyzji rodziców jest ważne.

Dyscyplina a etapy rozwoju

Na każdym etapie rozwoju pojawiają się pewne zachowania, które wydają się zbyt agresywne i nie do opanowania, ale w rzeczywistości są przewidywalnymi oznakami rozwoju dziecka. Choć dziecko musi zrozumieć, że są one nieakceptowalne i że trzeba wyznaczyć granice, przesadna reakcja ze strony opiekunów czy rodziców może owe tendencje wzmocnić. Dzieci muszą wypróbować różnego rodzaju agresywne zachowania. Na pewnych etapach swojego rozwoju gryzą, szczypią, kłamią, kradną i używają nieodpowiedniego języka. Te „sondy" niekoniecznie są związane ze złymi intencjami, kiedy pojawiają się po raz pierwszy. Jeśli dorośli ostro zareagują, dziecko będzie się zastanawiało dlaczego. Powtórzy dane zachowanie, chcąc znaleźć odpowiedź na to pytanie. Kiedy ponawia próby, wzrasta jego podekscytowanie wzmocnione podświadomym, wewnętrznym przymusem. Coś, co z początku było nieistotne, teraz jest zabarwione determinacją i ekscytacją. Z czasem dziecko traci panowanie nad danym zachowaniem, a złość, którą ono wywołuje w otoczeniu, zaczyna napędzać błędne koło. Dziecko i rodzice podejmują rutynowe działania. Chcąc uniknąć takiej sytuacji bądź rozwiązać problem, gdy już się pojawił, dobrze jest wiedzieć, jak zareagować, kiedy po raz pierwszy mamy do czynienia z niepożądanym zachowaniem. Poniżej opisane zostały przykłady normalnego „złego zachowania" oraz takie sposoby wyznaczania granic, które go nie wzmacniają.

4–5 miesięcy

Gryzienie sutka podczas karmienia jest w tym wieku powszechne – niemowlę musi przetestować ząbki, które właśnie się wyrżnęły. Mama powinna dać mu wyraźnie do zrozumienia, że jej się to nie podoba, najpierw wkładając swój palec pomiędzy dziąsełka dziecka z boku ust i podważając zaciśnięte ząbki, a następnie odsuwając dziecko od piersi. Za każdym razem, gdy niemowlę ugryzie sutek, należy zdecydowanie odstawić dziecko od piersi, ale bez przesadnej reakcji. Można pozwolić mu gryźć palec. Nie trzeba oczekiwać, że maluch od razu zrozumie, o co mamie chodzi, ale w rezultacie nauczy się – po wielokrotnym powtórzeniu.

8–10 miesięcy

Dziecko będzie ciągnęło rodzica za włosy, drapało go po twarzy lub wkładało mu paluszki do oka, nie zamierzając wyrządzić krzywdy. Włosy, oczy i twarz są teraz dla niego fascynujące, a reakcja rodziców tylko potęguje ekscytację. Trzeba dziecku stanowczo, lecz bez zbędnych emocji zakomunikować, że to boli. Daj do zrozumienia, że lubisz taką zabawę, ale nie wtedy, gdy jest bolesna. Jeśli dziecko nie przestaje, przytrzymaj jego rączki zdecydowanie i za każdym razem, aż nauczy się powstrzymywać je samo. Powiedz: „Nie podoba mi się to i za każdym razem będę przytrzymywać twoje rączki, aż nauczysz się, że nie można zbyt mocno ciągnąć, drapać czy dotykać paluszkami". Przekaż ten komunikat również za pomocą mimiki twarzy, gdyż dziecko w tym wieku potrafi doskonale odczytywać język niewerbalny. Zacznie rozumieć, o co ci chodzi, jeśli mimika twarzy i ton głosu będą przekazywały to samo co słowa. Jeśli to konieczne, posadź lub postaw dziecko w pewnej odległości od siebie, aby nieco ochłonęło, a następnie znów weź je na ręce, przytul i wyjaśnij swoje motywy.

12–14 miesięcy

Kiedy dziecko odchodzi lub odbiega od rodziców, oglądając się za siebie i sprawdzając, czy podążają za nim, testuje granice. Jeśli jest to niebezpieczne, poinformuje, że nie pozwalasz na to. Jeśli ma to miejsce na ulicy lub w sklepie, gdy masz ręce zajęte zakupami, zareaguj stanowczo: „Pamiętaj, aby nigdy już się tak nie zachowywać". Oczywiście ono to powtórzy, ale musi wiedzieć, jakie jest twoje stanowisko.

16–24 miesiące

Dziecko w tym wieku może próbować uderzać, drapać i ciągnąć za włosy inne dzieci. Próbuje dowiedzieć się jak najwięcej o innych oraz przyciągnąć ich uwagę. Często jest to przesadna reakcja na stres wynikający z nieznajomości innych dzieci i nieumiejętności poradzenia sobie z przeogromnym pragnieniem ich poznania. Zachowanie to zwykle pojawia się w nowej, pełnej napięcia sytuacji. Jeśli ty lub rodzic drugiego dziecka zareagujecie zbyt gorliwie, co można sobie łatwo wyobrazić – większość świeżo upieczonych rodziców jest przerażona – wystraszy to oboje dzieci. To pokrzywdzone trzeba oczywiście utulić, a może nawet nauczyć je, jak bronić się samemu. „Winowajcę" trzeba również przytulić, gdyż będzie przestraszony swoim zachowaniem, a także reakcją pokrzywdzonego dziecka. Weź malucha na ręce i wyjaśnij, że jego koledze nie podobało się takie zachowanie i bolało go. Zaczekaj, aż dziecko się uspokoi i będzie w stanie zapanować nad sobą, a następnie pokaż mu, jak inaczej może się zachować wobec swojego kolegi. Będzie potrzebowało więcej doświadczenia z innymi dziećmi. Ważne jest, aby dać mu do zrozumienia, że nie będzie mogło przebywać w danym miejscu, jeśli nie będzie potrafiło zapanować nad sobą. Jednak im mniej ingerencji dorosłych, tym lepiej. Gdyby to zachowanie się powtarzało, możesz znaleźć inne dziecko „z charakterem", w tym samym wieku i o podobnej posturze – niech bawią się ze sobą i uczą od siebie nawzajem. Jeśli któreś z nich uderzy drugie, a ono odda, oboje odkryją, że to boli, i pomyślą dwa razy, zanim spróbują jeszcze raz.

18–30 miesięcy

W tym wieku zaczynają się pojawiać napady złości oraz inne gwałtowne, negatywne zachowania. Drugi i trzeci rok życia to naturalna i ważna faza niezależności. Dziecko próbuje wtedy odseparować się od rodziców i podejmować własne, niezależne decyzje. Często jest niezdecydowane w sprawach, które nie mają znaczenia dla nikogo innego, **jedynie dla niego samego**.

Uniknięcie napadów złości jest niemożliwe, więc nawet nie próbuj. **Nie** przyłączaj się do dziecka i nie przeżywaj ich razem z nim. **Nie** próbuj wytrącić dziecka z tego, co przeżywa, ani nie staraj się odwracać jego uwagi. Im większe zaangażowanie dorosłych, tym dłuższe napady złości. Najlepiej zadbać o bezpieczeństwo dziecka i wyjść z pokoju. Wkrótce agresywne zachowanie lub napad złości zmniejszy intensywność. Po chwili wejdź do pokoju, weź dziecko na ręce, mocno przytul, a następnie usiądź z nim w bujanym fotelu, aby je ukoić. Daj mu do zrozumienia, że zależy ci na nim, że je rozumiesz oraz że napadów złości nie należy się wstydzić ani za nie karać. Kiedy dziecko jest w stanie słuchać, powiedz mu również, że widzisz, jak trudno jest być dwulatkiem czy trzylatkiem i nie móc podjąć decyzji. Zapewnij je, że kiedyś **nauczy się**, jak to robić, a tymczasem dobrze jest tak, jak jest.

3–6 lat

Niektóre dzieci w tym wieku będą rzucać, a nawet ciskać przedmiotami w napadach złości. Pod koniec dnia albo o innej porze, kiedy zwykle są już zmęczone, tracą panowanie nad sobą. Radości z takiego agresywnego zachowania towarzyszy w tym wieku podekscytowanie, które się pojawia, gdy dziecko zda sobie sprawę z tego, co zrobiło.

Najpierw powiedz dziecku, że nie może się tak zachowywać i że nie pozwolisz mu na to, jeśli zdążysz je powstrzymać. Przytrzymaj je mocno, aż opadną emocje i odzyska panowanie nad sobą. Weź je na kolana i zaczekaj, aż będzie gotowe cię wysłuchać. Następnie powiedz mu, dlaczego według ciebie zachowało się w taki sposób, dlaczego nie może się tak zachowywać oraz jak okropnie musi się czuć po tak destrukcyjnym i niekontrolowanym incydencie. Poproś, aby ci powiedziało, co może je powstrzymać następnym razem. Jeśli jego sugestia zadziała, pochwal je za nią. Przywróci to dziecku poczucie panowania nad sobą. Rozpocznie też proces uświadomienia sobie, że ma nad sobą kontrolę. Jeżeli dziecko nie ma swoich pomysłów, możesz przedstawić mu kilka sugestii, na przykład: pójście do swojego pokoju, aby ochłonąć, wyrażenie złości rysunkiem lub uderzanie pięścią w kulę ciastoliny.

Odpowiednia dyscyplina

Dyscyplinując swoje dziecko, troskliwi rodzice będą się zastanawiać: „Czy zbytnia surowość i kary nie zgaszą w nim ducha?”. Kochający rodzice nie chcą, aby ich dziecko było bierne. Jeśli zapytać ich, czy chcą, żeby było agresywne, odpowiedzą: „Nie, nie chcemy, aby było agresywne, ale chcemy, by umiało się bronić”. Zadaniem rodziców jest więc nie tyle wyeliminować agresywne zachowanie, ile odpowiednio je ukierunkować, żeby było akceptowalne.

Jak rozpoznać, czy rodzice są zbyt surowi?

Niepokojące są następujące cechy u dziecka:

- Dziecko jest zbyt grzeczne lub zbyt spokojne albo nie śmie wyrażać negatywnych emocji.
- Dziecko jest zbyt wrażliwe nawet na subtelną krytykę.
- Dziecko nie testuje rodziców zachowaniami typowymi dla danego wieku.
- Dziecko nie ma poczucia humoru i radości życia.
- Dziecko łatwo się irytuje lub przeważnie jest niespokojne.

- Dziecko przejawia objawy napięcia w innych obszarach - takich jak karmienie, sen czy korzystanie z toalety - i może się cofnąć do wcześniejszych etapów rozwoju, zachowując się jak dużo młodsze dziecko lub niemowlę.
- Dziecko jest agresywne, może naśladować zachowanie swoich rodziców i przelewa swoją złość za zbyt pochopne kary na rodzeństwo, rówieśników lub zwierzęta domowe.

Każdy z wymienionych objawów jest sygnałem, aby rodzice odpuścili i ograniczyli dyscyplinę tylko do ważnych kwestii.

Pozytywne wskazówki dotyczące dyscypliny

(1) Respektuj etap rozwojowy dziecka. W szczególności bądź świadomy, czego ma się w danej fazie nauczyć.

(2) Dopasuj rodzaj dyscypliny do etapu rozwoju dziecka. W przypadku niemowlęcia i małego tuptusia najpierw próbuj odwrócić jego uwagę, skupiając ją na innej aktywności. Jeśli nie będzie to skuteczne - a często nie będzie - zabierz dziecko z danego miejsca. Dwulatek powinien zawsze usłyszeć powody (ale nie usprawiedliwienie) swojego nieodpowiedniego zachowania. Domyśl się, co przyczyniło się do agresywnego działania, i daj dziecku szansę na zrozumienie tego, co się stało.

(3) Dyscyplina musi pasować do temperamentu dziecka. Wykorzystaj to, co wiesz o jego temperamencie i wrażliwości. Delikatne dziecko będzie załamane karą odpowiednią dla aktywnego, „nakręconego" malucha.

(4) Gdy dziecko jest w towarzystwie kolegów, nie bądź nadopiekuńczy. Unikaj chronienia go lub karania w obecności innych. Jeśli zaangażujesz się w rozwiązywanie konfliktów między dziećmi, zmienisz zwykłą interakcję w bardzo skomplikowaną sytuację, w której przynajmniej połowa aktywności twojego dziecka będzie adresowana do ciebie.

(5) Bądź dla dziecka wzorem zachowania. Pomóż mu nauczyć się panowania nad sobą i radzenia sobie w różnych sytuacjach, dając mu przykład własnym zachowaniem. Często pomoc w rozwiązaniu konkretnego konfliktu jest lepszą lekcją niż wiele słów. Bezpośredniość, stanowczość i troska o drugiego to najlepsza postawa, jaką dziecko może naśladować.

(6) Przytrzymaj dziecko stanowczo i zdecydowanie, aby nie mogło powtórzyć nieodpowiedniego zachowania.

(7) Zastosuj metodę wyciszenia (*time out*), ale na krótko. Po powrocie „z ławki rezerwowych" przytul je i wyjaśnij, dlaczego było to konieczne.

(8) Poproś dziecko o radę, co może być skuteczne następnym razem. Następnie wypróbuj jego pomysł, a jeśli zadziała, pochwal je za dobrą inicjatywę.

(9) Kara fizyczna zawiera niewłaściwy komunikat. Pamiętaj, co dla dziecka znaczy widok rodzica, który traci panowanie nad sobą i pozwala sobie na fizyczną agresję. Daje to dziecku sygnał, że według ciebie można rozwiązywać problemy za pomocą

agresji. Nie tylko jest to pozbawione szacunku dla drugiej osoby, ale ponadto jest skuteczne jedynie wtedy, gdy dziecko jest małe.

(10) Wystrzegaj się sprzecznych komunikatów. Kiedy mówisz: „Nie bij" lub „Nie rób tego", ale sam nie jesteś tego pewny, może to pogłębić niezdolność dziecka do panowania nad sobą.

(11) Zatrzymaj się i rozważ, co jest nie tak, jeśli wprowadzana przez ciebie dyscyplina nie jest skuteczna. Czy reagujesz zawsze tak samo i zawsze nieskutecznie? Czy dziecko zachowuje się nieodpowiednio, aby dać ci sygnał, że jest rozdrażnione, nie panuje nad sobą lub potrzebuje więcej czułości?

(12) Weź dziecko na ręce i przytul je z miłością po przykrym incydencie. Jest to trudny etap, ale niezmiernie istotny. Kiedy przytulasz i kołyszesz dziecko, powiedz mu, iż przykro ci, że tak trudno jest nauczyć się panowania nad sobą. Dziecko musi się dowiedzieć, że zależy ci na nim oraz że odnosisz się z szacunkiem do jego zmagań w procesie uczenia się siebie. „Kocham cię, ale nie mogę pozwolić ci zachowywać się w ten sposób. Kiedy nauczysz się powstrzymywać sam, nie będę już musiał więcej ingerować".

(13) Po zakończeniu trudnej sytuacji pomóż dziecku wyjaśnić, o co chodzi. Podczas całego zajścia napięcie w rodzicach jedynie potęguje chaos. Po zakończeniu sprawy, kiedy rodzice i dziecko zrozumieją, o co chodziło, twarz dziecka ożywi się i będzie można zauważyć, że nastąpił przełom w jego rozumieniu siebie i własnych agresywnych emocji.

Pamiętaj, aby wzmacniać pozytywne zachowanie dziecka: „No, no, ty naprawdę próbujesz panować nad sobą. Jestem z ciebie taka dumna". Każda trudna sytuacja wymaga pozytywnej przeciwwagi (zob. też Brazelton, 2003b).

20

Rozwód

Kiedy rodzice znajdą się w impasie, powinni się zastanowić, jak rozwód wpłynie na dzieci i jak proponują rozwiązać tę sytuację. Jeśli z kolei zdecydują się na pozostanie w małżeństwie, będą musieli stawić czoła innym zagadnieniom – jak ta decyzja wpłynie na ich umiejętności rodzicielskie i na rozwój dziecka. Dorośli często pytają mnie: „Czy nie będzie lepiej dla dziecka, jeśli się rozstaniemy, zamiast żyć w stanie ciągłej wojny?". Nie mogę odpowiedzieć na to pytanie, jeśli nie znam całej sytuacji. Przed rozstaniem małżonkowie mogą poprosić o pomoc neutralnego terapeutę rodzinnego. Życie w rozbitej rodzinie nie jest łatwe dla dziecka. Wyzwaniem dla dzieci, a także dla dorosłych są też rodziny mieszane (połączone nowe rodziny zakładane przez rozwiedzionych małżonków). Jednak małżeństwa formalne, w których rodzice są nieszczęśliwi lub ciągle walczą ze sobą, nie stanowią lepszego rozwiązania, a niejednokrotnie są o wiele gorsze. Dorośli, którzy czują, że ich związek się rozpada, mają podstawowy obowiązek chronić swoje dzieci najlepiej jak potrafią, niezależnie od tego, czy będzie to oznaczało dogadanie się i pozostanie w małżeństwie, czy też rozwód. To duże wyzwanie dla kogoś, kto musi sobie poradzić z ogromem własnych emocji. Po rozwodzie dorośli mogą odczuwać nie tylko złość, ale także lęk, niepokój i żałobę po zakończeniu związku, i trudno im będzie skupić się na potrzebach swoich dzieci, lecz nie mają innego wyjścia.

W pierwszych latach po rozwodzie dziecko obwinia się za rozpad rodziny i marzy o tym, aby mieć obydwoje rodziców znów tylko dla siebie, choć relacje między nimi mogły być pełne napięć i stresogenne dla dziecka. Wprawdzie wcześniejsze

Co mówią badania?

Badania podłużne prowadzone przez psycholog Mavis Hetherington pokazują, że do szóstego roku po rozwodzie 75% dzieci poradziło sobie z napięciem i smutkiem pierwszych lat i funkcjonuje normalnie (Hetherington i Kelly, 2003). Pozostałe 25% doświadcza poważnych problemów, które występują jedynie u 10% dzieci z nierozbitych rodzin. Hetherington konkluduje, że rozwód jest sytuacją wysokiego ryzyka, ale niekoniecznie musi się skończyć źle dla dziecka. Może nie mieć tak negatywnego wpływu na rozwój małych dzieci oraz na zdolności wychowawcze rodziców jak konflikty w niezgodnym małżeństwie.

badania dzieci rozwiedzionych rodziców prowadzone przez psychiatrę Judith Wallerstein i współpracowników przyciągnęły tak potrzebną uwagę społeczeństwa, podkreśliły trudny los tych dzieci i pokazały, że tęskniły one za odbudowaniem pierwotnej rodziny aż do 14–15 lat po rozwodzie rodziców, lecz najnowsze doniesienie nie są tak jednoznacznie ponure (Wallerstein, Lewis i Blakeslee, 2002).

Rzeczywiście, podczas rozwodu i w trakcie około jednego roku po nim cierpią wszyscy członkowie rodziny, jednak długoterminowe skutki tego wydarzenia zależą od wielu różnych czynników ochronnych i czynników ryzyka, między innymi od tego,

jak dorośli poradzą sobie z rozstaniem oraz ile czasu zajmie im dojście do równowagi, aby znów skutecznie wypełniać role rodziców. Okazuje się, że z czasem większe znaczenie dla samopoczucia i zdrowego rozwoju dziecka mają indywidualne cechy dziecka i rodziców, a także inne wydarzenia, nie zaś rozwód z przeszłości. Nie ma więc potrzeby naznaczać dzieci z rozbitych rodzin samospełniającą się przepowiednią ani obciążać ich rodziców dodatkowym poczuciem winy i niepokojem, które i tak są już ich udziałem. Dużo bardziej przydatne może się okazać uświadomienie rodzicom, jak mogą wzmacniać czynniki ochronne, a zminimalizować negatywne.

Rodzicielska odpowiedzialność

Największą krzywdę wyrządza się dziecku, gdy umieszcza się je w samym centrum rodzicielskich animozji i traktuje jak piłkę w rozgrywkach. Rozzłoszczeni rodzice zbyt łatwo wyrzucają z siebie negatywne emocje za pośrednictwem dziecka. Z pewnością jest to dla niego bardzo krzywdzące. Ta niewrażliwość rozwodzących się rodziców prawdopodobnie zaburzy jego zdolność do nawiązywania kontaktów z innymi dorosłymi w przyszłości, a także zwiększy szanse na to, że rozwody pojawią się w danej rodzinie również w kolejnych pokoleniach. Dziecko, które zostało w ten sposób wplątane w walkę rodziców, nabierze przekonania, że małżeństwo musi być wypełnione konfliktami. Zadaniem rozwodzących się rodziców jest podjęcie takich działań, które temu zapobiegną.

Na początku dziecko będzie tęskniło do „starej rodziny". Poczuje się opuszczone przez rodzica, który nie mieszka w domu, i będzie się obawiało porzucenia przez drugiego, który z nim pozostał: „Jeśli jeden mógł mnie zostawić, drugi też może". Krótkie rozstania staną się bardzo poważne w oczach dziecka. Za każdym razem, gdy rodzic wychodzi z domu, dziecko może się zastanawiać: „Czy mama wychodzi już na zawsze? Czy będzie pamiętać, żeby wrócić? Kto się mną zaopiekuje?". Może też myśleć tak: „Dlaczego on mnie zostawia? Czy jestem zły i nikt mnie nie chce?". Przed każdym wyjściem rodzic musi przygotować dziecko na rozstanie. Natomiast po powrocie powinien powiedzieć: „Tęskniłam za tobą. A ty tęskniłeś za mną? Pamiętasz, obiecałam, że wrócę o tej godzinie, i jestem. Martwiłeś się, prawda?". Rodzic musi być przygotowany na emocje dziecka związane z poczuciem porzucenia. Za każdym razem, gdy dziecko je ujawnia, dorosły ma szansę pokazać mu, że porzucenie nie leży w naturze wszystkich relacji.

Rodzic niemieszkający z dzieckiem ma podobny obowiązek. Odwiedziny powinny być wyraźnie ustalone, nieodwoływalne i odbywać się punktualnie. Dla małego dziecka nawet piętnastominutowe oczekiwanie jest wiecznością. Odwiedziny nieobecnego rodzica upewniają dziecko, że nie stało się to, czego najbardziej się boi

– nie zostało porzucone. Jeśli czasami nie da się uniknąć spóźnienia, rodzic powinien zadzwonić i uprzedzić dziecko. Po przybyciu musi porozmawiać z nim, nawet przed rozmową z byłym małżonkiem, wyrażając swoje ubolewanie z powodu spóźnienia.

Dziecko będzie się obawiać, że jedno z rodziców odeszło z jego powodu – nie kochało go, gdyż było „niegrzeczne". Dziecko traktuje wszystko bardzo osobiście. Niezależnie od tego, jak wiele razy usłyszy, że separacja czy rozwód rodziców to nie jego wina, i tak weźmie wszystko na siebie. Później dzieci werbalizują swoje odczucia: „Wiem, że gdybym był grzeczniejszy, rodzice nie rozstaliby się", „To wszystko przeze mnie. Rozstali się akurat wtedy, jak wyjechałem do szkoły i ich zostawiłem", „Zdecydowali się na rozwód, gdy przyłapali mnie na paleniu". Małe dzieci nie potrafią tego wyrazić słowami, ale również czują się odpowiedzialne za rozstanie rodziców. Obydwoje rodzice muszą przygotować się na ciągłe powtarzanie dziecku: „Kochamy cię i nigdy nie chcieliśmy cię opuścić. My, dorośli, nie mogliśmy być ze sobą, ale zawsze chcemy być z tobą. I cokolwiek zrobisz, zawsze tak będzie".

Rodzice muszą pamiętać, że demonstrowanie niechęci do byłego małżonka w obecności dziecka wystraszy je, gdyż odczyta ją ono osobiście: „Jeśli mama i tata walczą ze sobą, mogą znienawidzić również mnie. Muszę być idealnym dzieckiem albo mnie też się dostanie". Każdy błąd czy niepoprawność w zachowaniu mogą wzbudzić lęk, że rodzice zechcą się go pozbyć. Dorośli powinni zapewnić dziecko, że nie musi dążyć do doskonałości. Może ono potrzebować takich zapewnień bardzo często, w przeciwnym razie trauma rozwodu przyczyni się do regresji w rozwoju. Wiele dzieci cofa się w tej dziedzinie, w której ostatnio pojawił się jakiś progres. Jeśli maluch przestał się moczyć w nocy, trzeba będzie wrócić do pieluszek. Jeżeli mówił płynnie, zacznie się jąkać. Zachowanie będzie albo zbyt idealne, albo zbyt prowokacyjne. Wrażliwy rodzic zaakceptuje te zmiany i porozmawia o nich z dzieckiem, aby również ono mogło je zrozumieć i potraktować jako normalne i przewidywalne. Wyznaczone wcześniej typowe granice powinny oczywiście nadal obowiązywać, a w takiej sytuacji będą nawet jeszcze ważniejsze niż dotychczas. Trzymanie się granic upewnia dziecko, że ktoś nad wszystkim panuje.

Jak pomóc dziecku w przystosowaniu

Po bolesnej separacji prawdopodobnie pojawią się problemy ze spaniem. Dziecko może chcieć spać z rodzicem, a osamotniony dorosły może potrzebować dziecka. Trzeba się jednak dobrze zastanowić, czy dzielenie łóżka leży w najlepiej pojętym interesie dziecka oraz czy rodzic potrzebuje właśnie takiego pocieszenia. Dziecko musi mieć pewność, że dorosły poradzi sobie i przejdzie przez ten kryzys oraz że ono nie musi poświęcać swojej niezależności, aby zaspokajać jego potrzeby. Dorośli muszą zająć się swoimi problemami sami. Dziecko, które jest zmuszone do wypełniania luki i dbania o potrzeby porzuconego, samotnego rodzica, może mieć trudności z wykształceniem własnej tożsamości. Relacja z rodzicem płci przeciwnej może stać się zbyt intensywna bez ochronnej obecności trzeciego elementu trójkąta. Dziecko, które mieszka z jednym rodzicem, może mieć trudności z rozpoznaniem u siebie ważnej potrzeby identyfikowania się z obojgiem rodziców. Może odczuwać bliskość jako coś niebezpiecznego – nie tak, jak odbierałoby ją w przypadku obecności obojga rodziców. Ponadto z wiekiem będzie coraz trudniej zrezygnować z dzielenia łóżka. Wszystkie te kwestie powinny zostać rozważone, zanim podejmie się decyzję o wspólnym spaniu.

Podczas rozwodu pojawią się nie tylko problemy behawioralne – wewnętrzne napięcia uzewnętrznią się również w postaci spadku odporności. W tym czasie mogą wystąpić przeziębienia, zapalenie ucha wewnętrznego i inne choroby, zwiększając stres w i tak już pełnej napięcia rodzinie. Wszystko to minie wraz z osiągnięciem nowej równowagi.

Lęk przed porzuceniem może zmniejszyć obecność brata lub siostry, a relacje między rodzeństwem zacieśnią się jak nigdy dotąd. Choć rywalizacja będzie ciągle miała miejsce, zbyt poważne jej traktowanie sprawi, że relacje w rozbitej rodzinie będą się wydawać bardziej kruche, niż są w rzeczywistości. Jeżeli dziecko zrozumie, że rywalizacja jest zjawiskiem normalnym oraz że wszyscy znajdują się pod wpływem stresu z powodu rozwodu, napięcie opadnie. Rodzice nie powinni wtrącać się do relacji pomiędzy rodzeństwem i pozwolić dzieciom poradzić sobie z rywalizacją na swój sposób. Zbyt łatwo jest narzucić najstarszemu dziecku rolę brakującego rodzica – to jednak zbyt trudne zadanie. Nie jest to właściwy moment, aby tak obciążać dziecko. Będzie ono oczywiście chciało sprostać zadaniu i zrobi to. Spróbuje też stać się opiekunem dla młodszych dzieci, jednak nie będzie to wobec niego w porządku. Samo potrzebuje bowiem wyleczenia ran i powrotu do równowagi. Być może pojawi się u niego regres, aby ktoś mógł się również nim zaopiekować.

Dziadkowie, ciocie, wujkowie i kuzyni mogą stanowić ważne wsparcie dla dzieci podczas rozwodu i po nim. Nie tylko mogą pomóc zrozumieć rozpad rodziny, ale zaspokoją też potrzebę stałości – poczucia, że wiarygodne, troskliwe osoby są niezmiennie obecne w ich życiu. Według Hetherington zaangażowani dziadkowie, bardziej niż ktokolwiek inny, mogą mieć ogromny wpływ na sukcesy wnuków na polu akademickim i zawodowym dzięki podtrzymywaniu w nich poczucia pewności siebie. Rodzina ze strony mniej obecnego rodzica jest ważna, jednak pozytywne efekty jej wpływu oraz oddziaływania dziadków zależą od tego, ile czasu będą mogli regularnie spędzać z dzieckiem, oraz od ich umiejętności wspierania rodzica dziecka bez nasilania konfliktów. Rodzic opiekujący się dzieckiem na stałe będzie musiał poradzić sobie ze swoimi emocjami wobec rodziny byłego małżonka po to, by uszanować uczucia dziecka i jego potrzebę kontaktu z tą częścią rodziny.

W okresie „okołorozwodowym" dziadkowie najprawdopodobniej będą rozpieszczać dzieci, zarzucając zupełnie dyscyplinę. Rodzic opiekujący się dzieckiem może się poczuć zagrożony brakiem zasad u dziadków: „Babcia daje mi, co chcę. Ty jesteś niedobra i nie zdajesz sobie sprawy, przez co przechodzę". Rodzicowi będącemu w takiej sytuacji opisuję typowe problemy i proponuję następujące rady: ponieważ sam jesteś spragniony wsparcia i szczególnie drażliwy, taka krytyczna uwaga jest dla ciebie ciosem poniżej pasa. Wystawiasz kolce. Jeśli to teściowie rozpieszczają dziecko, będziesz jeszcze bardziej zły o podważanie twoich zasad. Jeśli to możliwe, trzeba z nimi o tym porozmawiać. Poproś ich o pomoc w twoich wysiłkach wspierania dziecka stałymi zasadami i dyscypliną. Jeżeli wasze relacje są zbyt napięte na taką rozmowę, powiedz dziecku: „Babcia w swoim domu postępuje według swoich zasad, a my mamy swoje". Dzieci od samego początku uczą się rozpoznawać i akceptować takie różnice, chyba że są zmuszone do wybrania jednych, a pominięcia tych drugich. Niemniej kiedy rodzina się rozpada, dyscyplina staje się jeszcze ważniejsza i jeszcze trudniejsza do wcielenia w życie. Brak zasad pozostawia dziecko w stanie zawieszenia – musi znaleźć własne granice w momencie, gdy czuje, że jego życie się rozpada. Dyscyplina wprowadzana z szacunkiem dla drugiej osoby („Przykro mi, ale tutaj **ciągle** obowiązuje taka zasada") staje się źródłem poczucia bezpieczeństwa.

Jeśli zaczynasz umawiać się na randki, bądź ostrożny z przedstawianiem nowej osoby dziecku. Zaczekaj i nabierz pewności, że może ono zaufać tej relacji. Doświadczywszy rozwodu rodziców, dziecko chętnie nawiązuje relacje z dorosłymi tej samej płci co nieobecny rodzic i może być bardzo rozczarowane, jeśli znów się nie uda. Kiedy wejdziesz w trwały związek, wyjaśnij dziecku, że „przyjaciele" i macocha czy ojczym to nie to samo co rodzic, ale być może dobrze mieć i tego, i tego. Porozmawiaj z dzieckiem o jego lęku przed porzuceniem. Powiedz mu, że nigdy, pod żadnym pozorem, go nie zostawisz.

Znajdź książki opowiadające o rodzinach, które doświadczyły rozwodu, lub przedstaw dziecku rówieśników, których rodzice się rozwiedli. W dzisiejszych czasach takie dzieci nie należą już do mniejszości. Być może dziecku zmagającemu się z rozstaniem rodziców pomoże znajomość z kimś, kto ma podobne doświadczenia.

Na koniec – nie staraj się nadmiernie chronić dziecka. Pozwól mu na jego własny proces przystosowania się do nowej sytuacji, a od czasu do czasu doceń, jak dobrze sobie radzi. Kiedy dziecko potrafi zapanować nad stresem i zmianą, może być dumne ze swojej kompetencji. Niezmienną miłość, szacunek i dyscyplinę można wyrażać bez nadopiekuńczości.

Wspólna opieka

Sędziowie spraw rozwodowych często nie mają wystarczająco dużo czasu lub informacji, aby zdecydować, że jeden rodzic jest bardziej odpowiedni niż drugi do otrzymania pełnej opieki nad dzieckiem. Chcąc być sprawiedliwi wobec obojga, mogą przyznać wspólną opiekę nad dzieckiem, co oznacza, że dziecko spędza część tygodnia z jednym rodzicem, a kolejną – z drugim. Często spotykam się z takim rozwiązaniem. Dla dziecka w każdym wieku jest to bardzo trudna sytuacja. Przeprowadzanie się dwa razy w tygodniu z jednego domu do drugiego pozbawia dziecko stałego, własnego terytorium. Pamiętam czteroletnią dziewczynkę, która była w takiej sytuacji. Stała w drzwiach swojego pokoju i strzegła go jak skarbu. Byliśmy zaprzyjaźnieni, w bardzo serdecznej relacji ze sobą. Ponieważ mi ufała, czuła, że może mi wyznać: „Nie możesz tu wejść. Nikt nie może. To **mój** pokój". Domyśliłem się, że to miejsce było szczególnie cenne dla tego dziecka, które musiało mieć dwa domy. Rodzice pragnący sprawować wspólną opiekę nad dzieckiem powinni rozważyć pozostawienie go w jednym miejscu i przeprowadzanie się do niego co kilka dni. Wiem, że to niepraktyczne, ale nawet samo rozważenie, co mogłoby to oznaczać dla dorosłych, daje rodzicom wgląd w rozdarcie, jakiego doświadcza ich dziecko.

Jeśli nie można zastosować innego rozwiązania, należy przynajmniej zadbać o to, by bez akceptacji dziecka nie były dokonywane żadne zmiany w jego pokoju – w żadnym z domów. Jeśli pokój musi być z kimś dzielony, terytorium dziecka powinno być wyraźnie wyznaczone. Pomocna będzie wywieszka na drzwiach, na przykład: „Pokój Michaliny". Jeśli dziecko przenosi się z miejsca na miejsce, ważne zabawki mogą wędrować razem z nim. Rodzice muszą pamiętać, aby je ze sobą zabierało.

Wszelkie negocjacje i kłótnie z byłym małżonkiem należy zachować na czas nieobecności dziecka. Każdorazowa przeprowadzka jest dla dziecka wyzwaniem, więc

Dla dziecka ważne są powtarzalność i podobieństwo

Jeśli to tylko możliwe, w każdym z domów należy przyjąć podobne zasady i rutynę. Jeżeli wystąpią różnice, nie krytykuj byłego małżonka, a jedynie przypominaj: „W tym domu panują takie zasady". Choć rodzice nie będą traktować dziecka w identyczny sposób, podobne oczekiwania wobec niego pomogą mu się zorganizować. Rodzeństwo powinno przebywać razem, niezależnie od przyjętego rozwiązania – będzie siebie potrzebować. Jednak od czasu do czasu, jako specjalne wydarzenie, można zaplanować spotkanie z rodzicem sam na sam. Rozkład tygodnia powinien być stabilny i wyraźnie określony. Zaznaczenie w kalendarzu, na przykład na zielono i czerwono, poszczególnych miejsc pobytu dziecka pomoże zaplanować dany tydzień.

należy pozwolić mu na tymczasowy regres zaraz po przyjeździe. Porozmawiajcie o tym, ale nie zmieniajcie zasad ani dyscypliny.

Próbuj nie reagować złością, gdy dziecko identyfikuje się z drugim rodzicem. Kiedy porównuje cię w negatywny sposób do tego drugiego, postaraj się nie bronić, ale trzymaj się swojego stanowiska. Gdy dziecko krytykuje drugiego rodzica, nie daj się w to wciągnąć. Niezależnie od tego, jak wielką złość odczuwasz, swoim wybuchem podważysz potrzebę kontaktu dziecka z obydwojgiem rodziców. Potrzebuje ono drugiego rodzica oraz twojej akceptacji tej potrzeby. Jeśli nieobecny rodzic jest rzeczywiście nieobecny i niewiarygodny, możesz wsłuchać się w rozczarowanie dziecka i współczuć mu, nie wyrażając przy tym swojego nastawienia: „Słyszę, że bardzo za nim tęsknisz. Tak się cieszyłaś na to spotkanie. Jest to dla ciebie trudne, gdy nie możesz go zobaczyć". Z czasem dziecko będzie musiało uświadomić sobie i zaakceptować ograniczenia każdego z rodziców, ale krytykowanie siebie nawzajem nie pomoże mu w tym.

Przybrane rodziny

Łączenie rodzin nie jest łatwe. Przybrani rodzice nie mogą oczekiwać, że ich przybrane dzieci łatwo ich zaakceptują i okażą wdzięczność. Należy się raczej spodziewać, że dziecko potraktuje nowego partnera swojego rodzica jako intruza, który odsunął drugiego rodzica z rodziny. Im bardziej dziecko jest potrzebujące, tym mocniej będzie odpychać przybysza. Historia o Kopciuszku i jego złej macosze oparta jest na długim doświadczeniu. Niemniej jednak o tych konfliktach można rozmawiać i radzić sobie z nimi. Niechybnie pojawią się kryzysy związane z dyscypliną, snem, karmieniem i praktycznie wszystkimi innymi aspektami wychowania. Mądry nowy partner wycofa się i pozostawi właściwemu rodzicowi decyzję, kiedy i gdzie interweniować.

W sytuacjach podbramkowych dzieci potrafią jasno dać do zrozumienia, że nie muszą być posłuszne wobec przybranego rodzica i nie mają takiego zamiaru. Rodzic biologiczny i przybrany powinni umówić się na przyjęcie wspólnego frontu, zanim taka sytuacja będzie miała miejsce. Czasami nowy partner odczuje, że nie ma wsparcia ze strony współmałżonka. Rodzic biologiczny może być wobec swoich dzieci nadopiekuńczy – wówczas trudno będzie o dyscyplinę. Z tych powodów dorośli mogą zauważyć, że ich relacja układa się lepiej w tych rzadkich momentach, gdy nie ma w pobliżu dzieci. Te chwile są bardzo ważne dla ich związku.

Mark Rosin w swojej książce o przybranym rodzicielstwie podaje doskonałe wskazówki dla przybranych rodziców (Rosin, 2009). Niektóre z nich, w zaadaptowanej formie, pozwalam sobie przywołać.

O czym powinni pamiętać przybrani rodzice

- Wrodzony temperament, który jest odpowiedzialny za indywidualne różnice nawet u małych dzieci (co pokazałem w części pierwszej), powoduje, że kontrast pomiędzy dziećmi biologicznymi a przybranymi wynika nie tylko z różnic w wychowaniu.
- Każdy dorosły reaguje inaczej na poszczególne dzieci. Różnice między dziećmi biologicznymi i przybranymi to tylko jedno źródło takich odmiennych reakcji.
- Zachowanie dzieci przybranych cały czas ewoluuje, zwłaszcza po ślubie, gdy dzieci poczują się bardziej bezpieczne. Często gromadzą w sobie rozżalenie, które ujawni się dopiero po jakimś czasie, gdy będą miały większe poczucie bezpieczeństwa w relacji z przybranym rodzicem.
- Relacje pomiędzy współmałżonkami mają bezpośredni wpływ na stosunki z przybranymi dziećmi. Jeśli twój partner nie wspiera cię i nie macie wspólnej wizji co do twojej roli w życiu przybranych dzieci, szanse na dobre relacje z nimi znacznie maleją.
- Drugi biologiczny rodzic będzie zawsze obecny w nowo utworzonej rodzinie. Im lepsze relacje między byłymi małżonkami, tym mniej stresu dla dziecka.
- Należy oczekiwać, że okresy zmian - takie jak odwiedziny drugiego rodzica - będą trudne. Powinny być one omawiane przed danym wydarzeniem i po nim. Inne zmiany, takie jak narodziny kolejnego dziecka, będą wymagać nawet więcej przygotowań i cierpliwości.

Dzieci, które podczas rozwodu były otaczane miłością i wsparciem oraz zachęcane do własnego sposobu przystosowania się do nowo powstałej rodziny, mogą rozwinąć w sobie szczególne atuty. Nie tylko rozwodzące się rodziny doświadczają stresu i kryzysów, a wszystkie dzieci powinny rozwinąć w sobie poczucie bezpieczeństwa, elastyczność nastawienia oraz niezależność potrzebne w świecie pełnym szybkich, stale zachodzących zmian.

21

Lęki

Lęki służą pewnemu celowi. Często odzwierciedlają zmagania wewnętrzne i mogą obudzić w dziecku (lub w rodzicach) świadomość tych konfliktów. Lękliwość prowadzi do reakcji stresowej, której towarzyszą wysokie ciśnienie krwi, przyspieszona czynność serca i szybszy oddech. Ta „reakcja alarmowa" może być czynnikiem kierującym uwagę rodziców na emocje dziecka. Również dzięki widocznemu lękowi rodzice mogą dowiedzieć się więcej o reakcjach swojego dziecka na konkretne sytuacje stresowe.

Wszystkie dzieci przechodzą przez okresy lęku. Są one zjawiskiem normalnym i mogą pojawiać się w charakterystycznych momentach rozwojowych. Lęk generuje wsparcie od rodziców w chwilach, gdy dziecko go potrzebuje.

Powszechne lęki

Kiedy po raz pierwszy pojawiają się u dziecka lęki? Niektóre są wrodzone jako odruchy. Lęk przed spadaniem widoczny jest w formie skomplikowanego ruchu chwytania i nazywany odruchem Moro (został opisany w rozdziale 2). Kiedy dziecko zostanie odkryte, nagle wystraszone albo szybko obniżone, wyrzuca ramiona w bok, a następnie składa je, jakby chciało chwycić cokolwiek lub kogokolwiek w pobliżu. Małe małpki wykorzystują ten odruch, aby trzymać się matki podczas przenoszenia. Krzyk, który towarzyszy temu odruchowi, ma przyciągnąć uwagę rodzica. W taki sposób już w momencie narodzin dziecko jest wyposażone w narzędzie szukania pomocy dzięki instynktownemu lękowi przed spadaniem lub brakiem podparcia.

Ponieważ dzieciństwo jest pełne przewidywalnych okresów lękliwości, byłoby idealnie, gdyby rodzice je rozumieli. Strach wywołuje napływ adrenaliny, który może prowadzić do przyspieszonego uczenia się, jak zapanować nad danym lękiem. Jeśli jednak lękliwa reakcja przerośnie dziecko, ta konstruktywna nauka nie będzie miała miejsca. Rodzice nie wyeliminują lęków dziecka, ale mogą mu pomóc traktować je mniej poważnie i uczyć się z nich.

Jeśli rodzice dadzą się wciągnąć w lęki dziecka, mogą je niechcący pogłębić. Jest to możliwe, gdy lęk dziecka przywoła nierozwiązane lęki rodziców. Wszyscy dorośli zgodzą się, że czarownice, duchy czy potwory są straszne. Kiedy dziecko pierwszy raz budzi się z krzykiem i opowieścią o „potworze w moim pokoju", rodzice przypominają sobie lęk przed potworami z własnego dzieciństwa. Jeśli przesadzą z pocieszaniem, dziecko wyczuje ich niepokój, co tylko pogłębi jego lęk. Każdej kolejnej nocy potwór będzie przybierał coraz bardziej realistyczne kształty. Kiedy opis dziecka stanie się na tyle żywy, że uruchomi wyobraźnię rodziców, oni również zostaną wciągnięci w emocje malucha. Ich przesadna reakcja nada lękowi wiarygodność i opóźni czas uczenia się przez dziecko radzenia sobie z lękiem samemu. Jeżeli dorośli zauważą swoją nadgorliwą reakcję i uznają, że lęk jest częścią procesu uczenia się świata, będą mogli skuteczniej pomóc dziecku.

Lęki nieuchronnie pojawią się w okresach nowych i szybkich skoków w rozwoju. W miarę dorastania dziecka jego nowa niezależność i umiejętności wytrącają je z równowagi. Lęki odzwierciedlają to i jednocześnie wyzwalają energię potrzebną do odzyskania równowagi. Gdy dziecko opanowuje nowe umiejętności, lęk ustępuje, a ono samo czuje z dumą, że je pokonało. Mówi na przykład: „Kiedyś się tego bałem, ale już się nie boję". Kiedy dziecko szybko odzyskuje humor po bolesnym zastrzyku w moim gabinecie, zawsze mówię mu: „Zobacz, czego dokonałeś! Zabolało cię, zapłakałeś, a potem szybko się opanowałeś i już nie płaczesz. Dorosłeś!". Patrzy na mnie bardzo dumne i mówi: „I nawet już nie boję się zastrzyków!". Być może dodaje sobie otuchy przed następnym razem, ale naprawdę jest z siebie dumne. Wszyscy są dumni – jego rodzice i ja – i należy je za to pochwalić.

Co mówią badania?

U niektórych dzieci lęki są bardziej wyraziste i częstsze niż u innych. Według badań psychologa Jerome'a Kagana i współpracowników nieśmiałość i płochliwość mogą być wrodzone (Kagan i Snidman, 2009). Nieśmiali i wrażliwi rodzice będą zatem mieć nieśmiałe i wrażliwe dzieci. Jeśli dorośli widzą takie tendencje u swoich dzieci, nie powinni wzmacniać ich swoimi lękami. Wspierając dziecko i pokazując, jak oni sami poradzili sobie z nowymi, przerażającymi sytuacjami, mogą uruchomić jego zasoby wewnętrzne.

Lęk przed obcymi

Lęk przed obcymi jest jednym z pierwszych rozpoznawalnych objawów lęku u niemowląt, choć nie zawsze występuje u tych dzieci, które były wychowywane przez szeroko pojętą rodzinę oraz wielu opiekunów. Zdolność odróżniania rodziców od obcych widoczna jest już w zachowaniu ośmiotygodniowego niemowlęcia. Wraz ze współpracownikami filmowałem dzieci w wieku od 1 do 6 miesięcy, aby zbadać ich reakcje na bawiących się z nimi dorosłych. Już w wieku 1 miesiąca można było zauważyć różnice w zachowaniu i nastawieniu do matek, ojców i osób nieznanych. Nawet tak małe niemowlęta znają twarze, głosy i nastawienie swoich rodziców, jasno demonstrując tę świadomość swoimi reakcjami. Lęk przed obcymi, który widać wyraźnie u pięciomiesięcznych niemowląt, a którego nasilenie przypada na 8 miesiąc i następnie 12, nie pojawia się znikąd, lecz jest kulminacją procesu, który trwa przez cały czas. Doskonale pokazuje, że dziecko zdaje sobie sprawę z aktywności innych osób oraz ze swojego braku umiejętności przewidywania zachowania kogoś nieznanego. Jak wspominałem w rozdziale 6, pięcio- lub sześciomiesięczne niemowlę badane w gabinecie lekarskim musi mieć mamę w zasięgu wzroku, aby nie wybuchnąć płaczem. W tym wieku bacznie obserwuje i nasłuchuje, co dzieje się w jego otoczeniu. Nadgorliwi dziadkowie i opiekunowie muszą pamiętać, aby nie podbiegać do dziecka, nie brać go od razu na ręce i nie nawiązywać bezpośredniego kontaktu wzrokowego, zanim się z nim od nowa nie „zapoznają". Mądrzy rodzice dziecka w tym wieku będą zawsze w zasięgu jego wzroku w każdej nowej sytuacji.

Nasilenie lęku przed obcymi w wieku 8 miesięcy będzie bardziej dramatyczne. Dziecko może nagle wybuchnąć płaczem, gdy znajdzie się w jakimś obcym miejscu lub gdy nieznajoma osoba nawiąże z nim kontakt wzrokowy. Mimo że jest bezpieczne na rękach u mamy, potraktuje to jako inwazję. Ponieważ staje się w tym okresie bardziej świadome nowych miejsc i osób, nie jest to dobry czas na zostawianie go pod opieką nieznanej mu wcześniej osoby, zanim nie zaprzyjaźni się z nią na swoich warunkach. W każdej nowej sytuacji rodzic musi trzymać dziecko mocno przy sobie, dopóki nie będzie gotowe na samodzielność. Po około miesiącu takiego zachowania dziecko nadal będzie wrażliwe na nowe doświadczenia, ale nauczy się już radzić sobie z nimi. Dzieci, które przebywają wraz z rówieśnikami pod opieką żłobka, mogły nauczyć się panowania nad nowymi sytuacjami i być może nie doświadczają już lęku przed obcymi. Jednak nie zabezpiecza to ich przed lękiem związanym z rozstaniem z rodzicami. Przez pewien okres takie niemowlęta mogą być bardzo rozdrażnione, gdy rodzice zostawią je pod czyjąś opieką.

Zdają już sobie sprawę z tego, że mogą zaprotestować i wymusić inne rozwiązanie. Również świadomość tego, że rodzice istnieją, nawet jeśli znikają z oczu (stałość osób), każe im domagać się ich obecności przez cały czas. Mogą wówczas potrzebować dodatkowego przygotowania przed rozstaniem oraz pocieszenia, gdy rodzic powróci.

Roczne dziecko zdaje sobie sprawę z tego, jak ważni są dla niego jego najbliżsi i jak ono – umiejąc już raczkować lub nawet chodzić – może ich „zostawić". Ta świadomość sprawia, że znów pojawi się zmaganie pomiędzy zależnością a niezależnością. Przez cały 2 rok życia, kiedy mały tuptuś będzie się uczył nowego, ciągle poszerzającego się świata, będzie jednocześnie cenił niezależność i się jej bał. Gdy zacznie oddalać się od swoich rodziców, jego zależność od nich się nasili. W moim gabinecie może mocno się w nich wczepić i z tej pozycji przyglądać się „obcemu i przerażającemu miejscu". Kiedy się zbliżę, aby je zbadać, musi siedzieć na kolanach rodziców. Muszę patrzeć obok niego, nigdy prosto w oczy. Słuchawkę stetoskopu przykładam najpierw do lali lub misia, potem do rodziców. Jak pisałem w rozdziale 9, proces ten może trochę potrwać. Jednak korzyść jest taka, że dziecko w 2 roku życia rozwinie w sobie zaufanie na całe życie. Jeśli rodzice to rozumieją i pomagają dwulatkowi pokonywać lęk przed nowymi doświadczeniami, przygotowują go na poradzenie sobie z lękami, które mogą pojawić się w późniejszych latach. Na przykład dwu- i trzylatki muszą nauczyć się radzić sobie z rówieśnikami. Nowa grupa rozbrykanych dzieci wywoła w dziecku lęk – to naturalna reakcja. Proponuję wtedy następujące kroki: spodziewaj się, że dziecko będzie wczepione w twoją spódnicę czy spodnie. Przygotuj je zawczasu na to, co lub kogo spotka. Powiedz mu uczciwie, czy zostaniesz z nim, jak długo może się ciebie trzymać i jak pomożesz mu przywyknąć do nowej sytuacji.

Jeśli dziecko ma się pobawić z rówieśnikami, pozwól mu trzymać się ciebie, aż zacznie się identyfikować z którymś z kolegów. Gdy ono go zaakceptuje, powoli wtopi się w grupę. Zachęć je do zabawy z co najmniej jeszcze jednym dzieckiem, zanim wyjdziesz. Gdy nawiąże kontakt, wyjdź jak najszybciej i resztę zostaw dzieciom. Nawet jeśli wywiąże się bójka, nie należy się mieszać, lecz pozwolić dzieciom rozstrzygnąć ją samodzielnie. Nauczą się wówczas o sobie dużo więcej, niż gdyby dorośli służyli jako doradcy lub obrońcy.

> Dzieci są niezwykle otwarte na uczenie się od siebie. Małe grupy rówieśnicze pomagają im uczyć się krok po kroku radzenia sobie z wyzwaniami. Regularnie spotykająca się grupa zabawowa składająca się co najwyżej z dwojga lub trojga dzieci może być niezmiernie pomocna dla nieśmiałego i zalęknionego malucha. Rzucenie go na głęboką wodę – do dużej grupy niesfornych i agresywnych dzieci – pogłębi tylko jego nieśmiałość.

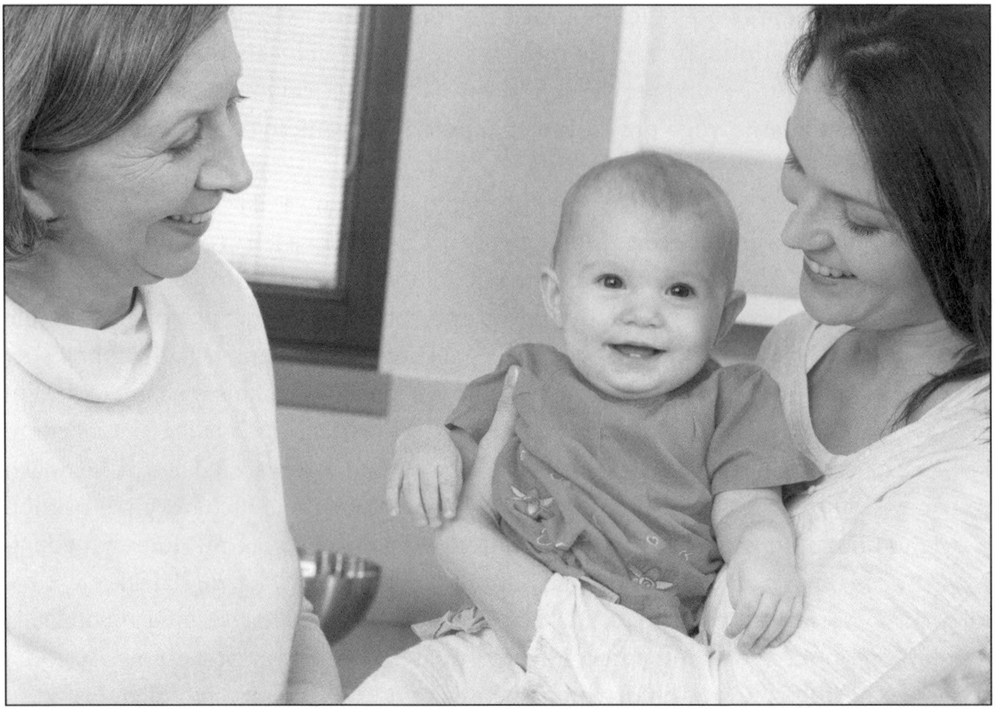

Rodzaje lęków małego dziecka

Od 2 do 6 roku życia częściej niż w innych okresach rozwoju dziecko będzie doświadczało lęków i mówiło o nich. Kiedy uświadomi sobie własne agresywne emocje, będzie się ich bało – a także agresji w innych ludziach i sytuacjach. Gdy zda sobie sprawę z rodzącej się niezależności i asertywności, będzie potrzebowało lęku, aby sobie z nimi poradzić. Wraz z agresywnymi emocjami, które dadzą o sobie znać w tym przedziale wiekowym, pojawią się zachowania, nad którymi dziecko próbowało usilnie do tej pory zapanować. Teraz jednak ma większą świadomość skutków tych zachowań – i jest ona przerażająca dla malucha rozdartego między swoją małością a pragnieniem bycia dużym i silnym. Ten konflikt pomiędzy agresywnością emocji a zdolnością zapanowania nad nimi może wywołać nowe lęki: przed psami, głośnymi dźwiękami, ciemnością, wysokością i inne.

Lęk przed psami i innymi gryzącymi zwierzętami

Dziecko w wieku od 2 do 6 lat może bać się wszystkiego, co według niego gryzie (być może jest to echo gryzienia innych dzieci przez samo dziecko). Ugryźć mogą nie tylko nieznane psy czy inne zwierzęta, ale także nowo poznane dziecko lub nietypowo wyglądająca osoba. Pewna dwulatka jadąca tramwajem ze swoją mamą, zobaczywszy po raz pierwszy w życiu zakonnicę w długim czarnym habicie, spojrzała pytająco na mamę i spytała: „Ugryzie mnie?".

Lęk przed głośnymi dźwiękami

Syreny wozów strażackich i karetek czy nagłe trzaśnięcie drzwiami wywołują przerażenie i gwałtowne reakcje u dziecka. Być może przypominają mu one własną nagłą utratę panowania nad sobą i czuje się winne. Z tego samego powodu agresja w telewizji oraz ze strony starszych dzieci wzbudza u dziecka widmo własnych agresywnych odczuć. Jest przerażone, gdy widzi je u innych.

Lęk przed ciemnością, potworami, czarownicami i duchami

Noc jest typową porą pojawiania się tego rodzaju lęków. Drapieżniki ze snów zamieniają się w straszliwe postaci projektowane w ciemności. Lęki te pojawiają się w okresie szybkiego zdobywania przez dziecko niezależności. Ponieważ zaczyna sobie ono wtedy uświadamiać swoją ogromną zależność od rodziców, rodzi się w nim konflikt. Duchy, czarownice i potwory to dorośli, którzy biorą odwet za marzenia o niezależności, motywując dziecko do samodzielnego odpierania ataków.

Lęk wysokości

Lęk przed spadnięciem z mebli czy wypadnięciem z okna (fantazje Piotrusia Pana o lataniu) mogą pojawić się w tym wieku i pozostać na dłużej. Przypadają one na czas, kiedy dziecko staje się świadome niebezpieczeństwa upadku z wysokości i zdaje sobie sprawę, że musi być ostrożne i zapanować nad impulsami biegnięcia na oślep w ekscytujące, ale niebezpieczne miejsca.

Lęk przed śmiercią rodziców

Ten rodzaj lęku może u niektórych dzieci wywołać niepokój związany z rozstaniem oraz odmowę chodzenia do szkoły, niechęć wychodzenia z domu na przyjęcia czy w odwiedziny. Oczywiście unikanie takich sytuacji może być też spowodowane nieśmiałością i naturalnym lękiem przed nowymi sytuacjami, w których dziecko potrzebuje rodziców, aby czuć się bezpiecznie. Jednak u dzieci od 5 roku życia decydujący może być tu lęk przed śmiercią rodziców, nawet jeśli są oni zdrowi, a dziecko nie doświadczyło żadnej poważnej straty. Źródłem tego lęku może być uświadomienie sobie przez dziecko, jak bardzo potrzebuje rodziców, albo jego pragnienie stania się niezależnym i dorosłym. Może on również wynikać z obawy przed zemstą za „złorzeczenie". Choć uczucia te mogą być głęboko poza świadomością dziecka, zdanie sobie sprawy z tego, że są one normalne, może pomóc rodzicom. Dzięki temu nie będą przesadnie reagować na nagły strach dziecka przed śmiercią – albo swoją, albo jednego z nich. To dobry moment, aby rodzice zapewnili dziecko, że ich zadaniem jest zadbać o jego bezpieczeństwo i że nie znikną z jego życia ani nie pozwolą, żeby stało mu się coś złego.

Kiedy umrze ktoś z rodziny albo gdy dziecko straci ulubione zwierzę, rodzice powinni uszanować uczucia malucha, w tym lęk przed śmiercią, który się pojawi. Będzie to również okazja do porozmawiania o tym, jak oni radzą sobie ze swoimi lękami (zob. też rozdział 28).

Lęk przed obcymi i przed molestowaniem

W dzisiejszych czasach potencjalne niebezpieczeństwo ze strony obcych jest według rodziców tak wielkie, że z jednej strony dzieci powinny być chronione przed molestowaniem czy porwaniem, a z drugiej – przed niewłaściwym i wyolbrzymionym lękiem. Małe dziecko nie powinno znaleźć się w sytuacji, w której musiałoby zadecydować, komu ufać, a komu nie. To rodzice powinni zadbać o bezpieczeństwo dziecka, najlepiej jak potrafią.

Wprawdzie pięcio- i sześciolatki należy uczyć, jak mają się chronić przed obcymi, jednak nie należy z tym przesadzić. Obawiam się, że obecne pokolenie dzieci nigdy nie będzie miało odwagi poznawać nowych ludzi, jeśli zbyt skutecznie je od tego odstraszymy. Małe dzieci nie powinny być zostawiane w potencjalnie niebezpiecznych sytuacjach, jednak gdy radzimy im, aby nie pozwalały nikomu nieznajomemu na dotyk, należy pamiętać, żeby nie przewrażliwić ich na punkcie swojego ciała. Z pewnością trzeba je ostrzec przed obcymi w szkole czy na placu zabaw, którzy mogą je wprawiać w zakłopotanie, ale powinny też wiedzieć, że są osoby, którym mogą całkowicie zaufać i szczerze je kochać. Być może najlepszym zabezpieczeniem dla dziecka przed nadmiernym obciążeniem będzie zapewnienie, że może porozmawiać z rodzicami o **każdym** lęku czy zmartwieniu (lub podzielić się nimi z nauczycielami w szkole), bo oni zawsze go wysłuchają i odpowiednio zareagują.

Dziecko, które boi się molestowania, próbuje sygnalizować, że już go doświadczyło, albo zostało przestraszone przez nieumiejętne próby dorosłych, którzy w dobrej wierze chcieli je nauczyć, jak się chronić przed niebezpieczeństwem. To nie jest lęk typowy dla dzieci, wymaga więc zwrócenia się do specjalisty w dziedzinie zdrowia psychicznego z doświadczeniem w radzeniu sobie z takimi problemami.

Lęk przed agresywnymi dziećmi

Wraz z dorastaniem dziecka jego więzi z rówieśnikami staną się coraz ważniejsze i coraz bardziej złożone. Począwszy od 2 roku życia musi się ono nauczyć nawiązywać relacje, jeśli nie chce być samotne i odstawać od reszty w szkole. Proponuję następujące podejście: pozwól, żeby dziecko się nauczyło, jak wejść do grupy poprzez nawiązanie relacji z jednym lub dwojgiem dzieci. Jeśli jest nieśmiałe, daj mu dużo czasu. Znajdź kolegę lub koleżankę o podobnym charakterze i pomóż im nawiązać przyjaźń. Następnie pomóż swojemu dziecku zdobyć jakąś szczególną umiejętność lub rozwinąć jakieś zainteresowanie czy talent. Jeśli potrafi doskonalić się w sporcie, muzyce czy jakiejkolwiek dziedzinie, inne dzieci będą je szanować. Kiedy wróci do domu załamane z powodu wyśmiania przez kolegów, zapewnij je, że widzisz, jakie jest tym rozdrażnione, oraz powiedz, że wyśmiewanie się z innych jest złe. Następnie przypomnij, że niestety wszyscy musimy się nauczyć, jak sobie radzić, gdy inni się z nas wyśmiewają. Jeśli dziecko potrafi się w takiej sytuacji obronić, prawdopodobnie nie będzie się ona często powtarzać. Dzieci wyśmiewają się również z tych, których lubią, tyle że w zabawny sposób. Wszyscy tego doświadczają.

Lęk przed porażką

Wszystkie dzieci boją się porażki. To lęk naturalny dla nas wszystkich. Może on popychać nas do sukcesu i doskonałości, może też być jednak destrukcyjny. Jeśli dziecko wydaje się przytłoczone lękiem przed porażką, potrzebuje więcej podstawowej pewności siebie. Dawaj mu do zrozumienia, że doceniasz je takim, jakie jest. Kładź mniejszy nacisk na wyniki jego działań, a częściej wyrażaj akceptację tego, kim jest. Może trzeba stworzyć mu więcej okazji do tego, aby udawały mu się małe rzeczy. Proponowałbym stonowany kontakt z dziećmi, z którymi jest w stanie rywalizować, oraz uczenie się tego, co z powodzeniem może opanować. Jeżeli można to zrobić bez zwiększania presji, zachęcaj je do rozwoju jakichś konkretnych umiejętności i talentów, tak aby mogło w grupie „trzymać się swego". Chwal je za małe sukcesy, ale nie popychaj do perfekcji. Kiedy będzie postrzegać się jako osobę, która odnosi sukcesy, oraz kogoś szczególnego dla swoich rodziców, zacznie nabierać pewności siebie – powoli i krok po kroku.

Lęk przed wojną, atakami terrorystycznymi i katastrofami – naturalnymi i wywołanymi przez człowieka

Dzieci wyczuwają lęki rodziców i ich poczucie bezradności wobec wzrastającego zagrożenia we współczesnym świecie. Nieuchronnie będą miały kontakt z obrazami w telewizji i zdjęciami na okładkach czasopism pokazującymi terroryzm, starcia militarne, tortury oraz coraz częstsze katastrofy naturalne wynikłe z niekontrolowanego globalnego ocieplenia. Małe dzieci nie mają poczucia perspektywy, w której mogłyby umieścić swój lęk związany z tymi wydarzeniami. Lęk przed unicestwieniem, który jest udziałem nas wszystkich, wiąże się wówczas z lękiem przed własnymi agresywnymi uczuciami oraz z lękiem przed odwetem, na który dzieci czują, że zasługują. Dlatego martwią się, a dodatkowo mają poczucie winy. Jeśli dorośli z ich otoczenia również się niepokoją, wyobraźnia dziecka może wówczas nie mieć granic. Jako dorośli musimy dać małym dzieciom przekonanie, że wielu ludzi stara się położyć kres agresji na świecie. Jako rodzice mamy obowiązek przekazać dziecku nadzieję i wiarę w społeczeństwo oraz głęboko zakorzenioną odpowiedzialność wobec innych i wobec Ziemi. Dzieci potrzebują poczucia bezpieczeństwa i wiary w to, że dorośli są zaangażowani w przeciwdziałanie przemocy i niszczeniu środowiska.

Jak pomóc dziecku poradzić sobie z lękiem

Poniższe rady są przeznaczone nie tylko dla rodziców, ale dla wszystkich dorosłych, którym zależy na dzieciach i którzy chcą pomóc im poradzić sobie z lękami.

(1) Uważnie słuchaj dziecka i odnoś się z szacunkiem do tego, co ono mówi o swoich lękach. Powiedz mu, że obawy i zmartwienia to naturalne reakcje człowieka. Następnie zapewnij, że z tym, co teraz wydaje się straszne i przytłaczające, można sobie poradzić i że kiedy będzie starsze, nauczy się pokonywać lęk. Z pewnością trzeba będzie zajrzeć razem z dzieckiem pod łóżko i do szafy, aby sprawdzić, że nie ma tam czarownic ani potworów, ale nie ekscytuj się tym zbytnio. Niech dziecko usłyszy, że obydwoje wiecie, iż nie ma tam nikogo, choć wszystkie dzieci boją się potworów. Przyjmij akceptującą postawę wobec emocji dziecka, jednak bez podkreślania, że mają rację bytu.

(2) Wspieraj dziecko w jego poszukiwaniach sposobów radzenia sobie z lękiem. Pozwól mu na regres. Niech okazuje swoją zależność od ciebie, trzyma przytulankę i zachowuje się jak niemowlę. Nie będzie chciało nim pozostać na długo. Nawet jeśli się przytuli, poczujesz, jak próbuje się wywinąć. Możesz wtedy pochwalić je za odwagę i bycie takim „dorosłym".

(3) Pomóż dziecku zrozumieć przyczyny jego lęków, na przykład fakt, że próbuje poznawać nowe, budzące lęk sytuacje i emocje. Porozmawiajcie o tym, jak samodzielnie wychodzi do ogrodu, broni się, oddala od rodziców, i jakie to wszystko musi być straszne. W rozmowie używaj zrozumiałych dla dziecka wyrażeń. Nie należy wdawać się w zbyt intelektualne rozważania lub wypowiadać nieadekwatnie do poziomu dziecka. Nie pomożesz mu, mówiąc o czymś abstrakcyjnym, czego dziecko nie pojmuje.

(4) Zapewnij dziecko, że wszyscy jego rówieśnicy czegoś się boją. Zaproponuj, aby spytało kolegów i koleżanki, jak sobie radzą z lękami (choć mogą się do nich nie przyznać). Opowiedz, czego ty się bałeś, gdy byłeś w wieku dziecka, oraz o jakichś

trywialnych lękach, z którym ciągle się borykasz: „Zawsze dziwnie się czułem przed pójściem na przyjęcie. Nawet teraz jeszcze stoję w drzwiach, wypatrując kogoś znajomego, i dopiero wtedy podchodzę, aby porozmawiać. Ty także się tego nauczysz".

(5) W międzyczasie co tydzień zabieraj gdzieś dziecko, aby spędzić wspólnie czas tylko z nim. Da mu to możliwość zwierzenia się tobie, ale również - co o wiele ważniejsze - szansę identyfikowania się z tobą. Jeśli uczy się o swojej agresji, może się dowiedzieć, jak być agresywnym w bezpieczny sposób, tak jak rodzic. Nie musicie rozmawiać o tym - może zaobserwować to samo.

(6) Kiedy dziecko pokona jakiś lęk, zauważ to, aby mogło się uczyć ze swoich sukcesów. Komentowanie osiągnięć nie tylko pozwoli wydobyć je ze świata lęku i umieścić w świecie sukcesów, ale wyznaczy pewien wzorzec dla dziecka i dla rodzica. Będzie można się do niego odnieść, gdy pojawią się nowe lęki lub wyzwania.

(7) Jeżeli lęki dziecka lub jego ogólna lękliwość zaczynają wpływać na jego styl życia, gdy trwają stosunkowo długo (6 miesięcy lub dłużej) bądź gdy nie pozwalają mu na nawiązywanie przyjaźni, należy poprosić o profesjonalną poradę. Być może owe lęki to wołanie dziecka o pomoc. Poproś lekarza o polecenie terapeuty[30].

[30] W Polsce do psychologa potrzebne jest skierowanie, do psychiatry zaś nie jest wymagane (przyp. red. meryt.).

22

Problemy z jedzeniem

Od pierwszego momentu, gdy kobieta przystawia dziecko do piersi, instynktownie wie, że jakość komunikatów, jakie wysyła dziecku wraz z pokarmem, jest równie ważna dla jego zdrowia co sam pokarm. I ma rację. Samo jedzenie nie wystarczy, aby odpowiednio wspierać emocjonalny i fizyczny rozwój dziecka. Jedzenie jest niezbędne, żeby przeżyć, ale zdolność dziecka do wykorzystania go w procesie rośnięcia i rozwoju zależy również od życiodajnych komunikatów, jakie rodzice przekazują mu razem z nim.

Doświadczenie karmienia

Wprawdzie wszyscy rodzice chcieliby, żeby czas karmienia był dla ich dzieci wydarzeniem przyjemnym, jednak będą do tej krytycznej interakcji wnosić doświadczenia z własnego dzieciństwa. Reakcje rodziców na wyzwanie, jakim jest karmienie, nie są świadomie przemyślane, lecz oparte na starych wzorcach. Będą w szoku, gdy zdadzą sobie sprawę, że powtarzają słowa, które tyle razy sami słyszeli: „Będziesz tu siedział, dopóki nie zjesz tych warzyw. Musisz to zjeść, bo inaczej nie urośniesz". Kiedy napotykają ze strony dziecka opór dotyczący jedzenia, muszą stawić czoła własnym duchom znad kołyski i uświadomić sobie, że zamartwianie się o dietę dziecka jest dla nich jednym z wyznaczników bycia dobrym rodzicem. Prawdopodobieństwo powtarzania przez nich błędów swoich rodziców zmaleje, gdy przypomną sobie własne doświadczenia i uświadomią, że zmuszanie dziecka do jedzenia z pewnością przyczyni się do dalszych problemów. Jeśli jedzenie ma być dla dziecka przyjemnością, pod koniec pierwszego roku musi mieć ono więcej wolności w podejmowaniu decyzji w tej dziedzinie – co wybrać, czego odmówić i kiedy przestać jeść (jednak to rodzic powinien decydować o porach posiłków, o tym, co jest podawane, oraz między czym dziecko może wybierać).

Karmienie jest z natury sferą, w której będzie się rozgrywać nieustanna walka rodziców i dzieci pomiędzy zależnością (bycie karmionym) a niezależnością (jedzenie samemu). Bodajże żadna inna dziedzina nie będzie obfitowała w tak wiele zmagań. Jednak ostatecznie musi zwyciężyć niezależność. Przyjemność spędzania czasu przy wspólnym stole – jeśli rodzina nauczy się tego – to właśnie jej triumf. Nastawienie do karmienia może nawet wpłynąć na to, czy dziecko postrzega się jako osobę kompetentną i pełnowartościową. Potrzeba wyrażenia siebie podczas posiłków jest tak samo istotna dla rozwoju dziecka jak liczba kalorii, które ono zjada. Dla troskliwego rodzica będzie to wyzwanie. Byłoby idealnie, gdyby rodzice potrafili postrzegać swoje zadanie jako dbałość o to, żeby każdy posiłek był głęboko satysfakcjonującym wydarzeniem. Wówczas wraz z wiekiem, jedząc już samo, dziecko będzie próbowało odtwarzać tę przyjemność.

Pierś czy butelka?

W tym świetle można też rozważyć kwestię wyboru pomiędzy piersią a butelką. Karmienie piersią może być bardzo intymnym, ciepłym doświadczeniem bliskości między matką a dzieckiem. Ponieważ mleko matki jest specjalnie przystosowane dla dziecka – pod względem wartości odżywczych, łatwości trawienia i ochrony przed infekcjami – należałoby rozważyć je jako pierwszą opcję. Jednak jeśli z jakiegoś powodu kobieta nie czuje się z tym dobrze albo gdy karmienie okaże się nieprzyjemnym doświadczeniem dla niej lub dla dziecka, trzeba potraktować to poważnie. Odczucia te zostaną bowiem zidentyfikowane przez dziecko i nie wpłyną na nie pozytywnie. Dziecko karmione butelką trzymane blisko i serdecznie (nigdy nie należy ustawiać butelki pionowo) będzie się miało naprawdę dobrze.

Rozkład karmienia a etapy rozwoju

Z początku dziecko samo ustala pory jedzenia (karmienie na żądanie). Kiedy rodzice uczą się rozumienia poszczególnych rodzajów płaczu, najlepiej poddać się potrzebom dziecka i **stopniowo** uczyć się, kiedy jest głodne, a kiedy znudzone czy zmęczone. Na początku, a także później w okresach kryzysów, zawsze dobrze jest trzymać się karmienia na żądanie. Jednak gdy rodzice potrafią już rozpoznawać różne potrzeby dziecka, mogą próbować ustalić przewidywalny rozkład karmień. Wszyscy w rodzinie odetchną z ulgą, gdy ustalą się pory posiłków, snu i zabawy.

W wieku 6 tygodni dziecko urodzone w terminie powinno być coraz bardziej przewidywalne i karmione co 3–4 godziny. W 12 tygodniu powinno już wystarczyć pięć lub sześć posiłków w określonych porach, w 20 zaś większość niemowląt potrzebuje już tylko czterech do pięciu karmień (o 7:00, 11:00, 15:00, 19:00 i 23:00 lub o 7:00, 12:00, 17:00, i 22:00). W okolicach 6 lub 7 miesiąca posiłki (mleko i pokarmy stałe) mogą być podawane o 7:00, 12:00, 17:00 i mleko o 19:00, po czym następuje nocny odpoczynek! Jeśli dziecko potrzebuje pomocy w wydłużeniu przerw pomiędzy posiłkami, odpowiednie rozwiązania zostały przedstawione w rozdziale 7.

Jeżeli chodzi o wartości odżywcze, dziecko nie potrzebuje stałego pokarmu aż do 6 miesiąca życia. Niemowlęta karmione piersią od 2 miesiąca muszą otrzymywać dodatkowo witaminę D, a być może także żelazo od 4–5 miesiąca (mieszanki mleczne zwykle zawierają te suplementy)[31]. Dzieci nie potrafią połykać stałych pokarmów do 3 miesiąca – mogą je zasysać, ale nie połykać aktywnie. Wielu rodziców chętnie wprowadziłoby stały pokarm już wcześniej, aby pomóc dziecku przesypiać noc lub wydłużyć przerwy między posiłkami w ciągu dnia, jednak zwykle jest to trudne. Ponadto prawdopodobieństwo wywołania alergii przez niektóre produkty jest większe przy zbyt wczesnym wprowadzeniu ich do diety.

Od 8 miesiąca życia dziecko będzie z radością używać nowo wykształconego chwytu pęsetowego – czyli kciuka i palca wskazującego. Kiedy podczas siedzenia przy stole podasz mu dwa lub trzy kawałki miękkiego pokarmu – aby mogło ich dotykać paluszkami, brać do rączki, rozgnieść czy w końcu włożyć do buzi – dziecko będzie zachwycone. Będzie pracować nad tym zadaniem nawet przez godzinę, tak satysfakcjonująca będzie dla niego czynność karmienia samego siebie. Pozwoli nawet w międzyczasie karmić się łyżeczką różnymi papkami, byle tylko mieć sposobność doskonalenia nowo nabytej umiejętności. Na dobrą sprawę, jeśli do końca 1 roku nie pozwoli się dziecku na samodzielne jedzenie, może to prowadzić do problemów w tej dziedzinie w 2 roku życia. Roczne dziecko będzie kręciło głową, zamykało buzię i obrzucało rodziców jedzeniem – informując jednoznacznie: „Chcę to robić sam".

Do końca 1 roku dziecko powinno dobrze radzić sobie z jedzeniem paluszkami. Miękkie kawałki pokarmu przeżute dziąsełkami z łatwością zostaną połknięte. Zbyt duże lub twarde kawałki grożą zakrztuszeniem, trzeba więc zadbać, by jedzenie było odpowiednie. W pewnych okresach po ukończeniu 1 roku życia dziecko zacznie odmawiać niektórych produktów – warzyw w jednym miesiącu, mięska lub jajek

[31] W rozdziale 5 znajduje się uaktualnienie (przyp. tłum.).

w kolejnym. Będzie to następny sygnał, że maluch potrzebuje poczucia panowania nad sytuacją. Jeśli pozwolisz mu na **wybór i odmawianie** w 2 roku życia, nie pojawią się żadne problemy z jedzeniem. Jednak to oznacza, że to **nie ty decydujesz** – dziecko musi karmić się samo. Przez kilka kolejnych miesięcy nie opanuje jeszcze sztuki posługiwania się widelcem czy łyżką, musi więc mieć możliwość używania paluszków i wybierania nimi spośród tego, co znajduje się na stole. Należy podawać dziecku to, co jedzą inni domownicy, z wyjątkiem pokarmów trudnych do połknięcia. Jeśli nie odpowiada mu to, co jest podane, i domaga się czegoś innego, powiedz tylko: „Dostaniesz przy następnym posiłku". Nie należy wówczas zmuszać dziecka do tego, czego nie chce. Podczas posiłków małe tuptusie demonstrują odmowy i negatywizm oraz się przekomarzają – wszystko po to, aby ustalić dopuszczalne granice. Oczywiście, że dziecko zawsze będzie chciało to, czego akurat nie ma pod ręką. Nie traktuj tego osobiście – rodzaj jedzenia nie ma tu znaczenia, ważne jest zaś to, co się rozgrywa między wami. Stanowczość i jasne zasady będą bardzo pomocne: „Podczas tego posiłku jemy to, co jest na stole. Jeśli chcesz ser, podam go następnym razem". Nawet gdy go podasz, dziecko i tak go nie zechce.

Niepotrzebnie tworzymy problemy, ponieważ za bardzo obarczamy się odpowiedzialnością. To oczywiste, że będziemy przesadnie reagować na kwestie związane z karmieniem dzieci. Obowiązkiem „dobrej mamy", jak ciągle wierzymy, jest dbanie, aby brzuszek dziecka był pełny. Jednak dużo łatwiej będzie nam odpuścić, kiedy uświadomimy sobie, jak proste i niewielkie są potrzeby żywieniowe dziecka w tym wieku (zob. też rozdział 9). Przy odpowiedniej suplementacji witaminowej żadne warzywo nie jest niezbędne dla zdrowia dziecka, zwłaszcza jeśli kosztem zmagań jest również odmowa przyjęcia innych produktów. Warzywa rzeczywiście zawierają ważne składniki odżywcze, ale mogą być zastąpione codzienną dawką witamin. Gdy uniknie się przepychanek, okres awersji do warzyw będzie stosunkowo krótki. Niektóre bardzo wybredne kubki smakowe będą potrzebowały nawet kilku lat, aby dojrzeć, ale bitwy o jeden kawałek brokułu jedynie pogorszą jego smak. Wiele dzieci w 2 roku życia po prostu nie lubi warzyw. Nie należy się martwić, że nie zjadają pełnowartościowej diety zawierającej zielone i żółte warzywa. Niewiele małych dzieci je akceptuje, a większość wręcz ich nie toleruje. Z mojej praktyki pediatrycznej wiem, że dzieci rozwijają się doskonale, nawet jeśli przez cały rok nie zjadły **żadnego warzywa**. Mały tuptuś, który nie jest zmuszany do ich jedzenia, może zechcieć ich spróbować, gdy zobaczy, że inni przy stole je jedzą!

W 4 lub 5 roku życia, jeśli sfera jedzenia nie stała się ekscytującym polem bitwy, dziecko zacznie próbować nowych smaków i zbliży się do tak oczekiwanej diety pełnowartościowej. O manierach przy stole można zacząć myśleć dopiero, gdy ma 3 bądź 4 lata. Wcześniej dziecko będzie się ich uczyło, naśladując rodziców, choć nie będzie umiało jeszcze zademonstrować postępów. Nie nauczy się manier, posłusznie wykonując polecenia: „Zrób to. Nie rób tego". Jednak dobrze jest ustalić pewne granice dotyczące tego, ile jedzenia może zrzucić na podłogę czy rozgnieść. Jeśli dziecko jest wyjątkowo zbuntowane, należy za jednym razem podawać mu tylko dwa kawałki. Gdy zacznie je rozgniatać na stole lub wyrzucać, przerwij posiłek i zdejmij z krzesełka aż do następnego posiłku. Żeby nauczyć je granic, nie można pozwalać na podjadanie pomiędzy posiłkami.

Dorośli, którzy są dumni ze swoich osiągnięć kulinarnych, oraz ci, którzy zdecydowali się na pierwsze dziecko dużo po trzydziestce lub nawet później, są bardzo zawiedzeni, gdy ich smakowite dania nie spotykają się z aprobatą. Jeśli zdasz sobie sprawę z tego, że reagujesz nieadekwatnie do sytuacji, ponieważ traktujesz odmowę jedzenia zbyt osobiście, problem zniknie. Powiedz dziecku, że będzie musiało zaczekać do następnego posiłku, chyba że nie zjadło podstawowych produktów opisanych w rozdziale 9. Zakomunikuj jasno, że zawsze może odmówić zjedzenia tego, co proponujesz, ale nie może dowolnie wybierać, co chce zjeść w zamian.

Karmienie i niezależność

Niektóre małe dzieci ogłaszają czasami wybiórczy strajk głodowy – na przykład przez dwa tygodnie nie chcą jeść nic oprócz kotlecików mielonych. Jeśli dziecko jest ogólnie dobrze odżywione, nic złego się nie stanie, ale taki strajk może też mieć inne cele – jest formą buntu, upodobnienia się do kolegów lub próbą sprawdzenia, do jakiego stopnia można zmanipulować rodzinę podczas posiłków. Są to znajome już powody fanaberii dziecka. Nie należy zaspokajać tych zachcianek. Nie staraj się przygotowywać dań

Problemy z jedzeniem

Wybiórczy strajk głodowy, wybrzydzanie, odmawianie spożycia pewnych pokarmów i inne problemy podczas posiłków mogą być całkowicie normalnymi fazami w rozwoju dziecka. Maluch musi wywalczyć sobie niezależność w tej dziedzinie. Musi odnaleźć swoją tożsamość w rodzinie, dokonywać własnych wyborów oraz testować granice tolerancji rodziców. Posiłki staną się dużo bardziej przyjemne, jeśli uznasz i uszanujesz ten proces. Jeśli nie potrafisz lub jesteś jednym z tych rodziców (a jest nas wielu), którzy martwią się, że dziecko mało zjadło, możesz oczekiwać burzy podczas posiłków. Być może twoje sprytne namowy, smakowite zamienniki, przekupstwo i odwracanie uwagi sprawią, że przez jakiś czas się uda. Jednak nie na długo, a rezultatem mogą być problemy z jedzeniem. Samodzielne jedzenie to dla dziecka cenna i ekscytująca aktywność. W tej dziedzinie musi ono doświadczyć autonomii. W przeciwnym razie czas posiłków stanie się polem bitwy, którą **dziecko wygra, tak czy inaczej**.

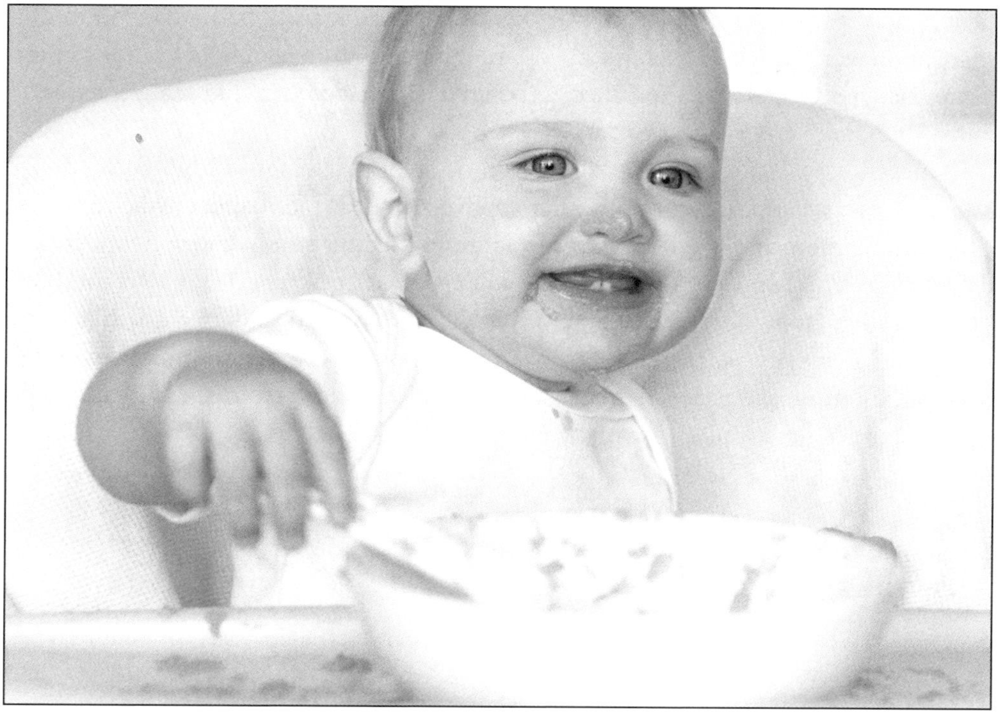

zastępczych, gdy dziecko wybrzydza. Jeśli zaczniesz, życzeniom nie będzie końca. W takiej sytuacji możesz powiedzieć: „Wybieramy z tego, co jest na stole. Nie musisz tego jeść, ale nie przygotuję teraz nic specjalnie dla ciebie".

Jeśli jednak dziecko konsekwentnie odmawia jedzenia – nawet najbardziej podstawowej diety – przez ponad miesiąc, należy szukać pomocy z zewnątrz. Gdy nie przybiera na wadze lub waży poniżej wagi standardowej (na siatce centylowej), z pewnością należy zwrócić się do pediatry, a jeśli to konieczne – do odpowiedniego specjalisty. Ponieważ w grę może tutaj wchodzić wiele chorób fizycznych, należy najpierw wykluczyć problemy medyczne, a następnie poprosić o badanie przez psychiatrę lub psychologa dziecięcego – pomogą oni każdej ze stron w procesie dochodzenia do równowagi. Nie wpadaj w panikę i nie czekaj zbyt długo.

Zapobieganie otyłości

Według statystyk w Stanach Zjednoczonych cztero- i pięciolatki są najbardziej ze wszystkich grup wiekowych narażone na nadwagę (powyżej 85 percentyla krzywej waga – wzrost) i otyłość (powyżej 95 percentyla), co zwiększa prawdopodobieństwo ich otyłości w wieku dorosłym oraz wystąpienia cukrzycy, nadciśnienia i innych poważnych problemów zdrowotnych. Ich dzieci również będą narażone na nadwagę lub otyłość, ponieważ jednym z czynników jest tu genetyka. Inne to ubóstwo, rasa i płeć. Grupy największego ryzyka to: dzieci z rodzin ubogich, dziewczynki oraz Afroamerykanie, Indianie i Latynosi mieszkający w Stanach.

Dorośli mogą od samego początku pomóc swoim dzieciom i zapobiec otyłości. W pierwszych tygodniach i miesiącach, kiedy sami uczą się rozpoznawać różne rodzaje płaczu niemowlęcia, uczą też dziecko rozróżniania pomiędzy głodem a innym dyskomfortem. Zauważą także inne wskazówki, jeszcze zanim pojawią się łzy – częstsze wkładanie rączek do buzi, kiwanie główką, odruch szukania czy mlaskanie – oraz zachowania wskazujące na zaspokojenie głodu, takie jak stopniowo wolniejsze ssanie i mniejsze napięcie mięśni. Jeśli rodzice nauczą się respektować oznaki głodu i nasycenia, zrobi to również dziecko.

Jak zachęcić dziecko do zdrowego jedzenia i zdrowego stylu życia?

(1) Nie pozwalaj na podjadanie. Tylko trzy pełne posiłki (plus przed- i popołudniowa przekąska) - to wszystko!

(2) Nie pozwalaj na oglądanie telewizji podczas posiłków i jedzenie podczas oglądania telewizji. Pod żadnym pozorem nie zgadzaj się na telewizor w pokoju dziecka - nigdy! Liczba godzin spędzonych przed ekranem to dobry wskaźnik ryzyka otyłości, a odbiornik w pokoju dziecka to dodatkowy czynnik ryzyka.

(3) Nie kupuj produktów zawierających puste kalorie (czyli o wysokiej zawartości tłuszczów i cukru, takich jak frytki, chipsy, kolorowe napoje gazowane, cukierki, pączki itp.). Gdy dziecko uzależni się od ich intensywnego smaku, zdrowe jedzenie przegra. Nie rób jednak z tego wielkiej sprawy, bo „zakazane" produkty staną się jeszcze bardziej pożądane.

(4) Dziecko codziennie potrzebuje aktywności fizycznej. Zamiast jeździć wszędzie samochodem, idźcie na piechotę lub pojedźcie rowerem. Kiedy nie można wyjść z domu, włącz muzykę i potańczcie razem. Niech ruch będzie atrakcyjny, niezbyt intensywny oraz bez presji na wyniki.

(5) Niech czas posiłków będzie przyjemną okazją do przebywania ze sobą.

23

Nawyki

W procesie rozwoju dzieci wypróbowują najróżniejsze zachowania. Niektóre powtarzalne czynności, jak uderzanie głową, ssanie kciuka i kiwanie ciałem, służą jako sposoby uwalniania napięcia czy wyciszania się. Jeśli nie zostaną utrwalone przez nadmierną uwagę rodziców lub nadmierną potrzebę dziecka, zostaną porzucone i zastąpione innymi. W taki sposób dziecko wypróbowuje cały wachlarz aktywności. Nawyk może się utrwalić, gdy jeden szczególny wzorzec zachowania zostanie wzmocniony albo gdy dziecko nie jest w stanie sprawdzić wielu różnych zachowań, aby znaleźć bardziej akceptowalne i bardziej adaptacyjne.

Waga takich kojących zachowań jak ssanie kciuka czy przytulanie ulubionej lali lub kocyka została podkreślona w pierwszej części tej książki. Są one wentylami bezpieczeństwa w dzisiejszym zestresowanym świecie i nie powinno się ich postrzegać jako problemu. Inne nawyki mogą się zacząć jako normalna eksploracja i przerodzić w problemy, jeśli rodzice przesadnie zareagują lub gdy dziecko będzie doświadczało zbyt dużego stresu. Do tej kategorii należą masturbacja i obgryzanie paznokci. Tiki, choć mimowolne, również mogą przybrać na sile pod wpływem stresu.

Masturbacja

W 2 roku życia wszystkie dzieci badają swoje ciało, ilekroć zdejmuje się im pieluszkę. U chłopca może się nawet pojawić erekcja w wyniku manipulowania penisem.

Będzie tym zdziwiony, a następnie zadowolony z siebie, doświadczając nowych wrażeń. Dziewczynka wkłada palce do pochwy, a jej nieobecny wzrok i kołysanie ciała wskazują, że odczuwa coś szczególnego. Ponieważ te partie ciała przez pierwsze dwa lata były zakryte przez pieluszkę, mały tuptuś może być zafascynowany nowymi doznaniami. Może się ukrywać gdzieś w kącie, aby prowadzić eksploracje. Kiedy wyczuje dezaprobatę rodziców, jego pragnienie pogłębienia tego ekscytującego doświadczenia wzrośnie.

Nawet jeśli rodzice tolerują takie zachowanie na osobności, to martwią się, czy nie pochłonie dziecka i nie pojawi się w miejscu publicznym. W czasach ich dzieciństwa to normalne skądinąd zachowanie było naznaczone wstydem i tajemnicą, więc trudno im powstrzymać się od niepokoju.

Pamiętam wizytę nabożnych i poważnych rodziców, którzy potrzebowali mojej konsultacji w niezmiernie ważnej sprawie. Ich piętnastomiesięczna córeczka kładła się na podłodze, rytmicznie kołysała i stymulowała za pomocą poduszki lub paluszków. Jej nieobecny wzrok i rumieniec na twarzy podczas tej czynności przeraził rodziców. Myśleli, że dziecko ma jakiś atak. Kiedy przyjrzałem się tym „czarom", zdałem sobie sprawę, że jest to rodzaj masturbacji. Biorąc pod uwagę intensywność tej czynności i jej częstotliwość, musiałem rozważyć możliwe nadużycie seksualne wobec dziecka.

Mała dziewczynka mieszkała w domu, w którym działo się wiele ekscytujących rzeczy. W rodzinie było troje starszych od niej dzieci oraz dwoje dziadków. Wszyscy nieustannie się z nią bawili i przekomarzali, zmuszając do reakcji. By zachować równowagę, dziecko wycofywało się do swojego świata za pomocą techniki masturbacji. Powiedziałem im, że to zachowanie niekonieczne jest nienormalne, ale zaproponowałem, żeby zmniejszyć intensywność wrażeń w otoczeniu dziewczynki i zostawiać ją

Rady dla rodziców martwiących się masturbacją dziecka

(1) Nie wzmacniaj tego zachowania. Nie okazuj dezaprobaty ani nie próbuj niczego zakazywać.

(2) Jeśli zachowanie często się powtarza, poszukaj przyczyn. Czy dziecko jest bardzo napięte? Czy jest narażone na zbyt wiele bodźców? Czy ma do dyspozycji jakieś inne sposoby wyciszania się?

(3) Jeśli dziecko jest napięte, wycisz je, przytulając spokojnie i kołysząc, ale nie podczas masturbacji. Jeśli masturbuje się w miejscu publicznym, zabierz je z tego przytłaczającego dla niego miejsca, umieść w jego pokoju lub innym spokojnym pomieszczeniu. Nie martw się, co tam robi, a wręcz powiedz mu, że masturbowanie się na osobności jest akceptowalne.

(4) Obserwuj, czy osoby z otoczenia nie zwracają zbyt dużej uwagi na ten nawyk dziecka. Inne dzieci lub dorośli w domu mogą przesadnie reagować i twierdzić, że to dziedzina tabu. To nie pomoże, a wręcz przeciwnie – sprawi, że masturbacja utrwali się jako nawyk.

na krótko w jej pokoju – dwa razy dziennie, aby mogła się wyciszyć. Rodzice zastanawiali się, czy dziecko nie będzie się w tym czasie masturbować. Odpowiedziałem, że być może, ale potrzebuje czasu, żeby się uspokoić i odpocząć od presji z zewnątrz. Dorośli zapytali oczywiście, co robić, gdy dziecko zacznie się masturbować w miejscu publicznym. Zasugerowałem, by potraktowali to jako znak, że dziewczynka musi się wycofać z nadmiernie stresujcej sytuacji. Powinni ją wtedy wziąć na ręce, przytulić i zabrać w jakieś spokojne miejsce. Rodzice zastosowali się do moich wskazówek i po tygodniu objawy ustąpiły.

Zachowanie tego typu może być niepokojące tylko wtedy, gdy jest powtarzane zbyt często i jeśli dziecko z jego powodu wycofuje się z interesujących aktywności. Czy jest to stała strategia radzenia sobie ze stresem i przeciążeniem? Może dziecko powinno zostać zbadane pod kątem nadwrażliwości lub pewnej formy autyzmu? Czy zostało przebadane pod kątem infekcji układu moczowego? Czy dziewczynka nie cierpi na zapalenie pochwy? Zarówno w przypadku dziewczynek, jak i chłopców mogą istnieć fizyczne powody nadmiernej masturbacji. Innym wyjaśnieniem, zwłaszcza gdy masturbacji towarzyszą zachowania imitujące akt płciowy, może być fakt seksualnego wykorzystania dziecka lub ekspozycja na takie zachowania dorosłych. Jeśli rodzice podejrzewają taką możliwość, należy porozmawiać o tym z pediatrą, który pomoże właściwie ocenić sytuację i skieruje do odpowiedniego specjalisty.

Obgryzanie paznokci, ssanie kciuka, kręcenie włosów i inne nawyki

Wiele dzieci przechodzi przez okres obgryzania paznokci oraz innych samouspokajających zachowań. Siedzą przed telewizorem lub na łóżku przed popołudniową drzemką czy nocnym odpoczynkiem, zacięcie gryząc paznokieć lub zapalczywie ssąc kciuk. Przyglądającemu się rodzicowi od razu wzrasta ciśnienie. Nie może się powstrzymać i albo wyciąga palec z buzi dziecka, albo mówi: „Nie boli cię to?", a dziecko potakuje, szukając jednocześnie kolejnego paznokcia do obgryzienia. Dorosły dzielnie walczy ze sobą, ale nie wytrzymuje i mówi: „Pamiętasz, jak ostatnio obgryzłeś paznokcia do krwi?". Dziecko znów kiwa głową, ale teraz dodatkowo zaczyna się kołysać całym ciałem i patrzy nieprzytomnie gdzieś w dal. Rodzic czuje się niezauważony i zaczyna nawet czuć zazdrość. Ponownie próbuje – niestety nieskutecznie – nie komentować. Wreszcie, w nadziei powstrzymania zachowania i odzyskania kontaktu z dzieckiem, ucieka się do ostateczności i wyrzuca z siebie: „Więc przestań w końcu!".

Oczy dziecka ożywają. Przestaje obgryzać paznokcie i patrzy na rodzica, jakby chciało zapytać: „Ale w czym problem?". Mokry palec automatycznie rusza znów w kierunku ust. Tym razem jednak dziecko próbuje się powstrzymać. Niechętnie cofa

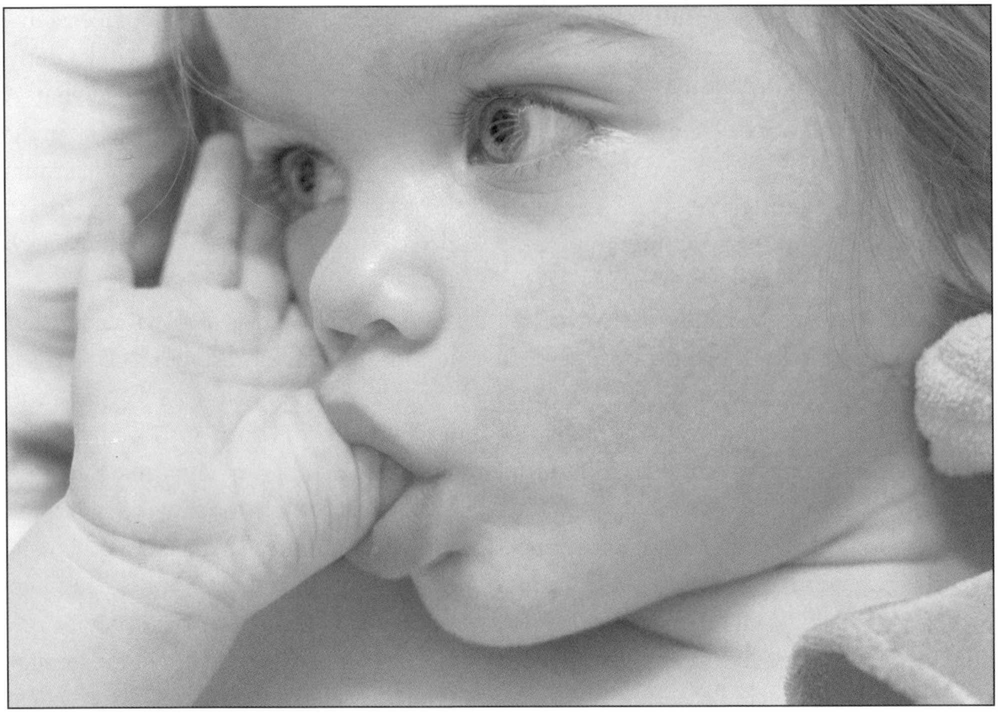

rękę do tyłu i siada na niej. Czeka niecierpliwie, aż cały incydent dobiegnie końca. Kiedy rodzic wychodzi z pokoju, oddycha z ulgą. Powraca do ssania lub szuka kawałka wolnego paznokcia.

Protestując przeciwko danemu zachowaniu, rodzic dodatkowo je wzmocnił, zmieniając jego charakter – z nieświadomej strategii radzenia sobie ze stresem (wyciszania, uspokajania, panowania nad sobą) w świadomy sposób wyrażania buntu przeciwko rodzicom za ich nieproszoną i niezrozumiałą interwencję.

W taki właśnie sposób utrwalają się nawyki. Większość z nas doświadczyła takiej formy ingerencji ze strony naszych rodziców. Kiedy widzimy, jak dziecko wycofuje się do swojego świata, rzeczywiście trudno się powstrzymać i nie próbować nawiązać z nim kontaktu za wszelką cenę. Rodzice i inne osoby z otoczenia dziecka postrzegają ssanie kciuka i podobne zachowania jako przejaw upośledzenia. Czują, że jedynie samotne dziecko bez odpowiedniej opieki ma prawo tak się zachowywać. Nie jest to prawda. Być może ich dziecko doświadcza właśnie stresu i niepokoju.

Ssanie kciuka, obgryzanie paznokci, kołysanie ciała i inne podobne zachowania są niezwykle osobistymi nawykami samowyciszania potrzebnymi w pewnych okresach większości dzieci i wielu dorosłym. Mają one tendencję do pojawiania się na nowo na pewnych przewidywalnych etapach rozwoju. Utrwalają się jako nawyki, jeśli świat zewnętrzny uważa je za złe i próbuje ingerować.

Tiki

Tiki to nagłe ruchy jakiejś części ciała – mrugnięcie powieki, skurcz mięśni szyi czy wzdrygnięcie barków – które występują mimowolnie i się powtarzają. Pojawiają się u dziecka, gdy się koncentruje lub znajduje pod działaniem dużego stresu, zaś znikają zupełnie podczas snu. Dziecko często nie jest ich świadome. Jeśli rodzice zwrócą mu na nie uwagę, wówczas tiki się nasilą. Gdy dorośli postrzegają nagłe tiki jako atak padaczkowy, ich niepokój może przenieść się na dziecko, co jeszcze spotęguje problem. Większość tików trwa tylko kilka tygodni i z czasem zanika. Mogą się pojawić już w wieku 2 lat, a najbardziej powszechnie występują pomiędzy 10 a 12 rokiem życia. Powtórzą się, gdy dziecko będzie doświadczało stresu, na przykład przechodziło proces adaptacji do nowej szkoły lub przeżywało pojawienie się kolejnego dziecka w rodzinie. Ponieważ dorośli mogą w tych sytuacjach również doświadczać stresu, istnieje duże prawdopodobieństwo, że wzmocnią tiki u dziecka – zwracając mu na nie uwagę lub otwarcie o nich rozmawiając. Jeśli tiki nie ustaną, należy poszukać przyczyny i próbować jej zaradzić. Jeżeli dziecko przechodzi proces adaptacyjny, trzeba mu zapewnić wiele wsparcia i uczucia. Należy oczekiwać, że poradzi sobie ze stresem i dzięki niemu wiele się nauczy.

Tiki trzeba ignorować, chyba że towarzyszą im jakieś inne nietypowe objawy lub gdy przeszkadzają w codziennych czynnościach, przeciągają się i irytują dziecko. W niektórych przypadkach (np. w zespole Tourette'a) istnieją medyczne i neurologiczne przyczyny tików. Mogą je również wywołać niektóre leki. Jeśli pediatra stwierdzi, że tiki nie są typowe i przejściowe (jak to często bywa u małych chłopców), powinien zalecić dalsze badania.

24

Pobyt w szpitalu

Chociaż pobyt w szpitalu jest przerażający zarówno dla dzieci, jak i dla rodziców, może jednak być również doświadczeniem pozytywnym. W atmosferze troski i wsparcia, która w dzisiejszych czasach dominuje w większości szpitali dziecięcych, dziecko może rozwinąć w sobie większe poczucie wartości oraz dojrzałość poprzez uczenie się pokonywania swoich lęków i niepokoju związanych z hospitalizacją. W Szpitalu Dziecięcym w Bostonie staramy się, aby każde dziecko wychodziło z poczuciem: „Poradziłem sobie". Badania potwierdzają, że takie wysiłki mają sens – wzmocnienie poczucia bezpieczeństwa i panowania nad sobą są możliwe nawet w takich sytuacjach. Doświadczenie przebywania poza domem, bycia chorym i cierpiącym, pod opieką dorosłych, którzy nie są rodzicami, zawsze będzie stanowiło traumatyczne wyzwanie dla dziecka. Rolą rodziców jest wspieranie go w taki sposób, aby mogło z tego doświadczenia czerpać – dzięki niemu uczyć się i rozwijać. Rodzice muszą być częścią tego doświadczenia.

Przygotowanie dziecka

Podane dalej rady oparte są na wielu latach mojego osobistego doświadczenia i obserwacji.

Jak przygotować dziecko na pobyt w szpitalu

(1) Najpierw przygotuj siebie. Zanim będziesz w stanie pomóc dziecku, musisz poradzić sobie z własnym niepokojem związanym z rozstaniem i pobytem dziecka w szpitalu. Nalegaj, aby lekarz odpowiadał na wszystkie twoje pytania. Dziel się swoimi najgorszymi obawami zarówno z lekarzem, jak i z innymi zaufanymi osobami. Spytaj lekarza rodzinnego lub personel w szpitalu o wszelkie zabiegi, jakim zostanie poddane twoje dziecko.

(2) Zaplanuj wszystko tak, aby w krytycznych chwilach móc być razem z dzieckiem, na przykład w dniu przyjęcia na oddział, w dniu operacji czy podczas jakichkolwiek innych bolesnych zabiegów. Umów się, że spędzisz z dzieckiem pierwszą noc w szpitalu, aby mogło łatwiej przyzwyczaić się do nowego miejsca. Nawet jeśli trzeba będzie zawalczyć o to z administracją szpitala, radzę to zrobić. Żaden szpital nie może oczekiwać, że dziecko pozostanie bez rodzica w tych pierwszych chwilach czy podczas bolesnych lub przerażających dla niego zabiegów. Obecnie wiele placówek pozwala rodzicom przebywać z dzieckiem przez całą dobę; nawet niektóre oddziały intensywnej terapii zezwalają na czuwanie przy dziecku w nocy. Obecność rodzica jest niezbędna, jeśli dziecko ma sobie poradzić z przebywaniem z dala od domu i z bolesnymi zabiegami. W miarę możliwości zaplanuj jednak przerwy dla siebie i zapewnij sobie zastępstwo ze strony innych dorosłych, którzy

mogą cię wspierać, tak abyś mógł uporać się ze swoimi emocjami, zanim stawisz czoła przeżyciom dziecka. Być może będziesz potrzebował wypłakania się lub modlitwy, aby wrócić do równowagi.

(3) Wiem z doświadczenia, że najlepszym sposobem na przygotowanie dziecka jest bycie wobec niego szczerym i dostarczenie mu w miarę pełnego opisu tego, co je czeka. O ile to możliwe, przygotuj dziecko zawczasu, za pomocą jasnych, prostych i bezpośrednich komunikatów. Nigdy nie mów: „To nie będzie bolało", jeśli wiesz, że będzie inaczej. W zależności od wieku dziecka i sytuacji możesz powiedzieć: „Będziesz w sali z innymi chorymi dziećmi. Zobaczysz, że mają bandaże i kroplówki, czyli rurki podpięte do żył, przez które otrzymują lekarstwa. Być może przestraszy cię to, ale ja będę tam z tobą. Po operacji ty również będziesz miał kroplówkę, ponieważ przez nią pielęgniarki i lekarze będą cię karmić, gdy będziesz wracać do zdrowia, a nie będziesz miał ochoty na jedzenie i picie. Zostaniesz kilka razy ukłuty igłą – w paluszek i ramię. To boli, ale króciutko". Wyjaśnij, dlaczego pielęgniarka lub lekarz będą chcieli zbadać krew dziecka: „W taki sposób stwierdzą, jak bardzo jesteś chory oraz jak ci pomóc. Wiem, że ukłucie igłą nie jest przyjemne. Będę cię trzymać za drugą rękę, jeśli mi pozwolą, a kiedy ściśniesz mnie tak mocno, że aż mnie zaboli, to może ciebie nie będzie tak bardzo bolało. Sprawdźmy, czy potrafisz ścisnąć mnie naprawdę mocno! I możesz płakać, jeśli chcesz. Płacz jest OK!". Następnie powtórz te słowa w trakcie zabiegu.

(4) Jeżeli dziecko ma być znieczulane, dowiedz się, jak będzie to przebiegało. Powiedz mu zawczasu o masce zakładanej na twarz lub ukłuciu igłą. Zapewnij, że będziesz mu towarzyszyć przez cały czas (jeśli trzeba, domagaj się takiego prawa od szpitala), że będziesz obecny przy wybudzeniu (jeżeli rzeczywiście będziesz) oraz że pomożesz mu przez dzień lub dwa, gdy będzie bardzo słabe po operacji. Obiecaj, że gdy poczuje się lepiej, dostanie ulubione lody i inne nagrody. Świadomość, że jesteś przy nim i będziesz je chronić z całych sił, jest niezbędna dla poczucia bezpieczeństwa dziecka. Większość oddziałów dziecięcych zatrudnia pielęgniarki i inne osoby organizujące zajęcia dla małych pacjentów. Mają one dużą wiedzę na temat reakcji dzieci na ból i na szpitalne zabiegi. Są dobrymi duchami miejsca, a ich zadaniem jest przekształcenie pobytu w szpitalu w doświadczenie służące dziecku i rodzinie.

Aby uniknąć problemów, wiele szpitali dziecięcych proponuje zwiedzanie budynku – rzeczywiste lub wirtualne przez internet – rodzicom i dzieciom, którzy wybrali dany szpital jako miejsce zaplanowanej na przyszłość operacji. Takie zapoznanie się z miejscem jest ważnym zabiegiem zmniejszającym lęk, przygotowującym rodziców i dzieci na stawienie czoła rzeczywistości. Pracownicy szpitala prowadzą dziecko poprzez gabinet przyjęć na piętro, gdzie znajduje się oddział, a następnie na salę operacyjną, którą dziecko może obejrzeć w bezpiecznym towarzystwie rodziców, salę pooperacyjną, gdzie stoi łóżko dziecka, i na końcu do pokoju zabaw. Dzięki temu rodzice i dziecko wiedzą, co będzie się działo, gdy za jakiś czas zostaną przyjęci do szpitala – w wyniku tego lęk przed nieznanym zostaje zastąpiony poczuciem panowania nad sytuacją. W badaniach nad zdrowieniem pooperacyjnym odkryliśmy, że istnieje ogromna różnica w jakości i tempie poprawy stanu fizycznego, jeśli dzieci zostały zawczasu przygotowane na czekające je zabiegi. Objawy, które zwykle obserwuje się w domu po okresie hospitalizacji – moczenie się podczas spania, lęki, koszmary nocne i powrót do zachowań niemowlęcych – trwają dużo krócej, jeśli dziecko było dobrze przygotowane do pobytu w szpitalu. Te same badania pokazały też, że dzieci chętniej słuchają wyjaśnień, jeśli obecni są przy tym rodzice. Dziecko potrzebuje wiedzieć, że rodzic rozumie i aprobuje to, co będzie się z nim działo. Wtedy może zaufać, że zabiegi medyczne nie są niebezpieczne.

Co się jednak dzieje, gdy dziecko nie może być przygotowane z wyprzedzeniem? Większość hospitalizacji to przecież przyjęcia w nagłych wypadkach. Niektóre muzea dla dzieci mają specjalne sale, w których można prześledzić, co się dzieje w szpitalu. Są tam słuchawki lekarskie, fartuchy lekarzy i pielęgniarek, sala operacyjna przygotowana do zabiegu, łóżko szpitalne z przyciskami do podnoszenia i obniżania go, a nawet laboratorium z mikroskopem do badania krwi pobieranej przy przyjęciu do szpitala. Uważam, że to bardzo cenne doświadczenie dla dzieci, których choroba może wymusić nagłą hospitalizację. Sugeruję, aby rodzice zabrali dziecko do takiego miejsca lub przeczytali z maluchem odpowiednią książeczkę na temat pobytu w szpitalu jeszcze wtedy, gdy wszystko jest w porządku, żeby przygotować go na ewentualną nagłą hospitalizację.

Nikt oczywiście nie może przewidzieć, co się będzie działo w takim nagłym wypadku. W takiej sytuacji z pewnością dziecko najbardziej potrzebuje przy sobie rodzica. Może on na bieżąco wyjaśniać każdy zabieg i wspierać dziecko w czasie jego trwania.

W szpitalu

Rodzic, który towarzyszy dziecku w szpitalu, może wyjaśnić mu konieczność użycia lekarstw, igieł, kroplówek czy zastrzyków – jak będą użyte, jak bardzo bolesne i jak krótkotrwały będzie ból. Powiedz dziecku, po co są te zabiegi i jak mu pomogą. Po zakończeniu każdego kroku, gdy dziecko wytrzymało, pogratuluj mu. Podkreśl, że trudno było dać sobie radę, a jemu się udało.

Lęk przed okaleczeniem, który pojawia się w dziecku podczas choroby, nie może być ignorowany – trzeba o nim porozmawiać. Mów prawdę i bądź realistą. Dziecku wydaje się, że choroba będzie trwać wiecznie. Gdy cierpi, nie pamięta, że był czas, kiedy czuło się inaczej. Wydaje się mu, że ten stan nigdy się nie skończy. Poczucie bezradności, które towarzyszy cierpieniu, może przygniatać i niepokoić. Dziecko nieuchronnie będzie miało poczucie, że choroba to odwet za coś, co zrobiło. Kiedy usłyszy na przykład: „Gdybyś tylko miała wtedy odpowiednie butki...", będzie przekonane, że wszystko, co się dzieje, jest karą. Stwierdzenie mamy potwierdza coś, o czym było przekonane – że chore dzieci to niegrzeczne dzieci.

To poczucie odpowiedzialności i niemożności zapanowania nad sytuacją wzmacniają przekonanie dziecka, że już nigdy nie będzie zdrowe. Owa lękliwa rezygnacja może się utrwalić i mieć negatywny wpływ na zdolność walki z chorobą i proces zdrowienia. Dziecko może wówczas odmówić przyjmowania leków i celowo zachowywać się tak, aby zasłużyć na karę. Niemalże z ulgą przyjmie reprymendę lub naganę. Jeśli zauważysz, że ten schemat się powtarza, usiądź i porozmawiaj z dzieckiem. Niech powie ci o swoich emocjach. Powiedz mu, że nie jest odpowiedzialne za swoją chorobę. Zapewnij, że lekarz i ty wiecie, jak je leczyć, i że wkrótce wyzdrowieje. Gdy zacznie współpracować, przypomnij mu, że w ten sposób pomaga samo sobie. Kiedy wyzdrowieje, uświadom mu, że oboje wiedzieliście, co robić, i dzięki temu teraz czuje się już lepiej. Na koniec najważniejsze – niech dziecko ma poczucie, że poradziło sobie z chorobą i pobytem w szpitalu. Dzięki temu będzie lepiej przygotowane na radzenie sobie z innymi trudnościami w przyszłości.

Większość szpitali dziecięcych dysponuje pokojem zabaw i zatrudnia osobę organizującą zajęcia dla dzieci. Taki specjalista jest przeszkolony w dziedzinie rozwoju dziecka i zna techniki zabawy terapeutycznej. Spytaj go, w co może się bawić twoje dziecko, aby poradzić sobie z emocjami. Pokój zabaw zwykle jest wyposażony w odpowiednie zabawki, na przykład lalki w bandażach i szynach, a nawet zabawkowe kroplówki. Dzięki nim mali pacjenci mogą przeżyć w zabawie swoje choroby i lęki. W takim miejscu maluch poczuje się bezpiecznie i spotka inne dzieci, które przechodzą przez podobne doświadczenia. Może się tam dużo nauczyć o sobie i swojej chorobie, a także zyskać poczucie, że sam ją pokonuje.

Jeśli to tylko możliwe, dawaj dziecku do zrozumienia, że w jakimś stopniu panuje nad swoim światem i losem. Wyszukuj sytuacje, choćby rzadkie, w których będzie mogło dokonywać wyboru. Nawet owinięte w bandaże czy unieruchomione w szynach może dmuchnąć w komórkę, podyktować ci historię do zapisania czy napluć do aluminiowej puszki. Niech rozmazuje farbę paluszkami, przewraca budowle z klocków czy robi cokolwiek, co tylko jest możliwe w danej sytuacji. Jeśli poczuje, że ma kontrolę nad czymkolwiek, nie będzie całkowicie zależne od bolesnego świata choroby.

Zostań z dzieckiem w szpitalu przynajmniej przez pierwszą noc. Nawet jeśli będzie to wymagało przespania się na krześle, warto zrobić to dla dziecka. W dzień ktoś z rodziny może cię zastąpić, abyś mógł odpocząć w domu, dla dziecka jednak będzie ważne, że otrzymało od ciebie wsparcie w tym pierwszym, najstraszniejszym momencie. Jeśli jego hospitalizacja ma być długa, lepiej rozłożyć siły. Zaplanuj przerwy w ciągu dnia – dla ciebie mogą być błogosławieństwem, a dla dziecka sposobnością do nabycia zaufania do pielęgniarek, lekarzy i nauczycieli. Poczucie dziecka wzrośnie, jeśli ty także będziesz im ufać.

Kiedy zamierzasz wyjść, przygotuj do tego dziecko. Nigdy go nie okłamuj ani nie wymykaj się bez jego wiedzy. Ono musi ci ufać. Powiedz mu, kiedy wrócisz, i przyjdź na czas. Zanim wyjdziesz, pomóż maluchowi nawiązać kontakt z konkretną pielęgniarką lub lekarzem. Postaraj się, aby postrzegał lekarzy i pielęgniarki jako osoby, którym na nim zależy. Wówczas podczas twojej nieobecności dziecko będzie wiedziało, że aprobujesz tych zastępczych opiekunów. Po powrocie przypomnij, że dotrzymałeś obietnicy. Lęk przed porzuceniem narasta w dziecku, gdy jest poza domem, a dodatkowo w tak obcym i przerażającym miejscu. Za każdym razem, gdy wrócisz punktualnie, zgodnie z zapowiedzią, jego poczucie bezpieczeństwa wzrośnie.

Jeśli to możliwe, poproś innych członków rodziny, by odwiedzili was w szpitalu. Wiele placówek pozwala obecnie na odwiedziny rodzeństwa. Nic tak nie pocieszy chorego dziecka, jak widok brata lub siostry.

Kiedy dziecko wraca do domu

Kiedy dziecko wróci do domu, należy oczekiwać odreagowania. Większość dzieci cofa się do wcześniejszego etapu rozwoju. Zwykle zapominają o swoich ostatnich osiągnięciach. Na przykład mały tuptuś, który korzystał już z toalety od miesięcy, może znów zacząć się moczyć. Czterolatek, który wyrósł już z koszmarów nocnych, może widzieć w swoim pokoju potwory lub budzić się z krzykiem. Takie reakcje są normalne, a nawet zdrowe. Należy ich jak najbardziej oczekiwać, a także pomóc dziecku zrozumieć, że po pobycie w szpitalu lęki są naturalne i zrozumiałe. Pomoc w zrozumieniu owych reakcji będzie jak otwarcie drzwi prowadzących do zrozumienia siebie. Dziecko nie będzie wówczas musiało czuć się winne i zażenowane swoim nieadekwatnym do wieku zachowaniem.

Kiedy pomożemy dziecku odreagować bolesne doświadczenia z pobytu poza domem za pomocą rozmowy lub w zabawie, będzie to miało efekt terapeutyczny. Możesz zaaranżować szpital „na niby", w którym lala lub miś przeżyją wszystko to, czego doświadczyło dziecko. Pozwoli mu to wyrazić swoje lęki i obawy w bezpiecznym środowisku własnego domu. Mogą się pojawić przerażenie, ból i lęk przed powtórką, ale w zabawie wszystko jest w rękach dziecka – to ono ma wpływ na to, co się dzieje. Można je ponownie zapewnić – dziecko może też zapewnić samo siebie – że doskonale dało sobie ze wszystkim radę. Dzięki temu nabierze poczucia kompetencji po doświadczeniu, które mogło pozostawić w nim nawracające lęki.

25

Nadwrażliwość i nadpobudliwość

Wszystkie dzieci od czasu do czasu wydają się swoim rodzicom nadpobudliwe (zwłaszcza po posiłkach!), jednak ADHD, czyli zespół nadpobudliwości psychoruchowej z zaburzeniami koncentracji uwagi, to coś więcej niż tylko nadmiar energii. Dziecko cierpiące na tę dolegliwość nie tylko oddaje się szaleńczej aktywności, ale zmaga się również z niekontrolowaną impulsywnością oraz krótkim okresem koncentracji uwagi, która dodatkowo przerywana jest wrażliwością na bodźce. Problemy te utrudniają dziecku normalne funkcjonowanie w domu, w szkole oraz w relacjach z dorosłymi i innymi dziećmi.

Rozpoznanie nadpobudliwości

Chłopcy dużo częściej cierpią na to zaburzenie niż dziewczynki, dlatego zdarza się, że dziewczynki mogą być zaniedbane przez niedopatrzenie.

Nadmierna aktywność dziecka z ADHD czasami nie różni się od dużej aktywności mieszczącej się jeszcze w zakresie normy, aż do momentu rozpoczęcia szkoły, kiedy pojawia się nowe wyzwanie – konieczność koncentracji. Jednak uważni rodzice i pediatra mogą dostrzec objawy znacznie wcześniej. W niektórych przypadkach jednym z takich objawów może być nadwrażliwość na bodźce. Kiedy ktoś nagle klaśnie podczas zabawy, dziecko wystraszy się i wzdrygnie. Przy kolejnych klaśnięciach reakcja dziecka się zmniejszy, ale ciągle będzie widoczna. Dziecko niecierpiące na nadwrażliwość wyłączy uwagę już przy trzecim lub czwartym klaśnięciu. Dziecko niespokojne – dopiero

Nadpobudliwość

Nadpobudliwość jest wynikiem niedojrzałego, nadwrażliwego układu nerwowego, który nie potrafi nie reagować na napływające bodźce. Dziecko nie jest w stanie odciąć się od nieistotnych bodźców i dlatego nie może się skupić na tych ważnych w danym momencie. Każdy napływający sygnał jest odbierany bez filtrowania. Impulsy układu nerwowego wywołujące aktywność są również poza kontrolą, a mózg nie filtruje tych niepotrzebnych.

przy piątym bądź szóstym. Rzeczywiście nadwrażliwe dziecko będzie mrugać jeszcze przy dziesiątym do piętnastego klaśnięcia. Dziecko z ADHD może reagować na pięć lub sześć pierwszych klaśnięć, a następnie z dużym prawdopodobieństwem użyje wypracowanej już strategii zmniejszania wpływu powtarzalnych bodźców, których nie jest w stanie filtrować – zacznie śpiewać, odwróci się plecami lub zaangażuje się w jakąś aktywność, próbując zagłuszyć hałas. Kiedy klaskanie ustanie, dziecko zacznie hałasować i ruszać się, jakby próbowało pozbyć się nagromadzonego przeciążenia.

Wśród objawów ADHD może się też pojawić nieuważność. Dziecko potyka się i wpada na meble – albo z powodu nadmiernej impulsywności (nie potrafi zatrzymać się, by pomyśleć przed podjęciem działania), albo z braku umiejętności zaplanowania właściwej sekwencji ruchów (planowania motorycznego) lub z obu tych przyczyn. Wydaje się nie zauważać, że się uderzyło lub że nie udało mu się wykonać zadania. Przyzwyczaiło się już do porażek. Wskazówką, że dziecko oczekuje porażki, są jego usiłowania zatuszowania jej lub odwrócenia od niej uwagi obserwatora. Może próbować przyciągnąć jego uwagę do innego zadania. Jeśli mu się to nie uda, wchodzi w stan pewnego rodzaju emocjonalnej labilności. Płacz, śmiech, bieganie w kółko – to wszystko próby poradzenia sobie z własną impulsywną brawurą. Taki maluch nie potrafi nad sobą zapanować.

Ponieważ dziecko nie umie się odciąć od niepotrzebnych bodźców, jego uwaga jest krótkotrwała. Zaczyna jakąś aktywność i zaraz ją przerywa, będąc podekscytowane lub niespokojne. Choć nadpobudliwość często towarzyszy ADHD, niektóre dzieci cierpiące na deficyt uwagi nie są nadpobudliwe. Dokładną diagnozę mogą postawić jedynie doświadczeni specjaliści. Jeśli rodzice zauważą, że dziecko łatwo się rozprasza i reaguje na wszystkie bodźce, że jest labilne emocjonalnie i nie panuje nad sobą lub że jego szaleńcza aktywność jest wynikiem przeładowania układu nerwowego, powinni jak najszybciej poprosić pediatrę o zbadanie dziecka. Jeśli będzie taka konieczność, skieruje on malucha do psychiatry, neurologa, psychologa czy terapeuty zajęciowego. Dodatkowe problemy mogą zaostrzyć objawy, gdyż wiele dzieci z ADHD doświadcza również trudności w uczeniu się, a nawet depresji. Celem badań jest wyodrębnienie mocnych i słabych stron dziecka i stworzenie opartego na nich planu terapii. Dziecko powinno być poinformowane – językiem dla niego zrozumiałym – dlaczego jest poddawane badaniu oraz jakie mocne i słabe strony to badanie ujawnia. Można je powiązać z trudnościami dziecka, których jest ono już świadome i na których wyeliminowaniu mu zależy.

Leczenie może polegać na podawaniu leków (zwykle środka pobudzającego), terapii poznawczo-behawioralnej, poradnictwie dla rodziców (aby pomóc im w stworzeniu środowiska, które będzie wsparciem dla dziecka), umieszczeniu dziecka w szkole specjalnej oraz, w niektórych przypadkach, na psychoterapii (np. gdy zaburzenie obniżyło już poczucie wartości dziecka, co często się zdarza).

Leki na ADHD

Jeśli dziecku podawane są leki, muszą być one przepisane i monitorowane przez lekarza. W podjęciu decyzji o ich przyjmowaniu powinno mieć udział również dziecko. Rodzice muszą mu powiedzieć, że lekarstwo pomoże mu osiągnąć to, czego tak bardzo pragnie: zdolność powstrzymania swojej aktywności i skupiania uwagi. Jeśli lek się sprawdzi, dziecko będzie wiedziało, że to również jego zasługa, gdyż partycypowało w tej decyzji. Środki pobudzające są od wielu lat skutecznie używane do łagodzenia objawów ADHD. Dzięki nim pogłębia się umiejętność spokojnego siedzenia, koncentracji, czekania na swoją kolej i ograniczenia nerwowych, nieskoordynowanych ruchów, co w przypadku wielu dzieci diametralnie zmieniło ich poczucie własnej wartości, samoocenę i – ostatecznie – szansę na stanie się produktywnym obywatelem. Nadużywanie leków przez dzieci, które nie mają ADHD lub zostały nieprawidłowo zdiagnozowane, spotkało się z zasłużoną krytyką. Zwróciło również uwagę na wadliwy system edukacyjny, który często nie respektuje rytmu dziecka i różnych stylów uczenia się. Niektóre małe dzieci, chcąc przyswoić sobie jakąś wiedzę, muszą się ruszać podczas nauki. Inne potrzebują przerw na aktywność fizyczną, aby zrównoważyć czas intensywnego skupienia. Ponieważ w niektórych okręgach administracyjnych zmniejszono liczbę godzin wychowania fizycznego, bardzo aktywne, choć nie nadpobudliwe dzieci mogą kumulować w sobie napięcie, co utrudni odróżnienie ich od tych, które rzeczywiście potrzebują terapii.

Rola rodziców

Oprócz zapewnienia dziecku spokojnego środowiska pozbawionego nadmiaru bodźców zadanie rodziców będzie polegać na nagradzaniu każdego postępu. Nawet najprostsze pozytywne zachowanie, takie jak spokojne siedzenie podczas krótkiego

posiłku czy ukończenie łatwego zadania, wymaga pochwały. Rodzice muszą dać dziecku do zrozumienia, jak bardzo są z niego dumni, za każdym razem, gdy potrafi ogarnąć swoją dezorganizację. Ponieważ wychowywanie nadpobudliwego dziecka jest długotrwałym i wyczerpującym zadaniem, każdy rodzic musi zadbać o wypoczynek i odbudowanie sił. Ci, którzy wierzą w mocne strony swojego dziecka i współpracują w procesie terapii z optymistycznym nastawieniem i bez lęku, przekażą taką postawę dziecku i w znacznej mierze przyczynią się do coraz lepszego panowania nad sobą.

Największe potencjalne komplikacje mogą wystąpić wówczas, gdy dziecko uzna swoją niezdolność do poradzenia sobie z zaburzeniem. Dorasta ono wtedy w oczekiwaniu porażki, co niweczy wszelkie jego wysiłki w procesie edukacyjnym i przystosowawczym. Poczucie porażki i niska samoocena są poważniejszymi problemami niż samo ADHD. Z zaburzeniem można nauczyć się żyć, ale niewłaściwe nastawienie może rodzić zachowania skazujące dziecko na porażkę.

Rodzicom dzieci z ADHD sugeruję sporządzenie opisu:

(1) zachowania dziecka podczas kumulacji napięcia przed rozładowaniem;
(2) zachowania podczas rozładowywania napięcia;
(3) zachowania po rozładowaniu napięcia – czy dziecko potrafi się wówczas wyciszyć i skupić uwagę?

Jeśli dziecko nauczy się rozumieć swoje wzorce zachowania, rodzice będą umieli mu pomóc unikać nadmiernej kumulacji i potrzeby rozładowywania napięcia dzięki rozpoznawaniu oznak tego procesu. Małe dziecko może nauczyć się zapobiegać nadmiernej aktywności, jeśli w odpowiednim momencie wesprze się przytulanką, ssaniem kciuka lub wyciszy huśtaniem w bujanym fotelu. Wtedy – być może – będzie potrafiło skupić uwagę. Kiedy osiągnie takie świadome panowanie nad sobą, zasługuje na nagrodę – należy docenić jego ogromny wysiłek włożony w poradzenie sobie z zaburzeniem. Jeśli opanuje taki wzorzec zachowania do 5 lub 6 roku życia, będzie w stanie radzić sobie w szkole i sprostać wymaganiom utrzymywania długotrwałej uwagi. To może być długi i niełatwy proces. Takie dzieci potrzebują zarówno dużo cierpliwości i zachęty, jak i poczucia sukcesu. Za każdym razem, gdy skutecznie zapanują nad sobą w jakimkolwiek, choćby małym wymiarze, należy się im ogromna pochwała.

ADHD w późniejszym wieku

Kiedyś uważano, że ADHD to zaburzenie wieku dziecięcego, które kończy się wraz z nadejściem wieku młodzieńczego lub dorosłości. Obecnie uznaje się, że jest ono przewlekłe. Większość dzieci cierpiących na ADHD przejawia jego objawy również w wieku nastoletnim. Choć wtedy nadpobudliwość może nieco ustąpić, nadal wyraźne będą trudności w skupieniu uwagi, skoncentrowaniu na zadaniu, zauważaniu szczegółów, pamiętaniu o zadaniu domowym czy o swoich rzeczach, a zorganizowanie dnia będzie wyzwaniem. Wielu nastolatków z intensywnymi objawami ADHD wkracza z nimi w dorosłość. Choć diagnoza opiera się na ocenie objawów występujących przed 7 rokiem życia, niektórzy dorośli uświadamiają sobie ich występowanie dopiero w późniejszym okresie życia. Mogą one zagrażać ich bezpieczeństwu (takie osoby doświadczają więcej wypadków samochodowych i częściej nadużywają substancji uzależniających), wydajności (mają więcej trudności z rozwijaniem kariery zawodowej zgodnej z ich potencjałem) oraz ważnym relacjom. Obecnie, gdy wiadomo już, że ADHD nie kończy się wraz z nadejściem dorosłości, leki, terapia behawioralno-poznawcza oraz uświadomienie sobie wpływu tego zaburzenia na daną osobę i jej najbliższych dają nadzieję na poradzenie sobie z wyzwaniami, jakie ono niesie.

26

Choroba

Rozdział ten nie jest poradnikiem na temat leczenia chorych dzieci, ale – zgodnie z założeniem książki – przedstawia pierwsze kroki postępowania, by pomóc rodzicom zamienić ich zrozumiałe obawy dotyczące chorego dziecka w pozytywne i bezpieczne działanie. W każdym przypadku choroby skontaktuj się z lekarzem.

Dzieci zaczynają chorować nagle – przeważnie wieczorem, gdy przychodnie są już zamknięte. W jednej chwili bawią się i są pełne energii, w drugiej zaś zaczynają marudzić i przestają nad sobą panować. Nagle słaniają się na nogach i kładą na podłodze. Mają błyszczące oczy, a kolor ich skóry zmienia się na wściekle czerwony lub popielatoszary. Oddychają dwa razy szybciej i sprawiają wrażenie, jakby nie mogły złapać powietrza. Małe dzieci kwilą żałośnie lub w ogóle nie płaczą. Nie potrafią powiedzieć, co jest nie tak, ale widać wyraźnie, że czują się okropnie. Pogorszenie ich stanu zdrowia jest tym bardziej nagłe, że najpierw uparcie nie chcą przerywać zabawy, a potem, gdy już muszą, znajdują się w opłakanym stanie. Wszyscy, z wyjątkiem najbardziej doświadczonych rodziców, czują wówczas bolesny przypływ niepokoju. Pierwszym krokiem w postępowaniu z chorym dzieckiem będzie wzięcie go na ręce, utulenie i zapewnienie, że pomożesz mu, aby poczuło się lepiej. Choroba to czas, kiedy zarówno dzieci, jak i rodzice potrzebują siebie nawzajem, a dzieci będą do końca życia pamiętać, jak rodzice zajmowali się nimi, gdy były chore. Rodzice, którzy pracują, powinni znaleźć sposób, aby pozostać w domu z chorym dzieckiem.

Przygotowanie do nagłych sytuacji

Wszyscy rodzice powinni zawczasu przygotować się według następujących zasad:

(1) Umieść przy każdym telefonie w domu i zapisz w swoim telefonie komórkowym numery telefonów do lekarza, izby przyjęć szpitala oraz najbliższego ośrodka toksykologicznego.
(2) Przekaż te numery każdemu, kto opiekuje się dzieckiem.
(3) Kup wiarygodny poradnik postępowania w nagłych sytuacjach i przeczytaj wskazówki dotyczące takich sytuacji.
(4) Zabezpiecz dom przed dzieckiem: kuchnię, łazienkę, garaż i ogród.

Wymienione działania pozwolą rodzicom na spokojniejsze i bardziej efektywne działanie. Niepokój w nagłej sytuacji jest normalny. Dostarcza adrenaliny potrzebnej do stawienia czoła okolicznościom.

Kiedy zgłosić się do lekarza

Współcześni rodzice są zazwyczaj dobrze doinformowani w dziedzinie opieki medycznej i obawiają się nadmiernego leczenia, skutków ubocznych przepisywanych leków czy wykonywania niepotrzebnych badań. Zlecanie nieistotnych badań dodatkowych stało się częstsze wraz ze wzrostem liczby procesów o błąd w sztuce lekarskiej i wynikłej z tego atmosfery, w której muszą pracować lekarze.

Gdy decydujesz, kiedy zgłosić się z dzieckiem do lekarza lub do szpitala, prawdopodobnie masz na uwadze powyższe kwestie. Decyzja, aby zacząć od kuracji domowej, zamiast od razu biec do przychodni czy szpitala, nie tylko zaoszczędzi dziecku niepotrzebnego niepokoju, ale da mu dodatkowe poczucie bezpieczeństwa, że jego rodzice wiedzą, co należy w takiej sytuacji zrobić.

Oczywiście, w każdej sytuacji nagłej albo w razie jakiejkolwiek niewyjaśnionej zmiany w stanie zdrowia dziecka takie rozważania są bezzasadne i rodzice powinni natychmiast zadzwonić do lekarza. Nawet w przypadku bardziej pospolitych chorób dziecięcych istnieją uzasadnione powody, aby skorzystać z fachowej opieki medycznej. Do takich można zaliczyć leczenie każdej przedłużającej się infekcji, zapobieganie komplikacjom, gdy dziecko długo walczyło z chorobą, prewencję nawrotów choroby i chęć polepszenia samopoczucia dziecka, jeśli wszystkie znane rodzicom sposoby zawiodły.

Lekarz lub pielęgniarka mogą rozpoznać, czy dziecko jest na tyle chore, że wymaga leczenia lub dalszej diagnostyki. Przejmą za nie odpowiedzialność i wydadzą bardziej obiektywną opinię niż rodzice. Ostatecznie sam autorytet lekarza może

uwolnić i rodzica, i dziecko od odpowiedzialności za chorobę. Małemu dziecku może się wydawać, że choroba jest jego winą, że było niegrzeczne i zasługuje na nią. Czasami rodzicowi, który uosabia głos dyscypliny, trudno jest zaprzeczyć takiemu przekonaniu. Rodzice mają również zwyczajne poczucie winy, które się pojawia, gdy dziecko zaczyna chorować. Dzięki spokojnym wyjaśnieniom lekarz może uwolnić ich od niego, pocieszyć i zaproponować rodzinie odpowiedni sposób leczenia.

Gorączka

Gorączka nie jest chorobą, ale – zazwyczaj – oznaką walki organizmu z infekcją. Dzieci w wieku od 6 miesięcy do 3 lat mają skłonności do wysokiej gorączki, ponieważ ich mechanizmy termoregulacyjne są jeszcze niedojrzałe. Gorączka jest zdrową reakcją układu odpornościowego na infekcję zarówno wirusową, jak i bakteryjną. Większość stanów gorączkowych jest wywoływana raczej przez wirusy niż przez bakterie i nie wymaga zastosowania antybiotyków ani innego leczenia, poza podawaniem płynów i bezpiecznych dla dzieci leków obniżających gorączkę, zawierających paracetamol czy ibuprofen. Podarowanie dziecku szansy na budowanie swojej odporności poprzez samodzielną walkę z większością infekcji może być najlepszym rozwiązaniem, ale nie musisz takich decyzji podejmować samodzielnie. Jeżeli gorączkujące dziecko zostanie przyprowadzone do mnie zbyt wcześnie, nie zawsze mogę określić, gdzie umiejscowi się infekcja, i nie wiem, czy poradzi sobie samo, czy też będzie potrzebowało pomocy. Jeżeli u dziecka nie wystąpiły pewne objawy (opisane poniżej), wolałbym zobaczyć je ponownie po 24 godzinach samodzielnej batalii z chorobą. Wtedy mogę postawić właściwą diagnozę i określić, czy leczenie jest konieczne. Należy jednak pamiętać, że gorączka powyżej 37,9° C u niemowlęcia poniżej 6 miesiąca życia i powyżej 38,9° C u starszego dziecka powinna skłonić do szybkiego skontaktowania się z lekarzem.

Czy kark dziecka jest sztywny? Czy możesz przygiąć szyję do klatki piersiowej? Szyja dziecka z zapaleniem opon mózgowo-rdzeniowych nie może być przygięta do przodu, podczas gdy dziecko, które cierpi z powodu grypy, nie będzie chciało przygiąć karku, ale jest w stanie to zrobić. Prawdziwie sztywny kark wymaga natychmiastowego działania.
Czy przepływ powietrza w drogach oddechowych jest utrudniony? Wszystkie dzieci z gorączką oddychają szybciej niż normalnie, ale jeżeli słychać świst lub trzeszczenie wraz z każdym wdechem, mogą one potrzebować specjalistycznej pomocy.
Czy dziecko ciągnie się za ucho, jakby je bolało? Infekcje ucha, którym towarzyszy wysoka gorączka, mogą wymagać podania leku, a więc należy szybko zbadać dziecko.

Jeżeli u gorączkującego dziecka zauważysz którykolwiek z powyższych objawów, zadzwoń do lekarza lub pielęgniarki. Jeżeli ich nie ma, możesz spróbować najpierw podać dziecku leki, które masz w domu. Obserwuj, czy stan dziecka ulegnie poprawie na co najmniej 24 godziny. Jeśli maluch po zażyciu leku przeciwgorączkowego ożywia się i normalnie je, to dobry objaw.

Mierzenie temperatury

Dopóki dziecko nie skończy 5 lub 6 lat i nie nauczy się współpracować, termometry zawierające rtęć mogą być niebezpieczne. Elektroniczne termometry wkładane do ust są bezpieczniejsze, ale muszą być umieszczone pod językiem. Dobrą alternatywą dla małych dzieci i niemowląt są termometry w formie smoczka, ale nie wolno używać ich w innej funkcji niż do pomiaru temperatury. Termometry elektroniczne i rtęciowe mogą być używane do pomiaru temperatury pod pachą. Jeżeli to możliwe, przytrzymaj dziecko blisko przy sobie, umieść termometr pod pachą, tak by ramię dziecka ciasno przywarło do jego klatki piersiowej, i wyjmij go po około pięciu minutach (termometr rtęciowy) lub po usłyszeniu sygnału w termometrze elektronicznym. Może to być trudne do wykonania u małego wiercipięty. Temperatura pod pachą będzie o pół stopnia Celsjusza niższa niż w odbycie, chyba że do pomiaru używamy termometru błyskawicznego pod pachę. Jeżeli mierzysz temperaturę ciała w odbycie, połóż dziecko na brzuchu, na swoich kolanach. Włóż do odbytu, na głębokość około 2,5 cm, posmarowany wazeliną koniec termometru i przytrzymaj mocno za pomocą kciuka i palca wskazującego. Oprzyj dłoń na pośladkach dziecka, tak aby dłoń i palce przytrzymujące termometr mogły poruszać się razem z dzieckiem, gdy wierci się ono na twoich kolanach. Dzięki temu termometr nie wypadnie, nie zbije się ani nie zrani dziecka. Można również zastosować termometr bębenkowy (do ucha), ale nie będzie on pokazywał dokładnych pomiarów, jeżeli nie umieści się go prawidłowo, tak aby wypełniał całkowicie przewód słuchowy, albo gdy dziecko leżało na tym uchu lub wychodziło na zewnątrz na zimne powietrze.

Chcąc stwierdzić, czy gorączka jest niebezpieczna, nie kieruj się wyłącznie zakresem temperatur. To nie jest najważniejszy czynnik. Dziecko z wysoką gorączką, które wygląda na żwawe i żywo reaguje, budzi mniejszy niepokój aniżeli takie, które ma niższą temperaturę, ale jest wiotkie i obojętne. Innymi słowy, duża zmiana w zachowaniu dziecka – od wesołego i pełnego energii do zmartwionego i ospałego – to kryterium decydujące.

Odwodnienie

Największym problemem w czasie gorączki jest możliwość odwodnienia. Należy jak najszybciej podać dziecku niezagęszczone płyny. Brak nawodnienia to jeden z głównych powodów mizernego wyglądu dziecka z gorączką. Należy mu przeciwdziałać, aby pomóc dziecku poradzić sobie z infekcją będącą przyczyną gorączki. U niemowląt odwodnienie może nawet zagrażać życiu. Podawaj dziecku niezagęszczone płyny, za każdym razem małymi łykami, ponieważ gorączce często towarzyszy rozregulowanie żołądka. Jeżeli dziecko ma nudności i wymioty, wówczas tym bardziej należy zaradzić odwodnieniu. Jedna mała łyżeczka słodkiego płynu ze szczyptą soli, na przykład odgazowanego napoju imbirowego, lekko słodzonej herbaty (w przypadku niemowląt poniżej 1 roku życia używaj raczej cukru niż miodu) albo zwykłej wody z cukrem i solą (pół litra wody, jedna łyżka cukru i pół łyżeczki soli) mogą być podawane co pięć minut w ciągu pierwszej godziny (być może trudno będzie w tym okresie podać mleko modyfikowane, ale karmienie piersią powinno być kontynuowane, szczególnie jeżeli niemowlę nie będzie chciało pić z butelki). Łyżka płynu co pięć minut w drugiej godzinie, około 35 mililitrów co pięć minut w trzeciej i czwartej godzinie (ok. jeden kubek na godzinę) pomoże zneutralizować zarówno rozregulowanie żołądka, jak i odwodnienie. Należy dążyć do podania około jednego litra płynów na dobę, jednakże dokładne zapotrzebowanie płynowe dziecka z odwodnieniem i gorączką będzie zależało od tego, jaką objętość płynów utraciło, jak również od jego masy ciała. Na przykład zdrowe, ważące 4,5 kilograma niemowlę potrzebuje około 450 mililitrów płynów dziennie, podczas gdy zdrowe, ważące 22,5 kilograma dziecko – około 1500 mililitrów; i jedno, i drugie będzie potrzebowało więcej w czasie gorączki. Można również zastosować doustny płyn nawadniający dla niemowląt i dzieci (to nie to samo co płyn nawadniający dla sportowców). Farmaceuta lub lekarz pomoże wybrać odpowiedni środek i określić właściwe objętości dla danego dziecka. Można wówczas zakupić większą ilość na zapas.

Jeżeli dziecko nadal źle się czuje, w celu obniżenia gorączki można mu podać – zgodnie z instrukcją na opakowaniu lub zaleceniem lekarza – paracetamol dla niemowląt lub dzieci, ale nie aspirynę, jako że w pewnych rzadkich przypadkach może wywołać niebezpieczny stan zwany zespołem Reye'a. Jeżeli po 24 godzinach dziecko nadal wygląda na chore, to bez względu na to, jaką ma temperaturę, należy skontaktować się z lekarzem. Jeśli udało się obniżyć temperaturę dziecka za pomocą leku przeciwgorączkowego albo poprzez włożenie do wanny z letnią wodą, powinno się ono poczuć lepiej. Gdy tak nie jest, dziecko daje do zrozumienia, że potrzebuje kontaktu z lekarzem.

Drgawki

Wysoka temperatura (powyżej 39,4° C) może u małego dziecka wywołać drgawki gorączkowe. Częściej występują one u dzieci poniżej 3 roku życia albo u nieco starszych dzieci, które mają niski próg drgawkowy. Napady drgawkowe wyglądają przerażająco. Dziecko usztywnia ciało, wygina je w łuk, a kończyny zaczynają drgać napadowo w powtarzających się cyklach. Maluch może mieć kłopoty z oddychaniem i się ślinić. W którymś momencie traci przytomność. Jeżeli przytrafi się to twojemu dziecku, połóż je na podłodze (w miarę możliwości na miękki dywan lub poduszki), z dala od rzeczy, o które mogłoby się uderzyć, ale nie ograniczaj mu ruchów. Połóż je na boku lub w pozycji półsiedzącej, z głową obniżoną, tak aby była możliwość utrzymywania drożności dróg oddechowych i aby zapobiec zadławieniu się w razie wymiotów. Wbrew powszechnemu przekonaniu dziecko nie zadławi się językiem. Jeżeli jest to pierwszy napad drgawek, natychmiast wezwij lekarza. Zadzwoń po pogotowie, jeżeli dziecko ma trudności z oddychaniem lub sinieje, gdy napad trwa dłużej niż dwadzieścia minut (dłużej niż dziesięć w przypadku dziecka, które już otrzymuje leczenie przeciwdrgawkowe) albo gdy drugi napad drgawek nastąpi, zanim dziecko odzyska przytomność.

Chcąc skrócić napad drgawek gorączkowych albo zapobiec im, gdy temperatura ciała dziecka gwałtownie się podnosi, rodzice mogą starać się obniżyć gorączkę. Płyny oraz leki obniżające gorączkę są skuteczne, ale nie można ich podawać dziecku, które jest ospałe po napadzie – należy zaczekać, aż będzie całkowicie przytomne. Rodzice mogą jednak zacząć od przemycia dziecka gąbką w wannie z letnią wodą, zwracając uwagę, aby podgrzać wodę, jeżeli dziecko zaczyna drżeć z zimna lub sinieją mu usta. Nie należy stosować zimnej wody, ponieważ nagła, drastyczna zmiana temperatury może być w tej sytuacji niebezpieczna. Jeżeli stan dziecka poprawi się w wannie, można zaczekać z telefonem do lekarza, chyba że był to pierwszy napad drgawek gorączkowych. Gdy stan dziecka się nie poprawi, poproś współmałżonka lub sąsiada o wezwanie karetki bądź zadzwonienie na numer ratunkowy 112. Powiadom również lekarza dziecka, aby przygotował się na wasz przyjazd do szpitala. Z całym prawdopodobieństwem drgawki ustaną, zanim tam dotrzecie, ale jeżeli był to pierwszy napad, istotne jest, żeby dziecko zostało zbadane. Należy wykluczyć zapalenie opon mózgowo-rdzeniowych – poważną chorobę, która może powodować zarówno wysoką gorączkę, jak i drgawki – a w przypadku jej rozpoznania trzeba natychmiast rozpocząć leczenie.

Niekiedy pośpiech i przybycie do szpitala przed obniżeniem gorączki może przedłużyć trwanie napadu drgawek. Jeśli tylko dziecko jest przytomne i żwawe, należy podać mu niezagęszczone płyny i lek na obniżenie gorączki – zawsze po przeczytaniu wskazówek umieszczonych w ulotce i zastosowaniu się do nich.

Jeżeli dziecko ma gorączkę, a w przeszłości miało już napad drgawek gorączkowych, zalecam, aby zacząć podawać mu lek przeciwgorączkowy regularnie według schematu dobowego, nie przekraczając całkowitej dopuszczalnej dawki dobowej, przestrzegając dawkowania stosownego do wieku i masy ciała zaleconego na opakowaniu lub przez lekarza prowadzącego. Zawsze gdy dziecko zaczyna gorączkować, można zastosować ten schemat, aby zapobiec nagłemu podniesieniu się gorączki i wynikającym z niej drgawkom. Niektórzy lekarze mogą również zalecać podanie leku przeciwdrgawkowego, jak diazepam, zawsze gdy u dziecka z drgawkami w wywiadzie zaczyna się infekcja z prawdopodobieństwem wystąpienia gorączki. Tak czy inaczej, należy porozmawiać z lekarzem na temat sposobów postępowania z drgawkami i zapobiegania im. Co ciekawe, w przypadku dziecka, które kiedyś miało już wysoką gorączkę bez drgawek, istnieje bardzo małe prawdopodobieństwo pojawienia się drgawek wraz kolejnym epizodem wysokiej gorączki. Z kolei drgawki bez gorączki będą wymagały dalszych badań przeprowadzonych przez pediatrę oraz – często – przez neurologa dziecięcego, aby określić ich przyczynę i zastosować właściwe leczenie.

Odmowa picia

Kiedy moja córka miała 2 lata, musiałem zmierzyć się z tym problemem. Zdawałem sobie sprawę z tego, że jest odwodniona, ponieważ nie oddawała moczu przez 18 godzin, miała suche usta i zapadnięte oczy. Stanęliśmy przez widmem hospitalizacji, jeżeli nie zaczęłaby pić.

Wcześniej mawiałem rodzicom moich pacjentów, że jeżeli będą zdeterminowani, ich dziecko to zrozumie i będzie współpracować, ale sam nie miałem jeszcze wtedy dwuletniego dziecka. Teraz wiedziałem, że jeśli nie znajdę sposobu, aby moja córka zaczęła pić płyny w domu, ktoś inny zrobi to za mnie – w szpitalu. Dlatego ostrzegłem ją, że jeżeli nie wypije ciepłego, odgazowanego napoju imbirowego, przytrzymam ją za nos i wleję jej go do gardła. Ponownie odmówiła, więc na siłę wciągnąłem ją na swoje kolana. Znowu zapewniłem ją stanowczym głosem, że będę musiał po prostu wlać w nią napój. Wydaje się, iż w tym momencie zrozumiała, że mówię całkiem poważnie i nie zmienię swojego stanowiska. W końcu zaczęła pić, a wkrótce była nawodniona i radosna. Nie wyglądało na to, że ma mi za złe moje brutalne zachowanie. Chociaż czułem, że byłem surowy, i żałowałem tego, uniknęliśmy szpitala! Kiedy dziecko jest chore, rodzice czasami muszą być okrutni w swojej determinacji – wszystko po to, aby chronić dziecko raczej przed chorobą niż przed jej leczeniem.

Przeziębienia

Przeziębienie zazwyczaj trwa tydzień u starszych dzieci, a dwa tygodnie u mniejszych i niemowląt, ale jeżeli stan dziecka wydaje się pogarszać po 3–5 dniach choroby, należy skontaktować się z lekarzem. Jest to czas próby dla rodziny, zwłaszcza gdy małe dzieci zaczynają chodzić do żłobka lub przedszkola i tym samym częściej chorują. Aby dziecko poczuło się lepiej, należy dawać mu duże ilości płynów. Jeśli to konieczne, przerywam karmienie dziecka na dzień lub dwa po to, by skupić się na podawaniu picia. Użycie nawilżacza w pokoju dziecka ułatwi rozrzedzenie wydzieliny z nosa i zatok, tak by mogła łatwo wypłynąć. Nie polecam odsysania nosa, chyba że jest to absolutnie niezbędne, urządzenie do odsysania jest bowiem inwazyjne i – podrażniając błonę śluzową – przynosi tyle samo szkody, ile pożytku.

Chcąc zmniejszyć obrzęk w nosie, należy kłaść przeziębione dziecko w łóżeczku tak, aby jego głowa była nieco wyżej niż stopy. Podaj do nosa roztwór wody z solą (pół łyżeczki soli na ok. 240 mililitrów przegotowanej wody, schłodzonej do temperatury pokojowej) albo zastosuj aerozol z soli fizjologicznej na pół rozcieńczony z wodą przed posiłkami, tak aby dziecko mogło jeść i pić pomimo kataru. Przypominam jednak, że kiedy dziecko jest przeziębione, jedzenie nie jest najważniejsze; potrzeba mu jedynie płynów.

Konieczne może też się okazać regularne podawanie rozcieńczonych kropli do nosa co 4 godziny w ciągu nocy, aby pomóc dziecku w oddychaniu. Jeżeli nie ma wyraźnej poprawy po dwóch lub trzech dniach stosowania domowych sposobów, skonsultuj się z lekarzem (dłuższe używanie aerozolu do nosa może powodować obrzęk tkanek). Zwykłe przeziębienia mają jeden pozytywny aspekt: pomagają zwiększyć odporność dziecka. Jest to jednak mała pociecha, jeżeli dochodzi do zapalenia uszu lub innych częstych powikłań.

Krup (zapalenie krtani)

Zapalenie krtani to choroba, która wzbudza szczególny niepokój u rodziców i u dzieci. Wdechowi powietrza do płuc towarzyszy szorstki, chrapliwy dźwięk. Można go porównać do szczekania foki. Mówieniu towarzyszy chrypka, a trudność w nabraniu wystarczającej ilości powietrza do płuc jest dla dziecka zatrważająca. Gdy wpada w panikę, w jego drogach oddechowych dochodzi do jeszcze większego skurczu, co sprawia, że oddychanie staje się coraz trudniejsze. Zapalenie krtani wywołane jest przez wirusy, które mogą być również przyczyną infekcji górnych dróg oddechowych, dlatego też obrzęk i zwężenie dróg oddechowych charakterystyczne dla zapalenia krtani często pojawiają się w trakcie przeziębienia lub tuż po nim. Często zdarza się to u dzieci poniżej 5 roku życia i jest tym poważniejsze, im młodsze dziecko.

Problem się nasila, kiedy rodzice również zaczynają się bać. Każdy, kto miał do czynienia z zapaleniem krtani bez wcześniejszego przygotowania, wspomina ten epizod jako jedno z najbardziej przerażających doświadczeń z okresu opieki nad dzieckiem. Wiedza, co należy robić w takiej sytuacji, może rozładować napięcie.

Pogotowie będzie potrzebne, jeśli dziecko walczy o każdy oddech (jednym z objawów może być poruszanie się mięśni klatki piersiowej i szyi w rytmie wdechu i wydechu) lub gdy sinieją mu usta. Natychmiastowego kontaktu z lekarzem wymaga

Co robić przy zapaleniu krtani?

(1) Wstaw do łazienki krzesło – o ile to możliwe, bujany fotel – a następnie odkręć kurek, tak aby gorąca woda lała się pod największym ciśnieniem, a pomieszczenie szybko zaparowało przy zamkniętych drzwiach.
(2) Usiądź obok prysznica lub wanny z dzieckiem w ramionach, kołysząc je i śpiewając mu, by je uspokoić; powstająca para stopniowo będzie ułatwiać mu oddychanie.
(3) Daj dziecku lizaka do ssania. Przyniesie to ukojenie dla gardła i zrelaksuje dziecko.
(4) Podaj mu parę łyków płynu, chyba że ma zbyt duże trudności z oddychaniem. Podeprzyj jego głowę tak, aby była wyżej niż reszta ciała, nawet jeżeli śpi.
(5) Po wdychaniu zaparowanego powietrza przez pół godziny dziecko powinno poczuć się lepiej. Jeżeli tak nie jest, potrzebna jest pomoc z zewnątrz. Zadzwoń natychmiast do lekarza. Jeżeli nie możesz się skontaktować z nim lub jego awaryjnym zastępcą, dzwoń na pogotowie.

również wysoka gorączka, ponieważ ten objaw w połączeniu z trudnościami w oddychaniu może wskazywać na znacznie rzadziej występującą, ale o wiele bardziej poważną chorobę – zapalenie nagłośni. Ponieważ stan ten wywołany jest raczej przez bakterie, a nie wirusy, zazwyczaj zaczyna się nagle, w przeciwieństwie do krupu pojawiającego się w trakcie przeziębienia.

Jeżeli dziecko z zapaleniem krtani musi być przewiezione do szpitala, staraj się je maksymalnie uspokoić. Opieka obcych osób w nieznanym miejscu zwiększy tylko jego niepokój, więc bądź blisko niego. Jeżeli ma zostać umieszczone pod namiotem tlenowym, by zapewnić właściwą podaż tlenu, wejdź do niego wraz z dzieckiem – wówczas nie będzie to takie przerażające.

Jeżeli stan dziecka poprawia się w domu, zbuduj „namiot tlenowy" wokół łóżka lub łóżeczka. Umieść nad łóżeczkiem prześcieradło, mocując je do dwóch boków lub stelaża łóżka, pozostawiając dwa boki otwarte w celu cyrkulacji powietrza. Skieruj parę z nawilżacza pod namiot. Oprzyj dziecko na poduszkach i usiądź przy nim, aby je uspokajać, płacz może bowiem ponownie spowodować skurcz w drogach oddechowych. Bądź przy dziecku przez całą noc. Jeżeli uda się wam za pomocą tych sposobów przetrwać do rana, stan dziecka radykalnie się poprawi. W trakcie kolejnych nocy może chwilowo się pogarszać, ale maluch nie będzie tak chory i tak przerażony podczas drugiej czy trzeciej nocy, jak podczas pierwszej. Większość zapaleń krtani (około 98%) może być leczona w domu, bez leków, ale gdy stan dziecka pogarsza się i dodatkowo ma ono gorączkę, należy zgłosić się do lekarza.

Biegunka

Podstawowym zagrożeniem dla dziecka z biegunką jest odwodnienie. Cztery luźne stolce na dobę raczej nie wywołają tego stanu, ale jeżeli są wodniste lub występują częściej niż sześć razy w ciągu 24 godzin, dziecko może się odwodnić. Będzie wtedy rzadziej oddawało mocz, jego usta, język i wargi staną się suche, a oczy będą się wydawały zapadnięte. Dziecko może być pobudzone albo senne. Zmuszaj je do picia niezagęszczonych płynów (jak opisano to wcześniej), najlepiej bulionu, słodkiej herbaty z niewielkim dodatkiem soli lub odgazowanego napoju imbirowego.

Uwaga

W czasie nasilenia biegunki trawienie mleka modyfikowanego będzie utrudnione, ale karmienie piersią powinno być kontynuowane, szczególnie gdy dziecko odmawia butelki. Jego przewód pokarmowy musi odpocząć, dlatego podawaj mu tylko pokarmy łatwo przyswajalne. Nie wycofuj jednak całkowicie mleka ani innych produktów nabiałowych, chyba że takie będzie zalecenie lekarza. Dawniej uważano, że tego typu produkty nasilają biegunkę, ale wydaje się, że przyspieszają one proces zdrowienia i pomagają odbudować niedobory pokarmowe.

Dziecko, które niedawno nauczyło się korzystać z toalety, być może będzie musiało wrócić na jakiś czas do pieluch. Zaproponuj mu to i nie rób z tego problemu.

Krew i śluz w stolcach to niebezpieczne objawy. Jeżeli zauważysz którykolwiek z nich lub gdy uporczywa biegunka utrzymuje się dłużej niż 24 godziny, zadzwoń do lekarza.

Ból uszu

Większość z nas pamięta udrękę związaną z bólem uszu w dzieciństwie. Bardzo małe dzieci nie umieją powiedzieć, co je boli, ale będą dotykać uszu paluszkami i płakać. Bóle uszu są powszechną dolegliwością, a ich najczęstszą przyczyną u dzieci poniżej 6 roku życia jest zapalenie ucha środkowego. Ten rodzaj bólu ucha zazwyczaj towarzyszy przeziębieniu lub katarowi z zatkanym nosem. Tkanki w obrębie gardła puchną, blokując zlokalizowane na jego tylnej ścianie wejście do kanału Eustachiusza, prowadzące bezpośrednio do ucha środkowego. Ból jest rezultatem zwiększonego poziomu płynu i ciśnienia. Jeżeli podejrzewasz infekcję ucha, skontaktuj się z lekarzem. Po potwierdzeniu rozpoznania konieczne może być podanie antybiotyków. Zauważyłem, że jeżeli gardło i przewody nosowe również są obrzęknięte, pomocne może się okazać obkurczenie tych tkanek i zmniejszenie ciśnienia za pomocą leku przeciwhistaminowego lub środka udrożniającego górne drogi oddechowe. Niemowlętom od 6 miesiąca życia zawsze zalecam również podanie kropli udrażniających nos, rozpuszczonych w wodzie w proporcji 1:1. Wprowadzenie jednej lub dwóch kropel do każdego nozdrza, a następnie szybkie obrócenie głowy w ten sposób, aby bolące ucho skierowane było ku dołowi, często przynosi ulgę. Nigdy jednak nie należy wkładać niczego do ucha. Jeżeli ból się utrzymuje, zadzwoń do lekarza.

Uwaga

Kiedy infekcje uszu nawracają, potrzebna będzie konsultacja specjalisty chorób uszu, nosa i gardła (otorynolaryngologa). Powinien on sprawdzić słuch dziecka, ponieważ przewlekłe zaleganie płynu w uszach może utrudniać słyszenie, a w związku z tym naukę mowy. W przypadku przewlekłych infekcji uszu naprawdę skuteczne może być zastosowanie metody chirurgicznej, polegającej na umieszczeniu drenów w błonie bębenkowej.

Krwawienia z nosa

Krwawienie z nosa wzbudza przerażenie i zawsze wydaje się dużo groźniejsze niż jest w rzeczywistości. Przede wszystkim spróbuj zatrzymać krwawienie, zaciskając nos przez około dziesięć minut, aby wywrzeć ucisk na naczynia wewnętrzne. Zrób okład z lodu na nasadę nosa. Nie pozwalaj dziecku kłaść się na plecach ani odchylać głowy do tyłu. Pomocne może być złożenie kawałka papieru toaletowego w kwadrat o boku około 1–2 centymetrów i umieszczenie go pod górną wargą, tak aby uciskał na przegrodę nosa. Kiedy krwawienie ustanie, powiedz dziecku, żeby nie wydmuchiwało nosa zbyt wcześnie, bo krwawienie znów się pojawi. Jeżeli krwawienie utrzymuje się powyżej dwudziestu minut, zadzwoń do lekarza. Gdy trwa ponad godzinę, będzie wymagało leczenia specjalistycznego. Krwawienia będące wynikiem uderzenia w głowę lub nos wymagają postępowania jak w nagłych wypadkach.

Uwaga

Aby zapobiegać nawracającym krwawieniom z nosa, nakładaj rano i wieczorem wazelinę na ścianki przegrody w jamie nosowej. Może to być pomocne, kiedy powietrze zarówno wewnątrz, jak i na zewnątrz jest gorące i suche albo gdy dziecko jest przeziębione lub ma alergię. Jeżeli pomimo tego zabiegu krwawienia z nosa nawracają, skontaktuj się z lekarzem.

Aby dbać o zdrowie i bezpieczeństwo dziecka, rodzice mogą podejmować działania prewencyjne. Wielu wypadkom będącym główną przyczyną poważnych urazów u dzieci można zapobiec poprzez dokładne zabezpieczenie domu. W miarę dorastania dziecka pojawiają się nowe zagrożenia – na przykład schody, detergenty pod zlewozmywakiem, otwarte okna bez zabezpieczeń – dlatego należy podejmować nowe środki ostrożności. Infekcje mogą być zredukowane dzięki karmieniu piersią, szczepieniu (także przeciwko grypie) i dokładnemu myciu rąk, szczególnie po zmianie pieluch, w sezonie grypowym i w przypadku dzieci przebywających w placówkach opieki grupowej. W 2 roku życia rodzice mogą zacząć uczyć dziecko mycia rąk i zatykania ust i nosa podczas kaszlu lub kichania, chociaż na pewno potrzebne będzie cierpliwe powtarzanie, zanim stanie się to nawykiem. Bliska obecność rodzica podczas choroby dziecka – aby położyć zimny okład na czoło, przeczytać spokojnie bajkę albo podać łyk łagodzącego napoju imbirowego lub herbaty – nigdy nie zostanie zapomniana i pomoże dziecku modelować swoje zachowanie i w przyszłości opiekować się innymi. Pamiętaj, że jego odporność będzie stymulowana podczas każdej infekcji. Te sytuacje, z którymi dziecko poradzi sobie bez leków, będą dla jego odporności prawdziwym czynnikiem pobudzającym. Zatem nie zniechęcaj się zbytnio, kiedy nadchodzi choroba.

27

Wyimaginowani przyjaciele

Niemal wszystkie trzy- i czterolatki mają wyimaginowanych przyjaciół. Zachwycam się tym zjawiskiem, gdyż wskazuje ono na rozwijającą się wyobraźnię. Dziecko potrzebuje prywatności, aby mogło rozwijać tę relację – w ten świat nie wolno ingerować.

Znaczenie wyimaginowanych przyjaciół

Jak już pisałem w rozdziale 13, należy cieszyć się z istnienia w życiu dziecka wymyślonych przyjaciół. Z poznawczego punktu widzenia wyobraźnia to bardzo ważna oznaka wysiłków dziecka w kierunku zrozumienia coraz bardziej złożonych aspektów tego świata, które do tej pory umykały jego uwadze. Jednak w 3 roku życia dziecko nie potrafi jeszcze wyraźnie oddzielić świata wyobraźni od rzeczywistości. Jego zdolność tworzenia wyimaginowanych światów, wymyślania postaci czy ożywiania ukochanych lalek to przejaw szybko rozwijającej się umiejętności testowania granic tego świata. Na nierealnego przyjaciela można zrzucić całe zło, jakie nas otacza. Nienawiść, zawiść, kłamstwa, egoizm, nieczystość i każda inna niedoskonałość, która budzi w dziecku poczucie winy, może być teraz przypisana komuś innemu – właśnie wyimaginowanemu przyjacielowi. Można też przyjąć tożsamość swojego przyjaciela, próbując zrzucić z siebie odpowiedzialność za wszelkie złe uczynki. Taka postawa to próba dostosowania się do tego, czego wszyscy od dziecka oczekują – próba poszukiwania dobra i zła. To dopiero początek procesu, więc cechuje go ogromna kruchość. Dziecko chce przejść przez niego samodzielnie – musi nauczyć się angażować w te eksploracje bez udziału rodziców. Ich ingerencja zmniejszy bowiem jego zdolność do samodzielnego odkrywania świata.

Z emocjonalnego punktu widzenia wyimaginowani przyjaciele mogą odgrywać bardzo ważną rolę. Ich obecność to sposób dziecka na odkrycie, jakie chce być. Może dominować nad nimi i na nich wpływać. Dzięki nim w bezpieczny sposób może być dobre lub złe. Poprzez takich przyjaciół może identyfikować się z dziećmi, które są dla niego zbyt przerażające. W bezpieczny sposób może „stać się" innym dzieckiem. Może też identyfikować się z każdym ze swoich rodziców pod bezpieczną tożsamością wyobrażonego przyjaciela, wypróbować role męskie i żeńskie czy przetestować wszystkie aspekty swojej osobowości. W taki sposób cztero- i pięciolatek zaczyna odkrywać własną tożsamość.

Zasadne jest przyjrzenie się, czy dziecko nie ucieka w samotność. Choć potrzebuje ono czasu dla siebie, powinno też uczyć się przebywać w towarzystwie swoich rówieśników. Gdyby nie potrafiło zrezygnować z wyimaginowanych przyjaciół na rzecz tych realnych, byłby to powód do zmartwienia. Jeśli zaniedbywałoby aktywny udział w zajęciach w przedszkolu czy w zabawie, wówczas świat wyobrażony mógłby świadczyć o zbyt dużej izolacji i samotności. Natomiast jeśli dziecko potrafi zostawić swój wewnętrzny świat, aby pobawić się z kolegami, wszystko jest w porządku.

Jaki wpływ na ten proces ma telewizja? Niewątpliwie ogranicza czas, jaki dziecko mogłoby poświęcić na swoje fantazje. Gdy rodzice pozwalają mu oglądać zbyt wiele programów, nie znajdzie potrzebnego czasu i energii na odkrywanie świata samemu. Telewizja wprowadza dziecko w stan obezwładniającej bierności. Bruno Bettelheim zauważył, że bajki i inne tradycyjne opowieści czytane na dobranoc uruchamiają w dziecku proces badania swojej agresji i szukania tożsamości, które są w tym wieku potrzebne. Telewizja, jeśli nie jest rozsądnie dawkowana, ma zaś działanie odwrotne – narzuca dziecku sztuczny świat przemocy i nieokreślonego dobra i zła, zagłuszając jego własne fantazje.

Jak postąpić, gdy dziecko używa wyimaginowanego przyjaciela, aby wykręcić się kłamstwem z trudnej sytuacji? Takie zachowanie jest w tym wieku bardzo typowe. Rodzice powinni się najpierw zastanowić, czy dziecko potrafi odróżniać rzeczywistość od pobożnych życzeń, gdyż kłamstwa w tym wieku należy zaliczyć właśnie do tej drugiej kategorii (zob. rozdział 29). Unikając konfrontacji, należy zauważyć, że dziecko chciałoby, aby dana sytuacja wyglądała inaczej. Akceptując jego pobożne życzenia i równocześnie sprowadzając dziecko do rzeczywistości, rodzic pomaga mu uczyć się granic funkcjonujących w realnym świecie. Komunikat, jaki powinno usłyszeć, brzmi: „Nie musisz kłamać. Będę cię kochał, nawet jeśli nie spodoba mi się to, co zrobiłeś". Pozwoli to również dziecku bezpiecznie badać świat fantazji, gdyż wie, że rodzic sprowadzi go do świata realnego.

Reakcje na wyimaginowanych przyjaciół

Na początku wycieczka w świat fantazji to zbyt osobiste przeżycie, aby dzielić się nim z rodzicami. Własny świat dziecka, należący do niego przyjaciele i specyficzny język, jakiego w nim używa, są bardzo cenne i muszą być przez dorosłych uszanowane. Niestety starsze rodzeństwo szybko wyczuwa obecność tych nierealnych postaci i często wyśmiewa się z nich, niwecząc wolność odkrywania świata fantazji, jaką one dają. Pierwsze dziecko ma możliwość badania tego świata i upajania się swoją rozwijającą się wyobraźnią. Niestety drugie i trzecie nie mają już tego komfortu prywatności i często są sprowadzane „na ziemię" przez starsze rodzeństwo.

Rodzicom również mogą się nie podobać wyimaginowani przyjaciele. Dlaczego tak się dzieje? Większość dorosłych czuje się porzucona przez dziecko i odczuwa zazdrość. Zostawienie dziecku wolności to najtrudniejsze zadanie rodzicielstwa. Im bardziej strzeże ono swojego świata fantazji, tym większą zazdrość może to wzbudzać. Ponadto, twórcze poszukiwania czterolatka są tak nowym zjawiskiem, że przerażają rodziców, gdy chodzi o ich pierwsze dziecko. Będą się oni zastanawiać, czy maluch rzeczywiście rozróżnia rzeczywistość od fantazji, które buduje. Czy nie pogubi się w nierealności? Czy użyje swojego „złego" przyjaciela, aby wyłgać się z trudnej sytuacji? Czy będzie wolał przebywać w swoim świecie, zamiast bawić się z realnymi kolegami? Są to typowe pytania zadawane przez rodziców dzieci w tym wieku.

Czy dorośli powinni aktywnie uczestniczyć w fantazjach dziecka? Czy mają nakrywać do stołu również dla niewidzialnego przyjaciela, czy raczej zaprzeczać jego istnieniu? Trzeba kierować się życzeniami dziecka. Najczęściej zechce ono, aby rodzice nie wchodzili w świat jego wyimaginowanego przyjaciela. Jeśli rodzice nie wyśmiewają się i okazują szacunek, być może dziecko zechce, aby uwzględnili go przy stole. I wtedy należy to zrobić. Włączenie się ich do zabawy nie utrudni dziecku rozpoznania rzeczywistości od fantazji. Wyimaginowany przyjaciel może być próbą generalną przed nawiązaniem prawdziwej przyjaźni.

Kiedy dziecko fantazjuje

Jeśli rodzice uznają, że należy przerwać fantazje dziecka, gdyż jest ono zbyt zaangażowane lub zbyt wyizolowane od innych dzieci, sugeruję podjęcie następujących kroków:

(1) Porozmawiaj z dzieckiem i zaproponuj, że pomożesz mu znaleźć więcej przyjaciół. Daj mu do zrozumienia, że cenisz obecność jego wyimaginowanych przyjaciół i szanujesz jego wspaniały świat fantazji, ale chcesz, aby miało również rzeczywistych kolegów. Być może oni też będą mieli własnych wyimaginowanych przyjaciół, których świat będą mogli dzielić razem z twoim dzieckiem.

(2) Umów dziecko z jednym lub dwoma kolegami o mniej więcej tym samym temperamencie – nie mogą być ani zbyt dominujący, ani zbyt agresywni. Do niczego nie przymuszaj, ale konsekwentnie stwarzaj możliwości kolejnych, regularnych spotkań. Pomóż dziecku zrozumieć jego niechęć do wejścia w grupę i daj mu do zrozumienia, że takie emocje są naturalne. Wiele dzieci w tym wieku potrzebuje wsparcia w dziedzinie nawiązywania kontaktów – pierwszym krokiem może być zabawa z jednym kolegą lub koleżanką. Zmuszanie dziecka sprawi, że będzie się czuło gorsze i winne twojego niezadowolenia. Gdy poradzi sobie w relacji z innymi, powiedz mu, że widzisz, jakie to było dla niego trudne i że jesteś z niego dumny.

(3) Jeśli dziecko chowa się za swoimi wyimaginowanymi przyjaciółmi, zamiast bawić się z rzeczywistymi kolegami, nie stawiaj sprawy na ostrzu noża – może się wówczas jeszcze bardziej wycofać w nierealny świat. Wyjaśnij, że rozumiesz, dlaczego potrzebuje swoich przyjaciół. Powiedz, że je kochasz, a także jego przyjaciół, i chcesz, aby czuło się na tyle bezpieczne, żeby bawić się również z innymi dziećmi. Zapewnij je, że pomożesz mu w tym.

(4) Poszukaj okazji do wspólnych aktywności, również poza domem, które będą dziecku odpowiadać, i zaproś inne dziecko wraz z rodzicami do uczestniczenia w nich. Wybierz takie zajęcia, które wymagają interakcji. Na przykład jeśli twoje dziecko lubi brodzić w strumyku, wybierzcie się tam razem i pozwólcie dzieciom wspólnie odkrywać ten świat. Jeżeli lubi zajęcia manualne lub proste eksperymenty, pomóż dzieciom coś zaplanować i zrealizować. Po jakimś czasie same będą wiedziały, co ze sobą robić (zob. rozdział 46).

Podsumowując: wyimaginowani przyjaciele wzbogacają życie dziecka. U dzieci w wieku od 3 do 6 lat są oni zdrowym objawem rozwoju emocjonalnego i poznawczego. Rodzice nie powinni się nimi martwić, chyba że dziecko zbyt mocno się izoluje. Dorośli muszą poradzić sobie z poczuciem wykluczenia ze świata dziecka. Jeśli zrozumieją, że obecność wymyślonych przyjaciół wspiera ważne procesy rozwojowe, będą mogli lepiej opanować swoją naturalną zazdrość.

28

Strata i żałoba

Przeżycie utraty i żałoby może być ważnym doświadczeniem dla dziecka i okazją dla całej rodziny, aby podzielić się swymi uczuciami i przekonaniami oraz by odkryć mechanizmy obronne, których potrzebujemy w takich sytuacjach.

Gdy zdarzają się katastrofy naturalne lub wywołane przez ludzi, na przykład huragany czy ataki terrorystyczne, często jestem proszony przez media, żeby zaproponować rodzicom, w jaki sposób mogą ochronić dzieci przed bólem związanym z tymi tragediami. Oczywiście, chcielibyśmy umieć tworzyć takie zabezpieczenia, jednak nawet małe dzieci wiedzą, że stało się coś złego – z telewizji i pierwszych stron gazet, przed którymi możemy i musimy próbować je chronić. Nawet jeśli nam się to uda, dzieci i tak domyślają się wszystkiego – z bólu malującego się na twarzach rodziców czy brzmiącego w ich głosie. Jeśli nie pomożemy im odnaleźć sensu takich wydarzeń, będą pozostawione same sobie w zmaganiu się z niewiadomą oraz z lękami i fantazjami, którymi będą próbowały wypełnić luki w swoim pojmowaniu świata.

Pytania zadawane przez dzieci

- Dlaczego ta mama zginęła? Gdzie ona teraz jest?
- Dlaczego ci ludzie umarli?
- Czy oni będą mogli kiedyś wrócić do domu?

Za tymi pytaniami kryją się uniwersalne lęki dzieci w obliczu śmierci. Czy moja mama mnie zostawi? Jeśli tak się stanie, czy to dlatego, że jestem zły? Jeśli rozzłoszczę tatę, czy on też mnie opuści? Dzieci oglądające katastrofę w telewizji zastanawiają się, czy ich rodzice też tak zginą i czy one same tak zginą, i dlaczego dorośli, którzy mają coś do powiedzenia, jak mama, tata czy pan prezydent, pozwalają, aby wydarzyło się coś tak strasznego. Co dzieje się z ciałem po śmierci? Co to w ogóle jest śmierć? Koszmary dziecka związane ze śmiercią – ich własną lub rodziców – mogą być wywołane właśnie przez takie wydarzenia.

Gdy zdarzy się katastrofa, zachęcam, aby cała rodzina usiadła razem i podzieliła się swoimi przeżyciami. Dzieci muszą wiedzieć, że rodzice ich nie zostawią. Potrzebują usłyszeć od nich, że nie ponoszą odpowiedzialności za śmierć, którą widziały lub o której się dowiedziały; że te straszne wydarzenia nie są wynikiem ich złego zachowania czy złorzeczeń. Ważne jest, aby razem współczuć tym dzieciom, które w wyniku katastrofy straciły swoich rodziców czy rodzeństwo. Nie jesteśmy w stanie – i nawet nie powinniśmy – próbować chronić naszych dzieci przed odczuwaniem żalu czy przed głęboką, empatyczną identyfikacją z osobami, które doświadczyły straty. Przeżywanie żalu jest istotną i nieuchronną częścią życia. Tęsknota za kimś, kogo utraciliśmy na jakiś czas lub na zawsze, dodaje ważnego wymiaru do doświadczenia dziecka i jego zdolności troszczenia się o innych.

W takich momentach możemy zwerbalizować przekonania, które umożliwiają nam stawienie czoła stracie i śmierci. Otrzymujemy szansę podzielenia się związanymi z nią odczuciami, a także naszymi przekonaniami dotyczącymi religii i życia po

śmierci oraz wspomnieniami, które ożywiają tych, co odeszli. Kiedy umiera ktoś bliski, dorośli mogą być tak zanurzeni w swoim żalu, że nie będą w stanie zająć się przeżyciami dziecka. Często może ono nie okazywać swoich emocji, dopóki rodzice nie dojdą do równowagi – powstrzymuje swoje przeżycia, aż poczuje, że dorośli są gotowi poradzić sobie również z ekspresją jego uczuć.

Śmierć w rodzinie

Kiedy w rodzinie umiera rodzic, któreś z dziadków, ciocia czy wujek, ważne jest, aby dorośli dzielili z dzieckiem swój żal. Próba chronienia go przed poczuciem straty czy depresji odczuwanych przez rodziców może mieć katastrofalne skutki. Nawet bardzo małe dzieci wiedzą, kiedy rodzic przeżywa załamanie czy kryzys. Próby zatajenia wydarzenia lub emocji, jakie ono wywołuje, są dla dziecka równoznaczne z opuszczeniem. Rodzice często pytają: „Czy ona nie jest za mała, aby dowiedzieć się o śmierci?". Zapewniam ich, że dla dziecka lepiej jest, gdy dowie się o śmierci od pogrążonych w żałobie rodziców, niż gdy doświadczy wycofania rodziców bez ujawnienia przyczyny. Dziecko przeżywa śmierć bardziej prymitywnie niż dorośli. Będzie ono zawsze utożsamiało ją z porzuceniem. Jeśli rodzice wycofają się bez podzielenia się z dzieckiem swoim doświadczeniem, potwierdzi to jego najgorsze obawy: babcia umarła, a mama jest teraz tak smutna, że chyba też wkrótce umrze.

Jeśli rodzice będą umieli opowiedzieć dziecku o swoim żalu, o własnych pytaniach o śmiertelność, pamięci o zmarłych i znaczeniu cierpienia, dziecko będzie miało szansę, by w atmosferze **bezpieczeństwa** rozważyć w sobie te kwestie, które dręczą nas wszystkich. Będzie wówczas mogło dzielić swoje intensywne emocje żałoby i smutku ze swoimi rodzicami. Z kolei rodzice doświadczą czegoś wspaniałego – obecność dziecka da pogrążonej w żałobie rodzinie poczucie przyszłości i celu. Kiedy dziecko sprawi, że zapłakana mama się uśmiechnie, udzieli mu się wyjątkowe poczucie mocy zmiany nastroju mamy na pozytywny, choćby na krótko. Nieodmiennie zadziwia mnie sytuacja, gdy małe dziecko podejmuje próbę pocieszenia pogrążonego w żałobie rodzica.

Pamiętam, jak kiedyś podczas obchodu w szpitalu rozmawiałem z kobietą, która właśnie straciła nowo narodzone dziecko i – opowiadając mi o tym – zaczęła cicho łkać. Gdy jej bawiący się dotąd w kąciku dwuletni synek zobaczył łzy mamy, podszedł do niej i wdrapał się na kolana. Podniósł rączkę, aby poklepać ją po policzku i niezdarnie otrzeć łzy. Kobieta spojrzała na niego, uśmiechnęła się i mocniej go przytuliła. Przypomniał jej, że jest, aby zrównoważyć jej żałobę.

Wyjaśnienia na temat śmierci muszą być oczywiście dostosowane do wieku dziecka. Trzeba mu powiedzieć tyle, ile jest w stanie zrozumieć. Nie musi to być dla niego przerażające. Należy przygotować dziecko na to, co może podsłuchać w rozmowie innych osób. Można na przykład powiedzieć: „Dziadziu był już tak stary, że nie potrafił robić tego wszystkiego, co by chciał. Kiedy ktoś jest już bardzo, bardzo stary, jego ciało jest tak zużyte, że po prostu przestaje działać. Dziadziowi trudno było już żyć, gdy się tak postarzał". Dziecko może spytać: „Ale dlaczego nas zostawił? Tęsknię za nim i chcę się z nim bawić, tak jak kiedyś". Można wówczas szczerze odpowiedzieć: „Nikt z nas nie wie, dlaczego ktoś, kogo kochamy, musi umrzeć i odejść. Ciało po prostu się poddaje. Wszyscy czujemy ogromny smutek i samotność. Zastanawiamy się, dokąd odszedł – czy jest tam szczęśliwszy i czy jest mu lepiej? Chcemy, aby odnalazł pokój, ale tak samo jak ty trudno jest nam pogodzić się z tym, że go nie ma. Tak sobie myślę, że chciałabym jak najwięcej wspominać dziadka, rozmawiać o wszystkim, co jesteśmy w stanie sobie przypomnieć, aby w ten sposób był wśród nas obecny. A co ty pamiętasz o nim? Chciałabyś o tym teraz opowiedzieć?".

Rozmawiając z dzieckiem o śmierci, należy zwracać uwagę na sygnały wskazujące na jego lęk, że to jego myśli i zachowanie są przyczyną tego, co się stało. Takie magiczne myślenie jest typowe dla trzy-, cztero-, pięcio- i sześciolatków. Dzieci w tym wieku potrzebują wielokrotnych zapewnień, że złe zachowanie czy złorzeczenie nie jest przyczyną niczyjej śmierci.

Prędzej czy później dziecko zacznie się zastanawiać nad swoją śmiercią: „A kiedy ja umrę? Jak to jest, gdy się umiera? Dokąd pójdę? Czy będę tam sam?". Wszystkie te pytania stanowią okazję dla uważnych rodziców do załagodzenia lęków i podzielenia się swoimi podobnymi odczuciami na temat śmierci i straty. Jest to również dobry moment, aby przedstawić swoje przekonania religijne dotyczące śmierci i życia po śmierci. Jeśli ktoś znajduje ukojenie w naturze, mitach czy wspomnieniach, należy je przekazywać. Dzieci uwielbiają historie – opowiadaj im o przeszłości i o tym, jak twoi rodzice byli młodzi i opiekowali się tobą. Niech twoje dzieciństwo ożyje w ich oczach. Zrozumieją twoje przesłanie i wniesie ono równowagę do ich przeżyć.

Odejście domowego ulubieńca

Kiedy odejdzie ulubione zwierzę, dziecko potraktuje to tak poważnie jak śmierć osoby i również będzie potrzebowało wsparcia. Nigdy nie okłamuj dziecka w tak poważnych sprawach i nie traktuj ich lekko. Jeśli skłamiesz, mówiąc na przykład, że piesek zasnął, stracisz zaufanie dziecka. Rodzic, który traktuje śmierć zwierzęcia bez należnej powagi, daje swojej pociesze przykład bezwzględnego podejścia do życia jako takiego. Powiedz dziecku, co tylko możesz, o życiu i śmierci ulubionego zwierzątka. Zachęć je do wyrażenia żalu i złości z powodu straty ukochanego przyjaciela. Pozwól jemu i sobie na przeżycie żałoby, zanim wprowadzicie do rodziny kolejne zwierzątko. Ważne jest, aby dać dziecku czas na stawienie czoła rzeczywistości straty i na doświadczenie poczucia oddania, jakie wiąże się z utratą bliskiej istoty. Ponownie trzeba podkreślić, że dziecko będzie się czuło osobiście odpowiedzialne za spowodowanie śmierci, więc wyjaśnij mu, że nie jest niczemu winne. Opowiedz, jak doszło do śmierci – czy była naturalna, czy przypadkowa.

Śmierć innego dziecka

Gdy dziecko jest chore lub umierające, inne dzieci będą podatne na doświadczanie ogromnego lęku. Nieuchronnie nastąpi identyfikacja: „Czy ja będę następny? Czy to samo mnie spotka? Dlaczego jej rodzice pozwolili jej umrzeć? Czy to dlatego, że była niegrzeczna i zasłużyła sobie na to? Żałuję, że kiedyś byłam dla niej niedobra. Może dlatego umarła?".

Choć wiele tych pytań wydaje się irracjonalnych, każdy dorosły, który stracił kogoś ważnego w życiu, rozpozna, że lęki, które one ujawniają, są powszechne. Kiedy ktoś bliski jest chory i cierpiący, wszyscy z jego otoczenia czują się odpowiedzialni. Czujemy, że zasługujemy na odwet za nasze złe postępowanie czy nieodpowiednią opiekę. Wyjaśniając dziecku chorobę lub śmierć drugiego dziecka, rodzice mogą dać mu do zrozumienia, że doświadczają takich samych uczuć. Wielkim błędem byłoby zaprzeczanie lub ukrywanie choroby, a także żałoby i lęków dorosłych.

Dużą pomocą dla dzieci w radzeniu sobie z lękiem przed chorobą i śmiercią może być szkoła. Jeden z moich pacjentów opowiedział mi historię, która miała miejsce w pewnej szkole, a dotyczyła sześciolatka cierpiącego na nieoperacyjnego guza mózgu. Chłopiec opuszczał lekcje z powodu częstego bólu głowy. Gdy pewnego dnia przyszedł do szkoły, miał atak drgawek, który widzieli wszyscy w klasie. Potem był już zbyt chory, aby wrócić do szkoły. Nauczycielka zdała sobie sprawę, że widok konwulsji oraz nieuchronne pogorszenie stanu zdrowia chłopca były ciosem dla całej klasy. Rozmawiała z nią o chorobie kolegi i próbowała wyjaśnić ją najlepiej jak umiała. Jednak poczucie straty ciągle wpływało na nastrój wszystkich, a niektóre dzieci wydawały się wręcz zablokowane i przestraszone. Nauczycielka zorganizowała również zebranie z rodzicami, opowiedziała im o chorym chłopcu i zachęciła do dzielenia bólu ze swoimi dziećmi. Uprzedziła o możliwości wystąpienia pewnych przeżyć i lęku: poczucia winy, identyfikowania się z umierającym kolegą, poczucia odpowiedzialności za jego chorobę. Uświadomiła sobie również potrzebę dzieci pożegnania się z chłopcem. Zebrała się na odwagę, skontaktowała z jego rodzicami i spytała o możliwość odwiedzenia ich syna przez całą klasę. Rodzice byli wzruszeni, gdyż wiedzieli, że będzie to bardzo ważne dla ich dziecka. Wybrali dzień, w którym chłopiec czuł się w miarę dobrze. Przyjechały wszystkie dzieci, a każde zrobiło dla kolegi jakiś mały podarunek. Każde usiadło przy nim, dotknęło go i pokazało, jak bardzo jest dla niego ważny. Po wizycie chłopiec był wyczerpany, ale rozpromieniony. Potem bardzo szybko jego stan się pogorszył, ale ciągle opowiadał rodzicom o swoich przyjaciołach. Dzieci w klasie czuły, że teraz mogą o nim rozmawiać i pamiętać go jako „swojego". Potrzebowały się z nim pożegnać.

Po wielu latach nadmiernego podkreślania ryzyka infekcji i niedoceniania potrzeby wspólnego spędzania czasu większość dziecięcych szpitali obecnie pozwala wszystkim na odwiedziny u chorego dziecka. Rodzice są zachęcani do pozostawania z dzieckiem w szpitalu jak najdłużej (zob. rozdział 24). Pamiętam dwulatka Jasia, który umierał na raka. W wyniku naświetlania i chemioterapii stracił wszystkie włosy. Był strasznie chudy – dosłownie skóra i kości – miał jednak czarujący i ujmujący uśmiech. Był ulubieńcem wszystkich pielęgniarek i lekarzy. Jego rodzice wspaniale się nim opiekowali i któregoś dnia spytali, czy mogą przyprowadzić dwóch starszych braci Jasia – cztero- i sześciolatka. Wiedzieli, tak jak cały personel, że Jaś może już nie wrócić do domu, a jego bracia byli bardzo przybici jego chorobą.

Chłopiec siedział w kojcu do zabawy na środku pokoju pielęgniarek, gdy przybyli rodzice. Jego chudziutka twarzyczka pojaśniała odrobinę, kiedy mama podeszła i pogłaskała go po łysej główce. Tato dotknął jego rączek, gdy drobniutki chłopiec wyciągnął je przed siebie. Wydawało się, że mężczyzna boi się wziąć synka na ręce, taki był kruchy i słaby. Mama powiedziała: „Jasiu, mamy dla ciebie niespodziankę!". Jego oczka rozbłysły, a wyprostowana główka zdawała się pytać, co to takiego. W tym momencie starsi bracia wybiegli z windy i migiem znaleźli się przy rachitycznym chłopcu. Na ich widok łzy polały się strumieniem po policzkach Jasia. Chłopiec podciągnął się do pozycji stojącej, oparł o kojec i wyciągając rączki, powtarzał: „O! O! O!", jakby nie mógł uwierzyć, że oni tu rzeczywiście są.

Czterolatek pocierał Jasia po główce i twarzy. Dotykał i dotykał swojego młodszego brata. Jaś łasił się i wił za każdym dotknięciem, jakby nie mógł się nasycić. Patrzył z podziwem na swojego brata, jakby nie widział go stanowczo zbyt długo. Drugi brat przysunął sobie krzesło, aby usiąść blisko chłopca. Spytał rodziców, czy może go wziąć na kolana. W tym momencie wszyscy obserwujący dorośli mieli już łzy w oczach. Przełożona pielęgniarek skinęła głową. Tato podniósł delikatnie Jasia i posadził na kolanach brata. Sześciolatek zaczął go kołysać i nucić mu, jakby był niemowlęciem, a Jaś przytulił się do niego. Wyciągnął swoje mizerne rączki i dotykał twarzy brata. Badał jego oczy, włosy i usta. W końcu, wyczerpany, ułożył z powrotem główkę na jego ramieniu.

Takie epizody podkreślają, jak ważne są odwiedziny rodzeństwa. Dla wszystkich było jasne, jak wiele Jaś znaczył dla swoich braci i jak wiele oni znaczyli dla niego. Zobaczyliśmy, jak istotne dla umierającego dziecka i pozostałych dzieci w rodzinie jest to, by spotkać się ze sobą i pożegnać.

W niektórych szpitalach są wprowadzane programy, które mają pomóc rodzicom i dzieciom w uporaniu się z emocjami żalu i bólu podczas terapeutycznych sesji indywidualnych lub grupowych – z innymi rodzicami czy rodzeństwem. Istnieją również programy adresowane do personelu szpitali i szkół, który musi radzić sobie ze stratą dziecka lub rodzica. Wprowadzają one zwyczaj otwartego dzielenia się emocjami – na oddziałach szpitalnych, w domu i w szkole.

29

Kłamstwa, kradzież i oszukiwanie

W każdym okresie szybkiego uczenia się wyobraźnia dziecka służy ważnym celom. W świecie fantazji może ono testować kiełkujące pomysły – i może to zrobić w poczuciu bezpieczeństwa. Nie będzie musiało działać pod wpływem emocji i pragnień, jeśli przeżyje je w wyobraźni. Fantazje i pobożne życzenia pomagają mu badać nowo odkrywany świat bez przekraczania granic. W swoich wyobrażeniach może się stać potężne, przerażające, wyć jak straż pożarna czy poznawać czarownice i rabusiów, upajając się swoim lękiem. Uruchomienie wyobraźni daje dziecku szansę na zostanie potworem, agresywnym zwierzęciem lub uwielbianym rodzicem – a wszystko to w jednym śnie lub fantazji. Zabawa symboliczna – w której pluszak, ciężarówka lub lalka odgrywają jakąś inną rolę – pojawia się w zasięgu możliwości dziecka pod koniec 2 roku życia.

Kłamstwa, kradzież i oszukiwanie to zachowania, w których u małego dziecka miesza się świat fantazji i rzeczywistości. U cztero- i pięciolatków są one całkowicie normalne i mogą stać się okazją dla rodziców do nauczenia dziecka odpowiedzialności wobec innych. Ta lekcja to zadanie na całe życie dla nas wszystkich.

Podstawowa trudność, jakiej doświadczają rodzice, gdy owe zachowania pojawiają się po raz pierwszy, polega na powstrzymaniu swojej przesadnej reakcji wynikającej ze wspomnień. Być może sami zostali kiedyś przyłapani na takich działaniach, zawstydzeni i ukarani. Być może słyszeli o dzieciach, które przez kłamstwa, kradzieże i oszustwa wpakowały się w poważne tarapaty w późniejszych latach swojego życia. Takie bolesne wspomnienia oraz lęk o przyszłość dziecka każą rodzicom reagować z przerażeniem na pierwsze przejawy tych zachowań. Jeśli będą umieli wrócić wspomnieniami do swojej przeszłości, będzie im łatwiej zrozumieć dziecko.

Kłamstwa

Wszystkie czterolatki kłamią. Rozbudzona wyobraźnia w wieku 4 czy 5 lat to oznaka zdrowia emocjonalnego, **nawet** jeśli prowadzi do mówienia nieprawdy – a zwykle prowadzi.

Rozważmy przykład chłopca – nazwijmy go Olek – który obserwuje, jak tata co wieczór gra na komputerze. Całkowicie pochłonięty tą czynnością ojciec uśmiecha się, marszczy czoło, a nawet wybucha głośnym śmiechem, gdy komputer pokazuje nieoczekiwane rezultaty. Któregoś ranka, po wyjściu taty do pracy, Olek zakrada się do jego gabinetu, aby przyjrzeć się temu urządzeniu. Naśladując tatę, zaczyna naciskać przyciski i guziczki. Nagle komputer zaczyna szumieć i mruczeć. Opiekunka niczego nie zauważa, co nie zmienia się aż do wieczornego powrotu rodziców. Przerażony dźwiękami, nad którymi nie umie zapanować, Olek chowa się, a jego tata, rozzłoszczony stanem swojego komputera, wpada do kuchni i oskarża wszystkich po kolei. Kiedy zwraca się do Olka, przestraszony chłopiec oskarża opiekunkę, że weszła do gabinetu i zepsuła urządzenie. Tak bardzo chce wierzyć w tę historię, że zaczyna dodawać szczegóły, aby ją uwiarygodnić. Kiedy następnego ranka opiekunka wszystkiemu zaprzecza, ojciec jest przerażony złożonością kłamstw stworzonych przez syna. Wymierza mu surową karę. W tym momencie pobożne życzenia Olka wydają mu się tak prawdziwe, że czuje się zdradzony i w żadnym razie nie zasługujący na złość taty. W takiej sytuacji istnieje bardzo mała szansa, że wyniesie z tego doświadczenia coś pozytywnego. Skłamał, aby ochronić się przed oskarżeniem taty – uruchomił swoją kreatywność, żeby go zadowolić i wymazać szkodę, jaką wyrządził, próbując identyfikować się z jego nabożnym przywiązaniem do komputera. Im więcej złości okazuje ojciec, tym bardziej Olek czuje się przymuszony do zmyślania.

Rodzice cztero- i pięciolatków muszą być przygotowani na takie kłamstwa. Gdy u dziecka pojawi się zdolność myślenia magicznego, rodzice mogą z radością – w miarę możliwości – powitać fantazjowanie. Przesadne reakcje mogą utrwalić ten wzorzec, gdyż dziecko zacznie wierzyć, że rzeczywiście jest kłamcą.

Często rodzice pytają mnie, co robić, jeśli dziecko kłamie. Przede wszystkim staraj się zrozumieć okoliczności, które doprowadziły do kłamstwa. Zaufaj, że dziecko miało dobre intencje, i spróbuj uświadomić sobie jego rozumowanie – fantazje i pobożne życzenia. Pomóż również dziecku je zrozumieć. Ponadto nie przypieraj malucha do muru ani nie reaguj gwałtownie. Sumienie w tym wieku dopiero zaczyna się rodzić; poczucie winy pojawia się **po** działaniu, jako reakcja na dezaprobatę. Długofalowym zadaniem jest pomóc dziecku obudzić w sobie sumienie czy – jak określiła to psychoanalityk Selma Fraiberg – „przenieść policjanta z zewnątrz do wewnątrz".

Uwaga

Zbyt wygórowane wymagania i zbyt surowe kary mogą doprowadzić do jednego z trzech rezultatów:

(1) ukształtowania zbyt skrupulatnego i nieelastycznego sumienia;
(2) ostrego buntu, który sprawi, że dziecko wyda się amoralne;
(3) kompulsywnego kłamania.

Jeśli przesadzisz z krytyką czy karą albo gdy pomylisz się w oskarżeniach, przyznaj się do tego. Wykorzystaj tę sytuację, aby porozmawiać z dzieckiem o tym, jak bardzo niepokoją cię jego kłamstwa. Jednak zapewnij je, że rozumiesz jego punkt widzenia. Pamiętaj, że miłość dziecka do swoich rodziców jest większa niż do samego siebie – zbyt łatwo można więc osłabić jego pewność siebie. Należy jednak zadbać o to, by wiedziało, gdzie są granice.

Oznaką postępu będzie umiejętność porozmawiania o każdym epizodzie oraz pomoc dziecku w zrozumieniu jego pobudek skłaniających go do kłamstwa. Gdy zacznie mówić prawdę, można mieć pewność, że obrana droga jest właściwa. Na dalszym etapie zacznie szanować uczucia i prawa innych.

Natomiast jeśli kłamstwom nie ma końca, są coraz bardziej podstępne, coraz mniej zrozumiałe i mają coraz mniej wspólnego z rzeczywistością, prawdopodobnie dziecko znajduje się pod zbyt dużą presją. Może to oznaczać, że nie czuje się na tyle bezpiecznie, aby rozwijać świat fantazji we własnym tempie. Dziecko, które samo wymierza sobie kary i zaczyna się wycofywać, z którym nie można nawiązać kontaktu lub które przejawia oznaki ogólnego niepokoju i samodeprecjacji, a także doświadcza nasilających się lęków i koszmarów nocnych, zdradza objawy tego samego podstawowego problemu. W takiej sytuacji należy odłożyć na bok surowe kary i zrewidować własne reakcje, a także przyjrzeć się okolicznościom i presji, które są udziałem dziecka. Odłóż na bok nieważne kwestie. Przyznaj w rozmowie z dzieckiem, że reagowałeś zbyt gwałtownie. Czasami pomaga odegranie i omówienie pewnych spraw w scenkach z udziałem lalek oraz za pomocą bajek.

Jeśli zauważasz coś naprawdę niepokojącego, zwróć się po pomoc do profesjonalisty. Pamiętaj, że uporczywe kłamstwa najczęściej oznaczają, iż dziecko nie potrafi zaakceptować granic w swoim świecie oraz wiążących się z tym frustracji, niepokojów i lęków. Tych trudności nie wolno tłumić – trzeba się nimi zająć.

Kradzież

Małe dzieci dopuszczają się kradzieży z dwóch powodów. Po pierwsze, zdaniem dwu- i trzylatka wszystko należy do niego, chyba że ktoś poinformuje go, że tak nie jest. Dlatego jeśli jego uwagę przyciąga zabawka na półce w sklepie z zabawkami czy pudełko ciasteczek w sklepie spożywczym, jest gotowy je zabrać, dopóki ktoś nie powie mu, że należą do kogoś innego. Potrzeba dużo czasu, aby się tego nauczyć. Podobnie jak w przypadku kłamstw, surowe kary jedynie zakamuflują problem, który pojawi się później – w jeszcze mniej akceptowalnej formie. Spokojne wyjaśnienia w połączeniu z wyznaczeniem zdecydowanych granic będą dużo bardziej skuteczne niż kary.

Po drugie, bardziej subtelną przyczyną kradzieży jest potrzeba identyfikowania się z innymi. Kiedy w wieku przedszkolnym rośnie pragnienie utożsamiania się z rodzicami, rodzeństwem czy kolegami, dziecko może zabierać im ważne rzeczy. W swoim konkretnym pojmowaniu świata będzie przekonane, że posiadanie czegoś, co należało do danej osoby, jest równoważne z upodobnieniem się do niej. Kiedy kradzież ma miejsce po raz pierwszy, wynika raczej z potrzeby badania świata i pazerności niż ze złego charakteru. Zareagowanie wybuchem prawdopodobnie wywoła lęk i powtórną kradzież. Oczywiście rodzice mają prawo czuć się zaniepokojeni, gdy ich małe dziecko dopuszcza się kradzieży, a zwłaszcza gdy wydaje się rozumieć, co zrobiło, kłamiąc i wypierając się tego czynu. Jeśli jednak będą umieli zrozumieć powszechność tego zjawiska u dzieci oraz motywy takiego działania, unikną przesadnych reakcji i utrwalenia danego zachowania na przyszłość. Zadaniem rodzica, zarówno w przypadku kradzieży, jak i kłamstwa, jest wykorzystanie każdego epizodu jako okazji do nauki, jednak dziecko będzie na nią otwarte tylko wtedy, gdy nie przytłoczy go poczucie winy. Jeśli pomożesz dziecku zrozumieć powody zabierania innym ich własności, będzie gotowe cię wysłuchać, gdy poruszycie temat praw innych ludzi. Uczenie się szanowania tych praw i terytorium drugiego człowieka to cel długoterminowy. Każdy epizod kradzieży, jeśli zostanie potraktowany z odpowiednią wrażliwością, może prowadzić w tym kierunku.

Chcąc zapobiec powtórnym kradzieżom, nie rób sceny. Gwałtowna reakcja jedynie wystraszy dziecko. Nie nazywaj go złodziejem ani nie nawiązuj do wydarzenia w późniejszym czasie. Dobrze jest nie stawiać sprawy na ostrzu noża i nie pytać bezpośrednio, czy dziecko ukradło – może to jedynie zmusić je do kłamstwa. Po prostu jasno zakomunikuj, że wiesz, skąd pochodzi dana rzecz, poproś dziecko o pokazanie jej, jeśli to konieczne, i powiedz: „Wiesz, że nie wolno brać czegoś, co nie jest twoje". Następnie pomóż dziecku zwrócić przedmiot właścicielowi i przeprosić, nawet jeśli miałoby to oznaczać powrót do sklepu i zażenowanie koniecznością zwrócenia produktu lub zapłacenia za niego. Niech dziecko odpracuje poniesione przez ciebie koszty, wykonując prace domowe. Za każdym razem konieczna będzie konsekwencja.

Zapobieganie kradzieżom wymaga cierpliwego uczenia – ciągle i na nowo. Pokaż dziecku, jak poprosić o coś, czego chce. Sformułuj proste zasady dzielenia się z innymi, na przykład: „Nie można zabierać komuś zabawki bez poproszenia o nią i zaproponowania w zamian swojej". Wyjaśnij ideę pożyczania i oddawania zabawek: „Musisz spytać, czy możesz pobawić się czyjąś zabawką. Gdy usłyszysz **nie**, nie bierz jej, a jeśli usłyszysz **tak**, obiecaj, że ją zwrócisz", „Gdy jesteśmy w sklepie i masz ochotę na ciastko, powiedz mi o tym. Jeśli się zgodzę, zaczekaj, aż za nie zapłacę – wtedy możesz je wziąć". W taki sposób uczysz dziecko szacunku do własności innych, odpowiedniego zachowania i opóźnionej gratyfikacji.

Ważne jest również wyjaśnienie dziecku, dlaczego takie zasady są potrzebne – „żeby chronić zabawki innych dzieci, tak jak chciałbyś chronić swoje". Twoim zadaniem nie jest karanie dziecka, lecz uczenie go szacunku dla własności innych ludzi oraz poskramiania swoich pragnień dotyczących tych własności. Spróbuj zrozumieć, dlaczego doszło do kradzieży, pomóż też zrozumieć to dziecku. Postaraj się, aby zobaczyło twój punkt widzenia: nie możesz mu pozwolić, aby zabierało komuś jego własność. Następnie spytaj je, jak zamierza rozwiązać sytuację, czyniąc je częściowo odpowiedzialnym za wyznaczenie granic. Jeśli potrafi wymyślić rozsądne rozwiązanie, pochwal je za to. Na koniec najważniejsze: jeżeli uda mu się wprowadzić to rozwiązanie w życie, powiedz mu, jak bardzo jesteś z niego dumny.

Jeśli kradzieże się powtórzą, poszukaj innych możliwych przyczyn. Czy dziecko ma poczucie winy, boi się i reaguje kompulsywnym zachowaniem? Czy jego poczucie pewności siebie jest tak niskie, że musi przywłaszczać sobie rzeczy innych ludzi, aby poczuć się pełną osobą? Czy inni odnoszą się już do niego z dezaprobatą i szufladkują je? Czy ma poczucie – być może nieuświadomione – że brakuje mu czegoś ogromnie ważnego i kompensuje ten brak zabieraniem własności innych? Jeśli kradzieże będą się powtarzać, dziecko może takim zachowaniem prosić o terapię. Nie czekaj, aż będzie miało poczucie porażki i przylgnie do niego nieprzyjemna etykietka. Poszukaj pomocy z zewnątrz – lekarz dziecka może skierować je do specjalisty.

Oszukiwanie

Nikt nie lubi dzieci, które oszukują. Jednak aby tego nie robić, dziecko musi być wystarczająco dojrzałe, żeby rozumieć zasady obowiązujące w zabawie i w szkole. Musi wyrosnąć z łatwego poddawania się frustracji i zniechęceniu, które są typowe dla trzylatka. Do wieku 5 lub 6 lat dziecko powinno posiąść umiejętność raczej otwartego negocjowania niż wywrotowego oszukiwania. Dojrzałość przynosi również więcej logicznego myślenia, a egocentryzm trzylatka ustąpi na rzecz świadomości istnienia innych ludzi. W tym wieku zaczyna się tworzyć sumienie społeczne, jednak aby przestać oszukiwać, dziecko musi także umieć opóźniać gratyfikację, tolerować frustrację i radzić sobie z poczuciem upokorzenia, nawet jeśli czasami będzie to oznaczało konieczność zaakceptowania przegranej. Nauczenie się pertraktowania zamiast oszukiwania zabierze mu trochę czasu.

Zadaniem rodziców jest poszerzanie owej świadomości. Niewłaściwa lub zbyt surowa kara zahamuje ten proces rozwoju. Lepszą techniką zapobiegania oszukiwaniu jest łagodna, otwarta postawa.

Jak wyjaśnić konsekwencje oszukiwania w sposób nieosądzający?

- „To niesprawiedliwe wobec niej. Przestanie cię lubić".
- „Czy chciałbyś, żeby on ciebie oszukiwał?"
- „Coś, co jest sprawiedliwe wobec ciebie, będzie też takie dla innych".
- „Jeśli wygrasz dzięki oszustwu, ona nie będzie już chciała z tobą grać albo nauczy się oszukiwać ciebie. Czy tego chcesz?"

Sumienie społeczne dziecka kształtuje się na podstawie sumienia rodziców i całej rodziny. Z całą pewnością trzeba dać dziecku możliwość zrozumienia waszych rodzinnych wartości społecznych – posługując się zrozumiałym dla niego językiem.

30

Maniery

W większości kultur uczenie dziecka manier jest ważnym elementem wczesnego wychowania. Pełen szacunku ukłon japońskiego chłopca, serdeczne przywitanie małego Afrykanina czy uściśnięcie dłoni dziecka z Europy to oznaki szacunku i akceptacji drugiej osoby.

Maniery symbolizują nasze wartości i nasz styl życia w społeczeństwie. Potrzebujemy ich przez całe życie, aby wejść do jakiejś grupy i wpasować się w nią. Sygnalizują szacunek do innych i są nieodzowne, żeby zdobyć ich akceptację.

Ich znaczenie uwidacznia się wcześnie. Już dwulatki bawiące się razem na placu zabaw będą czekać na siebie na zjeżdżalni i mogą nawet przestrzegać kolejności. Gdy jakieś agresywne dziecko wepchnie się poza kolejką, reszta – jako grupa – zdecyduje, czy je przepuścić, czy nie. W wieku 2 lat dzieci oczekują od swoich rówieśników przestrzegania zasad w zabawie, jeśli same to robią. Zasady, tak jak maniery, określają zachowanie, którego inni od nas wymagają. Dziecko, które jest albo zbyt agresywne, albo zbyt nieśmiałe (czyli nietrzymające się zasad), zostaje zaszufladkowane przez rówieśników jako niepożądane.

Nauka manier

Dzieci zaczynają poznawać zasady i maniery już w niemowlęctwie, choć większość rodziców nie jest nawet świadoma, że uczy tego swoje pociechy. Na przykład gdy podczas karmienia niemowlę przygryzie boleśnie sutek, matka zareaguje na tę agresję pięciomiesięcznego dziecka ogromnym zdziwieniem i odsunięciem go od piersi, udzielając reprymendy: „Nie, nie możesz tak robić!". Nauczy dziecko w ten sposób zasady dotyczącej karmienia. Poznając te prawidła, niemowlę uczy się szacunku wobec drugiej osoby, choć lekcję tę trzeba będzie powtarzać wielokrotnie.

Rodzice zaczną rozpoznawać swoją rolę w uczeniu zasad dopiero w 2 roku życia dziecka, kiedy zacznie ono testować wyznaczane przez nich granice. Jednym z pierwszych pól bitewnych jest karmienie. Ucząc się zasad, roczne dziecko musi wypróbować wszystkie możliwości: upuszczać jedzenie na podłogę, wylewać zawartość kubeczka, wcierać papkę we włosy, odmawiać kolejnych produktów – musi sprawdzić każdą zasadę, aby ustalić granice.

W 2 roku życia badanie granic i własnej autonomii staje się ważniejsze dla rozwoju dziecka niż uczenie się manier, których przestrzegania możemy oczekiwać później. Cztero- i pięciolatki, które opanowały już pewne podstawowe umiejętności związane z jedzeniem, zaczną identyfikować się z dorosłymi z otoczenia i podpatrywać maniery u swoich rodziców oraz starszego rodzeństwa. Z własnej inicjatywy będą używać serwetki do wycierania ust, jeść widelcem i łyżką oraz pytać, czy mogą odejść od stołu. Rodzice mogą przypominać dziecku o używaniu słów „proszę" i „dziękuję", ale nie powinni jeszcze oczekiwać, że stanie się to nawykiem. W tym wieku dziecko ma ogromną potrzebę naśladowania otaczających je osób. Chce być takie jak one. Wie już, jak ważne są rytuały i maniery, aby zyskać czyjąś aprobatę. Jednak jeśli będzie słyszało tylko polecenia typu „zrób to" lub „nie rób tego", każde energiczne czteroletnie dziecko się zbuntuje. Uczenie się samodzielności będzie dla niego zbyt ważne i ekscytujące, aby dostosowywać się do poleceń rodziców. Dlatego najlepszym sposobem na nauczenie dziecka akceptowalnego zachowania jest po prostu bycie dla niego wzorem. Rodzice trzy- i czterolatków powinni stawiać przykład, ale nie komentować zbyt często postępów dziecka w dziedzinie uczenia się manier.

Zasady społeczne

Kiedy w wieku 4 lat dziecko zaczyna uczyć się codziennych zasad obowiązujących przy stole, podczas kładzenia się spać czy kąpieli, jest gotowe, aby naśladować niektóre zachowania społeczne przejawiane przez rodziców i starsze rodzeństwo.

Wizyta u dziadków może być doskonałą okazją do nauki. Można przygotować do niej dziecko za pomocą krótkiego opowiadania o tym, co się wydarzy podczas takiej wizyty i czego wszyscy będą od niego oczekiwać. Podczas rozmowy można pomóc dziecku przećwiczyć pożądane zachowanie. Na przykład: „Babcia i dziadziuś będą się bardzo cieszyć z twojego przyjazdu. Czy będziesz gotowa, aby się do nich przy-

tulić i pozwolić, żeby cię ucałowali? Czy może uciekniesz i się schowasz? Wiele dzieci w twoim wieku jest nieśmiałych, ale dziadkowie tak długo czekali na twój przyjazd, że nie będą mogli się powstrzymać, żeby cię nie przytulić i nie ucałować".

Jeśli wiesz, że będą obecne również inne osoby, przygotuj swoje dziecko na przywitanie także z nimi: „Pamiętasz pana Nowaka, który jest sąsiadem babci i dziadka? On też tam będzie i założę się, że wyciągnie do ciebie rękę na powitanie – o tak. Tatuś uściśnie jego dłoń, więc zobaczysz, jak robią to dorośli, a potem może i ty zechcesz tak zrobić".

Gdy twoje dziecko zademonstruje te cywilizowane zachowania, skomentuj to pochwałą, ale nie przesadną. Chodzi o to, żeby przedstawić mu swoje oczekiwania i nie robić z tego wielkiego wydarzenia. Jeżeli dziecko nie będzie w stanie spełnić oczekiwań, nie strofuj go. Powiedz po prostu, że chcesz, aby kiedyś nauczyło się tych formalnych manier, i wyraź nadzieję, że następnym razem uda mu się zrobić to, co „robią wszyscy inni". Rezultatem zbyt dużej presji bądź zbyt górnolotnych pochwał może być przekonanie dziecka, że maniery podlegają negocjacji. Maniery, tak jak rutyna podczas posiłków czy kładzenia się spać, powinny stać się częścią ustalonego wzorca, nie zaś sprawą do dyskusji.

Gdy nadejdzie czas pożegnania, znów powiedz dziecku, czego od niego oczekujesz: „Możesz podziękować babci i dziadziowi za pyszny obiad i przytulić się na pożegnanie. Dziadkowie powiedzieli mi, że zauważyli, jak bardzo wyrosłeś!".

Jeśli któreś z dziadków jest w jakiś sposób niesprawne, na przykład używa laski lub kuli, będzie to dobra sposobność, aby nauczyć dziecko wrażliwości na innych: „Dziadzio musi używać kul, ponieważ bolą go teraz nogi, ale jest tym trochę zawstydzony. Czasami nawet dorośli się wstydzą, gdy różnią się od innych. Najlepiej więc będzie okazać mu współczucie i pomoc, ale nie rozmawiać za dużo o kulach. Możesz spytać, jak się czuje, i zauważyć, kiedy będzie potrzebował pomocy. Na przykład gdy jedna kula się przewróci, możesz ją podnieść i podać dziadkowi".

U cztero- i pięciolatków świadomość różnic jest u szczytu rozwoju. Dziecko będzie albo czuło się nieswojo, albo reagowało przesadnie. Na przykład kiedy zobaczy na ulicy osobę niewidomą, może głośno zauważyć: „Patrz, mamo, ta pani ma laskę!". Wszystkie takie sytuacje to doskonała okazja, aby nauczyć dziecko wrażliwości na innych ludzi. Możesz wtedy powiedzieć: „Tak, ta pani używa laski, ponieważ nie widzi, a laska pomaga jej wyczuć krawężnik lub ściany, na które mogłaby wpaść. Zamknij oczy i poczuj, jak trudno byłoby samemu poradzić sobie bez wzroku. To niezwykłe, że ta pani potrafi poruszać się sama, nie sądzisz?". Gdy dziecko przyswoi twoje słowa, możesz dodać: „Być może ta pani nie chciałaby, żeby ktoś zwracał uwagę na jej laskę i mówił o niej na głos. Możesz powiedzieć mi o tym cichutko". Pomoc dziecku w poradzeniu sobie z emocjami będzie dla niego ogromną ulgą. Kiedy modelujesz właściwe zachowanie, pomagasz dziecku zmniejszyć niepokój.

Pożytki z dobrych manier

Maniery sprawiają, że życie jest łatwiejsze i przyjemniejsze. Jeśli wyjaśnisz to dziecku, zamiast przedstawiać je jako obowiązek, osiągniesz lepszy rezultat. Na przykład jeśli w supermarkecie powiesz „przepraszam" do kogoś, kogo przypadkowo popchniesz, większość osób uśmiechnie się w odpowiedzi na tak uprzejme zachowanie. Twoje dziecko zechce cię naśladować i zrozumie, że dobre maniery nie tylko ułatwiają kontakt z innymi ludźmi, ale również pomagają radzić sobie w nietypowych, stresujących sytuacjach. Maniery stanowią pewną ramę odniesienia w codziennych interakcjach, mogą także pomóc w tych nieoczekiwanych. Dziecko, które z łatwością stosuje rutynowe zachowania w przewidywalnych sytuacjach, skuteczniej

Uwaga

Kiedy dziecko uczy się dobrych manier bez niepotrzebnego nacisku ze strony rodziców, jest dumne ze swoich osiągnięć. Nie są one wówczas sztuczną strukturą narzuconą przez dorosłych, ale wypływają z jego wnętrza. Dziecko ma nad nimi kontrolę, ponieważ są jego własnymi zachowaniami. Przede wszystkim są dla niego oparciem – dają mu poczucie wewnętrznej siły poprzez fakt, że są zawsze pod ręką i pomagają zdobyć szacunek i przychylność innych.

poradzi sobie w nietypowych okolicznościach. Kiedy maluchowi uda się sprostać jakiemuś wyzwaniu, pamiętaj, aby go za to pochwalić. Na przykład słowa: „Wszyscy podziwiali, jak pomogłeś temu małemu chłopcu wstać, gdy się przewrócił i zadrapał kolano" pomogą dziecku wytworzyć dobre mniemanie o sobie.

Nieuprzejmość

Jedną z powszechnych reakcji na nadmierną presję uczenia się dobrych manier jest świadoma nieuprzejmość. Kiedy dziecko wie, jakie zachowanie jest pożądane, może ostentacyjnie przejawić zupełnie przeciwne. Choć wie, co powinno zrobić, zbyt duża presja każe mu zareagować zachowaniem i słowami, które na pewno nie pozostaną bez echa.

Możesz wówczas powiedzieć: „Oczywiście, jestem rozczarowana. Ty i ja wiemy, że potrafisz się zachować właściwie. Może masz poczucie, że dużo od ciebie oczekuję, i rzeczywiście tak jest. Chcę, aby inni szanowali cię i lubili. Wiem, jaki jesteś wspaniały, i chcę, aby inni też się o tym przekonali. Przykro mi, że tak się teraz czujesz, ale mam nadzieję, że następnym razem będziesz bardziej wrażliwy wobec innych". Przy pierwszej oznace oporu należy zrezygnować z jakiegokolwiek nacisku. Dziecko może nie być gotowe do wysłuchania cię w danym momencie – ten krótki wykład można więc przełożyć na później.

Jeśli dziecko przez cały czas jest nieuprzejme, należy się temu przyjrzeć. Nie ma powodu, aby tolerować ciągły brak wrażliwości na innych w wieku 4 czy 5 lat. Może to być przejaw wewnętrznego zamieszania albo drażliwości, często występującej u dzieci z depresją. Jeśli nieuprzejmość nie ustępuje i wpływa na wszystkie interakcje dziecka, pomocna będzie konsultacja z psychologiem lub psychiatrą dziecięcym. Nieuprzejmość odcina bowiem dziecko od świata i potęguje jego niepokoje.

Jak zostało już powiedziane na początku tego rozdziału, dobre maniery odzwierciedlają pewne zasady leżące u podstaw naszych interakcji społecznych. Same w sobie nie są istotne, ale stanowią klucz do czegoś większego – świata ludzi. Zestaw przyjaznych manier jest przepustką dającą wolność i dostęp do ludzi spoza rodziny. Dziecko, które jest wrażliwe na uczucia innych oraz miłe w obejściu, spotka na swojej drodze raczej uśmiech i nowe przyjaźnie niż marsowe miny, nieufność i opór.

31

Zabawa

Zabawa to praca dziecka. Dzięki niej ma ono okazję ponownie przeżywać swoje doświadczenia, zadawać pytania dotyczące świata i – przede wszystkim – odgrywać swoje marzenia. W zabawie może czuć bezpieczeństwo bycia nieobserwowanym i niekierowanym przez nikogo, a także doświadczać wolności i radosnego podekscytowania tworzeniem własnych pomysłów. Może ubarwiać swoje osiągnięcia rozwojowe i eksperymentować z nimi. Na przykład gdy właśnie nauczyło się chodzić, może próbować podnieść duży drewniany klocek, który jest dla niego zbyt ciężki, upuścić go i znów się pochylić, aby spróbować swoich sił. Tym razem może go trzymać obiema rękami i chwiać się, próbując się na nim skoncentrować. Nawet gdy straci równowagę i ciężko klapnie na podłogę, nie upuści zdobyczy. Może ją teraz przewracać w rączkach, wziąć do buzi, pchnąć i – naśladując warkot silnika – udawać, że jest

Czego dziecko uczy się podczas zabawy?

(1) Poszerza zakres swojej nowej umiejętności chodzenia.
(2) Utrzymuje równowagę, trzymając w ręku ciężką zabawkę.
(3) Zamienia w swojej wyobraźni drewniany klocek w zabawkowy samochód.

W tym jednym fragmencie zabawy widzimy sportowca, naukowca i budowniczego swoich marzeń.

samochodem. Po kilku próbach będzie już umiało „jeździć" klockiem po oparciu krzesła, podnieść się do pozycji stojącej, trzymając go ciągle w rękach, i chodzić z nim chwiejnym, ale w miarę stabilnym krokiem.

Kiedy zaczyna się zabawa? Podczas każdego przewijania pieluszki, karmienia czy kładzenia spać dziecko reaguje na rytm, uśmiech i dotyk rodziców. W 4 miesiącu interakcje stają się już bardziej złożone: niemowlę bawi się w „a kuku!" i dotyka zabawek zawieszonych nad łóżeczkiem. Gdy uderzy ją rączką, zabawka zatoczy koło i wróci do rączki. Podczas ruchu być może na ścianie pojawi się ciekawy cień. Dziecko zauważy, że ma wpływ na swoje otoczenie i że może z nim eksperymentować. W tym wieku zabawa może już odsunąć w czasie bardziej prymitywne zachowania, takie jak płacz z powodu głodu. Niemowlę uczy się wypełniać swoją przestrzeń samodzielną zabawą. Rodzice mogą zacząć kierować jego rozkładem dnia i nakłaniać do regularności.

W dużej mierze zabawa składa się z serii eksperymentów i sprawdzania, jak działa świat. Kiedy w wieku 7 lub 8 miesięcy dziecko już raczkuje, może zbliżyć się do zabronionej lampy czy telewizora. Obejrzy się i sprawdzi czujność rodziców – czy podbiegną i wezmą je na ręce, odsuną je w inne miejsce, czy przytrzymają rączki? Nauczy się przewidywać zachowanie ważnych dorosłych w swoim otoczeniu i mieć na nich wpływ. Spróbuje jeszcze raz. Mama rzuci słuchawkę telefonu, aby podbiec do niego. Niemowlę wówczas zapiszczy z zadowolenia. Dysponuje aż taką siłą sprawczą!

Kiedy dziecko potrafi już chodzić, ma do dyspozycji wiele nowych eksperymentów. Może pójść za róg i zniknąć rodzicom z oczu. Jeśli to nie sprowadzi ich do niego, może krzyknąć – po części z lęku, że się zgubiło, a po części po to, by wywołać ich reakcję. Gdy dorośli się pojawią, dziecko będzie miało za sobą kolejną lekcję – nauczy się wiele o sobie i swoich rodzicach.

Czternastomiesięczne dzieci bawią się już ze sobą. Jeśli siedzą obok siebie, a któreś podniesie klocek i potrząśnie nim, drugie, pozornie bez patrzenia na tamto, powtórzy ruch w tym samym rytmie. Ich zabawa polega na naśladowaniu. Wypróbowują różne rytmy, chowanie zabawki, rzucanie jej i zabieranie jej sobie.

Zaczynają badać umiejętności interakcji, komunikacji bez słów, przyłączania się do zabawy i bawienia się oddzielnie. Oboje uczą się, jakie zachowanie wywoła wybuch złości, a jakie uśmiech i więcej radości. Wiele zabaw w tym wieku polega na śmiesznych niespodziankach i zmianach wprowadzanych w ustalony i oczekiwany schemat. Tato może bawić się z dzieckiem w „a kuku!": najpierw ustali pewien rytm chowania się i wyłaniania zza płaszcza, na co mały tuptuś zareaguje piskiem radości, a następnie złamie rytm i nie wyjdzie z ukrycia. Dziecko będzie czekać i wyglądać go niepewnie: „Czy zniknął? Czy zostawił mnie?". Kiedy tato odsłoni płaszcz, weźmie dziecko i je przytuli, ono znów zapiszczy w ekstazie. Nauczyło się, że zniknięcie może nie trwać długo. Tato ciągle tam był, choć nie było go widać.

W wieku 18 miesięcy dziecko będzie naśladować otoczenie. Weźmie misia i zabawkową butelkę z mlekiem, przytuli go i będzie mu nucić i kołysać go. Zawinie go w kocyk, pochyli się nad nim i zacznie łagodnie do niego przemawiać i śpiewać mu. Zrobi krok w kierunku zabawy symbolicznej. Odtworzy to, czego samo doświadczyło.

Trzyletnie dziecko potrafi już odegrać różnorodne role dorosłych. Mała dziewczynka założy żakiet mamy, udając, że to sukienka, i będzie przechadzać się tam i z powrotem w przedpokoju, machając rękami, wyśpiewując trele i powtarzając słowa ulubionej piosenki mamy. **Staje się** swoją mamą. Imituje jej sposób chodzenia, gesty i głos. Przyswoiła jej kobiecość i sprawdza, jak to jest być dorosłą. Z kolei chłopiec będzie naśladował tatę lub starszego brata. Fantazje nie są więc ucieczką od świata, ale odkrywaniem, jak on działa. W miarę dorastania dzieci ich zabawy przybierają bardziej złożone formy. Ważne staje się przestrzeganie zasad, ale nawet tu jest miejsce na eksperymentowanie i próby oszukiwania, aby sprawdzić, jaką wywoła to reakcję. W zabawie pojawia się także współpraca: budowanie fortów, zabawa w chowanego czy w teatrzyk wymagają współdziałania. Łatwo zauważyć, jak nadmiar telewizji czy gier komputerowych pozbawia dziecko radości i możliwości uczenia się, których dostarcza swobodna zabawa. Zamiast gotowego świata fantazji i biernego oglądania oferuje dziecku możliwość samodzielnego i aktywnego badania świata oraz korzystania z niczym nieograniczonej wyobraźni. Ogromne bogactwo i wolność, jaką daje zabawa na świeżym powietrzu z jej niekończącymi się odkryciami i nowymi wrażeniami, może być kwintesencją dzieciństwa. W niej właśnie dziecko może stać się prawdziwym odkrywcą, eksperymentatorem, budowniczym i marzycielem.

Obserwowanie zabawy dziecka, które doświadczyło traumatycznego wydarzenia, pozwala docenić znaczenie tej aktywności. Na przykład po pobycie w szpitalu dziecko może odgrywać wiele przerażających dla niego doświadczeń:

- rozłąkę z rodziną i domem;
- przerażającą obcość śmierdzącej, małej i sterylnej sali szpitalnej;
- ciągłą obecność obcych pielęgniarek i lekarzy;
- konieczność zdejmowania ubrania;
- ukłucia igłą i pobieranie krwi;
- czasami samotność;
- ból po operacji;
- zmartwione twarze rodziców przekazujących własne lęki.

Po powrocie do domu przez długie tygodnie dziecko może śmiało odgrywać wszystkie te doświadczenia w zabawie. Może położyć swoje misie i lalki do łóżka i zacząć na nie krzyczeć: „Zamknij się, ty niedobre dziecko". Zaatakuje misia nożem do masła i wbije mu w łapkę ołówek. Może nawet powiedzieć coś, co cały czas chodziło mu po głowie: „Gdybyś nie był taki niegrzeczny, nie musiałbym tak cię ranić". Zabawa ujawnia wszystkie takie myśli i emocje – ma znaczenie terapeutyczne. Być może dziecko będzie musiało wiele razy odegrać te traumatyczne wydarzenia, aby stopniowo uzdrowić przerażające wspomnienia. Zabawa, bez dominacji i ingerencji dorosłych, pomaga dziecku uczyć się siebie i świata.

32

Próba sił i manipulacja emocjonalna

„Nie kochacie mnie! Gdybyście mnie kochali, pozwolilibyście mi dłużej oglądać telewizję. Inni rodzice pozwalają. Kochają swoje dzieci, a wy nie!" – takie jawne próby manipulacji są doskonale znane rodzicom. Towarzyszy im żałosny i uciemiężony wyraz twarzy. Brak subtelności takiej wypowiedzi wskazuje na to, że dziecko doskonale wie, iż nie ma szans. Niemniej jednak tego typu słowa uderzą w czuły punkt i sprowokują rodziców.

Takie interakcje są całkowicie normalne w relacji rodzic – dziecko i jeśli dorośli nie zareagują przesadnie, nie muszą być perfidne. Zarówno rodzice, jak i dzieci chcą dopiąć swego. Dzieci próbują swoich sił i manipulują, aby się dowiedzieć, gdzie są granice. Wszystko to jest częścią wzajemnego uczenia się siebie.

Obserwując próby manipulacji emocjonalnej ze strony dzieci, dorośli powinni pamiętać, że oni przecież też chcą wpływać na zachowanie swoich pociech – za pomocą nagród, pochwał, przekupstwa i gróźb. Dzieci szybko uczą się naśladować rodziców. Nawet mały tuptuś wie, że przyniesienie ulubionej książeczki i pokazanie jej rozmawiającym rodzicom skuteczniej odciągnie ich od rozmowy niż zwykłe dopraszanie się o uwagę. Smutek na twarzy czy moszczenie się przy rodzicu na kanapie również będą niezawodne. Nikt przecież nie powie, że te zachowania są przebiegłe czy podstępne.

Kiedy napady złości utrudniają zakupy i są uciszane obietnicami nagrody w zamian za „wytrzymanie kolejnego kwadransa", kto kim manipuluje w takiej sytuacji? Czy któraś ze stron ma szanse na wygraną? Wątpię. Postrzegam takie sytuacje jako swego rodzaju grę. Przynajmniej dzięki niej wizyta w supermarkecie jest o wiele ciekawsza. Jeśli w zanadrzu znajdzie się napad złości oraz kuszące nowe nagrody za grzeczność, nudne codzienne sprawunki stają się całkiem interesujące. W rezultacie obie strony sprawdzą swoje granice.

Wczesna próba sił

Podczas badań prowadzonych w żłobku obserwowaliśmy czteromiesięczne niemowlęta i zauważyliśmy, że dzieci nie angażowały zbytnio swojej uwagi podczas zabawy z opiekunami. Grzecznie uśmiechały się i wokalizowały, gdy opiekun do nich mówił, ale rzadko poruszały przy tym rączkami i nóżkami. Zdaliśmy sobie sprawę, że w ten sposób oszczędzały swoją energię emocjonalną. Jednak gdy ich matki (w niektórych przypadkach ojcowie) po całym dniu nieobecności wracały z pracy i podchodziły do dziecka, każde z nich przez pierwszych kilka sekund patrzyło na mamę wygłodniałym wzrokiem, a potem natychmiast zaczynało płakać. Płacz przechodził w nieutulony szloch, aż do momentu wzięcia na ręce. Przytulone niemowlę wierciło się na wszystkie strony i odwracało główkę, gdy mama chciała je pocałować. Każda kobieta komentowała to tymi samymi słowami: „Złości się, że cały dzień była beze mnie". Wrażliwi i świadomi opiekunowie wyjaśniali rodzicom, że dziecko cały dzień gromadziło w sobie silne emocje. W obecności mamy, kiedy czuje się bezpieczne i kochane, może pozwolić sobie na ich okazanie. Płacze i daje upust emocjom, gdyż czuje się bezpiecznie. Jedna z matek biorących udział w badaniu spytała: „To znaczy, że manipuluje mną tym płaczem! A przecież ma tylko 4 miesiące. Skąd ono wie, że tak bardzo się tym przejmuję?". Spojrzała na dziecko, wzięła je pod bródkę i powiedziała z czułością: „Ty niedobry! Cieszysz się, że mnie widzisz, tak?".

Kiedy dzieci wybuchały płaczem w ramionach rodziców, można było wyczuć ich ogromne emocje. Niemowlęta i małe dzieci muszą badać, jak daleko sięga ich moc: „Czy upiecze mi się tym razem, czy nie? Jak daleko mogę się posunąć? Spójrz, jak bardzo mama czerwienieje na buzi, gdy odmawiam umycia rąk! Czy tatuś zdenerwuje się za **każdym** razem, gdy po powrocie z pracy natknie się w przedpokoju na moje buty? Co jeszcze mogę zrobić?". Takie drażnienie rodziców to próba testowania siły i wagi ich oczekiwań.

Uwaga

Dziecko, które spędziło cały dzień w żłobku lub przedszkolu, jest pełne przeżyć, którymi chce się podzielić, ale jego przepracowani rodzice biegną do kuchni, aby przygotować obiad. Zrobi więc wszystko, by przyciągnąć ich uwagę. Może trzeba najpierw usiąść z dzieckiem, a do kuchni pójść, gdy wszyscy będą już w domu? Albo wziąć dziecko do kuchni ze sobą, aby pomogło w przygotowaniach?

Poprzez manipulację dzieci prowokują rodziców również do próby sił. Sprawdzają w ten sposób, kto tu rządzi, a kto będzie dla nich bardziej pobłażliwy: „Mamusia powiedziała, że mogę, więc dlaczego ty mi nie pozwalasz? Dlaczego ona jest taka dobra, a ty nie?". Jeśli wynikiem tego testu jest kłótnia między rodzicami, a ten bardziej wymagający przegrywa, dziecko wyciągnie odpowiednie wnioski. Nauczy się, że rodzice wolą raczej się spierać niż wspierać nawzajem swoje decyzje. Uświadomi sobie, że osiągnie swoje cele, gdy uda mu się poróżnić dorosłych ze sobą. Daje to dziecku niebezpieczne poczucie mocy – ekscytujące, ale równocześnie przerażające. To sprawi, że stanie się ono niespokojne i niepewne siebie.

Dziecko sprawdza siłę swojego wpływu niemal w każdej chwili. Podczas posiłków strąca jedzenie na podłogę i obserwuje, czy rodzic je podniesie. Starsze dziecko może powiedzieć: „Nie chcę hamburgera, ale gdyby był hot-dog, chętnie bym go zjadł". Naśladuje tym samym rodziców, którzy wcześniej mogli zakomunikować: „Nie dostaniesz deseru, dopóki wszystko nie zniknie z talerza". Podczas kładzenia się spać techniki „chcę pić" albo „muszę siusiu" nie są zbyt subtelne, ale spełniają swój cel – odsuwają w czasie moment zgaszenia światła. Ponownie rodzice sami dają przykład: „Pozwolę ci oglądać telewizję pół godziny dłużej, jeśli od razu się położysz".

Co dają takie działania? Pozwalają rodzicom i dzieciom na wzajemne badanie swoich granic. Kiedy pytam rodziców, dlaczego nie położą kresu tym niekończącym

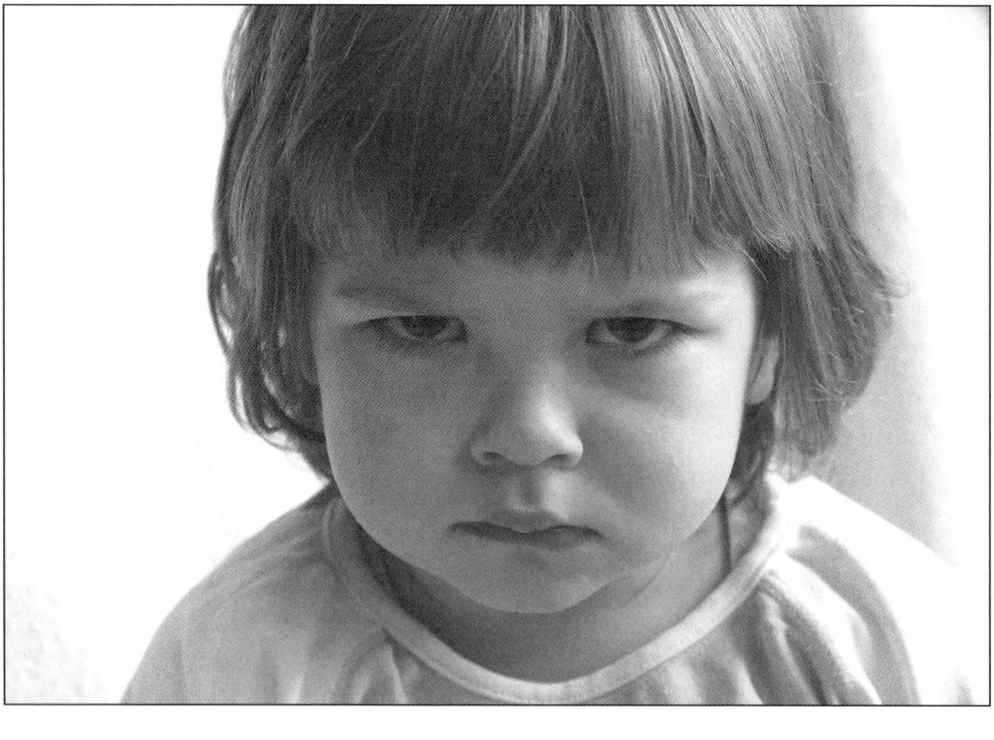

się wieczornym dramatom, niektórzy przyznają, że nie chcą zakończyć dnia i rozstawać się z dzieckiem: „Gdy utnę te zmagania zbyt szybko, dziecko położy się z poczuciem bycia niekochanym i opuszczonym". Nie jestem pewien, czy jasno określone i stanowcze granice są równoznaczne z poczuciem niekochania i odrzucenia, ale domyślam się, że owe wieczorne zmagania pomagają załagodzić ból rozstania zarówno rodzicom, jak i dziecku. Podświadomie każde z nich odsuwa od siebie to doświadczenie, obawiając się, że w przyszłości konieczne będą dłuższe rozstania. Minęło już tyle czasu, odkąd moje dzieci prosiły mnie o wodę przed snem, ja jednak ciągle jeszcze za tym tęsknię...

Reagowanie na manipulację

Czy rodzice powinni pozwolić na manipulację? Z całą pewnością zależy to od okoliczności i wagi wydarzenia. Nie ma powodu, dla którego nie miałbyś dać się wciągnąć w tę grę i dzielić z dzieckiem radości i dumy z jego inteligentnych manewrów. Umiejętność dopięcia swego w subtelny i pomysłowy sposób może być atutem dziecka na przyszłość. Dobrze jest jednak postawić sprawę jasno: podziwiasz i doceniasz

Jak zachęcić dziecko do współpracy i zmniejszyć potrzebę manipulacji z jego strony?

(1) Zanim pojawią się problemy, porozmawiajcie o danej sprawie. Otwarcie przedstaw opcje i powiedz, jak chciałbyś, żeby dziecko się zachowywało. Zrób to wtedy, gdy będzie w stanie zapanować nad sobą, nie zaś gdy zmaga się z problemem.
(2) Uszanuj dziecko za jego umiejętność dokonywania wyboru propozycji, które mu przedstawisz. Dostosuj je do jego wieku, umiejętności zapanowania nad sobą i zapamiętania wybranej możliwości.
(3) Pamiętaj, że prowokujące zachowanie to sposób na testowanie rodziców i uczenie się granic.
(4) Przyjrzyj się swojej tolerancji wobec zachowania dziecka. Może jego niektóre aktywności prowokują cię do przesadnych reakcji.
(5) Jeśli to możliwe, pomóż dziecku zrozumieć, że twoje wymagania leżą w najlepszym interesie wszystkich. Da wam to poczucie lepszej komunikacji i zapobiegnie próbie sił.
(6) Zauważ, że eskalacja presji i manipulacji spowoduje również eskalację oporu – zaproponuj alternatywne zachowania.
(7) Jeśli naprawdę chcesz, aby dziecko coś zrobiło, nigdy nie używaj formy pytającej („Czy zrobisz to?"). Po prostu powiedz: „Teraz jest czas na...".
(8) Pochwal dziecko, gdy współpracuje.

pomysłowość dziecka, ale nie możesz pozwolić mu na wszystko. Popatrz na sytuację z jego perspektywy, ale pomóż mu również ocenić plusy i minusy jego zachowania. Okaż mu szacunek, jednak trzymajcie się wyznaczonych wcześniej zasad.

Kiedy rodzice uciekają się do manipulacji, ryzykują utratę zaufania dziecka i podważenie jego umiejętności poradzenia sobie z sytuacją. Bezpośrednie i uczciwe przedstawienie swoich oczekiwań sprawi, że dziecko poczuje się obdarzone zaufaniem i zmotywowane. Może wówczas podjąć własną decyzję, a gdy ją zrealizuje, poczuje dumę ze swojego sukcesu. Taka postawa rodziców stanowi jednocześnie wzór dla dziecka – pokazują mu oni alternatywę dla manipulacji emocjonalnej.

33

Wcześniactwo

Narodziny wcześniaka zawsze są szokiem. Cały wysiłek okresu ciąży postrzegany jako przygotowanie do porodu i pojawienia się nowego dziecka zostaje nagle przerwany. Ani wcześniak, ani jego rodzice nie są na to przygotowani. Wszyscy muszą poradzić sobie z procesem adaptacji.

Liczba przedwczesnych porodów stale rośnie, ale równocześnie zdecydowanie zwiększyły się też możliwości ratowania bardzo małych wcześniaków. Dzięki współczesnej technologii noworodki urodzone po 24 tygodniu ciąży są w stanie przeżyć. Lek podawany tuż przed spodziewanym porodem przedwczesnym wspomaga niedojrzałe płuca dziecka w podjęciu funkcji po urodzeniu. Często można też uniknąć problemów jelitowych zagrażających wielu wcześniakom. Umiemy więc nie tylko ratować życie tym skrajnie bezbronnym, niedojrzałym noworodkom, ale potrafimy także zmniejszyć ryzyko powikłań zagrażających ich przyszłemu prawidłowemu rozwojowi. Niemniej jednak nadal powszechne są takie choroby jak mózgowe porażenie dziecięce, dysplazja oskrzelowo-płucna czy problemy ze wzrokiem i słuchem.

Następnym etapem w zapewnieniu tym delikatnym istotom optymalnej przyszłości jest jak najwcześniejsze włączenie rodziców w proces opieki. Dorośli, którym rodzi się takie kruche, niedojrzałe dziecko, z pewnością są zrozpaczeni i przerażeni na myśl o jego przyszłości. Stworzenie im warunków do przebywania z wcześniakiem, aby mogli towarzyszyć jego postępom i uczestniczyć w opiece nad nim, gdy tylko jego stan na to pozwoli, umożliwi im dojście do równowagi w podobnym tempie jak dziecku – krok po kroku. Wtedy będą gotowi, aby rozumieć je i opiekować się nim po wypisie ze szpitala.

Program Oceny Zindywidualizowanej Opieki Rozwojowej Noworodka

Moja koleżanka Heidelise Als wprowadziła Program Oceny Zindywidualizowanej Opieki Rozwojowej Noworodka (Neonatal Individualized Developmental Care Assessment Program, NIDCAP) na wielu oddziałach intensywnej terapii noworodka (OITN), aby jak najwierniej odtworzyć warunki środowiskowe w łonie matki. Zgodnie z zaleceniami programu lekarze i pielęgniarki chronią delikatne zmysły noworodków (wzrok, słuch, dotyk) poprzez redukcję natężenia dźwięku i przykrywanie inkubatorów w celu wyeliminowania stałego ostrego światła, starają się też uważnie dostosowywać procedury medyczne i rutynowe czynności, takie jak mycie i karmienie, aby były jak najmniej inwazyjne dla dziecka. Wynikiem wprowadzenia tych zmian jest szybsza rekonwalescencja dzieci, mniejsze zapotrzebowanie na tlen, szybsze przyrosty wagowe oraz poprawa zdolności reagowania na bodźce wraz z rozwojem i odzyskiwaniem równowagi. Taki model środowiska zewnętrznego, respektujący granice percepcji i wykorzystywania bodźców przez niedojrzałe organy zmysłowe wcześniaków, zdecydowanie zwiększa możliwości ich rozwoju.

Niepokoje rodziców

Matka niejako automatycznie zastanawia się nad swoją rolą w przebiegu przedwczesnego porodu: „Dlaczego nie byłam w stanie donosić ciąży? Czy to we mnie jest jakaś wada, czy może w dziecku? Czy nie przepracowywałam się? Czy źle się odżywiałam? Co zrobiłam temu dziecku?". Automatycznie włącza się też uczucie żalu. Matka oskarża siebie i czuje się bezradna, a nawet zła – na siebie i na cały świat. Prawdopodobnie przeniesie tę złość na męża i na osoby, które uczestniczą w opiece nad dzieckiem. „Dlaczego oni nie starają się mu bardziej pomóc?" – to oskarżenie jest słabym kamuflażem dla jej osobistego poczucia porażki.

Technicznie zaawansowane, przerażające otoczenie OITN umacnia w rodzicach przekonanie o kruchości ich dziecka. Dopiero gdy zobaczą jego mocne strony, będą w stanie pozbyć się tych niepokojów. Od lat wiele osób pracujących na oddziałach intensywnej terapii walczy o włączenie rodziców w proces opieki nad wcześniakami. Troskliwi rodzice mogą dosyć szybko zacząć zajmować się swoim przedwcześnie urodzonym dzieckiem. Obserwując jego powrót do zdrowia, sami będą odzyskiwać siły.

W Stanach Zjednoczonych i wielu innych krajach na niektórych oddziałach dla wcześniaków powodzeniem cieszy się model opieki zwany kangurowaniem. Polega on na tym, że mały wcześniak jest układany bezpośrednio na klatce piersiowej rodzica,

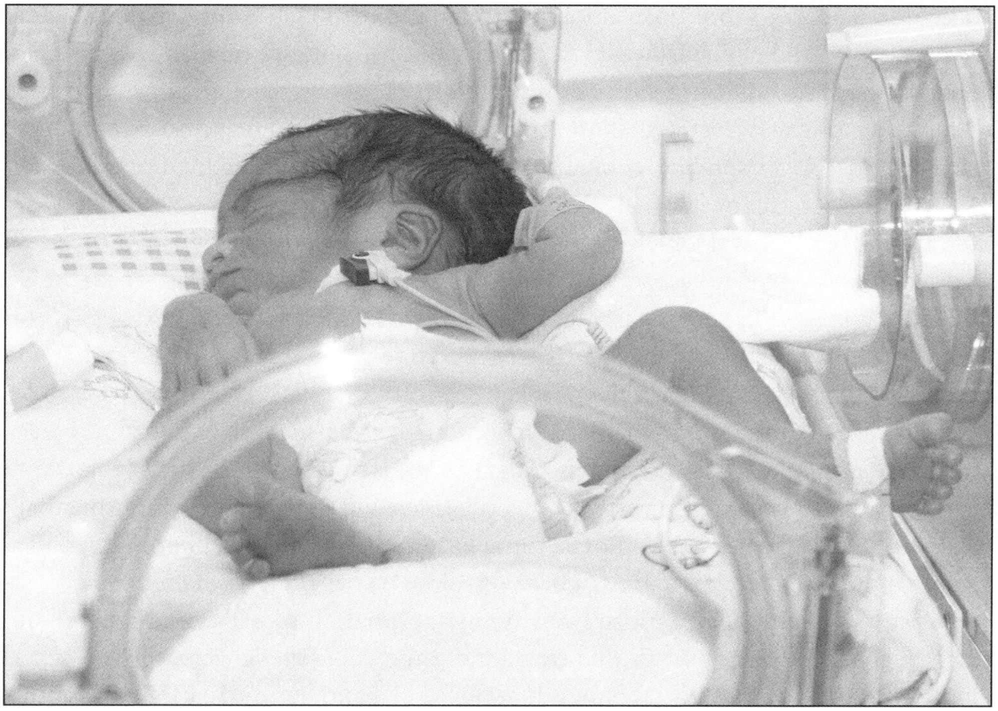

tak by – o ile to tylko możliwe – nastąpił kontakt poprzez skórę. Dla noworodka ogromnie korzystne są dotyk i ciepło ciała rodzica, a także odczuwanie rytmu bicia serca, tak dobrze znanego z okresu życia wewnątrzmacicznego. Rodziców cieszy bliskość, szansa lepszego poznania swojego dziecka i poczucie, że pomagają mu od samego początku. Z kolei dziecko szybciej dochodzi do zdrowia, przybiera na wadze i jest mniej podatne na powikłania.

Rekonwalescencja i rozwój

W cichej atmosferze współczesnego OITN z mniejszym natężeniem ostrego światła i innych bodźców delikatny układ nerwowy wcześniaka może szybciej i skuteczniej dojść do równowagi. Organizm będzie stopniowo uczył się panować nad oddychaniem, rytmem serca i ciśnieniem krwi. Potem dziecko może zacząć zamykać się na bodźce z otaczającego świata, gdy będzie wyczerpane, oraz zauważać je, kiedy będzie w stanie przyjmować więcej. Wcześniak, który nie jest przeciążony, nauczy się w końcu przechodzić przez sześć kolejnych stanów świadomości obserwowanych u wszystkich noworodków. Kiedy już dojdzie do siebie po przedwczesnym porodzie, będzie się powoli uczył zwracać uwagę na pozytywne bodźce społeczne.

Każde dziecko, które doświadczyło stresu w okresie ciąży lub porodu, będzie miało skłonność do nadwrażliwości na dezorientujący hałas, ostre światło, a także niedelikatne obchodzenie się z nim (zob. rozdział 17). Im bardziej atrakcyjny bodziec (jak ludzki głos czy twarz), tym bardziej przesadna będzie jego reakcja. Chcąc dotrzeć do takiego dziecka i sprawić, żeby dzięki stymulacji uczyło się siebie i otaczającego świata, należy zredukować nasilenie, częstotliwość i czas trwania wszystskich bodźców. Odkryliśmy, że wcześniak lub niemowlę, które doświadczyło stresu, może przyswoić tylko jeden bodziec sensoryczny naraz i tylko na jeden zareagować – albo dotyk, albo głos, albo widok twarzy, albo wzięcie na ręce; w dodatku starannie dopasowany do poziomu wrażliwości dziecka. Kiedy zaczyna szybko i ciężko oddychać lub gdy kolor jego skóry się zmienia, dziecko zdaje się komunikować: „Mam dość".

Głęboki sen może być mechanizmem obronnym wcześniaka, a marudzenie i płacz (bardzo wyczerpującym) sposobem na odgradzanie się od świata zewnętrznego. Stan czuwania jest niezbędny w procesie uczenia się, ale również może stanowić dla niemowlęcia duże przeciążenie. Opiekunowie muszą zaakceptować ten niski próg tolerancji. Kiedy zajmują się dzieckiem, muszą być wyczuleni na oznaki jego wyczerpania.

Motoryka niemowlęcia może być kolejnym sygnałem mówiącym o zmęczeniu. Kiedy ruchy stają się nerwowe lub bezwładne, zmieniając swoje wcześniejsze napięcie i charakter, dziecko potrzebuje odpoczynku. Te zmiany można łatwo zaobserwować – są one jednym ze sposobów komunikacji wcześniaka ze światem.

Kiedy niemowlę wraca do równowagi po przedwczesnym porodzie, coraz bardziej umiejętnie przyjmuje opiekę rodziców, ich skupienie na nim i przemawianie do niego. Gdy ostatecznie zaakceptuje równoczesność tych działań, będzie to oznaczało pełną równowagę i integrację układu nerwowego.

Rodzice wcześniaków są zachęcani do codziennego odwiedzania OITN i uczestniczenia w karmieniu i przewijaniu oraz przytulania dziecka. Stopniowo przezwyciężają swój naturalny lęk przez zajmowaniem się wcześniakiem. Kiedy widzą, jak nabiera sił, uczą się rozpoznawać jego mocne strony i potencjał rozwojowy. Pewne drobiazgi spotykane czasami na niektórych oddziałach intensywnej terapii noworodka, takie jak czapeczki robione na drutach, imiona i zdjęcia przyklejone do inkubatorów oraz zabawki przynoszone przez rodziców, nadają tym delikatnym istotom tożsamość, a rodzicom pomagają zobaczyć w nich konkretną, rzeczywistą istotę ludzką.

W momencie gdy rodzice nabiorą pewności, że ich dziecko przeżyje, obydwoje zaczną się martwić, czy będzie „normalne". To nieuniknione, że będą je porównywać do noworodków urodzonych w terminie – może tak być przez całe życie wcześniaka. Istnieje ryzyko, że każdy rodzic, który ma za sobą traumę narodzin niemowlęcia z zagrożeniem życia, będzie postrzegał je jako zagrożone przez wiele kolejnych lat. Niebezpieczeństwo nadopiekuńczości i rozwoju syndromu dziecka bezradnego jest ogromne. Tacy rodzice wymagają pomocy w skoncentrowaniu się na możliwościach rozwojowych niemowlęcia, nie zaś na nieurzeczywistnionych obawach. To będzie wymagało czasu. Kiedy będą potrafili skupić się na dziecku, które mają, zamiast na tym, które mogliby mieć, cała ich energia skieruje się na wzmacnianie jego potencjału do wzrastania i rozwoju.

Jeżeli jednak rodzice nieustannie porównują swojego wcześniaka do dzieci przyjaciół, z pewnością odkryją jego niedociągnięcia w pewnych dziedzinach. Będą wciąż szukać sposobów kompensowania niedostatków. Zaczną obserwować każdy jego ruch, na wypadek gdyby mu się nie powiodło. Zanim jeszcze powstanie w nim chęć podjęcia jakiegoś działania czy wygenerowania energii po porażce i odczucia frustracji z kolejnych prób prowadzących jednak do sukcesu, już nadciągają, by mu pomóc. Każdy etap rozwoju może stać się wtedy sukcesem rodziców, a nie dziecka. Będzie ono postrzegało siebie jako bezradnego, niepełnowartościowego byłego wcześniaka – dziecko skazane na niepowodzenia.

Rodzice mogą znaleźć wsparcie w ogromnych postępach, jakie poczyniła medycyna w ostatnich dekadach. Nawet niemowlęta z upośledzeniami mogą odnieść znaczne korzyści z zastosowania nowych technik wczesnej interwencji. Pojawia się coraz więcej danych na temat plastyczności układu nerwowego wcześniaka i możliwości zaangażowania wielu niewykorzystanych szlaków przewodzenia nerwowego w mózgu takiego dziecka. Innymi słowy, nawet jeżeli jakieś obszary zostały uszkodzone, inne są w stanie przejąć ich funkcje. Wczesna interwencja, czyli leczenie rozpoczęte w ciągu pierwszych miesięcy i lat życia, w czasie najbardziej dynamicznego rozwoju mózgu, może wspomóc ten proces. Może ona również zrównoważyć upośledzenia neurologiczne, gdy na przykład niewidome dziecko uczy się z większą wrażliwością wykorzystywać zmysły dotyku i słuchu. Metody te muszą być zastosowane jak najszybciej, gdy tylko wcześniak jest stabilny i może poradzić sobie z tego rodzaju stymulacją. Z tego powodu przed wypisem ze szpitala u wszystkich przedwcześnie urodzonych dzieci powinna zostać określona potrzeba wczesnej interwencji. Rodzice zasługują na to, by wiedzieć, jak dotrzeć do swojego dziecka i jak pomóc mu wykorzystać jego mocne strony.

Wcześniak często rozwija się w wolniejszym tempie aniżeli noworodek urodzony w terminie z powodu ceny, jaką płaci za dojrzewanie swojego wrażliwego układu nerwowego. Aby oszacować wiek dziecka pod kątem prognoz rozwojowych, zawsze dodaję liczbę tygodni, których zabrakło mu do właściwego terminu porodu, do liczby tygodni spędzonych na intensywnej terapii noworodka i odejmuję tę sumę od jego wieku kalendarzowego. Niektóre prace naukowe dowodzą, że jeżeli niemowlę jest ciężko chore albo poddane intensywnej terapii, takiej jak wentylacja mechaniczna, rozwój mózgu ulega wówczas spowolnieniu. Cała energia jest wtedy kierowana na wyzdrowienie fizyczne. Kiedy dziecko jest już w dobrym stanie, jego mózg zaczyna robić postępy i można rozpocząć „nadrabianie". Jeżeli rodzice przyjmą założenie, że rozwój ich dziecka będzie przesunięty w czasie, zaoszczędzą sobie niepokoju związanego z zastanawianiem się, czy kiedykolwiek dogoni ono rówieśników. Będą mogli wówczas skupić się na pomaganiu mu w tym miejscu, w którym się znajduje, i rozkoszować jego aktualnymi postępami w rozwoju.

Wprawdzie większość wcześniaków urodzonych po 26 lub 27 tygodniu ciąży rozwija się prawidłowo, częstość występowania zaburzeń w uczeniu się, zaburzeń uwagi i nadpobudliwości jest większa u dzieci urodzonych przedwcześnie niż u noworodków donoszonych. Rodzice powinni obserwować dziecko pod kątem tych zaburzeń. Jeżeli pojawią się jakiekolwiek podejrzenia, muszą skorzystać z opinii wykwalifikowanego specjalisty od oceny rozwoju, a w przypadku większych dzieci – z konsultacji neuropsychologa. Jeżeli nauczą się rozumieć wyzwania, przed jakimi stoi ich dziecko, będą mogli pomóc mu radzić sobie z trudnościami. Dzieci mogą nauczyć się rekompensować swoje opóźnienia i upośledzenia rozwojowe. Wczesne rozpoznanie tych opóźnień pomoże dziecku rozwijać swój potencjał, a nie tkwić w schemacie frustracji (zob. rozdziały 17 i 25). Programy wczesnej interwencji są powszechnie dostępne i rodzice powinni jak najszybciej ich poszukać. Programy te pomagają wydobyć mocne strony dziecka, a rodzicom przynoszą ulgę – kontakt z innymi rodzicami, którzy muszą stawić czoła podobnym problemom, będzie pocieszeniem[32].

[32] Informacje na temat postępowania z wcześniakami, niezbędnych badań oraz grup wsparcia dla rodziców dzieci przedwcześnie urodzonych można znaleźć na stronie Fundacji „Wcześniak": http://www.wczesniak.pl/ (przyp. red.).

34

Gotowość przedszkolna

Zanim rodzice zaczną oceniać gotowość przedszkolną dziecka, należy przyjrzeć się kilku innym kwestiom. Czy maluch potrafi rozstać się z domem? Czy dana placówka jest odpowiednia dla jego temperamentu? Czy będzie umiał nawiązać relacje z innymi dziećmi? Czy może przeszkodzą mu w tym problemy z zachowaniem?

Wszystkie te kwestie należy rozważyć, zanim dziecko pójdzie do przedszkola, a także przy każdym przechodzeniu na kolejny etap edukacji, w tym również do pierwszej klasy. Choć umiejętność adaptowania się dziecka najpierw do przedszkola, a następnie do zerówki ułatwiają mu stawienie czoła późniejszym wyzwaniom, problemy adaptacyjne wystąpią przy każdej zmianie.

Jeśli rodzice mają wybór między kilkoma placówkami, należy odwiedzić każdą z nich. Byłoby dobrze znaleźć taką, gdzie równolegle rozwijane są umiejętności poznawcze i społeczne. Zbyt duży nacisk na rozwój poznawczy w tym wieku może oznaczać, że zaniedbane zostaną potrzeby wzrastania dziecka jako istoty społecznej. Rozwiązania architektoniczne budynku oraz dostosowywanie rytmu aktywności, procesu uczenia i relaksacji do indywidualnych potrzeb dzieci stanowią odzwierciedlenie polityki danej instytucji. Poobserwuj dzieci bardzo aktywne i bardzo spokojne, aby zauważyć, jak placówka radzi sobie z nimi i je wspiera. Przede wszystkim oceń umiejętności opiekuna. Czy ma w sobie ciepło, cierpliwość i zdolność wspierania indywidualności każdego dziecka? Czy polubi twoje? Twoje wrażenie będzie bodajże najbardziej miarodajnym prognostykiem. Oprócz umiejętności pedagogicznych opiekun powinien posiadać równie ważną zdolność nawiązywania kontaktu z dzieckiem, dzięki której będzie mógł wzmocnić w nim wiarę w siebie oraz odwagę podejmowania ryzyka związanego z popełnianiem błędów i uczeniem się z nich. Jako rodzic musisz mieć pewność, że placówka zadba o rozwój emocjonalny twojego dziecka, ponieważ dzięki niemu będzie mogło zrealizować swój potencjał poznawczy.

Gotowość

Dzisiejsi rodzice często nękani są poczuciem, że dzieci trzeba jak najwcześniej przygotować do współzawodnictwa i odnoszenia sukcesów. Niewielu opiera się pokusie przygotowania dziecka poprzez naukę typowo szkolnych umiejętności – czytania, pisania i liczenia. Jeśli jednak dziecko nie jest jeszcze na to gotowe, będzie miało poczucie nadmiernego obciążenia i porażki, zanim rozpocznie jakiekolwiek działanie. Poszczególne umiejętności powinny być wprowadzane małymi krokami, bez żadnej presji – przygotują one dziecko do opanowania ich w późniejszym czasie. Samo czytanie małemu dziecku bajek, rozbudzanie jego ciekawości i pokazywanie własnym przykładem, że książki mogą być źródłem wiedzy, to doskonały sposób przygotowania do późniejszych wymagań szkolnych, choć oczywiście w tym wieku najcudowniejszym aspektem wspólnego czytania bajek będzie przede wszystkim przytulanie. Takie akcje jak „Cała Polska czyta dzieciom"[33] pokazują, że rodzice mogą zacząć edukację wcześnie, pomagając już małym dzieciom odkryć, że druk na kartce opowiada jakąś historię. Jest to przykład zabiegu przededukacyjnego, który może sprawić, że dziecko będzie samo – bez nacisku z zewnątrz – chciało nauczyć się czytać. Presja, aby opanowało pewne umiejętności, zanim będzie na nie rzeczywiście gotowe, pozbawia je możliwości odkrywania świata, zabawy i uczenia się poprzez eksperymentowanie. Porażka i towarzysząca jej frustracja lub znudzenie mogą wywołać w dziecku opór i uniemożliwić uczenie się, gdy pojawi się ku temu okazja. Wiele przedwcześnie rozwiniętych talentów później się wypala. Najważniejsze w tym procesie są bowiem zapał dziecka oraz jego samoocena. Musi ono mieć poczucie, że samo panuje nad swoim procesem uczenia się.

Specyfika szkolnego doświadczenia stawia dziecku wiele wymagań. Musi ono umieć się koncentrować, utrzymywać uwagę i ignorować bodźce rozpraszające, potrzebuje siły fizycznej i cierpliwości, aby usiedzieć w jednym miejscu przez dłuższy czas, oraz zdolności zsynchronizowania się ze szkolnym rytmem aktywności i odpoczynku. Musi też rozumieć, pamiętać i wykonywać dwu- lub trzyelementowe polecenia oraz zadania domowe, a także radzić sobie ze swoimi rzeczami osobistymi i ubraniami. Wszystko to składa się na proces uczenia się w grupie i jest dla dziecka wyzwaniem.

[33] W oryginale autor pisał o amerykańskim odpowiedniku, programie *Reach Out and Read*, czyli „Sięgnij i czytaj" (przyp. tłum.).

Co mówią badania?

Psycholog Betty Bardige cytuje badania, w których trzyletnie dzieci z rodzin biednych, zaniedbanych i doświadczających wielu napięć dysponowały o połowę mniejszym zasobem słownictwa i pojęć, niż oczekuje się od dzieci rozpoczynających przedszkole. Czy można nadrobić takie różnice? Dzieci z rodzin, w których dorośli czytają im książki i rozmawiają z nimi, w wieku 3 lat posługują się takim zasobem słów i pojęć, który daje im przewagę w procesie uczenia.

Akceptacja lub nieakceptacja stylu uczenia się dziecka i jego zdolności wpłynie na jego gotowość do uczenia się w przyszłości. Mała motoryka, czyli takie umiejętności jak posługiwanie się nożyczkami, rysowanie i pisanie, wymaga ogromnej dojrzałości neurologicznej, a także cierpliwości, dbałości i wytrwałości, które pojawiają się wraz z dojrzałością emocjonalną. Błędem byłoby myśleć, że wszystkie dzieci przejawiają gotowość do tych aktywności w tym samym czasie. Trzeba mieć świadomość, że niektóre „rozkwitają" później, i należy uszanować ich tempo. Podarowanie dziecku dodatkowego roku – jeśli tego potrzebuje – aby dojrzało, może być niekiedy dużo ważniejsze niż zaplanowanie pójścia do pierwszej klasy razem z innymi w wieku 6 lat. Zadaniem dla rodziców jest wykształcenie w dziecku zainteresowania uczeniem się. Zbyt wiele dzieci nie radzi sobie w szkole, bo choć są wystarczająco bystre, nie są jeszcze ani dojrzałe, ani gotowe.

Czy wysłać dziecko do przedszkola?

Wszelkie decyzje o pójściu do przedszkola, zerówki czy szkoły bądź odroczeniu tego momentu powinny być podejmowane po rozważeniu następujących kwestii:

- Rodzinne wzorce wolniejszego dojrzewania - dzieci „rozkwitające" później.
- Wcześniactwo lub problemy fizyczne we wczesnym dzieciństwie.
- Opóźnienie w rozwoju fizycznym (również w aspekcie wzrostu i wagi).
- Niedojrzałość motoryczna - niezdarność, słaba koordynacja ruchowa, na przykład trudności w łapaniu i rzucaniu piłki, rysowaniu, cięciu nożyczkami.
- Łatwe rozpraszanie się i krótkotrwałość uwagi.
- Trudności w koordynacji prawej i lewej ręki oraz koordynacji wzrokowo-ruchowej, na przykład przy rysowaniu koła lub rombu.
- Opóźniony rozwój społeczny - trudności z czekaniem na swoją kolej, dzieleniem się z innymi czy ze wspólną zabawą. Jeśli dziecko jest izolowane przez inne dzieci, należy potraktować to poważnie.

Każda z tych trudności jest wystarczającym powodem, aby pozwolić dziecku dojrzeć i opóźnić pójście do przedszkola o rok czy zatrzymać je w przedszkolu lub zerówce o rok dłużej. Jeśli takie opóźnienia lub upośledzenia nie mijają i przeszkadzają w rozwoju dziecka, należy umówić się na wizytę z neurologiem lub psychologiem, aby zdiagnozować przyczyny. Dziecko może wyrosnąć z danego problemu, jednak ważne jest zrozumienie powodów trudności oraz namierzenie mocnych stron malucha. Istnieje wiele programów dla dzieci z zaburzeniami uwagi, opóźnieniami motorycznymi i trudnościami w nauce – nie powinno się zostawiać dziecka samemu sobie, licząc na to, że z czasem problem sam się rozwiąże, jeśli możliwa (i konieczna) jest wcześniejsza interwencja (zob. rozdział 17). Znajdź program, który trafi w sedno i będzie pozytywną, ekscytującą propozycją dla dziecka – niewymagającą od niego, aby „dorosło" czy „było grzeczne i uważne". Niektóre mogą być dla dziecka karą i nie będą wzmacniać jego kolejnych sukcesów. Podkreślanie porażek nieuchronnie prowadzi do jeszcze większych potknięć. Wybierz taki program, który rozwija umiejętności, wzmacnia poczucie pewności dziecka i pomaga rodzicom lepiej je rozumieć.

Przygotowanie dziecka do zerówki

Gotowość rodziców do rozłąki z dzieckiem jest tak samo ważna w procesie jego adaptacji do szkoły jak gotowość samego dziecka. Każdy rodzic martwi się: „Co oni będą sobie o nim myśleć? Czy zauważą, jaki jest bystry i wspaniały, czy skupią się jedynie na jego trudnościach? Czy nauczyciel będzie miły i motywujący, czy może zgasi jego zapał?". Wszystkie te wątpliwości są odzwierciedleniem naturalnych niepokojów rodzicielskich w sytuacji dzielenia się swoim dzieckiem z kimś innym. Są one podszyte lękiem przed rozłąką i nieuchronną rywalizacją pomiędzy rodzicami a nauczycielami. Dla rodziców pójście dziecka do szkoły – czy wcześniej do przedszkola – jest początkiem końca intymności z maluchem: „Nawet nie zauważymy, jak wyrośnie, i tyle go widzieli". Rodzice muszą najpierw poradzić sobie z własnym lękiem przed rozłąką, aby pomóc swojemu dziecku.

Bardzo pomocne będzie wcześniejsze przygotowanie się na rozłąkę i wymagania szkoły. Powiedz dziecku wszystko, co możliwe, o czekających je doświadczeniach. Przed rozpoczęciem roku umówcie się na spotkanie z nauczycielem i obejrzyjcie salę. Byłoby dobrze, gby dziecko znało już kogoś ze swojej przyszłej klasy. Jeśli nie, zapoznaj je z kimś wcześniej, organizując wspólne wyjście do parku lub zoo (zob. rozdział 46). Może ty lub mama drugiego dziecka oprowadzicie je po szkole razem. Niech dzieci zabiorą z domu coś wyjątkowego. Po przyjściu do szkoły przywitajcie się z nauczycielem, odnajdźcie szafkę na rzeczy, zapoznajcie się z innymi dziećmi i z miejscem do zabaw. Okaż zaufanie nauczycielowi, wypowiadając komplement, na przykład: „Przygotowała pani bardzo ciekawy program na dziś! Jesteśmy bardzo szczęśliwi, że Ania może być w pani klasie". Moja mama zawsze przynosiła nowemu nauczycielowi pieczonego kurczaka. Byłem tym bardzo zażenowany, ale teraz, patrząc wstecz na ten zabieg, widzę, jaki łagodny był stosunek nauczyciela do mnie.

Poinformuj dziecko, kiedy masz zamiar wyjść. To bardzo ważne. Pocałuj je na do widzenia i nie przedłużaj rozstania. Powiedz też, kiedy po nie wrócisz, i **przyjdź punktualnie**! Kiedy się pożegnasz, wyjdź i się nie odwracaj. Później pochwal dziecko za odwagę. Uczyniło ogromny krok do przodu! Posłuchaj jego sprawozdania z całego dnia. Przez pierwszych kilka dni nie korzystajcie ze szkolnego autobusu – zaczekajcie, aż dziecko będzie naprawdę na to gotowe.

Jeśli dowiesz się od nauczyciela, że dziecko popłakuje w szkole, trzeba będzie wprowadzać je stopniowo. Pozostawianie go w takim stanie na cały dzień nie służy niczemu. Umów się, że zostawisz dziecko na krótko, a następnie wrócisz, aby towarzyszyć mu w szkole i pomóc mu się zaaklimatyzować i oswoić ze wszystkim. Stale konsultuj się z nauczycielem. Stosujcie różne techniki mające na celu wciągnięcie dziecka w aktywności szkolne. Spróbuj zaprzyjaźnić je z kimś z klasy. Czasami potrzeba aż tygodnia obecności rodzica w szkole, żeby dziecko zaczęło czuć się w miarę komfortowo w nowym otoczeniu. Oczywiście warto to zrobić. Stopniowo wydłużaj czas swojej nieobecności w klasie.

Wiele dzieci początkowo łatwo się adaptuje, ale w domu przejawia oznaki regresji. Jej objawy pojawiają się w dziedzinach pozornie niezwiązanych z nowym wyzwaniem – mogą powrócić problemy ze snem, jedzeniem czy napady złości, które już dawno zostały opanowane. Ten regres to odzwierciedlenie wewnętrznego zmagania dziecka z nowym wyzwaniem. Gdy maluch musi poradzić sobie z jakąś nową sytuacją, może cofnąć się w pewnych dziedzinach do poprzedniego etapu rozwoju, tak jakby zbierał energię potrzebną do tej adaptacji. Robiąc krok w tył, może wrócić do wcześniejszej fazy, dostać od rodziców wsparcie i dokonać reorganizacji. Regresy zwykle przerażają rodziców, choć nie powinny. Są niepokojące tylko wtedy, gdy trwają zbyt długo. To, czego dziecko nauczy się w tym okresie, warte jest tymczasowego pojawienia się starych wzorców. Najprawdopodobniej wróci ono wtedy do tych zachowań, z którymi ostatnio miało problemy. Jeśli poradziło już sobie z lękami nocnymi, znów zacznie widzieć potwory. Jeżeli przestało obgryzać paznokcie, może do tego wrócić. Zadaniem rodzica będzie pomóc mu zrozumieć powody tej regresji, a także zmagania z nowymi wyzwaniami w szkole. Gdy dziecko zrobi jakiekolwiek postępy, daj mu do zrozumienia, jaki jesteś z niego dumny.

Niektóre dzieci będą się skarżyły na bóle brzucha i głowy przed wyjściem do szkoły (zob. rozdział 41). Będą błagać o pozostawienie ich w domu. Jeśli te problemy nie ustąpią lub gdy nasilą się epizody regresji, może to oznaczać zbyt dużą presję. Pierwszym krokiem powinna być rozmowa z nauczycielem. Dowiedz się, czy w szkole dochodzi do sytuacji stresujących, którym można zaradzić. Czy dziecko ma dobre relacje z rówieśnikami? Czy przyswaja treści edukacyjne? Czy czuje się w jakiś sposób gorsze od innych?

Nie nastawiaj się negatywnie do nauczyciela. Nawet jeśli dziecko skarży się na zbyt duże wymagania lub złośliwość wychowawcy, nie pomożesz mu, jeśli zgodzisz się z jego opinią. Powiedz dziecku, że ty i nauczyciel będziecie się starali ułatwić mu życie w szkole.

Porozmawiaj z dzieckiem o jego regresji. Zapewnij, że rozumiesz, co się dzieje, oraz że spróbujesz pomóc. Wyjaśnij, że pozostanie w domu niczego nie rozwiąże i że chciałbyś, żeby uczestniczyło we wszystkim, tak jak do tej pory. Zapewnij je też, że wszystkie dzieci przechodzą przez takie okresy, gdyż szkoła jest nowym, budzącym lęk doświadczeniem. Nie jest to nic poważnego, a jedynie reakcja na nowe wymagania i rozstanie z bezpieczeństwem bycia tylko w domu. Jeśli wyczujesz, że dziecko boi się rozstania z domem, spróbuj zrozumieć przyczynę. Spytaj je: „Czy boisz się, że coś złego mi się przydarzy? Nic takiego się nie stanie, nie pozwolę na to", „Zastanawiasz się, czy bawię się z twoim małym bratem (siostrą) i zapominam o tobie? Nie mogłabym.

Jestem taka dumna z mojej dużej dziewczynki. Myślę o tobie cały czas, ale **oczekuję**, że dorośniesz i pójdziesz do szkoły. Twój brat (siostra) też się kiedyś tego nauczy. Będziesz mogła mu w tym pomóc".

Ponieważ zdolność dziecka do radzenia sobie ze stresem codziennego rozstania z domem może być związana z jego zdrowiem fizycznym, należy się upewnić, że nie jest wyczerpane lub anemiczne. Wiele dzieci w tym wieku budzi się z niskim poziomem cukru we krwi, co może przyczyniać się do bólu głowy lub brzuszka. Jestem przekonany, że niepokój może dodatkowo obniżać poziom cukru. Zalecam, aby zostawiać dziecku na stoliku nocnym szklankę soku pomarańczowego, który powinno wypić zaraz po przebudzeniu, zanim jeszcze wstanie z łóżka. Lepsze samopoczucie pozwoli mu z większym apetytem zjeść śniadanie i pomoże poradzić sobie ze stresem szkolnym oraz rozstaniem z rodziną.

Okres adaptacji do szkoły może być burzliwy. Rodzice będą się martwić, czy przez złe zachowanie nauczyciel nie zaszufladkuje dziecka. Mogą naciskać na nie w domu i prosić, aby uważało i było grzeczne, jednak to nie pomoże. Trzeba pamiętać, że każde dziecko adaptuje się we własnym tempie. Niech dom będzie przyjazną oazą bezpieczeństwa i ciepła. Niech dziecko „wypuszcza parę" w domu, aby zrównoważyć presję szkoły. Nie naciskaj i nie wymagaj, żeby dobrze radziło sobie od razu we wszystkich dziedzinach – daj mu przestrzeń. Wspieraj poczucie własnej wartości dziecka – jego podstawy zawsze wynosi się z domu. Niech z poczuciem pewności siebie naśladuje twoją ciekawość świata, otwartość na nowe pomysły, gotowość podejmowania ryzyka i uczenia się na błędach.

Rozpoczęcie przedszkola czy zerówki jest dla dziecka pierwszym i najważniejszym doświadczeniem adaptacji do świata zewnętrznego. Dzięki niemu nauczy się być częścią grupy, odczytywać sygnały społeczne, dostosowywać do oczekiwań i zasad dorosłych, pozna obyczaje swojej grupy rówieśniczej oraz wypracuje własny styl zaprzyjaźniania się i podtrzymywania przyjaźni. Te nowe umiejętności posłużą mu w procesie zdobywania osiągnięć na polu akademickim, które z czasem zaczną się pojawiać. To, czego dziecko nauczy się o radzeniu sobie w grupie i w nowych sytuacjach, stanowi jego kapitał na przyszłość (zob. również rozdział 35).

35

Samoocena i poczucie własnej wartości

Radość z opanowania nowej umiejętności można zaobserwować już u niemowląt, gdy nauczą się przewracać z pleców na brzuszek, chwytać ciasteczko czy ułożyć jeden klocek na drugim. Zaobserwuj, jak w takich momentach na ich twarzach maluje się zadowolenie. Tego typu doświadczenia stanowią podstawę poczucia kompetencji i pozytywnej samooceny. Kiedy rodzice zachęcają dziecko do samodzielnego wykonania jakiegoś zadania, kładą podwaliny pod dobrą samoocenę w przyszłości. Gdy dziecko zmaga się z czymś i odniesie sukces, w jego oczach pojawia się błysk radości. Zdaje sobie sprawę z tego, że walczyło o coś i samo poradziło sobie z zadaniem. Oczekiwania rodziców i ich wcześniejsze doświadczenia zdecydują o tym, czy pozwolą dziecku eksperymentować, odczuwać frustrację, uczyć się na błędach i samodzielnie poradzić sobie z czymś. Bez tej równowagi pomiędzy samodzielnością a zachęcaniem u dziecka może się pojawić bierna uległość, oczekiwanie porażki i uzależnienie od przesadnych pochwał. Musi ono rozwijać samodzielność, aby pojawiło się poczucie kompetencji.

Wzmacnianie pozytywnej samooceny

Jak rodzice mogą rozwijać u swojego dziecka autonomię i równocześnie dawać mu wsparcie? Co mają robić, aby wzmacniać jego pozytywną samoocenę i budować pozytywne poczucie tożsamości? Z pewnością pierwszym krokiem jest otaczanie go ciepłem i miłością. Trzeba jednak również modelować, przekazywać i wzmacniać postawy i cechy, które mogą mu posłużyć w sytuacjach konfrontacji z wyzwaniami i rozwiązywaniem problemów, na przykład cierpliwość, wytrwałość i zaradność. Dzieci nabywają od rodziców wiele takich cech w wyniku procesu identyfikacji. Oprócz tego samoocenę dziecka kształtują również jego wczesne próby wpływania na otoczenie.

Na przykład kiedy mały tuptuś układa proste puzzle, rodzice powinni się wycofać i raczej obserwować niż spieszyć z pomocą, gdy dziecko próbuje dopasować do siebie kawałki, odwracając je to w tę, to w tamtą stronę, a następnie rzuca nimi w przypływie frustracji. Podchodząc do zadania po raz drugi, dziecko ponownie zbiera poszczególne części, bierze je do buzi i łypie na nie okiem, jakby były jego wrogiem. W końcu podejmuje próbę – układa jeden kawałek na planszy. Odwraca go i okazuje się, że pasuje! Rozgląda się triumfalnie. W tym momencie najlepszą reakcją jest powiedzenie spokojnym głosem: „Zrobiłeś to – sam!". Wzmocnisz w ten sposób jego poczucie sukcesu. Twoja spokojna reakcja nauczy je również samemu się dopingować, gdy poczuje zniechęcenie. Gdyby rodzic zainterweniował wcześniej – chcąc pokazać dziecku, jak ułożyć puzzle czy nawet tylko zachęcić je do dalszych prób – zmniejszyłby sukces o połowę. To **dziecko** samo wytrwało i to **ono** wygrało. Rodzicowi może być bardzo trudno się wycofać i pozwolić dziecku doświadczyć frustracji i wielu porażek przed sukcesem. Jednak może to być najistotniejsza część docenienia tego sukcesu – jeśli on nastąpi. Frustracja może stanowić pozytywną siłę w procesie poznawania siebie, pod warunkiem że nie będzie zbyt duża i obezwładniająca. Jeżeli zadanie zdecydowanie przekroczy możliwości rozwojowe dziecka, rodzic będzie musiał interweniować i rozbić je na mniejsze części, a następnie wycofać się i pozwolić dziecku ponownie spróbować. Być może znów poniesie porażkę, ale w końcu odniesie sukces.

W jaki sposób rodzice mogą rozpoznać tę subtelną granicę pomiędzy frustrującym wyzwaniem a zniechęcającą i obezwładniającą przeszkodą? Jest to możliwe jedynie dzięki obserwacji dziecka i zauważeniu, czy przejawia zaciekawienie, wytrwałość i umiejętność poradzenia sobie z problemem, czy wygląda raczej na pokonane i bierne. Zarówno zbyt intensywna zachęta, jak i zbyt duża presja zabijają inicjatywę dziecka.

Równowaga pomiędzy krytykowaniem a chwaleniem

Presja, aby małe dziecko uczyło się czytać, pisać czy wykonywać zadania, które mogą być nieodpowiednie dla jego wieku i etapu rozwoju, jest niebezpieczna, jeśli wpływa negatywnie na poczucie kompetencji dziecka. Rozwinięcie umiejętności czytania, pisania czy gry na instrumencie jest możliwe w zadziwiająco młodym wieku. Popisując się swoimi umiejętnościami, dziecko może zewsząd zbierać pochwały. Jednak za tak wcześnie rozwinięty talent musi zapłacić pewną cenę. Jego wyczyn może być motywowany pragnieniem sprawienia przyjemności innym, nie zaś własną ciekawością. Gdy nauczy się zadowalać innych, nie doświadczy tego, co dałoby mu osiągnięcie czegoś dla siebie samego.

Pochwała do pewnego stopnia może wzmocnić w dziecku poczucie sukcesu. Jednak jeśli okaże się zbyt przesadna, może stać się presją, a nie wsparciem. Natomiast surowa krytyka spowoduje bierność – nie doda energii do rozwiązania problemu. Skąd jednak rodzice mają wiedzieć, kiedy krytykować, a kiedy chwalić? Znów najlepiej obserwować dziecko. Jeśli jest rozdrażnione, prawdopodobnie znajduje się pod zbyt dużą presją. Gdy waha się, boi i nie jest asertywne, może potrzebować konstruktywnej zachęty, a mniej krytycyzmu.

Coraz więcej badań pokazuje, że dzieci bardzo silnie utożsamiają się z wzorcami zachowań swoich rodziców. Jeśli są oni zbyt krytyczni, dziecko nauczy się krytykować i zaakceptuje taką postawę wobec siebie i innych.

Wprawdzie nie potrafimy zmienić naszego stylu działania i nastawienia tylko po to, aby wpłynąć na dziecko, ale możemy nauczyć się wspierać jego inicjatywy i budować poczucie wartości. Zawsze przy podejmowaniu nowego zadania zachęcaj dziecko, ale nie ingeruj ani nie wywieraj presji. Spokojnie chwal je za wytrwałość – zarówno w obliczu porażki, jak i po udanej próbie. Naucz je także wyrażać uznanie

dla siebie samego. Niech sprawdza wiele różnych sposobów wykonania jednego zadania – pozwól mu na porażki i szukanie skutecznego rozwiązania. Jeśli utknie w martwym punkcie lub zabrnie w ślepy zaułek, nie śpiesz z pomocą. Niech samo odkryje przeszkodę, a gdy spróbuje jeszcze raz, wyraź swoje uznanie. Pozwól mu podchodzić do każdego nowego zadania samemu, choć próby te będą nieudolne, acz odkrywcze. Niech zaplącze sznurówki, rozleje mleko (nie wlewaj zbyt dużo do kubeczka!), przewróci wieżę z klocków czy złamie kredkę. Wszystko to oczywiście musi się dziać w granicach bezpieczeństwa i respektu dla innych. Nigdy nie zapominaj, że we frustracji kryje się ogromna siła – motywuje ona małe dziecko na jego drodze do opanowania jakiejś umiejętności i odnalezienia poczucia kompetencji.

Budowanie poczucia własnej wartości w każdym wieku

Rodzice mają wiele okazji do wspierania poczucia własnej wartości swojego dziecka poprzez zabawę, podczas karmienia i w trakcie spotkań z innymi dziećmi. Dalej przedstawiam krótki opis takich możliwości.

Wczesna zabawa

1–4 miesiące. Pochyl się nad dzieckiem i wywołaj jego uśmiech oraz gaworzenie. Kiedy ono się uśmiechnie, odpowiedz tym samym. Jednak potem zaczekaj na jego następny uśmiech lub dźwięk. Kiedy dziecko samo je wykona, wzmocnij jego zachowanie **delikatnym** naśladowaniem. Gdy wielokrotnie powtórzycie te interakcje, zaobserwuj, jak na jego twarzy pojawi się poczucie sukcesu – umiało wywołać twoją reakcję. Nie zgaś go zbyt gwałtownym zachowaniem.

4–6 miesięcy. Pochyl się nad dzieckiem i zacznij wokalizować jakieś dźwięki. Zaczekaj na jego próby naśladowania ciebie. Gdy je podejmie, pokaż mimiką twarzy, że zdajesz sobie sprawę z tego, co zrobiło.

6–8 miesięcy. Baw się z dzieckiem w „a kuku!" w taki sposób, aby ono cię naśladowało. Następnie podążaj za dzieckiem, nie inicjując interakcji. W którymś momencie zmień rytm zabawy, nie odsłaniając zakrytej dłońmi twarzy. Zaobserwuj wyraz jego twarzy w momencie, w którym rozpozna, że jego oczekiwania się nie spełniły.

8–10 miesięcy. Podczas wspólnego czytania książeczki z obrazkami zapytaj: „Gdzie jest piesek?", a kiedy dziecko go wskaże, przytaknij. Następnie zapytaj: „Gdzie jest mama?" – jeśli pokaże prawidłowo, powiedz „Tak". Jego buzia pojaśnieje wówczas z dumy.

Karmienie

5–8 miesięcy. Pozwól dziecku trzymać łyżeczkę lub kubek podczas karmienia.

8–10 miesięcy. Zacznij podawać dziecku 2–3 kawałeczki jedzenia, które może wziąć paluszkami i włożyć do buzi. Nie przejmuj się, gdy je upuści.

10–12 miesięcy. Pozwól dziecku cię naśladować – niech spróbuje wypić kilka łyków picia z kubeczka i używać łyżeczki.

12–16 miesięcy. Pozwól dziecku nadal jeść paluszkami, trzymać butelkę podczas karmienia (na twoich kolanach) oraz naśladować cię w piciu z kubeczka.

16 miesięcy. Niech dziecko próbuje jeść widelcem. Pozwól mu decydować, czy chce jeść, czy nie, ale nie oferuj mu zbyt wielu różnych produktów, aby je zadowolić.

Uczenie się o innych dzieciach

1–2 rok życia. Stwarzaj dziecku wiele okazji do zabawy z rówieśnikami. Wcześniej przygotuj je na to spotkanie. Nie zostawiaj go samego, dopóki nie będzie gotowe, ale zachęcaj je, aby bawiło się w grupie dzieci bez twojej obecności. Postaraj się jak najmniej wtrącać do zabawy małych tuptusiów. Nawet gryzienie, drapanie i ciągnięcie za włosy mogą stanowić okazję do nauki, jeśli dorośli nie będą interweniować. Nie zostawiaj jednak dziecka za każdym razem z nadmiernie agresywnym lub zbyt pasywnym towarzyszem zabaw. Więcej nauczy się dzięki relacji z podobnymi sobie dziećmi. Nie zmuszaj go do dzielenia się zabawkami. Niech inne dzieci nauczą je tego. Wyznaczcie, którymi zabawkami może się dzielić.

3–5 rok życia. Zachęcaj dziecko do niezależności od ciebie i wspólnej zabawy z innymi. Nie interweniuj podczas kryzysów. Nagradzaj je za sukcesy w procesie uczenia się o innych. Zapraszaj na regularne spotkania jednego lub dwóch stałych towarzyszy zabaw, aby mogli się dobrze poznać, rozumieć i polegać na sobie. Dzięki takim relacjom dziecko nabędzie umiejętności potrzebnych do udanych kontaktów z innymi dziećmi, nauczy się dzielić oraz być wrażliwym na uczucia innych. Kiedy uda mu się nawiązać bliski kontakt z kolegą, któremu potrafi również pomagać, jest gotowe do poradzenia sobie w grupie dzieci. Będzie dumne z siebie, gdy w grupie również da sobie radę (zob. też rozdział 31).

36

Rozłąka

Namiętna więź z dzieckiem, której doświadczają rodzice w pierwszych miesiącach jego życia, jest bardzo silna. Przypływ nieznanych dotąd uczuć macierzyńskich i ojcowskich sprawia, że rodzice nagle stwierdzają: „Nigdy wcześniej nie byłam(-em) tak zakochana(-y)". Uczenie się roli opiekuna jest zarówno najradośniejszym, jak i najbardziej wymagającym zadaniem, jakiego może doświadczyć dorosły człowiek. Wtedy każde rozstanie jest bolesne.

U podłoża tej intensywnej więzi z dzieckiem leży lęk przed utratą. Głębokie oddanie i troska ujawniają drugą stronę medalu. Co będzie, gdy stracę moje dziecko? Czy ono będzie za mną tęsknić tak samo jak ja za nim, gdy wyjdę na parę godzin? Kiedy ktoś inny zacznie się nim opiekować, czy ono polubi go bardziej niż mnie? Pierwsze prawdziwe rozstanie z pewnością wywoła reakcję żalu i smutku.

Pozostawienie dziecka pod opieką innych

„Zostawienie dziecka pod opieką kogoś innego to najtrudniejsza rzecz, jaką kiedykolwiek przyszło mi zrobić. Gdy odwracam się i widzę je na rękach innej osoby, nie mogę tego znieść. To tak, jakbym zostawiała cząstkę samej siebie. Nie wiem, czy będę potrafiła sobie z tym codziennie radzić" – słowa tej mamy odzwierciedlają emocje wielu rodziców, którzy muszą wrócić do pracy i zostawić dziecko pod czyjąś opieką. Ta wypowiedź świadczy o tym, że to rodzic doświadcza bólu związanego z rozłąką.

Pozostawione w dobrych rękach niemowlęta potrafią się zaadaptować szybciej niż rodzice (zob. też rozdział 47). Choć tęsknią za nimi i zawsze z wielką radością witają ich po powrocie z pracy, zwykle dobrze sobie radzą, gdy pozostają pod dobrą opieką. Przyzwyczajenie się do nowego opiekuna będzie oczywiście dla dziecka wyzwaniem, choć na dłuższą metę przyniesie mu wiele korzyści. Nowa osoba może na nie wpłynąć w bardzo subtelny sposób, na przykład w sferze wykształcenia regularnych i wiarygodnych wzorców oczekiwania.

Kiedy rodzice przekazują dziecko pod opiekę komuś innemu, będą odczuwali samotność, poczucie winy, bezradność, a nawet złość: „Dlaczego muszę to robić?". Powszechne są pewne mechanizmy obronne, które zmniejszają intensywność tych emocji:

- **Zaprzeczanie** – twierdzenie, że rozłąka nie ma znaczenia ani dla dziecka, ani dla rodzica.
- **Projekcja** – przypisywanie roli kompetentnego opiekuna drugiej osobie, a złego sobie – lub odwrotnie, czyli jednoczesne podziwianie i nielubienie „tego drugiego" oraz podejrzewanie go o niesprawowanie perfekcyjnej opieki nad dzieckiem.
- **Obojętność** – próba zneutralizowania intensywnych uczuć głębokiego przywiązania w celu złagodzenia bólu rozstania.

Zarówno matki, jak i ojcowie mogą doświadczyć takich reakcji, gdy w pierwszych miesiącach życia dziecka byli bardzo zaangażowani emocjonalnie. Te mechanizmy są zwykle nieświadome, ale wymagają dużego nakładu energii, więc mogą doprowadzić do depresji. Zachęcam rodziców do rozpoznania tych procesów i pozwolenia sobie na uzewnętrznienie emocji. Uświadomienie sobie, że rozstanie niesie ze sobą ból, pozwoli rodzicom skonfrontować się z nim i poradzić sobie. Ukrywanie tych emocji może być wyniszczające i destruktywne. Kiedy oboje rodzice będą tłumić w sobie emocje, ucierpi na tym zarówno praca, jak i życie domowe. Codzienne rozstania i powroty staną się wydarzeniami ogromnie emocjonalnymi. „Dlaczego ona zawsze się odwraca, kiedy po nią przychodzę? Czy jest na mnie zła? Czy przepadł nasz bliski kontakt? Czy niszczę jej przyszłość?".

Niektórzy rodzice odkrywają, że rozmowa o tych normalnych, powszechnie występujących emocjach ze współmałżonkiem, innymi rodzicami czy wrażliwym nauczycielem może pomóc zmniejszyć ich intensywność. Uświadomienie sobie własnego żalu związanego z rozstaniem oraz mechanizmów obronnych może doprowadzić do odkrycia sposobów radzenia sobie z nimi bez konieczności zmiany intensywności relacji. Kiedy pracujący rodzice opowiadają mi o swoim poczuciu winy związanym z pozostawieniem dziecka pod opieką innych, zapewniam ich, że to normalne. Oczywiście, że tak będą się czuć. Poczucie winy jest potężną, motywującą siłą – każe szukać sposobów radzenia sobie z rozstaniem. Jeśli rodzice sobie poradzą, dziecko z pewnością również. Niemowlęta czują ogromnie dużo miłości od innych, co pozwala im przetrwać – muszą jednak mieć pewność, że rodzice będą z nimi codziennie rano i po powrocie z pracy.

Dziecko znajdzie własne strategie radzenia sobie z rozłąką, jeśli będzie pod opieką troskliwej osoby. Protesty w chwili wyjścia rodzica są jak najbardziej koniecznym i zdrowym zachowaniem, jednak szybko ustąpią i dziecko skupi się na opiekunie. Ważne, żeby między dzieckiem a opiekującą się nim osobą nawiązała się serdeczna relacja (zob. rozdziały 6 i 8). Razem z moimi współpracownikami miałem okazję obserwować, jak niemowlęta radzą sobie z rozłąką, gdy rodzice zostawiają je pod opieką innych osób. Interakcje dzieci w ciągu całego dnia wydawały się niezbyt intensywne: bawiły się, ale nie tak aktywnie jak z rodzicami; spały, ale niezbyt głęboko. Odkładały intensywne reakcje na moment spotkania z rodzicami pod koniec dnia. Kiedy rodzice ukazywali się na horyzoncie, niemowlęta często ostentacyjnie się odwracały, jakby chciały lepiej sobie poradzić z emocjami podczas spotkania z najważniejszymi dla siebie osobami. Chwilę później wybuchały płaczem. Przez cały dzień zachowywało swój protest i intensywne emocje dla kogoś, komu mogą zaufać. Nic dziwnego, że niektóre opiekunki komentują: „Przy mnie nigdy tak się nie zachowuje". Rodzice muszą zdać sobie sprawę z tego, że te intensywne reakcje są koniecznym elementem namiętnego spotkania po rozłące.

Kiedy zrozumiesz, że ból związany z rozstaniem jest zdrową, normalną i nieuchronną reakcją rodziców, nauczysz się sobie z nim radzić. Wyzwanie polega po części na tym, aby zachować najintensywniejsze emocje na moment spotkania z dzieckiem pod koniec dnia. Skoro dziecko potrafi to zrobić, ty również dasz sobie z tym radę. Gdy znajdziesz już najlepszą możliwą opiekę i upewnisz się, że twoje dziecko jest bezpieczne w rękach kogoś, kto je kocha i troszczy się o nie, musisz zaufać tej osobie. Owszem, będzie to trudne, gdyż przy każdej rozłące i powrocie pojawi się naturalna rywalizacja o dziecko.

Wskazówki dla rodziców rozstających się z dzieckiem w ciągu dnia

(1) Wstańcie wcześniej, aby mieć kilka minut na przytulanie się i spokojną zabawę, zanim wyjdziecie z domu.

(2) Pozwól dziecku na odmawianie jedzenia przy śniadaniu oraz na przekomarzanie się podczas ubierania. Kilka takich momentów sprawi, że dziecko będzie miało poczucie, iż ma wpływ na swój dzień. U niani, w żłobku lub przedszkolu może nie mieć odwagi na wyrażanie negatywizmu.

(3) Kiedy dziecko jest już dostatecznie duże, rutynowo rozmawiajcie o rozstaniu, zawsze jednak dodawaj: „Wrócę po ciebie". To zwyczaj służący zarówno dziecku, jak i tobie. Będziecie oboje przygotowani na rozstanie.

(4) Wypracujcie razem z opiekunem stały schemat rozstania. Zdejmij wierzchnie ubranie dziecka, przytul je i oddaj w ręce opiekunki, a następnie powiedz: „Do zobaczenia po południu. Pani Maria będzie się tobą opiekować, gdy mnie nie będzie". Kiedy dziecko zwróci się do opiekunki, pożegnaj się i wyjdź. Nie przedłużaj momentu rozstania. Wtedy jest dużo trudniej. Bądź przygotowany na protesty. Wychodząc, dajesz dziecku okazję do protestowania, ale także do skupienia się na aktywnościach dnia. Dzieci są niezwykle elastyczne w środowisku, które je szanuje i troszczy się o nie.

Żłobek i przedszkole

Z perspektywy dziecka pierwsze rozstanie z domem nigdy nie jest łatwe – w żadnym wieku. Jednak w trakcie dorastania dziecko potrzebuje rówieśników oraz takich możliwości zabawy, jakich rodzice nie mogą mu zapewnić. Nawet jeśli ma rodzeństwo, musi mieć kontakt z rówieśnikami. Kontakt z innymi to wspaniała okazja do tego, aby dowiedzieć się więcej o sobie. Dlatego ból pierwszej rozłąki będzie zrównoważony świadomością – dziecka i twoją – korzyści, jakie staną się jego udziałem w tej nowej sytuacji. Atrakcyjność innych dzieci, gier i zabaw grupowych równoważy ból opuszczenia bezpiecznego ciepła domu. Istnieją oczywiście sposoby złagodzenia okresu przejściowego.

Jak przetrwać okres przejściowy?

(1) Przygotuj najpierw siebie, abyś potem mógł stawić czoła emocjom dziecka.
(2) Czytaj dziecku bajki o rozstaniu, a także o ekscytujących aspektach zabawy z innymi dziećmi.
(3) Zapoznaj dziecko z co najmniej jednym kolegą ze żłobka czy grupy zabawowej. Zaplanujcie z jego rodzicami wspólne wyjście.
(4) Przedstaw dziecku nianię lub opiekuna ze żłobka wcześniej i zadbaj o to, by dziecko wiedziało, że lubisz tę osobę. Zostawaj z dzieckiem w nowej sytuacji, dopóki się nie zaadaptuje.
(5) Pozwól dziecku na regresję – ubieraj je rano. Niech siedzi na twoich kolanach. Nie naciskaj, aby siedziało spokojnie i kończyło posiłki.
(6) Pozwól maluchowi zabierać ze sobą przytulankę lub cokolwiek, co będzie mu przypominało o domu – nawet twoje zdjęcie.
(7) Po przybyciu do żłobka zdejmij dziecku wierzchnie ubranie i włóżcie je razem do szafeczki. Zadbaj o to, aby opiekun przywitał się z nim.
(8) Przytul dziecko i zadbaj o to, aby nie zostało samo po twoim wyjściu – niech przejmie je nauczyciel albo niech dołączy do innych dzieci.
(9) Przypomnij dziecku, kiedy po nie wrócisz.
(10) Nie opóźniaj wyjścia, ale też nigdy nie wybiegaj bez pożegnania.
(11) Kiedy odbierasz dziecko, przytul je i pozwól mu na emocje. Trzymaj je w ramionach, dopóki wybuch płaczu czy złości się nie skończy. Następnie powiedz: „Teraz możemy już iść do domu i znów być rodziną. Tęskniłam za tobą i wiem, że ty też tęskniłaś za mną. Zawsze pod koniec dnia będziemy razem".

Bardzo często można spotkać się z opóźnioną reakcją na pierwszą rozłąkę. Dziecko może cię zaskoczyć swoją wzmożoną zależnością od ciebie. Długo po adaptacji do nowej sytuacji powrócą protesty, trzymanie się rodziców i niechęć wyjścia z domu. Mogą się również pojawić inne objawy regresji: popuszczanie moczu i stolca, wzmożony płacz, ssanie kciuka, uzależnienie od butelki lub przytulanki, problemy ze snem, lęki nocne i złe sny. Wszystkie one są przejawem stresu związanego z nauką radzenia sobie z nowymi emocjami. Należy postrzegać ten regres jako coś normalnego. Zapewnij dziecko, że wszystko minie, gdy nauczy się ono panować nad sobą, a w międzyczasie ty mu w tym pomożesz.

Kiedy pojawi się taka opóźniona reakcja, może trzeba będzie powtórzyć wszystkie etapy przygotowania dziecka na rozłąkę. Porozmawiaj z opiekunem w żłobku czy z nianią i zdecydujcie, czy potrzebna jest twoja dłuższa obecność, aby załagodzić rozstanie. Porozmawiaj o tym również z dzieckiem, żeby zaczęło siebie rozumieć.

Rodzice powinni codziennie wyznaczyć specjalny czas na zabawę z dzieckiem, a podczas weekendów zaplanować coś szczególnego. Każde z was może wówczas pobyć z dzieckiem samo, na przykład w czasie rytuału kładzenia spać czy podczas jakiejś innej aktywności. Spytaj wtedy dziecko o pobyt w żłobku. Ten wspólnie spędzony czas pozwoli mu lepiej identyfikować się z każdym z rodziców. Podczas weekendów każde z nich powinno spędzić z dzieckiem co najmniej godzinę. Róbcie wtedy to, na co dziecko ma ochotę. Wykorzystajcie to jako sposobność zbliżenia się do niego.

Po każdej przerwie wakacyjnej pierwsze dni pobytu w przedszkolu będą trudne. Sztywna rutyna oraz wymagania placówki mogą być dla dziecka przytłaczające. Każdy kolejny rok jest nową inicjacją, przypomnieniem dla dziecka, że dorasta i musi stać się niezależne. Najtrudniej będzie mu wtedy pogodzić się z pozostawieniem domu i rutyny, do której przywykło. Jeśli w rodzinie jest młodsze rodzeństwo, prawdopodobnie będzie się zastanawiało, co brat lub siostra robią podczas jego nieobecności i czy rodzice za nim tęsknią. Wyjście z domu może być ekscytującym wejściem w nowy świat, ale niesie ze sobą również poczucie utraty. Zawiera w sobie słodycz i gorycz – stawiając kolejne kroki i wchodząc w nowy świat, dziecko musi porzucić ciepło i bezpieczeństwo domu rodzinnego (zob. też rozdział 34).

Przeprowadzka

Utrata przyjaciół i sąsiedztwa z pewnością będą dla dziecka trudne. Gdy przeprowadzka jest konieczna, trzeba przygotować dziecko na nią z wyprzedzeniem i umożliwić mu jak najszybsze nawiązanie przyjaźni w nowej okolicy. Znajdź jedno lub dwoje dzieci, które mogłyby się stać jego nowymi kolegami i koleżankami. Zabieraj je na wspólne wyjścia, dopóki dzieci nie poczują ze sobą bliskości. Nowemu dziecku łatwiej dołączyć do istniejącej już grupy przyjaciół, gdy ma kontakt z jednym z nich. Wkrótce nawiąże nowe przyjaźnie.

Nie można jednak oczekiwać, że dawne kontakty nagle się skończą. Przed wyjazdem zorganizuj przyjęcie pożegnalne. Jakiś czas po przeprowadzce wróćcie, aby zobaczyć stary dom i spotkać się ze znajomymi, nawet jeśli to daleko. Jeżeli dawni przyjaciele mieszkają blisko, zapraszajcie ich od czasu do czasu. Zachęcaj dziecko do rozmów na temat dawnego sąsiedztwa i przyjaciół. Powieście na ścianie ich zdjęcia, aby wam o nich przypominały. Dzwońcie do przyjaciół i piszcie do siebie przez jakiś czas. Zakończenie bliskiej relacji z dzieciństwa może być bolesne. Jednak może także stanowić okazję do uświadomienia sobie, jak ważne są przyjaźnie (zob. też rozdział 46).

37

Rywalizacja między rodzeństwem

Rywalizacja między rodzeństwem jest normalna i nieunikniona. Dzięki niej dzieci uczą się dużo o sobie nawzajem, a także o sobie samych. Równocześnie uczą się troszczyć wzajemnie o siebie. Pomimo tego rodzicom niezmiernie trudno jest nie ingerować. Dlaczego? Kilkadziesiąt lat temu znany psychoanalityk Erik Erikson zauważył, że żaden rodzic nie jest tak naprawdę gotowy na więcej niż jedno dziecko (Erikson, 2000). Kiedy dzieci wdają się w bójkę, poczucie winy każe rodzicom bronić jednego lub drugiego. Szybko włączają się do sytuacji, zamieniając ją w trójkąt. Rywalizacja dzieci napędzana jest chęcią włączenia w nią rodziców.

Akceptacja rywalizacji

Poczucie, że nie jest się w stanie kochać dwójki dzieci, pojawia się, gdy kobieta jest drugi raz w ciąży. Kiedy w moim gabinecie z dumą oświadcza, że oczekuje kolejnego dziecka, często wyczuwam ten niepokój. Gdy pytam: „A jak się ma starsze dziecko?”, kobieta nieco się rumieni i smutnieje, u niektórych pojawiają się łzy. Bardzo trudno jest myśleć z wyprzedzeniem o momencie wprowadzenia do domu kogoś, kto wtrąci się w ten romantyczny miłosny związek nawiązany z pierwszym dzieckiem. Rywalizacja między rodzeństwem jest podsycana przez silne przywiązanie rodziców do pierwszego dziecka. Z początku starsza pociecha skieruje swoją złość na rodziców za „opuszczenie”. Potem, gdy niemowlę zacznie samo się poruszać i docierać do zabawek brata lub siostry, starsze dziecko znajdzie sposoby, aby tak mu dokuczyć, żeby do rywalizacji włączyć rodziców. Zwykle to się udaje. Gdy maluch staje się coraz bardziej atrakcyjny dla świata (a większość młodszego rodzeństwa dosyć wcześnie uczy się, jak pozyskać sobie innych), to starszy brat lub siostra pochmurnieje i zapada się w sobie. Może się wycofać, siedzieć na kolanach u rodziców, trzymając palec w buzi, i patrzeć, jak goście bawią się z czarującym maluchem.

W mojej książce na temat rywalizacji między rodzeństwem podkreślam, że uczenie się wspólnego życia w rodzinie jest jednym z najważniejszych doświadczeń życiowych (Brazelton, 2006). Niestety w dzisiejszych czasach nieczęsto uczy się umiejętności dzielenia się z innymi. My – rodzice – chcemy zbytnio chronić dzieci przed doświadczeniem rywalizacji. Ideałem byłoby nauczyć je odpowiedzialności za rodzeństwo oraz dbania o dobre relacje w rodzinie. Jednak aby to osiągnąć, nie musimy wcale zaprzeczać potrzebie rywalizacji. Uczenie się odpowiedzialności za innych polega na umiejętności dzielenia się z rodzeństwem, radzenia sobie z emocjami związanymi z rywalizacją oraz znalezienia w sobie takich uczuć, które pozwalają na troskę o innych.

Wskazówki dla rodziców

(1) Chcąc pomóc starszemu dziecku poczuć odpowiedzialność za tworzenie rodziny, dawaj mu do wykonania zadania adekwatne do jego wieku. Pozwól mu na przykład nakarmić niemowlę, przynieść pieluszki, potrzymać niemowlę i przytulić, gdy płacze, trzymać je w trakcie karmienia, pchać wózek, wybrać ubranka czy pomóc podczas ubierania poprzez położenie się obok malucha i zagadywanie go w czasie, gdy ty go przebierasz.

(2) Kiedy wybieracie się gdzieś razem, przygotuj starsze dziecko: „Niemal wszyscy lubią malutkie dzieci. Nie oznacza to, że nie lubią ciebie. Kiedy poczujesz się samotny, opuszczony i zazdrosny, przyjdź i usiądź ze mną". Kiedy wszyscy będą podziwiać maleństwo, ty zadbaj o starsze dziecko.

(3) Jeśli nie pracujesz zawodowo i jesteś z dziećmi w domu, ich rywalizacja może spędzać ci sen z powiek, bo przecież zostajesz z nimi dla ich dobra. Ich współzawodnictwo odczytujesz jako własną porażkę. Gdy dzieci walczą o ciebie – a z pewnością będą – masz poczucie, że zawiodłeś.

(4) Gdy pracujesz poza domem, ważne jest, aby zaplanować, jak będzie wyglądało spotkanie z dziećmi po powrocie z pracy. Należy oczekiwać, że gdy tylko przekroczysz próg domu, dzieci doprowadzą do napięcia i rywalizacji. Spokojnie, acz stanowczo weź obydwoje na kolana i po kolei spytaj o ich dzień. Po rozmowie przejdźcie do codziennych domowych zajęć. Niech dzieci wybiorą, w czym chcą ci pomóc. Podziękuj im za zaangażowanie. Pod koniec dnia spędź z każdym z nich jeszcze trochę czasu.

Każde z rodziców powinno zaplanować spędzenie **oddzielnie** z każdym z dzieci nieco czasu w weekend. Rozmawiajcie o tym przez cały tydzień i zadbajcie, aby rzeczywiście do tego doszło i aby był to wyjątkowy czas.

Docenianie indywidualności

Rodzice często się zastanawiają, jak traktować dzieci jednakowo. Odpowiedź jest prosta – nie da się tego zrobić. Każde dziecko ma inną osobowość i wymaga innego podejścia. Takie indywidualne traktowanie może być dla rodziców wyczerpujące, jednak dla dziecka ogromnie ważna może się okazać szczerość – a przy tym poufność i nieosądzanie – w mówieniu o jego indywidualności. Do jednego dziecka można powiedzieć: „Potrzebujesz, żebym mówił do ciebie spokojnie", a do drugiego: „Słyszysz, co do ciebie mówię, dopiero wtedy, gdy się na ciebie zdenerwuję". Taki komunikat daje dziecku wgląd w samego siebie.

Kiedy dzieci torturują cię stwierdzeniami typu: „Jesteś dla niego dużo milszy niż dla mnie", możesz powiedzieć: „Jesteście różnymi osobami – i to jest wspaniałe. Muszę więc traktować każdego z was inaczej. Kiedy mówię do ciebie głośniej, to tylko po to, abyś usłyszał, jednak to nie oznacza, że kocham cię mniej". Jeśli nie dasz się

wpuścić w poczucie winy z powodu różnych odczuć wobec swoich dzieci, one również nie będą tego czuły. Dzieciom z dużych rodzin lub wychowywanym w środowisku pełnym wielu innych dzieci łatwiej jest szanować wzajemne różnice.

Jeśli sam doceniasz indywidualność i przekazujesz dziecku świadomość jego unikalnych, mocnych stron, wspierasz je w ten sposób. Gdy podkreślasz jego atuty, dziecko będzie w stanie samo je rozumieć i docenić. Nawet jeśli rodzic ma pewne preferencje co do niektórych cech osobowości – wynikające z doświadczenia – to nie musi szufladkować innych jako złych. Gdy zrozumie przyczyny swojego nastawienia, nie przekaże swoich opinii w sposób pejoratywny.

Kiedy dorośli przestaną czuć się winni za różne traktowanie swoich dzieci, łatwiej im będzie nie wtrącać się do rywalizacji rodzeństwa. Gdy angażujesz się w ich kłótnie, tworzysz trójkąt i pozwalasz, aby każde z dzieci tobą manipulowało. W ten sposób nigdy nie będą miały szansy na załatwienie spraw między sobą. Pozostaw je samym sobie, mówiąc: „Nie wiem, kto ma rację. Musicie dojść do tego sami". Następnie wyjdź z pokoju. Okaże się, że pozbawione wizji przeciągnięcia cię na swoją stronę o wiele krócej będą ze sobą walczyć. Nie słyszałem o przypadku poważnego zranienia jednego dziecka przez drugie podczas nieobecności rodziców.

Różnice rodzajowe

Choć dla wielu rodziców płeć ich dzieci jest ważna, chcą raczej uniknąć stereotypowego myślenia o dziewczynkach i chłopcach. Różnice rodzajowe to rzeczywiście złożone zagadnienie. Pomimo chęci traktowania dzieci każdej płci tak samo, dziecko płci przeciwnej do płci danego rodzica będzie dla niego w pewien sposób szczególne. Odmienne traktowanie dziewczynek i chłopców jest czymś nieuchronnym. Nie wolno przy tym robić tylko jednego – dewaluować żadnego z dzieci. Tak jak każda mała dziewczynka potrzebuje ojca, który ją podziwia, tak każdy mały chłopiec potrzebuje matki, która uważa go za najwspanialszego na świecie.

Skarżenie i wyśmiewanie się

Kiedy dzieci skarżą na siebie – a z pewnością będzie to miało miejsce – nigdy nie nagradzaj takiego zachowania. Przypomnij małemu donosicielowi, że on z pewnością nie chciałby, aby ktoś poskarżył się na niego, oraz że nie chcesz się do niczego wtrącać. Ponieważ ze względów bezpieczeństwa rodzice chcą mieć nadzór nad zabawą dzieci, niewtrącanie się do bójek i niereagowanie na każde jęknięcie może być trudne.

Nasłuchuj nietypowych dźwięków (albo złowróżbnej ciszy), ale staraj się nie wtrącać i – jeśli to tylko możliwe – pozwól dzieciom, by same rozwiązywały konflikty między sobą. Nawet jeśli dzieci bez końca dokuczają sobie, wytrzymaj i nie stawaj po niczyjej stronie. Jeśli to konieczne, rozdziel je na jakiś czas (zgodnie z metodą *time out*). Rozważ zaproszenie kolegi lub koleżanki każdego z nich. Rówieśnicy niesamowicie rozładowują sytuację. Nagradzaj dzieci za pozytywne reakcje wobec rodzeństwa.

Wiek i kolejność urodzenia

Sposób traktowania dziecka będzie nieuchronnie zależał od jego wieku i miejsca w rodzinie. Najstarsze zawsze będzie dla rodziców wyjątkowe. Dla dziecka jest to zarówno błogosławieństwo, jak i wyzwanie. Doświadczy przywilejów wynikających ze starszeństwa, ale rodzice będą od niego najwięcej wymagać i to ono najbardziej odczuje konsekwencje popełnianych przez nich błędów wynikających z braku doświadczenia. Prawdopodobnie będzie musiało pilnować młodszego rodzeństwa, opiekować się nim oraz brać udział w pracach domowych. Da mu to świadomość, że jest kompetentne oraz ważne dla rodziców – i takie poczucie poniesie w dorosłość.

Drugie dziecko może ciągle narzekać, że nikt go nie kocha, że zawsze jest „drugie" i tym podobne. To poczucie się spotęguje, gdy dodatkowo będzie dzieckiem środkowym. Jeśli rodzice nie będą mieć poczucia winy i nie będą nagradzać dziecka za jego skargi, w końcu uświadomi sobie, że ono również otrzymuje to, co mu się należy. Wiele drugich dzieci rywalizuje z pierworodnym, aby nadrobić swoje miejsce odnoszonymi sukcesami. Te środkowe często odnajdują się w roli pośrednika i rozjemcy, bardzo przy tym ceniąc tę rolę. Kolejne dzieci nieuchronnie będą się czuć niżej w rodzinnej hierarchii. Dla nich nagrodą będzie posiadanie wielu „rodziców". Dużo nauczą się od starszego rodzeństwa. Żaden rodzic nie powinien czuć się winny, że sam nie może zrekompensować pewnych rzeczy najmłodszym dzieciom. W dużej rodzinie, której członkowie mają ze sobą bliskie relacje, trzecie i czwarte dziecko ma i tak wielu mentorów.

Jeśli ostatnie dziecko ciągle jest postrzegane jako niemowlę, może być traktowane z pobłażaniem. Należy koniecznie zadbać, aby wymagać od niego tyle samo co od innych. Jeśli pozwala mu się na zbyt wiele, będzie się wyróżniało na tle rodziny i samo pejoratywnie zaszufladkuje się jako rozpieszczone. Dobrze będzie uświadomić mu, że dzielenie się z innymi oraz uczestniczenie w obowiązkach na równi z resztą rodziny przyniesie mu same korzyści.

Kiedy starsze dzieci ciągle ze sobą walczą, a rodzice są tym już bardzo zmęczeni, wszyscy powinni usiąść razem, aby porozmawiać. Wybierzcie spokojny moment i poproście, żeby dzieci poradziły wam, co macie zrobić (choć możecie nie posłuchać ich rad). Czy powinniście interweniować, czy raczej je zostawić, aby same rozwiązywały konflikty? W ten sposób pozwolicie im poczuć odpowiedzialność za swoje zachowanie, a przynajmniej przemyśleć dylematy, do jakich ono prowadzi.

Dzieci nauczą się dzięki temu wzajemnego szacunku i troski o siebie. Ostateczną nagrodą będzie dzień, w którym zostaną kumplami. Pamiętam, jak nasze pociechy spiskowały przeciwko nam. To był wieki postęp! Kiedy sprzeczka ustępuje miejsca jednolitemu frontowi przeciwko „staruszkom", oznacza to, że rodzeństwo ma się dobrze.

38

Problemy ze snem

Kiedy dzwonią do mnie zdesperowani rodzice, aby spytać o sposoby usypiania dziecka w nocy, domyślam się, jaką historię mają dla mnie w zanadrzu. Zanim zdecydowali się poprosić o moją pomoc, długo walczyli z częstym wybudzaniem się niemowlęcia: po skutecznym ułożeniu do snu dziecko nagle budzi się o 22:00, a potem z płaczem o 2:00 lub 3:00 w nocy, stawiając rodziców na nogi, każąc im zwlec się z łóżka, wziąć je na ręce, kołysać, śpiewać i błagać, aby spróbowało jeszcze trochę pospać. Rodzice opowiadają, że gdy wchodzą do pokoju dziecięcego, niemowlę jest czarujące, rozkoszne, ujmujące i wyspane na tyle, aby przez kilka następnych godzin bawić się w najlepsze. Kiedy w obliczu desperacji rodziców czar pryśnie, będzie się uciekało do przejmującego jęczenia i kwilenia. Może też wpatrywać się w nich oskarżającym spojrzeniem, jakby mówiło: „Jak możecie zostawiać mnie samego, gdy widzicie, jak bardzo chcę, abyście zostali". Za każdym razem pilny komunikat, który przekazuje, brzmi: „Moje potrzeby nie zostały zaspokojone". Lament dziecka dociera poza ochronne bariery, jakie próbuje wznieść senny rodzic.

Rodzice mówią mi, że próbują wszystkiego. Pozwalają nawet dziecku wypłakać się, ale poddają się po kilku nocach, gdy płacz trwa godzinę lub dwie i nie cichnie. Podają dziecku butelkę (choć nie jest to dobry pomysł, gdyż jej zawartość, z wyjątkiem czystej wody, może powodować próchnicę zębów), zapalają małe światełko – nic nie działa. Twierdzą, że jedyna skuteczna strategia to wzięcie dziecka do łóżka. Może tam sobie siedzieć i bawić się godzinę lub dwie, a oni dzięki temu mogą zażyć jeszcze trochę snu. Wiedzą jednak, że z czasem będzie coraz trudniej.

Od kiedy pojawił się w naszej kulturze niepisany zakaz zabierania dziecka do własnego łóżka, rodzice próbują już tego nie robić. Odkryli, że dzięki podejściu do dziecka, zanim rozpłacze się na dobre, oszczędzają sporo czasu – nie muszą przynajmniej koić łez. Po pobudce o około 2:00 w nocy muszą jednak chodzić do niego co 2 godziny, uspokajać je, podawać mleko, kołysać – dzięki temu udaje im się utrzymać je w pokoju. Nauczyli się przeprowadzać takie interwencje na tyle skutecznie, że pozostają z dzieckiem tylko pół godziny – co 2 godziny. Natomiast gdyby zwlekali zbyt długo, każda taka wizyta trwałaby godzinę!

O co tutaj chodzi? Dlaczego nie wszystkie dzieci mają takie wymagania? Dlaczego w jednej rodzinie wszystkie dzieci – z wyjątkiem tego jednego – umieją przesypiać noc? Czy jest to oznaką braku poczucia bezpieczeństwa u dziecka, czy może w rodzicach budzi się poczucie winy, że dziecku w ciągu dnia zabrakło ich miłości i uwagi? Dlaczego niektóre dzieci, które kładą się spać o 18:00, ciągle budzą się i żądają obecności rodziców o 22:00, a potem znów o 2:00 i 6:00 nad ranem? Dlaczego niektórzy rodzice poddają się żądaniom dziecka i wzmacniają jego nawyk budzenia się, zabierając je do swojego łóżka, zamiast zachęcać je do znalezienia własnych sposobów zasypiania?

Rozumienie snu

Każde niemowlę ma swoje charakterystyczne cykle snu płytkiego i głębokiego. Zostały one ustalone przy narodzinach, a zsynchronizowane jeszcze w życiu płodowym z cyklami matki. Cykle dziecka w łonie matki zwykle nie układają się odpowiednio do faz matki – płód często śpi, gdy kobieta jest aktywna, a budzi się, kiedy mama udaje się na spoczynek. Aktywność matki prowadzi do aktywności dziecka w następnej fazie. Noworodek ma więc już zakodowany rytm snu i budzenia się. Po przyjściu na świat dziecko jest przymuszane przez otoczenie do coraz dłuższych okresów czuwania w ciągu dnia oraz dłuższych cyklów snu w nocy.

Mniej więcej w wieku 4 miesięcy (lub wcześniej) cykle te zaczynają układać się we wzorzec – każda faza trwa zwykle 3 do 4 godzin. W środku cyklu snu występuje faza snu głębokiego trwająca godzinę lub półtorej, w której dziecko bardzo niewiele się porusza i trudno je wybudzić jakąkolwiek stymulacją. Przed snem głębokim i po nim następuje faza snu płytkiego, w czasie której pojawiają się sny oraz możliwe są ruchy dziecka. Pod koniec każdego czterogodzinnego cyklu dziecko wchodzi w stan półczuwania, w którym jest bardzo blisko pełnej świadomości i łatwo je obudzić. Każde wykazuje wówczas własny wzorzec aktywności – może ssać palce, płakać, kołysać się lub rytmicznie uderzać główką. Starsze dzieci wędrują po łóżeczku, wypróbowując nowe sztuczki, takie jak podciąganie się do stania, chodzenie, marudzenie czy mówienie do siebie.

Wszystkie te zachowania służą wyładowaniu energii nagromadzonej podczas aktywności w ciągu dnia i wejściu w następną fazę snu. Jeśli z tego etapu półświadomości dziecko potrafi samo z powrotem wejść w sen, cykle stabilizują się i wydłużają i dziecko jest w końcu w stanie przesypiać 8, a nawet 12 godzin za jednym razem. Fazy półczuwania i dezorganizacji powtarzają się co 3 lub 4 godziny, ale dziecko nauczyło się radzić sobie z nimi samo.

Jak wspomniałem w pierwszej części tej książki, w 1 roku życia występują pewne okresy, w których budzenie się w nocy, pomimo wcześniejszego ustalenia się nawyku

Co mówią badania?

Badania pokazują, że ponowne zapadanie w sen pomiędzy cyklami zależy od uwarunkowania dziecka. Jeśli otoczenie wzmacnia rozbudzenie, reagując na nie na przykład karmieniem, dziecko nie zaśnie ponownie. Natomiast jeśli nie ma reakcji z zewnątrz, maluch będzie zmuszony do znalezienia własnych wzorców wyładowania energii, wyciszenia się i wejścia w kolejną fazę snu.

przesypiania, będzie prawdopodobne i przewidywalne. W 8 lub 9 oraz w 12 miesiącu życia nastąpi nagły rozwój poznawczy (świadomość obcych, nowych sytuacji, nowych miejsc i zmian w codziennej rutynie), któremu towarzyszy skok w rozwoju motorycznym (raczkowanie i samodzielne siedzenie w wieku 8 miesięcy oraz stanie, chodzenie i wspinanie się na meble w wieku 12 do 14 miesięcy). Ta nowa aktywność umożliwia dziecku oddalanie się od bezpiecznej bazy, jaką stanowią mama i tata. Podekscytowanie i lęk wywołane tą nową umiejętnością mogą tymczasowo zaburzyć rytm snu. Innym wyjaśnieniem przewidywalnej regresji w ustalonym już schemacie przesypiania nocy tuż przed opanowaniem umiejętności chodzenia jest fakt, że pomiędzy 9 a 13 miesiącem życia niemowlęta spędzają więcej czasu – niż przedtem i potem – w fazie snu płytkiego niż głębokiego. W rezultacie są bardziej narażone na przebudzenie się w nocy. Niektórzy naukowcy twierdzą, że właśnie wtedy w fazach snu płytkiego mózg dziecka pracuje nad zakodowanymi w pamięci informacjami, które wkrótce mają złożyć się na postawienie pierwszego kroku.

Większość dzieci przesypiających noc już w wieku 6 miesięcy potrafi to zrobić z kilku powodów: dzięki wolniejszej reakcji rodziców na oznaki przebudzenia w nocy, brakowi innych bodźców stymulujących oraz potrzebie samego dziecka co do wydłużenia snu w którejś części cyklu dobowego.

Wzorce budzenia nocnego

Około 17% dzieci nie przesypia nocy w wieku 6 miesięcy, a 10% nie potrafi tego jeszcze w okolicach roczku. Przyczyny takiej sytuacji mogą być złożone. Dużą rolę może tu odgrywać wcześniactwo oraz ograniczona zdolność dziecka do ssania piersi, a przez to zaspokajania głodu. Jednym z czynników może też być niechęć rodziców do wzmacniania niezależności u dziecka i niezachęcanie go do wypracowania własnych wzorców zasypiania. Doświadczenia życiowe takich rodziców czynią ich bardziej wrażliwymi na ból rozłąki z dzieckiem. Matka może pamiętać, jak została zostawiona przez swoją mamę lub ojca w dzieciństwie. Tato może wspominać koszmary, jakie przeżywał, gdy nikt nie przychodził do niego w nocy. Niektórzy pracujący rodzice rozłączeni z dzieckiem w ciągu dnia potrzebują jego bliskości w nocy. Samotny rodzic, który musi stawiać czoła wyzwaniom samodzielnego wychowywania, może nie chcieć opuścić nocnych karmień.

U podłoża trudności ze snem leżą często problemy związane z autonomią i samodzielnością dziecka. Choć współczesne społeczeństwo każe rodzicom mieć poczucie winy z powodu trzymania dziecka zbyt blisko lub zbyt długo przy sobie, większość rodziców nie jest gotowa na to, aby zachęcić swoje płaczące w nocy pięcio- lub sześciomiesięczne niemowlę do wykształcenia wzorców samodzielnego zasypiania.

Potrzeby trzymania się blisko rodziców oraz trzymania dziecka blisko siebie są bardzo naturalne. Większość rodziców potajemnie tęskni za cudownym ciepłem dziecka śpiącego obok. Tym trudniej jest rodzicom tych dzieci, które niechętnie przesypiają noc. Potrzebne im będą wskazówki zamieszczone na końcu tego rozdziału.

W mojej praktyce spotkałem się z trzema różnymi typami temperamentów ze skłonnością do nocnego budzenia się. Jeden to bardzo aktywne i dynamiczne dziecko z tak ogromnym zapałem do uczenia się nowych rzeczy, że dosłownie trudno je zatrzymać, gdy zdobywa kolejną umiejętność. Frustracja wywołana niemożnością osiągnięcia zamierzonego celu – zwykle zdobycia jakiejś sprawności ruchowej – napędza dziecko w nocy z taką sama siłą jak w ciągu dnia.

Śródnocne budzenie się może nie ustać nawet wówczas, gdy takie dziecko nauczy się chodzić, chyba że rodzice zainterweniują i przymuszą je do samodzielnego radzenia sobie w nocy. Aktywne dziecko może tak samo przeżywać frustrację związaną z innymi zadaniami i próbami opanowania jakichś umiejętności w drugim i trzecim roku, a także w późniejszych latach życia. Jeśli dawało upust swojej frustracji podczas snu w pierwszym roku, ten zwyczaj może niestety utrwalić się na dłużej.

Inna grupa niemowląt, które budzą się w nocy i potrzebują utulenia, to – według mojej nomenklatury – dzieci niskoenergetyczne. W ciągu dnia są spokojne, uważne i ostrożne, zbierają informacje, lubią wszystko dobrze przemyśleć i mogą nie być zbyt aktywne. Skoro nie wkładają za dużo energii w to, co robią, nie męczą się na tyle, aby potem głęboko spać.

Trzecia grupa, która ma problemy z wejściem w rytm długiego odpoczynku nocnego, to dzieci wrażliwe i płaczliwe. Wrażliwość dziecka na nowe, nieznane sytuacje sprawia, że trzyma się ono blisko rodziców, którzy sami, często nie zdając sobie z tego sprawy, przyczyniają się do takiego zachowania. Gdy ma miejsce wydarzenie stanowiące dla dziecka wyzwanie, na przykład nowy krok w rozwoju lub wymagająca sytuacja towarzyska, może nastąpić regres w jego zachowaniu dużo bardziej widoczny niż u innych dzieci. Ponieważ rodzice takiego dziecka chcą mu pomóc, chronią je przed nowymi wyzwaniami. Pospieszą na ratunek, gdy sytuacja je przerasta, zanim jeszcze samo spróbuje sobie z nią poradzić.

W nocy ten wzorzec rodzicielskiej ochrony będzie miał oczywiście wpływ na zachowanie obydwu stron. Dziecko będzie wymagało obecności rodziców i ich pocieszenia dłużej niż to normalnie konieczne, a rodzice nie potrafią się oprzeć jego nadmiernie emocjonalnym żądaniom. Mogą zabrać je do swojego łóżka lub pozwolić się wzywać cztery lub pięć razy w ciągu nocy. Gdy poczują wyczerpanie i złość – na siebie samych i na dziecko – jego wrażliwość na ich ambiwalencję tylko zwiększy jego przygnębienie, a niezdecydowanie rodziców będzie popychało ich w kierunku spełniania wszystkich jego żądań.

Dzielenie łóżka

Nasza kultura od dawna utrzymuje, że jednym z wyznaczników niezależności dziecka jest spanie we własnym łóżku. Jednak wiele innych kultur zawsze i bez cienia wątpliwości akceptowało dzielenie łóżka z rodzicami, uznając je za tak naturalne jak karmienie piersią. W ostatnich latach coraz więcej amerykańskich rodzin wprowadza do swoich domów tradycje łoża rodzinnego. Wydaje się, że zwłaszcza pracującym rodzicom trudno jest zrezygnować z bliskości dziecka w nocy, gdyż po całym dniu nieobecności dzielenie łóżka pomaga wszystkim poczuć, że są blisko siebie. Amerykańska Akademia Pediatrii ostrzega jednak przed spaniem z dzieckiem w jednym łóżku, cytując badania, które wskazują na większą śmiertelność z powodu zespołu nagłej śmierci łóżeczkowej (SIDS) wśród dzieci jedenastotygodniowych i młodszych śpiących razem z rodzicami. Podejrzewam, iż w niektórych przypadkach ważną rolę mogły odegrać inne czynniki (np. rodzic będący pod wpływem alkoholu lub nieodpowiedni materac czy pościel), jednak rodzice rozważający dzielenie łóżka z dzieckiem powinni wziąć pod uwagę stanowisko AAP.

Rodzice pracujący poza domem czują wewnętrzne rozdarcie i nie mogą zdecydować, czy położyć dziecko w osobnym łóżeczku, czy pozostawić je przy sobie. Wielu z nich wybiera dzielenie z nim łóżka, by nadrobić nieobecność w ciągu dnia. Pomijając kontrowersje dotyczące SIDS, zachęcam rodziców do rozważenia konsekwencji takiej decyzji z innego powodu. Dziecku, które nie nauczyło się spać samodzielnie w niemowlęctwie, trudniej będzie zrobić to później. Kiedy rodzice zdecydują, że nadszedł na to czas, nauczenie dziecka przesypiania nocy będzie wymagało determinacji każdego członka rodziny. Rodzice muszą być pewni, że są gotowi, aby wspierać się nawzajem. Muszą też być przekonani, że jest to ważny, a nawet konieczny krok dla dziecka. Ostrzegam, że zdecydowanie trudnym dla niego momentem na naukę spania we własnym łóżku jest czas oczekiwania przez rodziców na drugie dziecko. To starsze i tak czuje się w tym okresie odepchnięte i zastanawia się, dlaczego ktoś inny ma je zastąpić. Prawdopodobnie cofnie się wtedy przejściowo do wcześniejszej fazy rozwoju, aby zaznaczyć, że ono również potrafi być małym dzieckiem, gdy tego potrzebuje.

W mojej prywatnej praktyce pediatrycznej oraz w pracy w szpitalu miałem okazję obserwować problemy, które pojawiają się w rodzinie, gdy małe dziecko budzi się w nocy i żąda uwagi rodziców. Takie rodziny potrzebują pomocy. Wiedziałem, że zrozumienie podstawowych mechanizmów pomoże rodzicom w relacji z dzieckiem.

Niektórzy rodzice twierdzą jednak, że spanie w swoim łóżeczku to zwyczaj, którego nasze społeczeństwo nierozsądnie wymaga od dzieci, oraz że może nie być to dla nich korzystne. Uważają też, że gdy dziecko potrzebuje ich w nocy, ważniejsze

jest, aby z nim być, niż martwić się o przestrzeganie kulturowych oczekiwań. Lubią być w nocy razem, jako rodzina, i według nich dziecko wyrośnie ze zwyczaju sypiania z rodzicami bez psychologicznych blizn.

Wiele się nauczyłem, słuchając takiego punktu widzenia. Zgadzam się, że problemy ze spaniem mogą wskazywać na to, iż dziecko doświadcza jakiegoś stresu i nie powinno czuć się wtedy opuszczone. Zastanawiam się też, czy nasza kultura nie wymaga zbyt dużo od małych dzieci w wielu innych dziedzinach. Niemniej jestem przekonany, że należy wziąć pod uwagę również potrzeby rodziców oraz że nauczenie się spać w oddzielnym łóżku może być dla dziecka okazją do rozwinięcia samodzielności.

Podejmując decyzję dotyczącą brania dziecka do swojego łóżka, rodzice powinni rozważyć niektóre potencjalne problemy. Czy dziecko będzie w ciągu dnia bardziej zależne od rodziców, gdy w nocy będzie z nimi bardzo blisko? Niekoniecznie, ale istnieje takie niebezpieczeństwo i rodzice muszą bacznie obserwować, czy tak się nie dzieje. Jeśli dziecko przejawia w ciągu dnia niezależność, być może mój argument, aby w nocy spało samo, będzie bezzasadny. Czy dzielenie łóżka z rodzicami w niemowlęctwie i wczesnym dzieciństwie nie utrudni separacji w późniejszym wieku? Aby zapobiec takiej tendencji u dziecka, zachęcam rodziców, którzy chcą kontynuować zwyczaj wspólnego spania, żeby się upewnili, czy poprawia on samopoczucie zarówno im, jak i dziecku. Jego obecność będzie zapewne utrudnieniem w relacji między nimi, jeśli pozwolą mu na wspólne spanie przez dłuższy czas. Gdy jedno z rodziców jest przeciwne dzieleniu łóżka z dzieckiem, ucierpi ono bardziej, niż gdyby miało być odzwyczajone od tej praktyki. Dlatego jeśli tylko jeden rodzic czuje się komfortowo w tej sytuacji, a w rodzinie dochodzi do utarczek na tym tle, z pewnością będzie to destrukcyjne dla rozwoju dziecka. Z tego powodu dorośli powinni regularnie rozmawiać na ten temat – otwarcie i rozsądnie. Dobra relacja pomiędzy rodzicami jest ważniejsza dla rozwoju dziecka niż miejsce, w którym ono śpi.

Rodzice powinni również obserwować, czy u dziecka nie pojawiają się oznaki napięcia w związku z dzieleniem z nimi łóżka. Kiedyś da im do zrozumienia, że nie potrzebuje już ich obecności w nocy, i wyrazi swoją potrzebę niezależności.

Na podstawie zwyczajów innych kultur (np. Indii czy Meksyku, gdzie wspólne łoże jest powszechną praktyką) wydaje się, że w okolicach trzecich lub czwartych urodzin powinny się pojawić u dziecka oznaki gotowości do oddzielnego spania, nawet jeśli wcześniej ich nie było. Rodzice powinni zadbać, aby przejście odbyło się łagodnie, stopniowo i z szacunkiem dla dziecka – rytuał kładzenia spać powinien obejmować rozmowę, ulubioną zabawkę do towarzystwa oraz małe światełko w pokoju. Pomocne może być też przeniesienie dziecka najpierw na łóżko ustawione obok łóżka rodziców.

Jeśli starsze dziecko nadal potrzebuje bliskości rodziców w nocy, należałoby się martwić o jego samoocenę oraz zastanawiać, czy w późniejszym wieku oddzielenie nie będzie jeszcze trudniejsze. W ostatecznym rozrachunku jednak to, czy dziecko śpi z rodzicami czy samo, nie jest aż tak istotne jak to, czy uczy się radzić sobie z własnymi potrzebami oraz czy udaje mu się samodzielnie zasnąć w razie przebudzenia w nocy.

Rytuały wieczorne

Wielu rodzicom trudno jest rozstać się z dzieckiem po wieczornych przytulankach. Książeczka, nocniczek i „jeszcze jeden całus na dobranoc" mogą trwać w nieskończoność. Wieczorny rytuał przytulania i czytania ulubionych książeczek to przecież cudowny czas spędzony w bliskości po całym trudnym dniu. My śpiewaliśmy naszym dzieciom i tańczyliśmy z nimi spokojnie, trzymając je w ramionach. Kiedy się wyciszyły i wszyscy czuliśmy szczególną bliskość ze sobą, kładliśmy je do łóżeczka – jeszcze nie śpiące, ale już senne. Każde z naszych dzieci nauczyło się zasypiać samodzielnie. To było cudowne przejście z jednego stanu do drugiego.

Kiedy rodzicom trudno jest rozstać się wieczorem z własnych powodów (np. całodziennej nieobecności, poczucia, że dziecko jest zbyt rozdrażnione, aby je zostawić, wspomnień z własnego dzieciństwa itd.), dziecko z łatwością to wyczuwa. „Nie idź jeszcze. Muszę ci coś powiedzieć. Naprawdę **muszę** siku. Jeszcze jedną bajkę. Obiecałaś!". Zachęcam, aby rodzice jasno określili granice: „Jeszcze jedna, i to wszystko!". W przeciwnym razie napięcie, które narośnie w wyniku takiej walki, może nie pozwolić dziecku wyciszyć się i zasnąć – ani w danym momencie, ani później, podczas przebudzenia w nocy. Spanie w swoim łóżku to dla dziecka problem związany z autonomią, a dla rodziców – z rozstaniem.

Wskazówki

Kiedy dziecko nie przestaje budzić się w nocy, poniższe wskazówki mogą pomóc rodzicom nauczyć malucha samodzielnego zasypiania. Należy pamiętać, że trzeba je dostosować do konkretnej sytuacji i konkretnego dziecka. Każdy z proponowanych kroków może być wykorzystany oddzielnie i wprowadzany powoli, przez długi czas.

Co robić, gdy dziecko nie przestaje budzić się w nocy?

(1) Trening zasypiania musi być zaakceptowany przez oboje rodziców. Jeśli nie zgadzacie się ze sobą, dziecko wyczuje tę ambiwalencję.

(2) Przyjrzyj się rozkładowi dnia dziecka. Czy nie śpi zbyt długo lub za późno w ciągu dnia? W przypadku dzieci rocznych i starszych drzemka popołudniowa powinna zacząć się wcześnie (do godziny 13:00) i trwać godzinę lub dwie. Wiele dwulatków rezygnuje już z drzemki, ale dzieci, które nadal jej potrzebują, mogą gorzej sypiać w nocy, jeśli się je jej pozbawi. Każda drzemka po godzinie 15:00 rozreguluje cykl aktywności i zmniejszy potrzebę ciągłego i głębokiego snu w nocy.

(3) Upewnij się, że wprowadzony przez ciebie wieczorny rytuał relaksuje dziecko. Jeśli dziecko jest już starsze, możesz z nim porozmawiać o krokach, jakie podejmujesz, aby pomóc mu w samodzielnym zasypianiu wieczorem i gdy przebudzi się w nocy. Po szaleństwach i zabawie powinien nastąpić wyciszający wieczorny rytuał. Doskonale nadaje się do tego bajka, ale nie telewizja.

(4) Niech dziecko nauczy się samo zasypiać po położeniu do łóżka. Nie pozwól mu zasypiać w twoich ramionach lub przy piersi. Pomóż mu się wyciszyć, a następnie połóż do łóżeczka i siedź przy nim, aby pomóc mu nauczyć się własnego rytuału zasypiania. Podsuń mu przytulankę lub jego własne palce. Poklepuj je delikatnie. Jeśli protestuje, zapewnij je: „Potrafisz to zrobić sam(-a)".

(5) Jeśli dziecko nie ma jeszcze roku, po pierwszym wieczornym rytuale i zaśnięciu można je obudzić, gdy rodzice kładą się spać. Należy wtedy powtórzyć rytuał – mówić do dziecka, przytulić, podać mu butelkę lub pierś, jeśli były częścią wcześniejszej rutyny. Rodzice mogą w ten sposób uspokoić sumienie i nie zastanawiać się w nocy: „Czy wszystko z nim w porządku? Czy nie jest głodne? Czy zrobiłam wszystko, co można?".

(6) Wprowadź i wzmocnij jakąś konkretną przytulankę – kocyk, pluszowe zwierzątko lub lalę – jako część rytuału samopocieszania (nie pozwalaj jednak dziecku zasypiać z butelką z mlekiem w buzi, spowoduje to bowiem poważną próchnicę zębów). Duża liczba zabawek w łóżeczku nigdy nie zastąpi tej jednej ukochanej. Poza tym pomniejszają one wartość i znaczenie ulubionej zabawki dziecka.

(7) Na początku należy oczekiwać, że dziecko będzie się budziło i płakało co trzy lub cztery godziny – około 22:00, 2:00 i 6:00 nad ranem. Kiedy zarówno dziecko, jak i rodzice są gotowi na rozpoczęcie treningu zasypiania, należy reagować na to, co się dzieje, jak najmniejszą liczbą stymulujących interwencji. Jeśli do tej pory brałeś dziecko na ręce i kołysałeś do snu, nie rób tego. Uspokajaj je i głaszcz ręką, ale niech pozostanie w łóżeczku. Nie będzie mu się to podobać, ale zrozumie ten sygnał. Stój przy łóżeczku i powtarzaj, że potrafi i musi się nauczyć samo ponownie zasypiać.

(8) Po pewnym okresie powtarzania powyższego rytuału zrezygnuj z wchodzenia do pokoju dziecka, a tylko mów do niego. Powiedz, że jesteś i że je kochasz, ale nie przyjdziesz. Przypomnij mu o jego przytulance. Zawsze zadziwia mnie to, że dziecko zaczyna akceptować czyjś głos jako obecność tej osoby.

(9) Na koniec daj dziecku szansę wypróbowania wszystkich własnych zasobów. Zaczekaj ze swoją reakcją co najmniej dziesięć do piętnastu minut. Jeśli wejdziesz do jego pokoju, nie angażuj się, a jedynie mechanicznie powtarzaj nieekscytujące czynności opisane wyżej, podając dziecku przytulankę. Za każdym razem wydłużaj okres czekania z interwencją i zdecydowanie trzymaj się swojego celu.

Po czterdziestu latach praktyki pediatrycznej jestem przekonany, że rodzicom nie jest łatwo zaakceptować niezależność dziecka, jednak jest ona ekscytującym i dającym satysfakcję celem dla malucha. Wydaje się, że umiejętność samodzielnego poradzenia sobie w nocy pomaga mu zbudować pozytywną samoocenę i daje mu prawdziwe poczucie siły, zwłaszcza gdy taka niezależność jest ceniona w jego kulturze. To poczucie sukcesu można dodatkowo podkreślać w ciągu dnia, wspierając dziecko emocjonalnie. Kiedy nauczy się samodzielności w nocy, należą mu się wszelkie możliwe uznanie i pochwały, na jakie rodzice mogą się zdobyć w ciągu dnia (zob. też Brazelton, 2003c).

39

Kolejne dzieci

Podczas kontrolnych wizyt w gabinecie mogę również spodziewać się rozmów dotyczących planowania drugiego dziecka. Rodzice zwykle pytają o to w szczególnych okresach rozwoju starszego malucha – jego widocznej niezależności. Po wstępnym okresie adaptacji, po kilku pierwszych miesiącach pełnych nieprzespanych nocy i chaotycznego rozkładu dnia młodzi rodzice zaczynają doświadczać euforii zakochania. Za każdym razem, gdy spojrzą na swoje czteromiesięczne dziecko, ono czarująco się do nich uśmiecha. Dźwięki wydawane przez dorosłych wywołują jego westchnienie lub „uuu". Dziecko porusza całym ciałkiem, gdy próbuje się porozumieć ze swoimi oddanymi, nadopiekuńczymi rodzicami. Niewiele jest tak cudownych momentów w życiu, jak tych kilka minut wzajemnego kontaktu z komunikatywnym, „mówiącym" niemowlęciem. W tych krótkich interakcjach rodzice czują się kompetentni i pewni siebie. Jednak trudno jest być szaleńczo zakochanym, nie czując jednoczesnego ukłucia lęku, że prędzej czy później to musi się skończyć, a na pewno zmniejszyć swoją intensywność, gdy dziecko dorośnie. Takie chwile są zbyt doskonałe, aby trwały wiecznie.

Planowanie drugiego dziecka

W którymś momencie 1 roku życia dziecka rodzice mogą zapytać o najlepszy czas na pojawienie się drugiego. Pytanie to wydaje się niezsynchronizowane z rozwojem niemowlęcia, które właśnie leży na stole do badania, jest okrąglutkie, miękkie, z fałdkami i dołeczkami. Ostrożnie rozgląda się dookoła, a jego twarzyczka jest śmiertelnie poważna, gdy wzrok zatrzymuje się na nowych przedmiotach. Co chwila spogląda na mamę lub tatę, którzy pochylają się nad nim, rozmawiając ze mną. Kiedy ich wzrok się spotyka, dodają mu otuchy. Jego twarz marszczy się wtedy w uśmiechu, oczka się rozluźniają, gdy patrzy na nich z wdzięcznością i ruchem całego ciałka dziękuje za obecność. Trwa to tylko kilka sekund, bo niemowlę szybko wraca do swojego zadania przetwarzania informacji w tym nieznanym sobie miejscu. Rodzice również powracają do rozmowy ze mną.

W tym krótkim momencie byłem świadkiem ich głębokiego przywiązania do siebie. Każde z nich poczuło przypływ miłości – pokazało, jak ważna jest dla niego obecność tej drugiej osoby. Dziecko wyrazem oczu mówiło: „Jesteście moją kotwicą i mogę sobie pozwolić na bycie w tym obcym, ekscytującym, nowym miejscu, ponieważ mogę w każdej chwili spojrzeć na was i wy będziecie!". Rodzice zaś mieli okazję poczuć, jak niezmiernie ważni są dla tej nowej istoty. Czy to nie zadziwiające, że właśnie wtedy jedno z nich pyta: „Kiedy byłby najlepszy czas na kolejne dziecko?". Karmiąca matka chce wiedzieć: „Kiedy powinnam odstawić je od piersi?". Gdy analizujemy te pytania razem, okazuje się, że jeszcze nie chcą kolejnego dziecka, a mama nie zamierza przestać karmić. Jednak pytania służą jako wentyl bezpieczeństwa przed zbytnim zaangażowaniem i pomagają zrównoważyć obezwładniające ich przywiązanie.

W wieku 4 lub 5 miesięcy niemowlę zaczyna przejawiać pierwsze oznaki niezależności. Ciągle przerywa karmienie, aby się rozejrzeć, przysłuchać zamykającym się drzwiom, gaworzyć w „rozmowie" z mamą, uśmiechnąć się szeroko do taty siedzącego w drugim końcu pokoju. Dla kobiety mogą to być pierwsze sygnały, że dziecko nie potrzebuje jej już tak bardzo. Są to objawy skoku w rozwoju świadomości malucha – zdaje sobie on sprawę z obecności innych osób oraz przedmiotów. Z kolei dla zakochanych rodziców jest to przypomnienie, że nadejdzie kiedyś taki czas, gdy dziecko uniezależni się od nich.

Karmiące matki będą wtedy szczególnie podatne na poczęcie kolejnego dziecka. Byłem świadkiem wielu przypadków nieoczekiwanej drugiej ciąży, gdyż kobieta spodziewała się naturalnego zabezpieczenia w okresie laktacji. Choć nie było jeszcze krwawienia miesięcznego, owulacja już wróciła. Jeśli partnerzy nie stosują odpowiednich środków antykoncepcyjnych, kobieta może zajść w ciążę, zanim będzie na to rzeczywiście gotowa.

Posiadanie dwojga dzieci w bliskim odstępie czasu – po 14–18 miesiącach – jest takim samym wyzwaniem jak urodzenie bliźniąt. Oczywiście można sobie poradzić z ich wychowaniem, czasami nawet dostarcza to wiele radości, jednak wymaga dużo wysiłku i stanowi ogromny stres dla rodziców. Opieka nad dwiema zależnymi istotami w różnym, ale zbliżonym wieku jest wymagającym zadaniem zarówno pod względem fizycznym, jak i emocjonalnym. Niebezpieczeństwo dla dzieci polega na tym, że wyczerpana fizycznie mama może dokonać jednego z dwóch nieświadomych wyborów: albo zacznie je traktować tak, jakby były w tym samym wieku, albo będzie wymagać, by starsze dziecko dorosło zbyt szybko. Gdy maluch protestuje, zachowując się jak niemowlę, matka nieświadomie naciska i żąda, aby wziął na siebie większą odpowiedzialność niż jest w stanie unieść.

Planując kolejne dziecko, rodzice powinni wziąć pod uwagę własny zasób energii oraz tolerancję. Kierujące nimi powody spieszenia się z poczęciem drugiego dziecka lub odkładania decyzji będą najlepszymi wskazówkami. Kobieta, która może wziąć urlop wychowawczy na każde dziecko, ale chce zamknąć proces wychowawczy w stosunkowo krótkim czasie, aby wrócić do pracy, nie będzie zadowolona z konieczności wieloletniego przebywania w domu i w rezultacie wyładuje swoją frustrację na rodzinie. Rodzice, którzy uważają, że potrzebują czasu pomiędzy kolejnymi dziećmi, aby poprawić swoją pozycję ekonomiczną, nie poradzą sobie z więcej niż jednym dzieckiem i jednym zakresem obowiązków w danym momencie. W większości rodzin problem polega na tym, że dorośli nie potrafią ocenić swoich rezerw ani poziomu tolerancji.

Wskazówki dotyczące planowania kolejnego dziecka

Kilka wskazówek wynikających z wielu lat mojego pediatrycznego doświadczenia może pomóc młodym rodzinom mądrze zaplanować kolejne potomstwo:

(1) Musisz pogodzić się z tym, że niełatwo będzie zrezygnować z intensywnej, wzajemnie satysfakcjonującej relacji z pierwszym dzieckiem. Będzie to trudne zarówno dla dziecka, jak i dla rodziców. Jeśli dasz sobie wystarczająco dużo czasu na to, aby zacząć odczuwać, że zrobiłaś dla dziecka wszystko, co było możliwe, będzie ci łatwiej. Innymi słowy, jeśli potrafisz poczuć, że naprawdę oddałaś dziecku całą siebie i że teraz ono staje się niezależne, będzie ci łatwiej podzielić się sobą z kolejnym dzieckiem. To nieuchronne, że nowy maluch będzie wymagał czasu i energii emocjonalnej. Nie da się również uniknąć tego, że gdy pojawi się on na świecie, mama będzie wymagała od starszego dziecka, aby szybciej dorosło. W tradycyjnych kulturach istnieje rytuał odstawienia jednego dziecka od piersi, gdy drugie jest w drodze. Kobieta otwarcie przekazuje je w ręce innego członka rodziny – prababci, ciotki lub starszego rodzeństwa. Podczas tego symbolicznego aktu mówi: „Muszę teraz odwrócić się plecami do ciebie, abym mogła poświęcić się młodszemu". Choć rytuał ten wymaga od matki szorstkości, często widziałem skrywany ból związany z oddaniem dziecka. Znając trud czekających ją obowiązków, kobieta zmusza się do „odwrócenia się plecami" – w przeciwnym razie nie będzie miała siły na opiekowanie się nowym potomkiem.

(2) Planując drugie dziecko, należy pamiętać, że w 2 roku życia dziecko zmaga się z niezależnością i negatywizmem. Kiedy mały tuptuś wchodzi w 2 rok życia, potrzebuje

czasu na zbadanie swoich możliwości wyboru. Czy rzeczywiście chce być niezależny? Czy naprawdę mówi „nie", gdy tak się upiera, czy może chce powiedzieć „tak"? Po wybuchowym napadzie złości, po którym jest wyczerpany, kto oprócz rodziców może pomóc maluchowi przeanalizować jego przyczyny oraz ustalić granice, których musi się nauczyć? Kto jeszcze może go wspierać w poszukiwaniu granic oraz mocnych stron, które pomogą mu stać się niezależną osobą? Jeśli rodzice nie będą mogli wtedy poświęcić dziecku czasu i nie dostrzegą, że jego zmaganie z niezależnością jest ogromnie istotne dla rozwoju i może być ekscytujące, zarówno oni sami, jak i dziecko doświadczą ogromnej frustracji. Zamiast postrzegać ten okres jako czas uczenia się i badania świata, mogą stracić poczucie humoru, którego pilnie potrzebują, aby uzyskać właściwą perspektywę. Byłoby zatem idealnie, gdyby zaplanowali pojawienie się drugiego dziecka po wyciszeniu chaosu w 2 roku życia pierworodnego.

Rodzice rozważający dwuipółletnią lub trzyletnią przerwę między kolejnymi dziećmi zastanawiają się, czy nie jest ona zbyt duża, aby dzieci przyjaźniły się ze sobą w późniejszych latach. Z mojego doświadczenia wynika, że jeśli rodzice będą zadowoleni z takiej różnicy wieku, dzieci łatwiej się zaprzyjaźnią. Stres doświadczany przez nich z powodu zbyt małej różnicy wiekowej sprawi, że rodzeństwo spędzi większość

dzieciństwa na rywalizacji. Jak już wiemy, waśnie między dziećmi są adresowane do rodziców. Dzieci zawsze będą ze sobą rywalizować, ale poradzą sobie z emocjami prędzej, jeśli rodzice nie będą się wtrącać. Jeśli dorośli mają poczucie, że nie są dobrymi rodzicami dla żadnego z dzieci, będą się angażować w ich kłótnie, a przez to je wzmacniać. Innymi słowy, nie powinno się planować dzieci, aby zadowalały siebie nawzajem, ale wtedy, gdy rodzice będą mogli poświęcić kolejnemu swoje siły i energię.

Jak pomóc dziecku przyzwyczaić się do rodzeństwa

W większości przypadków dwu- lub dwuipółletnie dzieci przejawiają już niezależność w ważnych dziedzinach. Są jak najbardziej mobilne, ich zabawa jest urozmaicona oraz samodzielna. Powinny wykształcić już autonomię w sferze jedzenia i spania, wiele dzieci jest też gotowych na trening czystości. Ponadto dwulatki mogą już bawić się w grupie rówieśniczej. Spotkanie z kolegami może być dla nich największą atrakcją. Uczenie się od siebie nawzajem, rozładowywanie napięć oraz radzenie sobie z negatywizmem, które mogą mieć miejsce podczas wspólnej zabawy, świadczą o tym, że w tym wieku dzieci mogą wiele sobie dać. Oznacza to, że rodzice mogą aranżować grupy zabawowe albo zostawiać dziecko na jakiś czas w żłobku czy skorzystać z innej formy opieki zbiorowej. Będzie to z korzyścią zarówno dla tuptusia, jak i dla rodziców, którzy mogą wówczas poświęcić się drugiemu dziecku. Dwu- lub trzyletnia przerwa między dziećmi będzie korzystna dla wszystkich członków rodziny.

Cztero- i pięcioletnie dziecko jest gotowe wziąć udział w opiece nad noworodkiem. Starsze dziecko może mieć poczucie, że niemowlę jest jego. Może uczyć się je karmić, trzymać, kołysać, przewijać, pocieszać i bawić się z nim. Kiedy poradzi sobie z pierwotnym rozczarowaniem, że brat lub siostra nie jest w tym samym wieku co ono i nie może uczestniczyć we wszystkich zabawach, które zaplanowało, może przyłączyć się do rodziców i brać udział w zabawie polegającej na dowiadywaniu się coraz to nowych rzeczy o niemowlęciu oraz obserwowaniu jego kolejnych kroków w rozwoju.

Pamiętam pewnego pięciolatka, który wpadł do mojego gabinetu, krzycząc: „Doktorze Brazelton, musi pan zobaczyć, jak nasz maluch chodzi! Już się wcale nie przewraca!". Po tych słowach podbiegł do swojego jedenastomiesięcznego brata i wyciągnął do niego ręce. Maluch uśmiechnął się od ucha do ucha, czując na sobie uwagę swojego bohatera. Z wdzięcznością i łapczywością pochwycił jego dłonie i podniósł się do stania. Ledwo utrzymując równowagę i mocno trzymając się wyciągniętych rąk brata, przemaszerował chybotliwym krokiem przez cały pokój. Gdy starszy chłopiec cofał się, prowadząc młodszego, chichotał z radości: „Niech pan patrzy, niech pan tylko na to spojrzy!". Kiedy patrzyłem na ten wspaniały przykład starszego brata, który nie tylko uczył małego tuptusia chodzić, ale przekazywał mu ekscytację towarzyszącą uczeniu się, pomyślałem sobie: „Ale ten maluch ma szczęście, że może uczyć się takiej radości życia. Ci bracia nie tylko nabywają od siebie nawzajem umiejętność uczenia się, ale także doświadczają głębi wzajemnej zależności".

Cztero- i pięciolatek jest naturalnie gotowy, aby troszczyć się o młodszych i uczyć ich. Margaret Mead, wybitna antropolog, powiedziała mi kiedyś, iż jednym z najpoważniejszych niedostatków naszej kultury jest fakt, że dzieci w wieku od 4 do 7 lat nie mają okazji troszczyć się o młodsze. Zauważyła, że w większości kultur na świecie starsze rodzeństwo ma obowiązek zajmowania się młodszym. Uczy się w ten sposób opieki nad innymi, lepiej przygotowując się do własnego rodzicielstwa.

Kilka lat różnicy pomiędzy dziećmi automatycznie stwarza takie doświadczenie dla starszego, dla młodszego zaś uczenie się od rodzeństwa jest prawdziwym przywilejem. Nasze najmłodsze dziecko nabyło wielu umiejętności i przejęło wiele wartości od swoich dokładnych i cierpliwych sióstr. Pragnienie uczenia się od starszego rodzeństwa bierze się ze swoistego ślepego uwielbienia. Nastawienie zmienia się zupełnie, a poziom napięcia wzrasta, gdy tych samych rzeczy próbują malucha nauczyć rodzice. Zawsze zadziwia mnie pożądliwy i tęskny wzrok, jakim niemowlę czy tuptuś obdarza starszego brata lub siostrę. Zdumiewa mnie też prędkość uczenia poprzez naśladowanie, jakie ma miejsce, gdy starsze rodzeństwo podchodzi choćby na chwilę i uczy młodsze nowej umiejętności.

Kiedy oczekujecie kolejnego dziecka, przygotujcie starsze na rozłąkę i wtargnięcie noworodka w dotychczasową relację. Nauczcie je brać udział w opiece nad maluchem i pomóżcie mu identyfikować się z wami jako opiekunami. Zamiast odpychać je, aby chronić noworodka, raczej je nauczcie, jak być łagodnym i delikatnym, jak trzymać dziecko, kołysać je i karmić. Zakupcie lalkę bobasa, żeby mogło na niej poćwiczyć karmienie i inne czynności, podczas gdy wy zajmujecie się niemowlęciem. Potem może bezpiecznie ćwiczyć z rodzeństwem – pod waszym nadzorem.

Kiedy drugie dziecko jest już w domu i zbyt wiele rzeczy absorbuje waszą uwagę i energię, znajdźcie zawsze czas dla starszego – wyznaczcie specjalne spotkania **sam na sam**, bez młodszego rodzeństwa. To jest moment, w którym naprawdę pomocni będą dziadkowie i inni bliscy krewni. Każde z dzieci potrzebuje takiego szczególnego czasu bez ingerencji innych z każdym z rodziców z osobna. Długość takiego spotkania nie jest tak ważna jak jego niezawodność i wyłączność. Może to być trudne dla samotnych rodziców, jednak godzina w tygodniu dla każdego dziecka może być niczym balsam dla waszej relacji. Przypominaj dziecku często o tych spotkaniach: „Wprawdzie nie mam teraz czasu, bo karmię, ale pamiętaj, że **będziemy** go mieć dla siebie później. To będzie specjalne spotkanie tylko z tobą, bo jesteś moim pierwszym dzieckiem – czas tylko dla nas. I **zawsze** będę cię kochała".

Wzmacnianie indywidualności

Jeszcze jednym problemem, z którym borykają się rodzice mający więcej niż jedno dziecko, jest świadomość, że nie traktują każdego z nich jednakowo. Rodzice automatycznie chronią niemowlę, a od starszego dziecka wymagają szybkiego dorośnięcia. Chcą, żeby dziewczynka była odpowiedzialna, a chłopiec śmiały. Mogą mieć dla każdego z nich inne plany. Takie zachowanie może wywoływać poczucie winy i żal. Jestem przekonany, że żaden rodzic nie traktuje wszystkich swoich dzieci tak samo. Każde z nich ma na nas inny wpływ, w zależności od często nieuświadamianych doświadczeń z przeszłości. „Ona jest podobna do mojej błyskotliwej siostry", „On ma tyle energii co mój brat" – takie stwierdzenia są jak najbardziej uzasadnione. Jeśli uczciwie im się przyjrzysz i rozpoznasz, skąd się biorą, dziecko może tylko na tym skorzystać. Gdy będziesz próbować je ukryć, jakiekolwiek odstępstwa od tych porównań rozczarują cię, co zaszkodzi dziecku. Niezależnie od różnicy wieku i różnic między sobą każde dziecko zasługuje na to, aby być postrzegane jako kompetentne oraz kochane za swoją indywidualność.

40

Problemy z mową, przyswajaniem języka i słuchem

Utrata jakiejkolwiek modalności sensorycznej, na przykład słuchu lub wzroku, zaburza rozwój dziecka. Wpływa na inne modalności, opóźnia rozwój mowy i umiejętności językowych, a także zmusza dziecko do reorganizacji układu nerwowego w celu adaptacji. Jego pozostałe zmysły muszą nadrobić niedorozwój, za co płaci ono wysoką cenę. Jednak wielkim cudem jest fakt, że potrafi sobie z tym poradzić! W owym procesie adaptacji rodzice odgrywają szczególnie ważną rolę, co wpływa pozytywnie na ich relacje z dzieckiem.

Problemy ze słuchem

Niedosłuch może mieć bardzo poważne implikacje dla rozwoju dziecka. Choć dwie trzecie dzieci z utratą słuchu są mimo tego medycznie i neurologicznie zdrowe, mogą doświadczyć opóźnień we wszystkich sferach. Bez wczesnej diagnozy i interwencji upośledzone zostaną umiejętności komunikacji i interakcji społecznych.

Dzieci z niezdiagnozowanym niedosłuchem będą się wydawać przygnębione i pasywne, a ich rozwój motoryczny – powolny, tak jak reakcje na próby rodziców chcących wywołać interakcję. Będą biernie leżeć w łóżeczku lub wytworzą powtarzalne, autostymulujące zachowania, na przykład kręcenie głową, jakby chciały wypełnić pustkę. Równocześnie jednak inne modalności sensoryczne, takie jak wzrok i dotyk, rozwiną się ponad przeciętną. Dziecko stanie się przez to nadwrażliwe i może być przytłoczone bodźcami. Nawet niewielkie upośledzenie słuchu może zaburzyć rozwój języka, dlatego Amerykańska Akademia Pediatrii zaleca formalne badania przesiewowe słuchu u **wszystkich** noworodków[34]. Wczesna diagnoza jest niezwykle ważna, ponieważ wiele przyczyn braku słuchu można leczyć, a wczesna interwencja, na przykład używanie języka migowego, może pomóc stymulować obszary mózgu odpowiedzialne za rozwój języka, nawet jeśli słuchu nie można przywrócić lub gdy możliwe jest jedynie częściowe jego odzyskanie.

Jedna z metod, której używam do wstępnej oceny słuchu noworodka, działa najlepiej, gdy dziecko śpi lub się przebudza. Wykorzystuję w niej miękką grzechotkę i dzwonek, a w pokoju panuje cisza. Dziecko z normalnym słuchem reaguje na dźwięki nagłymi wzdrygnięciami, a po jakimś czasie odcina się od bodźców (mechanizm habituacji; zob. też rozdział 2). Badane w hałaśliwym otoczeniu dziecko może już wcześniej filtrować bodźce słuchowe i nie zwracać uwagi na nowo wprowadzone dźwięki. Wydaje się wówczas głuche, choć w rzeczywistości takie nie jest. Dwa różne źródła dźwięków używane są w celu określenia zakresu słyszenia. Innym prostym sposobem ogólnego badania słuchu jest sprawdzenie, czy dziecko reaguje na głos, gdy jest przebudzone i odwrócone w kierunku przeciwnym do jego źródła. Jeśli je zawołam, a ono na chwilę zastygnie i powoli odwróci główkę, wiem, że mnie słyszy. Gdy po drugiej stronie dziecka stanie jego mama i razem wykonamy test, dziecko powinno wybrać wyższy, żeński głos. Moje techniki okazują się jednak bardziej skuteczne w badaniu słyszących noworodków i określaniu ich gotowości do komunikacji oraz wrażliwości na zbędne dźwięki, niż w wiarygodnym diagnozowaniu problemów ze słuchem.

Ponieważ takie testy nie są precyzyjne (nie mogą określić zakresu i stopnia upośledzenia), a czasami mogą nawet być zwodnicze (dziecko, które wydaje się słyszeć, może jedynie reagować na bodźce wizualne), wszystkie noworodki powinny być poddane formalnym testom przesiewowym. Ponadto, jeśli zachodzi jakiekolwiek podejrzenie upośledzenia słuchu, pediatra powinien skierować dziecko do audiologa dziecięcego, aby poszerzyć diagnostykę, oraz do otorynolaryngologa dziecięcego (specjalisty od uszu, nosa i gardła), który może bardziej szczegółowo przebadać uszy i górne drogi oddechowe. W zależności od natury problemu być może zespół specjalistów będzie w stanie pomóc polepszyć lub przywrócić słuch (np. dzięki aparatom słuchowym bądź implantom ślimaka ucha u rocznych dzieci lub – w późniejszym czasie – dzięki strategiom komunikacyjnym i wzmacnianiu dźwięku w środowisku szkolnym). Badanie przesiewowe noworodków może być wykonane za pomocą testu OAE (rejestracja emisji otoakustycznych), który nieinwazyjnie bada reakcję ucha wewnętrznego

[34] W Polsce przeprowadza się przesiewowe badanie słuchu u noworodków w pierwszych dniach po porodzie, jeszcze w szpitalu (przyp. red.).

na dźwięk stukania. We wczesnym okresie niemowlęctwa może być również wykonany test BAER (ocena potencjałów wywołanych z pnia mózgu), który dostarcza dodatkowych informacji na temat dróg słuchowych (szlaków łączących ucho z mózgiem). Gdy niemowlę podrośnie, w wieku od 1 do 3 miesięcy, można wykonać pomiary sparowane, w których stosuje się różne dźwięki dla każdego ucha.

Otorynolaryngolog i audiolog mogą zdiagnozować problemy ze słuchem już we wczesnym niemowlęctwie, zanim jeszcze wpłyną one poważnie na rozwój dziecka. Jeśli istnieje jakiekolwiek podejrzenie, że dziecko nie słyszy, słyszy tylko w określonych zakresach lub jedynie dźwięki o wysokich decybelach albo jednym uchem bardziej niż drugim, sugerowałbym wykonanie pełnego badania. Utrata słuchu w jednym uchu bardzo często może być niezauważona – nawet przez wiele lat – jeśli nie zostanie przeprowadzony odpowiedni test. Gdy diagnoza potwierdzi jakąś formę wady słuchu, oftalmolog dziecięcy powinien zbadać również oczy – z dwóch powodów. Po pierwsze, istnieją rzadkie przyczyny głuchoty, które są związane z progresywną utratą wzroku; po drugie, dziecko z upośledzeniem słuchu będzie w procesie komunikacji zależne od swoich oczu, więc muszą być one regularnie badane.

W 2 roku życia nawet najmniejszy niedosłuch stanie się oczywisty, gdyż dziecko będzie regularnie przekręcać słowa. Jeśli nie rozwija się prawidłowo, zwłaszcza w dziedzinie komunikacji, należy rozważyć możliwość występowania wady słuchu.

Zapalenie ucha środkowego może się przyczynić do problemów ze słyszeniem. U wielu dzieci pojawia się tendencja do przewlekłej infekcji ucha. Po ostrym bólu ciśnienie płynu w uchu środkowym nie zmniejsza się pomimo podania antybiotyku, a nawet po ustąpieniu infekcji. Zapalenie ucha środkowego nazywane jest uchem kleistym, tak jakby ucho było pełne trudnego do usunięcia kleju. Ta przewlekła infekcja, czyli nagromadzenie płynu w uchu środkowym, może być przyczyną uszkodzenia słuchu. Szczególnie są na nią narażone niemowlęta przebywające w placówkach opieki zbiorowej lub mające starsze rodzeństwo, które nieuchronnie ma styczność z różnymi infekcjami w szkole. Zapalenie ucha może być następstwem przeziębienia i pojawiać się nawet co dwa tygodnie – każde kolejne jest trudniejsze do wyleczenia niż poprzednie, a rodzice i lekarze są bezradni. Ten przewlekły stan wpływa na ogólną kondycję dziecka – wydaje się ono wyczerpane i podatne na wszystkie choroby. W takiej sytuacji należy skonsultować się z otorynolaryngologiem. Być może konieczne będzie zastosowanie drenów wentylacyjnych w błonach bębenkowych. Pozwalają one na drenaż płynu, obniżają ciśnienie w uchu środkowym oraz zapobiegają utracie słuchu.

Kolejnym ważnym sposobem oceny słuchu jest śledzenie rozwoju języka, choć wczesna diagnostyka i leczenie mogą zapobiec opóźnieniom w mowie. Jeśli mamy wątpliwości w przypadku starszego dziecka, prostym sposobem na uzyskanie wstępnej odpowiedzi – choć nie będzie on pełnym, wiarygodnym i jednoznacznym badaniem

– jest szeptanie do jednego i drugiego ucha dziecka. Należy wybrać zdanie, na które dziecko będzie chciało odpowiedzieć. Są takie okresy w rozwoju malucha, kiedy będzie dominować uwaga selektywna, należy więc zadać atrakcyjne pytanie: „Czy chcesz jechać ze mną do miasta?" lub: „Chcesz ciastko?". Szczyt nieuważności przypada na okres pomiędzy 4 a 6 rokiem życia. Nigdy nie oceniaj słuchu dziecka na podstawie jego reakcji na polecenie: „Ubierz się" czy „Pozbieraj zabawki"!

Podczas badania w moim gabinecie zatykam dziecku jedno ucho i szepczę do drugiego: „Chcesz lizaka?". Jeśli nie uzyskam odpowiedzi i/lub mowa dziecka nie rozwija się właściwie, kieruję je na badanie do otorynolaryngologa lub na testy do audiologa.

Opóźnienia w rozwoju mowy i języka

Opóźnienia mowy i rozwoju języka to najbardziej powszechne problemy rozwojowe wczesnego dzieciństwa. Jeśli rodzice nie będą uważnie obserwować dziecka, zaburzenia te rzadko ujawnią się przed 2 rokiem życia, a niekiedy dopiero później, choć podstaw komunikacji dziecko nabywa już we wczesnym niemowlęctwie. W pierwszych tygodniach uczy się rozróżniać ważne i nieważne dźwięki. Zamyka się na te często powtarzane, natarczywe lub nieważne, nasłuchuje zaś tych istotnych i interesujących. W wieku siedmiu dni wybierze głos swojej mamy, jeśli słyszy równocześnie dwa kobiece, a w wieku dwóch tygodni – swojego taty, odróżniając go od innego męskiego. Sześciotygodniowe dziecko przejawia przewidywalne wzorce zachowań wobec tych dwóch ważnych dla niego osób. Swoim zachowaniem pokaże, że je rozpoznaje. W przeprowadzonym eksperymencie umieściliśmy dziecko w leżaczku, a rodzice pochylali się nad nim i z nim komunikowali. Zaobserwowaliśmy, że trzymiesięczne niemowlę przyswoiło już sobie rytm koncentracji i dekoncentracji uwagi. W okresie skupionej uwagi reagowało żywo, wokalizowało i się uśmiechało. Kiedy rodzice zsynchronizują się z tym rytmem, dziecko odpowiada na ich próby komunikowania się i bardzo precyzyjnie naśladuje wydawane przez nich dźwięki, mimikę twarzy, ruchy głowy i ciała.

Rodzice intuicyjnie wpasowują się w ten wzorzec. Bardzo precyzyjnie imitują zachowanie dziecka, naśladują modulację jego głosu, powtarzają ruchy ciała, a także wchodzą w jego rytm koncentracji i dekoncentracji uwagi. W ten sposób wzmacniają jego próby komunikowania się oraz rytm, na którym dziecko będzie budowało umiejętności językowe w późniejszym czasie. Gdy dorośli naśladują zachowanie dziecka, wzbogacają dany ruch o mały szczegół. Niemowlę, chcąc im dorównać, imituje go, uwzględniając tę drobną różnicę. Rozmawiając z małymi dziećmi, rodzice używają specjalnego języka – nie tylko wplatają dziecinne wyrażenia i prostsze słowa, ale zmieniają wysokość głosu i zwalniają rytm. Ten „dialekt mamy”[35] niesie ze sobą szczególny komunikat: „Teraz mówię do ciebie”. Charakterystyczne cechy tego języka są dla dziecka sygnałem, że ktoś w danym momencie zwraca się do niego – stąd wie, kiedy słuchać. W innych sytuacjach dorośli, rozmawiając ze sobą, pomijają dziecko. Język używany w rozmowie z nim ma więc szczególne konotacje. Dlatego gdy go słyszy, stara się zareagować – uśmiechem, wokalizacją, wygięciem czy ruchem całego ciała.

Oznaki rozwoju języka, które rodzice mogą obserwować

- W pierwszych tygodniach i miesiącach dziecko będzie wpasowywało się w opisany rytm komunikowania się.
- W wieku 3 miesięcy niemowlę wydaje dźwięki na bazie samogłosek, jak „uuu” czy „aguuu”[36]. Najczęściej pojawią się one podczas zabawy i karmienia, ale także w czasie przewijania pieluszki lub gdy dziecko leży samo w łóżeczku i mówi do siebie.
- U dziecka w wieku 6–8 miesięcy modulacja głosu i rytm mowy są bardziej różnorodne. Niemowlę będzie nadal testować różne dźwięki, dodając kilka spółgło-

[35] Czyli tak zwany język nianiek lub spieszczanie (przyp. tłum.).
[36] Jest to głużenie (przyp. tłum.).

sek i tworząc w ten sposób „mamama" i „tatata"[37]. Nie łączy ich z konkretnymi osobami.

- Ośmiomiesięczne dziecko będzie już wskazywać paluszkiem na przedmioty, używając tego gestu do zakomunikowania: „Popatrz na to!", „Chcę to!" lub „Podaj mi to!". Podąży również wzrokiem za palcem rodzica, aby spojrzeć, na co on wskazuje. Rozumie już, że ten gest oznacza przyciągnięcie czyjejś uwagi.
- Roczne dziecko będzie paplało w niezrozumiały sposób, ale zwykle potrafi już przypisać słowa „mama" i „tata" do właściwych osób. Zareaguje też na jednozadaniowe polecenia, na przykład: „Daj mi to".
- W wieku 15 miesięcy mały tuptuś nadal będzie w większości sytuacji niezrozumiały, ale w potoku wydawanych przez niego dźwięków można już rozróżnić pojedyncze słowa. Ważne będą wyrażenia związane z dawaniem i braniem. Język bierny będzie bogatszy, co oznacza, że dziecko zrozumie więcej poleceń. Będzie aktywnie używać około dziesięciu lub więcej słów. Występują jednak ogromne rozbieżności między poszczególnymi dziećmi.
- Osiemnastomiesięczne dziecko będzie już prawdopodobnie umiało powiedzieć takie słowa, jak „lala", „kici", imiona ważnych dla niego osób, zwroty oznaczające ruch, na przykład „opa, opa", gdy chce, aby je podnieść, oraz „pa, pa". Bardzo ważne są słowa „tak" i „nie". Jego mowa będzie zawierała zarówno rzeczowniki, jak i czasowniki. Dziecko będzie również używało złożonych gestów w komunikacji niewerbalnej. Wiele dzieci radzi już sobie z dwoma zadaniami naraz: „Idź do drugiego pokoju i przynieś mi pantofle", co wskazuje na rozwijające się receptywne sprawności językowe i pamięć.
- Dwulatek zacznie już łączyć słowa. Może zestawiać ze sobą rzeczowniki i czasowniki: „Mama idzie", albo bardziej złożone: „Tata dom", w którym rzeczownik „dom" pełni funkcję czasownika! Język receptywny – rozumienie propozycji, pytań i ostrzeżeń – wskazuje na postępy w rozwoju. Nawet jeśli dziecko nie łączy słów, bogaty i właściwy język niewerbalny oznacza, że słowa wkrótce nadejdą.

Jeśli wymienione objawy rozwoju języka nie pojawiają się w określonym czasie, dziecko powinno zostać zbadane w kierunku uszkodzenia słuchu oraz innych przyczyn opóźnienia mowy, na przykład dyzartrii (upośledzenia wymowy) lub apraksji oralnej (brak koordynacji mięśni ust i języka), których objawami mogą być nadmierne ślinienie oraz trudność w przesuwaniu jedzenia o różnej konsystencji od ust do gardła. Innym powodem opóźnienia mowy może być niedorozwój umysłowy.

Nieumiejętność używania w komunikacji języka niewerbalnego lub rozumienia niewerbalnych komunikatów oraz nierozumienie społecznych konwencji, które leżą u podstaw komunikacji, mogą być objawami zaburzeń ze spektrum autyzmu. U dzieci cierpiących na te zaburzenia mowa może nie występować w ogóle, być używana w minimalnym zakresie lub mieć nietypowy, śpiewny charakter.

---

[37] Jest to gaworzenie (przyp. tłum.).

Ponadto rodzice mogą przeanalizować własne próby zachęcania dziecka do mówienia.

Podczas wywiadu przeprowadzanego z rodzicami wykorzystuję następujące pytania:

- Czy mówiąc do dziecka, zwracasz się do niego, czy mówisz ogólnie, „w przestrzeń"?
- Czy wszyscy w rodzinie zaspokajają potrzeby dziecka, zanim ono zacznie je werbalizować?
- Czy czytasz dziecku?
- Czy poszerzasz zakres słownictwa dziecka? Pomaga mu to rozwijać umiejętności językowe.
- Czy dajesz dziecku wsparcie, reagując na jego słowa werbalnie i niewerbalnie?
- Chcąc jeszcze inaczej zachęcić dziecko do mówienia, możesz między innymi: rozmawiać bezpośrednio z nim i czekać, aż odpowie, zapewniając je, że ma na to dużo czasu; poprosić starsze dzieci o pomoc – młodsze łatwiej uczy się od nich niż od dorosłych; jeśli dziecko jąka się lub zacina, nie naciskaj, lecz zachęcaj je, cierpliwie czekając.

W środowisku dwujęzycznym może się wydawać, że rozwój mowy jest wolniejszy, ale całkowita liczba słów, jakie dziecko wypowiada w obu językach, jest mniej więcej taka sama jak liczba słów używanych przez równolatki znające jeden język. Maksymalna liczba słów łączonych w zdanie również jest porównywalna, choć wrażenie jest inne ze względu na mieszanie słownictwa z obu języków. W wieku 3 lat dziecko wychowywane w rodzinie dwujęzycznej będzie mówiło dwoma językami. Jeszcze zanim nabędzie tej umiejętności, doskonale wie, którym językiem należy posługiwać się w kontaktach z konkretną osobą.

Choć wiele zdrowych dzieci „rozkwita" późno w dziedzinie mowy, nie czekaj zbyt długo, aby sprawdzić, czy tak rzeczywiście jest w przypadku twojego – drugie urodziny

Objawy wymagające fachowej konsultacji

- Niezrozumiała mowa w wieku 2 lat.
- Brak lub niewielkie umiejętności rozumienia i używania gestów i mimiki twarzy do komunikacji.
- Wysokie, nosowe dźwięki podczas prób wypowiedzi.
- Przygnębienie podczas prób mówienia.
- Brak rytmu komunikacji lub nieprzestrzeganie kolejności podczas rozmowy.
- Ewidentne przeciążenie układu nerwowego dziecka, gdy ktoś do niego mówi lub na nie patrzy.
- Nieustanne powtarzanie wypowiedzi dorosłych bez wprowadzania zmian i kreatywności ze strony dziecka.

to dopuszczalna górna granica. Choć wspomniane wcześniej cierpliwość i zachęta wydają w końcu owoce u dziecka „rozkwitającego" później, jednak wczesna diagnoza i interwencja pozwolą się upewnić, że mowa jest tylko opóźniona.

Zaburzeniom mogą podlegać różne aspekty mowy, na przykład **płynność** w przypadku jąkania. Jest ono normalne i nieuniknione na początku nauki mówienia. Rodzice powinni szukać pomocy jedynie wówczas, gdy nie zanika lub kiedy łączy się z innymi problemami w mówieniu. Dziecko może też mieć kłopoty z **artykulacją**, czyli poprawnym wypowiadaniem dźwięków. Nosowy charakter głosu może oznaczać problemy z **brzmieniem**. Inne rodzaje trudności mogą dotyczyć **wysokości**, **głośności** i **jakości** wydobywanego głosu (np. jest on chropowaty lub wrzaskliwy).

Jeśli rodzice lub pediatra zauważą którykolwiek z wymienionych problemów, należy skierować dziecko do logopedy, a także do innych specjalistów, jeśli to konieczne. Jeżeli lekarz uzna, że na jakość głosu wpływa budowa organów mowy (np. rozszczepione podniebienie zmieniające brzmienie), potrzebna będzie interwencja chirurga plastycznego lub innego specjalisty. Im wcześniej rozpocznie się terapię mowy czy inne zabiegi, tym korzystniej wpłynie to na ogólny rozwój dziecka.

41

Ból brzucha, ból głowy i stres

Każdy z nas reaguje na napięcia i nietypową presję na swój sposób. To samo tyczy się dzieci. U niektórych zmęczenie i rozdrażnienie wywołają nasilenie objawów astmatycznych (zob. rozdział 14), u innych wystąpią bóle brzucha lub głowy. Rodzice muszą zdawać sobie sprawę, że mogą to być objawy stresu, choć zawsze należy to skonsultować z lekarzem, aby wyeliminować przyczyny medyczne. Jeśli nie będzie takowych, trzeba poszukać niepotrzebnego i nadmiernego obciążenia, które może być przyczyną doświadczanego przez dziecko stresu. Rodzice mogą również wskazać dziecku przyczyny jego psychosomatycznej reakcji, w żadnym razie nie sugerując, że objawy są mniej realne czy mniej ważne, gdy znane jest ich pochodzenie. W ten sposób można przełamać błędne koło stresu, a dziecko nauczy się lepiej panować nad tym, co się wokół niego dzieje.

Ból brzucha

Jeśli szczegółowe badanie pediatryczne wykluczy przyczyny medyczne, powodem często występujących bólów brzucha u dzieci w wieku od 4 do 6 lat może być coraz większa presja w przedszkolu, szkole i ze strony rówieśników. Dziecko w tym wieku zaczyna sobie również zdawać sprawę z tkwiącej w nim samym agresji. Ból brzucha to sposób na przyciągnięcie uwagi, której maluch wtedy potrzebuje.

Kiedy dziecko skarży się na ból brzucha, najpierw należy skonsultować się z lekarzem, aby wykluczyć inne poważne przyczyny. Chcąc ocenić, czy sytuacja wymaga natychmiastowego działania, zbadaj bolesne miejsce. Odwróć uwagę dziecka, a następnie połóż dłoń na jego brzuszku i lekko uciskaj na całej powierzchni. Jeśli brzuch jest twardy jak deska lub gdy nie można go dotknąć bez wywołania ogromnego bólu bądź gdy masz jakiekolwiek wątpliwości, natychmiast skontaktuj się z lekarzem. Należy wykluczyć zapalenie wyrostka robaczkowego i wgłobienie jelita (stan, w którym część jelita wchodzi teleskopowo w drugą część). Pediatra wyczuje wrażliwe miejsce, a stetoskopem osłucha odgłosy z jelit. W przypadku tak zwanego ostrego brzucha (wskazującego na zapalenie wyrostka lub blokadę w jelicie) w chorym miejscu nie będzie żadnych odgłosów. Natomiast w innych obszarach brzucha będą słyszalne wysokie dźwięki pracy jelit.

Jeśli brzuch nie będzie „ostry", uda ci się go dotknąć w każdym jego miejscu bez wywołania bólu, pod warunkiem że odwrócisz uwagę dziecka. Skup jego uwagę na czymś innym i naciskaj brzuszek w każdym miejscu. Jeśli jakiś obszar będzie bolesny, dziecko nie pozwoli ci go dotknąć. Zmierz także temperaturę – gorączka i ostry ból brzucha muszą być pilnie skonsultowane z lekarzem. W rozmowie z pewnością padnie pytanie, czy dziecko wymiotuje lub ma biegunkę.

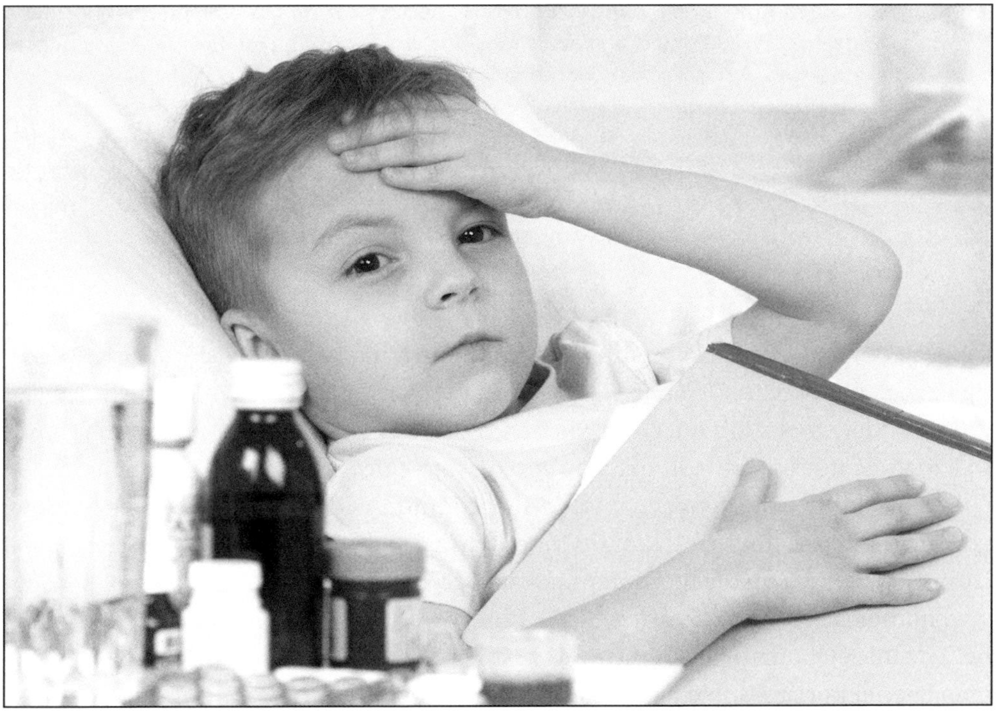

Nieoddawanie stolca przez 24 godziny lub dłużej może być kolejnym objawem niedrożności jelita powodującej ostry ból brzucha. Jeśli doszło do takiej sytuacji, lekarz spyta o obecność krwi w stolcu, zwykle ciemnej. Choć u większość dzieci cierpiących na zaparcia nie dochodzi do niedrożności – która wymaga natychmiastowej interwencji medycznej – lekarz prawdopodobnie zada takie pytanie. Dzieci w tym wieku często zapominają o zrobieniu kupki albo ją wstrzymują. Może wówczas dojść do przewlekłych zaparć. Gdy oddają stolec, dzieci wydalają tylko płynną część kału, pozostawiając twardą w jelicie. Nikt się nie domyśla, że mają zaparcie. Twardy stolec rani zwieracz odbytu, więc dziecko wstrzymuje jego wydalanie, co tylko pogarsza sytuację. W ostateczności należy podać środek rozwalniający lub czopek, ale tylko wtedy, gdy zaleci je lekarz. Chcąc zapobiec przewlekłym zaparciom, należy pamiętać o tym, żeby dieta dziecka zawierała dużo owoców, błonnika i płynów.

Jeśli ból brzucha nie jest ostry, można podać paracetamol dla niemowląt lub dzieci, w dawce odpowiedniej do wieku i wagi danego dziecka. Nie wpłynie to niekorzystnie na obstrukcję czy zapalenie jelita. Poczekaj godzinę i sprawdź, czy ból się zmniejszył. Jeśli nie, zadzwoń do lekarza. Gdy ból ustanie lub lekarz nie stwierdzi żadnego problemu, możecie odetchnąć – niepokój dziecka i rodziców się zmniejszy, a to jest zawsze bardzo ważny pierwszy krok.

Uwaga

Jeśli bóle brzucha nie są ostre, ale często się powtarzają, sprawdź, czy nie są związane z określonymi produktami spożywczymi. Zapisuj codzienne menu dziecka. Wiele dzieci wykazuje łagodną wrażliwość na mleko i produkty mleczne, która w normalnych warunkach będzie niezauważalna, a ujawni się w okresie napięcia i zmęczenia. Wyeliminowanie nabiału z diety na jakiś czas pomoże określić, czy dziecko cierpi na taką wrażliwość, jednak zawarte w nim składniki odżywcze (białko, wapń i witamina D) muszą być podane w inny sposób, jeśli ten czas się wydłuży. Sporządzenie listy pokarmów, które zjada dziecko, i zidentyfikowanie produktów spożytych przed wystąpieniem bólu brzucha pomogą wyłowić te, które mogą za niego odpowiadać.

Jeśli dolegliwości są skorelowane z porami posiłków, poradź się lekarza. Wrzody i zapalenie okrężnicy mogą się zaogniać regularnie właśnie wtedy. Jeśli dziecko często oddaje mocz lub odczuwa pieczenie w okolicy narządów moczowych, może to oznaczać infekcję układu moczowego. Lekarz zaleci wówczas badanie moczu.

Czy bóle brzucha występują tylko w tygodniu, nigdy zaś w czasie weekendów, gdy nie trzeba iść do przedszkola? Czy pojawiają się, gdy dziecko jest zestresowane jakimś wydarzeniem? Jeśli występują każdego ranka przed przedszkolem, spróbuj wyeliminować czynniki, które mogą je potęgować. Na śniadanie podaj lekkostrawne jedzenie. Obudź dziecko nieco wcześniej, aby nie musiało się spieszyć. Wówczas łatwiej poradzi sobie z przedszkolnym stresem.

Być może trzeba będzie nauczyć się żyć z bólem brzucha, który nie ma medycznego wyjaśnienia, jednak należy bardzo starannie wyeliminować jego wymienione przyczyny. Jeśli rzeczywiście nie zostaną one rozpoznane, stan dziecka powinien się poprawić po zmniejszeniu poziomu niepokoju. W sytuacji stresującej zapewnij dziecku wsparcie i spróbuj mu wyjaśnić, dlaczego ból się pojawia, a kiedy ustąpi, przypomnij mu, że ty i ono potrafiliście sobie z nim poradzić.

Ból głowy

Rzadko się zdarza, by mały tuptuś czy dziecko w wieku przedszkolnym skarżyły się na bóle głowy. Jeśli ma to miejsce, należy skonsultować się z lekarzem. Zleci on z pewnością badanie oczu, a zwłaszcza źrenic, za pomocą oftalmoskopu. Szczegółowe i pełne badanie fizykalne pozwoli wyeliminować pewne schorzenia, które mogą być przyczyną bólu głowy, choć w większości przypadków nie będą to choroby poważne. W zależności od wyników badań oraz natury, intensywności, czasu trwania i częstotliwości występowania bólu pediatra zaleci badanie neurologiczne i dodatkowe testy, aby wykluczyć ewentualne poważne choroby. Najczęściej jednak takie badania nie będą konieczne.

Bóle migrenowe mają podłoże genetyczne i zwykle występują wówczas, gdy na migrenę cierpią inni członkowie rodziny. Istnieje wiele czynników wywołujących tę dolegliwość, na przykład niektóre produkty spożywcze (nawet czekolada), dodatki spożywcze, środki przeciw molom, środki czyszczące, stres i zmęczenie, a nawet migające światło. O ile jeden czynnik nie spowoduje migreny, jednoczesne wystąpienie dwóch lub trzech może ją wywołać. Jeśli nie masz pewności, prowadź dziennik i zapisuj w nim pokarmy, wydarzenia i czynniki stresogenne zbieżne czasowo z wystąpieniem bólu głowy u dziecka. U osób cierpiących na migrenę narasta paniczny lęk przed nią, który dodatkowo nasila wywołujący ją stres.

Istnieją leki, które zażyte odpowiednio wcześniej mogą zapobiec migrenowym bólom głowy. Podając je dziecku, należy wyjaśnić mu ich zastosowanie. Jeśli nie będą one skuteczne, lekarz może przepisać silniejsze środki.

Uwaga

Ból głowy może być objawem poważnego stanu, który wymaga natychmiastowej interwencji medycznej. Na przykład jeśli występuje po uderzeniu w głowę, należy jak najszybciej skonsultować się z lekarzem. W połączeniu z gorączką i sztywnym karkiem oznacza zapalenie opon mózgowych – poważną infekcję, która również wymaga natychmiastowej fachowej oceny i leczenia. Ponadto, gdy towarzyszą mu mdłości, wymioty, zmęczenie, senność i zmiany wizualne, także potrzebna jest konsultacja z lekarzem.

Uwaga

Ból głowy, który nie będzie stanem poważnym, może się pojawić o szczególnych porach: rano, kiedy poziom cukru we krwi jest niski, oraz wieczorem, przed kolacją, gdy niskiemu poziomowi cukru dodatkowo towarzyszy zmęczenie. Można sobie z tym poradzić, podając dziecku jeszcze przed wstaniem z łóżka sok pomarańczowy lub po południu podwieczorek, zanim zacznie marudzić czy będzie rozdrażnione.

Jeżeli bóle głowy są łagodne i nie można znaleźć medycznych, uleczalnych przyczyn, należy postępować tak, jak w przypadku bólu brzucha. Z respektem odnieś się do dziecka i jego potrzeby troskliwej uwagi ze strony rodziców; połóż je, bądź przy nim i łagodnie do niego przemawiaj, aby zredukować stres. Zapewnij je, że według lekarza wszystko jest w porządku, i pomóż mu zrozumieć, co jest przyczyną bólu. Stopniowo podziel się z nim swoimi obserwacjami dotyczącymi objawów – kiedy i w jakich sytuacjach się pojawiają. Pomóż dziecku nauczyć się żyć z bólem głowy. Jak w przypadku wszystkich problemów o podłożu psychosomatycznym, bóle głowy zaczną się zmniejszać, gdy dziecko poczuje, że ma więcej kontroli nad sobą, oraz gdy będzie się mniej lękało tego, iż nie poradzi sobie z nawrotami.

42

Telewizja

Oprócz rodziny nikt i nic nie wywiera tak silnego wpływu na zachowanie dziecka jak telewizja. Przeciętnie spędza ono więcej czasu przed telewizorem niż na nauce w szkole czy w domu. Innymi słowy, większość dzieci uczy się więcej o świecie i wartościach z telewizji niż od rodziny i społeczności, w której dorasta. Nakłada to ogromną odpowiedzialność na środki masowego przekazu, a także na szczerze zatroskanych rodziców.

Wielu organizacjom udało się wprowadzić ograniczenia w zakresie reklam skierowanych do dzieci i poprawić jakość dziecięcych programów. Istnieją również urządzenia, które umożliwiają blokowanie nieodpowiednich dla dziecka stacji telewizyjnych. Jednak większa część odpowiedzialności za wybór programów oraz ograniczenie czasu spędzanego przed telewizorem spoczywa na rodzicach.

> Dzięki mojemu programowi telewizyjnemu *What every baby knows* (Co wie każde dziecko) nawiązałem kontakt z większą liczbą rodzin, niż pozwoliłyby mi na to moje książki czy artykuły. Bliskość, jaka wytworzyła się między mną a widzami, jest bardzo cenna i szanuję ją. Jednak równocześnie przeraża mnie ona, gdyż pokazuje, jaką moc ma ten środek przekazu. Doświadczenie oglądania telewizji wpływa na dorosłych na wszystkich poziomach. Jeśli jest ono pozytywne, należy się cieszyć, jednak gdy jest negatywne, może wyzwolić ogromne pokłady złości. To oczywiste, że telewizja ma moc wkradania się w nasz osobisty świat uczuć. Być może dorośli mają umiejętność wyrażania swych emocji i obrony swojego wnętrza przed taką inwazją. Czy dzieci jednak też to potrafią?

Stres związany z oglądaniem telewizji

Małe dziecko siedzi przed telewizorem z oczami wręcz przyklejonymi do ekranu. Jego twarz i całe ciało pozostają nieruchome. Każdy nagły, głośny dźwięk w programie powoduje lękliwe wzdrygnięcie, co pokazuje, jak bardzo jest skoncentrowane. Natomiast hałas panujący dookoła dziecka nie jest w stanie przedrzeć się przez tę ścianę izolacji. Jeśli rodzice zechcą przyciągnąć jego uwagę i dotkną jego ramienia, wywołają nagłe wzdrygnięcie, a potem łzawy protest przeciwko przerwaniu tego hipnotycznego zauroczenia. Pod koniec nawet półgodzinnego oglądania telewizji dziecko zachęcane do wykonania innej czynności prawdopodobnie wybuchnie płaczem lub histerycznym wrzaskiem. Ten wybuch złości pozwoli mu na uwolnienie nagromadzonego napięcia – dziecko będzie wtedy posłuszne lub posępne, ale przynajmniej można będzie nawiązać z nim kontakt.

Szkoda, że maluch musi płacić taką cenę za tę intensywność przeżyć. W oglądanie telewizji angażuje się cały – fizycznie i mentalnie. Jego ciało pozostaje pasywne, ale jest napięte, a spięcie mięśni oznacza stres, nie zrelaksowanie. Takie połączenie nieaktywności i napięcia jest fizjologicznym wyzwaniem. Koszt, jaki ponosi dziecko w sferze psychicznej, odzwierciedlony jest w wybuchu płaczu lub w innej reakcji. Należy się dobrze zastanowić, czy dzieci poniżej 4 roku życia powinny być narażone na takie doznania. W wieku przedszkolnym mają one ograniczone możliwości doświadczania tak intensywnych przeżyć. Szkoda, że dla niektórych oglądanie telewizji jest najważniejszym wydarzeniem dnia. Rodzice powinni ocenić wpływ telewizji i porównać go z innymi czynnikami oddziałującymi na rozwój dziecka. Jeśli zrobią to rzetelnie, niewielu zdecyduje się na używanie telewizora jako automatycznego opiekuna do dziecka.

Pomiędzy 4 a 6 rokiem życia dzieci koncentrują się na ważnych dla nich dorosłych, naśladując ich mowę, ruchy i pomysły. W oczywisty sposób zaczną się identyfikować z gwiazdami telewizji. Będąc w moim gabinecie, czasami mówią miękko i łagodnie, imitując zmarłego Pana Rogersa[38]. Trzy- i czterolatki wyśpiewują piosenki z *Ulicy Sezamkowej*, gdy na karcie badania wzroku mają odczytać literki „A" czy „E".

Jednak gospodarze i aktorzy dziecięcych audycji nie zawsze są tak dobroduszni. Wiele programów przedstawia rodziców jako odległych, niewrażliwych, niewiarygodnych i dziwnych, wciągając dzieci w świat, w którym sponsorzy reklam są jedynymi godnymi zaufania autorytetami. Często postaci, z którymi dzieci się utożsamiają, dopinają swego za pomocą marudzenia i płaczu. Na szczęście istnieją też inne możliwości wyboru. Reklamy również mają potężny wpływ na małych widzów. Do co najmniej 6 roku życia wiele dzieci nie rozróżnia programów od reklam i większość nie

---

[38] Jego rodzinny program edukacyjny był emitowany od 1967 roku w amerykańskiej telewizji publicznej przez ponad czterdzieści lat (przyp. tłum.).

Co mówią badania?

Wielu naukowców, między innymi – jako jeden z pierwszych – Albert Bandura z University of California, pokazało, że pięcio- i sześciolatki naśladują czynności, które widziały na ekranie. Jeśli było to coś brutalnego, istnieje duże prawdopodobieństwo, że zaangażują się w podobne zachowanie bezpośrednio po obejrzeniu programu. Jeżeli usłyszą wyrażenia z podtekstem seksualnym, natychmiast je przetestują. Analogicznie program pełen łagodności i troskliwości przełoży się na takie samo zachowanie dziecka. Bardziej współczesne badania, między innymi Daniela Andersona i Tiffany Pempek oraz Darcy'ego Thompsona i Dimitria Christakisa, mają na celu zrozumienie wpływu telewizji na dużo młodsze dzieci – dwu- i trzyletnie, a nawet jeszcze młodsze (zob. Anderson i Pempek, 2005; Thompson i Christakis, 2005). Wysiłki takie są jednak zagłuszane zakrojonymi na szeroką skalę działaniami promującymi telewizję i inne media ekranowe jako przydatne w rozwoju małych dzieci. Niektóre badania podkreślają związek między nadmiernym oglądaniem telewizji pomiędzy 1 a 3 rokiem życia, a trudnościami w skupieniu uwagi w wieku 7 lat. Jedno wyraźnie wskazuje na korelację pomiędzy nadmiernym oglądaniem telewizji (zdefiniowanym jako trzy lub więcej godzin dziennie) przez dzieci poniżej 3 roku życia a objawami typowymi dla ADHD zdiagnozowanymi w 7 roku życia. Wiele innych badań zakwestionowało zdolność dzieci w tym wieku do uczenia się z tego dwuwymiarowego środka przekazu.

rozumie ich przesłanek. Rodzice muszą mieć tego świadomość. Czy chcesz dodatkowo wzmocnić ten wpływ? Czy naprawdę chcesz kupić konkretne płatki śniadaniowe tylko dlatego, że są zachwalane w sprytnej reklamie albo że twoje dziecko nauczyło się nagabywać cię o nie w supermarkecie?

Przekaz telewizyjny i presja rówieśników

Nauczenie dziecka sceptycyzmu wobec reklam i innych przekazów telewizyjnych będzie ze wszech miar korzystne. Wraz z wiekiem coraz silniejsza staje się presja dostosowania się do grupy rówieśniczej. Dzieci czują „potrzebę" posiadania najnowszej modnej zabawki, często bohatera jakiegoś aktualnego hitu telewizyjnego. „Potrzebują" też takich samych ubrań, jakie noszą ich koledzy i koleżanki. Reklamy dla starszych dzieci są tak skonstruowane, aby dać im do zrozumienia, że nie będą akceptowane przez rówieśników bez zachwalanego produktu. Jak pokazują badania, częsty kontakt z takimi komunikatami koreluje z objawami niepokoju i depresji u starszych dzieci.

Rodzic może równoważyć te komunikaty rozsądkiem – musi jednak brać pod uwagę fakt, że dziecko ma potrzebę bycia częścią grupy. Otwarcie rozmawiając o aktualnych trendach, można wspólnie ustalić, gdzie postawić granicę. Jeśli uważasz, że reklamowane produkty są nic niewarte, musisz to jasno powiedzieć. Jeżeli nie stać cię na nie, przyznaj to. Gdy dziecko jest już duże i może samo na nie zarobić, niech również samo zdecyduje, czy chce wydać swoje pieniądze na daną rzecz. Jeśli nauczyło się myśleć samodzielnie, będzie mu łatwiej podjąć przemyślaną decyzję. Dziecko, które wie, że nie musi dostosowywać się do nakazów reklamy, jest gotowe, aby uczyć się być liderem, a nie podążać za innymi.

W miarę dorastania, a zwłaszcza w wieku nastoletnim, wpływ telewizji na myśli i przekonania dziecka będzie coraz większy. Jeśli telewizja będzie wtedy głównym źródłem wpływu, dziecko przejmie zachowania, język i procesy myślowe od aktorów i celebrytów, a także od grupy rówieśniczej. Większość rodziców będzie chciała zrównoważyć te wpływy własnymi i wzmocnić w swoich dzieciach niezależność myślenia. Szanując potrzebę dziecka co do ustalenia własnego terytorium i tożsamości, możesz przekazywać mu też wartości, w które wierzysz i które są ważne w waszej rodzinie.

Ograniczenia dostępu do telewizji

Jeżeli chodzi o liczbę godzin spędzanych przed telewizorem, zdecydowanie twierdzę, że powinna być ona ograniczona. Amerykańska Akademia Pediatrii zaleca, aby dzieci do 2 roku życia nie oglądały jej wcale, a dzieci starsze nie więcej niż 1 lub 2 godziny dziennie (jest to liczba maksymalna, dla niektórych dzieci to i tak za dużo). Oprócz czasu rodzice powinni również nadzorować jakość oglądanych przez dzieci programów. Czas spędzany przed ekranem ma związek nie tylko z ADHD, ale jest też głównym czynnikiem ryzyka w otyłości dziecięcej – powszechnie występującym zagrożeniu zdrowia. Odbiornik telewizyjny w pokoju dziecięcym to kolejny czynnik ryzyka, którego należy unikać za wszelką cenę.

Fizjologiczne i psychiczne aspekty rozwoju dziecka w każdym wieku pomogą zdecydować, jakie jeszcze ograniczenia w oglądaniu telewizji należy zastosować. Na przykład dziecko z deficytem uwagi potrzebuje przerwy po bardzo niedługim czasie oglądania. Na ogół zachęcam rodziców do ograniczania ilości czasu, jaki ich dziecko spędza przed telewizorem. Godzina dziennie w ciągu tygodnia i nie więcej niż 2 godziny w weekend wydaje się rozsądnym rozwiązaniem. W przypadku dzieci poniżej 2 roku życia należy zachować jeszcze większą ostrożność.

Połowa czasu przeznaczonego na oglądanie powinna być czasem rodzinnym, kiedy to dorośli towarzyszą dziecku w oglądaniu. Później można podzielić się uwagami i porozmawiać o danym programie oraz o reklamach i ich wpływie. W ten sposób telewizja staje się wspólnym doświadczeniem. Dziecko może uczestniczyć w procesie podejmowania decyzji o tym, które programy będzie mogło oglądać. Cotygodniowe wspólne dokonywanie wyboru pomoże również dziecku w porządkowaniu wartości. Niektóre dobre programy, które warto oglądać, mogą stać się cennym wydarzeniem rodzinnym.

Dzieci będą się uciekać do szantażu: „Wszyscy inni rodzice pozwalają oglądać telewizję. Wasze zasady są niesprawiedliwe. Moi koledzy nie chcą do nas w ogóle przychodzić". Takie stwierdzenia mogą zachwiać przekonaniem o słuszności podjętych decyzji. Dobrze jest sobie wówczas przypomnieć, jak bardzo negatywny wpływ ma ten środek masowego przekazu na rozwój fizjologiczny i psychiczny dziecka. Pomyśl o wielu innych sposobach spędzania przez twoje dziecko czasu z rówieśnikami, takich jak wspólne hobby, uprawianie sportu, organizowanie wycieczek czy wypraw kempingowych. Czy możesz sobie pozwolić na zainwestowanie dodatkowego czasu i energii w tego rodzaju zajęcia?

Musisz zawczasu przygotować sobie odpowiedzi: „Wiem, że wielu twoich kolegów może oglądać telewizję po kilka godzin dziennie. Niestety nie uważam, aby to było odpowiednie – nie ma wtedy czasu na inne fajne rzeczy. W naszym domu 1 godzina dziennie w ciągu tygodnia musi wystarczyć, a w weekend – 2. I możemy wspólnie zdecydować, co będziesz wtedy oglądać. Jeśli w programie będzie coś bardzo ważnego, możemy zrobić wyjątek. Takie są jednak nasze rodzinne zasady. Chcę, abyś zrozumiał, dlaczego je mamy i dlaczego są one ważne. Jednak nawet jeśli ich nie rozumiesz, musisz je zaakceptować".

Jakkolwiek elokwentna będzie twoja wypowiedź, nic nie podważy jej ani nie wzmocni tak bardzo jak osobisty przykład. W rodzinach, w których rodzice są entuzjastycznie zaangażowani we wspólne aktywności – gotowanie, gry, wyprawy w teren, odpoczynek, pogawędki – siła przyciągania ekranu telewizyjnego będzie ograniczona. Ci, którzy włączają telewizor tylko wtedy, gdy chcą obejrzeć jakiś wybrany, ciekawy program, a poza tym są do dyspozycji dzieci (lub potrafią wygospodarować spokojny czas na oddanie się lekturze), odkryją, że ich postawa ma dużo większy ciężar gatunkowy niż słowa.

Gry

Gry komputerowe i gry wideo są mniej pasywne niż oglądanie telewizji, ale zbyt dużo czasu spędzanego przed ekranem, w połączeniu z destrukcyjnymi treściami, może stanowić nie mniejszy problem. Rodzice, którzy chcą zaznajomić swoje dzieci z działaniem komputera, klawiatury i prostych programów, powinni być świadomi zagrożeń związanych z zakupionym produktem i osobiście go sprawdzić. Wprawdzie pojawia się coraz więcej gier komputerowych dla dzieci, które są jednocześnie atrakcyjne i edukacyjne, ale jest też wiele zachęcających do przemocy i wzmacniających agresywne zachowania. Niektóre utrwalają stereotypy płciowe, które mogą być dla wielu rodziców obraźliwe, z kolei inne reklamują produkty, których dzieci nie potrzebują. Ogromnym wyzwaniem, jeśli chodzi o nadzorowanie zakresu dostępu, jest internet, choć istnieją urządzenia i programy pozwalające ograniczyć korzystanie z niego. Na stronie internetowej pewnej kablowej stacji telewizyjnej była dostępna gra, w której zza skał i krzewów wzdłuż ścieżki w dżungli pojawiały się ikonki płatków śniadaniowych produkowanych przez jednego ze sponsorów tej strony. Poza tym internet używany jest przez zaburzonych dorosłych w celu wciągnięcia niczego niepodejrzewających dzieci w bliskie relacje. Zawsze radzę rodzicom małych dzieci, aby każdy komputer, do którego mają dostęp ich pociechy, był podłączany do internetu tylko w obecności dorosłych.

43

Trening czystości

Poszczególne kroki, jakie powinni podjąć rodzice, gdy dziecko wykaże gotowość do korzystania z toalety, zostały już opisane w rozdziale 12. Dorośli, którzy będą umieli wykazać się cierpliwością i zaczekać na oznaki gotowości – zwykle występujące pomiędzy 2 a 3 rokiem życia – nie powinni napotkać większych problemów w tej dziedzinie opieki nad dzieckiem.

Ryzyko zbyt dużej presji

Problemy z treningiem czystości niemal zawsze są wynikiem presji w relacji rodzice – dziecko. Kiedy rodzice nie potrafią czekać i realizują swoją wizję, dziecko odbiera to jako inwazję.

Oczywiście wszyscy rodzice chcą, aby ich dziecko dorosło i udowodniło, że potrafi mieć kontrolę nad pęcherzem i zwieraczem odbytu. Presja, aby nauczyć je tej kontroli, pochodzi z wielu źródeł. Chęć postrzegania swojego dziecka jako lepiej rozwiniętego każe dorosłym rywalizować z innymi rodzinami. Również przedszkola wymagają, aby dzieci umiały korzystać z toalety. Rodzice tych, które już posiadły tę umiejętność, mogą udzielać pomocnych rad i protekcjonalnie pocieszać innych. Z kolei dziadkowie mogą dawać do zrozumienia, że sukces w tej dziedzinie jest miarą skutecznego rodzicielstwa i ogólnej kompetencji dziecka. W niektórych rodzinach przez cały drugi rok życia dziecka może panować atmosfera oczekiwania na ostateczny sukces w dziedzinie treningu czystości.

Ogromną rolę odgrywają tutaj doświadczenia samych rodziców. Jeśli pamiętają oni wczesny i restrykcyjny trening czystości, któremu sami byli poddawani, trudno im będzie dostosować się do zaproponowanego przeze mnie spokojnego programu zorientowanego na dziecko. Będą próbowali zrozumieć mój punkt widzenia, ale własne wspomnienia nie dadzą im spokoju: „Moja mama nauczyła mnie korzystać z toalety w 1 roku życia. Opowiadała mi, jak bardzo się starała, aby unikać wpadek. Dlaczego moje dziecko nie może się postarać?". Jeżeli spojrzeć racjonalnie na kary, jakie otrzymywali ci dorośli lub ich rodzeństwo, wydają się one straszne, jednak ich wspomnienie może podważyć zasadność przekonania, że dwu- lub trzyletnie dziecko może samo podejmować decyzje w tej dziedzinie. Doświadczenia każdego z rodziców mogą być zbieżne lub zupełnie inne. Jeśli obydwoje nie pozostawią decyzji dziecku, wówczas to z nich, które zechce rozpocząć trening przedwcześnie, wzbudzi wątpliwości w tym drugim. Czy powinni zmuszać dziecko, albo przynajmniej przypominać mu, aby próbowało?

Mały tuptuś, dla którego sprawa niezależności jest niezmiernie istotna, będzie tak czy inaczej doświadczać własnych zmagań. Może stać przed nocnikiem i krzyczeć wniebogłosy, nie umiejąc podjąć decyzji. Może też schować się w kącie, żeby zrobić kupkę do pieluszki, zerkając kątem oka na rodziców. Rzadko kiedy dorośli nie będą chcieli ingerować, aby pomóc mu ustalić priorytety. Gdy zdecydują się wtrącić i pomóc dziecku poradzić sobie z poczuciem winy i wewnętrznym zamętem, dążenie do autonomii przerodzi się w próbę sił między dwiema stronami. Interwencja skazana jest wówczas na porażkę.

W większości przypadków taka próba sił sprawi, że okres treningu czystości będzie burzliwy, nieprzyjemny i o wiele dłuższy niż powinien. Kiedy w takich zmaganiach dojdzie do impasu, może to mieć poważne konsekwencje. Dziecko będzie wstrzymywać stolce, co doprowadzi do zaparć lub może nawet wywołać powiększenie jelita grubego. Jak wspomniałem wcześniej, popuszczanie stolca zdarza się wówczas, gdy dziecko nieumyślnie, lecz regularnie wypuszcza płynny stolec, pozostawiając w jelicie ten twardy. Wygląda to na biegunkę, ale w rzeczywistości jest zaparciem. Może to zmylić rodziców i dziecko, które nie jest świadome przyczyny. Nawarstwią się wówczas kłopoty związane z kontrolą i dodatkowo zaostrzą problem. Podaniu środka rozwalniającego stolec (aby dziecko nie cierpiało podczas jego wydalania) musi towarzyszyć zmniejszenie presji – zarówno ze strony malucha, jak i rodziców. Będzie to konieczne, aby dziecko znów zechciało samo podjąć naukę korzystania z toalety.

Niektóre dzieci mogą popuszczać mocz, zwłaszcza w stresie. Jeśli rodzice skonsultują to z lekarzem, będzie on musiał zbadać pęcherz i zwieracz cewki moczowej.

Wiąże się to z badaniami obrazowymi, wprowadzeniem cewnika i naruszeniem intymności genitaliów. W dziecku może się zrodzić lęk, a gdy zostanie on utrwalony i powiązany z tym obszarem, będzie ono podatne na przewlekłe nietrzymanie moczu.

Jakiekolwiek napięcie w otoczeniu dziecka, nie tylko to związane z treningiem czystości, odzwierciedli się w bólach brzucha, skurczach i luźnych stolcach. Jeśli maluch nie kontroluje jeszcze wydalania, napięcie wzrośnie nawet bardziej. Trening czystości stanie się dużym wyzwaniem i spotęguje stres. Moczenie nocne (enurezja) jest żenującym problemem dla wielu dzieci, a zwłaszcza chłopców w wieku 4–5 lat, z powodu presji społecznej (zob. rozdział 15). Jeśli będzie uporczywe, dziecko może unikać odwiedzin i nocowania u kolegów. Nie będzie się przyznawało nikomu, nawet samo przed sobą, do takiej ułomności, a rodzice zareagują desperacją, postrzegając to jako swoją porażkę. Ukrywanie lub karanie moczenia nocnego może sprawić, że dziecko będzie miało poczucie beznadziei i bezradności. Będzie sobie wmawiać, że się tym nie przejmuje, i zacznie wyszukiwać skuteczne sposoby, aby codziennie rano ukryć niepowodzenie.

W moczeniu nocnym, tak jak w innych problemach związanych z treningiem czystości, chodzi o potrzebę dziecka związaną z dorastaniem do niezależności we własnym tempie. Choć przyczyny mogą być fizjologiczne, na przykład niedojrzały pęcherz moczowy, który opróżnia się zbyt często, lub zbyt głęboki sen (niedojrzały

system sygnalizujący potrzeby fizjologiczne), u podstaw leży problem kontroli nad sytuacją. Kiedy rodzice i lekarz badają przyczyny i wprowadzają środki zaradcze (budziki, kary, urządzenia sygnalizacyjne, które włączają się, gdy dziecko zmoczy łóżko), mogą przeoczyć tę jedną kwestię dotyczącą dziecka: jego potrzebę autonomii i sprawowania kontroli. Dziecko ma wówczas poczucie porażki – postrzega siebie jako niedojrzałe, winne i beznadziejne. Wpływ takiej negatywnej samooceny na jego przyszłość będzie bardziej niekorzystny niż efekty moczenia nocnego.

Dlaczego rodzice tak bardzo martwią się treningiem czystości, że naruszają prywatność, a nawet intymność swojego dziecka w poszukiwaniu rozwiązań? Zakładając, że jest to proces rozwojowy i umiejętność, którą dziecko kiedyś opanuje – we własnym tempie – dlaczego rodzice czują, że muszą mieć nad nim kontrolę? Wieloletnie doświadczenie doprowadziło mnie do następujących wniosków: rodzicom trudno jest zachować obiektywizm w tej dziedzinie wychowania. Kultura, w której żyjemy, wymaga od nich odpowiedzialności za sukcesy dziecka, a doświadczenia z własnego dzieciństwa dodatkowo zwiększają presję. Jakakolwiek porażka dziecka odbierana jest jako objaw złego rodzicielstwa. Dziecko staje się „królikiem", którego trzeba wytrenować. Być może dopiero w następnym pokoleniu trening czystości zacznie być postrzegany jako coś, co przynależy do dziecka i jest jego własnym procesem uczenia się, który ma przebiegać zgodnie z dojrzałością jego pęcherza moczowego i ośrodkowego układu nerwowego (zob. też Brazelton, 2004b).

Gdy wystąpią problemy

Kroki opisane w rozdziale 12 to działania zapobiegawcze, które polegają na pozostawieniu procesu uczenia się korzystania z toalety w rękach dziecka i pozwalają uniknąć problemów w przyszłości.

Co zrobić, gdy problemy już wystąpiły?

(1) Porozmawiaj otwarcie z dzieckiem. Przeproś je i przyznaj, że zbyt mocno ingerowałeś.

(2) Przypomnij sobie własne zmagania z twojego dzieciństwa i ostateczny sukces – niech twoje dziecko zobaczy, że jest nadzieja.

(3) Jasno zakomunikuj, że decyzja o korzystaniu z nocniczka zależy całkowicie od dziecka: „Nie będziemy się wtrącać. Jesteś wspaniałym dzieckiem. Zrobisz to, gdy będziesz gotowy".

(4) Powiedz, że wiele dzieci z różnych uzasadnionych powodów późno zaczyna kontrolować wydalanie. Jeśli dziecko zechce usłyszeć te powody, wyjaśnij je.

(5) Następnie zostaw wszystko w rękach dziecka. Nie wracaj do tego tematu.
(6) Zakładaj dziecku pieluszkę lub ubrania ochronne – nie za karę, ale żeby zmniejszyć zamieszanie i niepokój.
(7) Nie pozwól, aby dziecko poniżej 5 roku życia było poddawane badaniom inwazyjnym, chyba że pediatra zauważy objawy problemu fizjologicznego. Analizę moczu można zrobić bez żadnej szkody dla dziecka, ale inne testy i badania – lewatywy, cewnikowanie, prześwietlenia rentgenowskie i tym podobne – powinny być wykonane tylko wtedy, gdy są naprawdę konieczne.
(8) Jeśli dziecko wstrzymuje stolce, zadbaj, aby je rozluźnić za pomocą środka rozwalniającego lub wzbogacenia diety owocami i błonnikiem. W ten sposób dodasz dziecku pewności, że kupki już takie pozostaną.
(9) Jasno powiedz dziecku, że kiedy zacznie mieć kontrolę nad oddawaniem moczu i stolca, będzie to jego własny sukces, nie twój.

Rodzice, którzy mają poczucie, że za bardzo angażują się w trening czystości, mogą poważnie rozważyć jakąś formę terapii, która pozwoli im wrócić do własnego dzieciństwa i zrozumieć powody swojej ingerencji i zamartwiania się. Obydwoje muszą porozumieć się ze sobą i wspólnie wypracować sposób przeprowadzenia treningu czystości, tak by konflikt między nimi nie wpływał negatywnie na dziecko – aby nie musiało w przyszłości płacić za niego swoją obniżoną samooceną. Ingerowanie w ten proces w celu dostosowania się do sztywnych norm społecznych nie jest warte ceny, jaką musi za to zapłacić dziecko.

Jeśli maluch ma problemy, które przeszkadzają mu w rozwoju lub wpływają negatywnie na proces adaptacji do przedszkola czy grupy rówieśniczej, potrzebna będzie fachowa konsultacja i pomoc medyczna.

Część 3

Sprzymierzeńcy rozwoju

44

Mama i tata

Pomimo weryfikacji ról płci w wyniku działań podejmowanych przez ruchy kobiet i mężczyzn, nadal kładzie się tak duży nacisk na macierzyństwo i rolę matki w wychowaniu dzieci, że wypada spytać, co takiego wnosi ojciec, co czyni go ważną postacią dla dziecka oraz dla procesu cementowania rodziny. Bo zdecydowanie jest ważną osobą. W ciągu ostatnich kilkudziesięciu lat rola ojca uległa ogromnym przeobrażeniom. Większość ojców z poprzedniego pokolenia postrzegała się jedynie jako suplement mam. Obecnie mężczyźni pozostający z dzieckiem w domu – z własnego wyboru – niekiedy stają się głównymi opiekunami. W nie tak odległej przeszłości włączali się do wychowania tylko na polecenie żon. Przejmowali na siebie takie dziedziny jak sport lub inne, „typowo męskie". Brali również na siebie rolę rodzica dyscyplinującego, gdy dziecko nie słuchało mamy. Większość dzieci z wcześniejszych pokoleń prawie nie znała swoich ojców, gdy dorastała. Ja miałem poczucie, że mój ojciec pozwalał, aby żona określała jego rolę w wychowaniu, zamiast samemu decydować, w co chce się zaangażować. Skończyło się to tym, że gdy byłem nastolatkiem, próbowaliśmy utrzymywać dosyć niekomfortową relację kumplowską i rozmawiać „jak mężczyzna z mężczyzną". Żaden z nas nie wiedział o drugim wystarczająco dużo, aby to się udało, a ja tak bardzo chciałem lepiej go poznać.

W kierunku wspólnego rodzicielstwa

Choć stereotypy męskiego zachowania zaczęły ulegać zmianie, być może potrzeba będzie kilku pokoleń, aby przeobraziły się na dobre. W moim gabinecie pojawiali się mężczyźni, którzy wzięli na siebie rolę głównego opiekuna dziecka. Byli pionierami, którzy musieli wydeptywać ścieżki sami. Pamiętam pewnego „pełnoetatowego" ojca przyprowadzającego swoją córeczkę na wszystkie wizyty kontrolne. Byłem pod wrażeniem jego umiejętności wychowawczych i podziwiałem jego żonę za to, że potrafiła się wycofać i pozwolić mu przejąć główną rolę. Kiedy zobaczyłem ich razem, zauważyłem, że kobieta nie komentowała ani nie porównywała jego działań do ewentualnych swoich – być może lepszych – strategii, ani też nie wahała się, gdy podawała mu dziecko do potrzymania. Przyłapałem się na tym, że sam zacząłem się martwić o jej przywiązanie do dziecka. Później zdałem sobie sprawę, że wynikało to z moich stereotypowych oczekiwań co do zachowania matki.

Podczas którejś wizyty gdy zagadnąłem tego ojca, jak się wszystko układa, odpowiedział, że w porządku. „Tylko w porządku? – spytałem. – Nie brzmi to zbyt entuzjastycznie. Co nie pozwala panu lepiej ocenić sytuacji? – Moja córka mówi do mnie »mama«, gdy podaję jej butelkę, a woła »tata«, gdy chce się ze mną bawić".

Najwyraźniej dziewczynka nauczyła się bardzo jasno określać swoje życzenia! Pogratulowałem mu, że potrafi odgrywać dla niej obydwie role. Zaczął mi wówczas opowiadać, jak był zażenowany, gdy jego mała córeczka wczepiła się w niego w towarzystwie jego kolegów. Ta uwaga uświadomiła mi, jak ogromny wpływ na nas wszystkich ma nasza przeszłość, w tym również nasi znajomi. Zastanawiałem się również, czy ci sami koledzy, którzy rzekomo wywołali zażenowanie, nie zazdrościli mu takiej cudownej, bliskiej relacji z córeczką.

Nawet wtedy, gdy to kobieta rezygnuje na jakiś czas z pracy, aby poświęcić się wychowaniu, a mężczyzna nie bierze na siebie pełnej odpowiedzialności, ma on do odegrania coraz ważniejszą rolę. Przez cały okres oczekiwania na przyjście dziecka na świat młodzi rodzice stoją przed ogromną odpowiedzialnością zapewnienia mu najlepszych warunków do rozwoju. W szeroko pojętej rodzinie starsze pokolenie działa jak poduszka ochronna, nawet jeśli młodzi ludzie zdecydują, że nie chcą powtarzać wzorców wychowania swoich rodziców. Młoda mama w swojej nadmiernej trosce o dziecko wiele razy doświadczy niepokoju i niezdecydowania – to zupełnie naturalne. Będzie wówczas potrzebowała drugiej dorosłej osoby, aby podzielić się z nią swoimi wątpliwościami i otrzymać od niej wsparcie. Jeśli nie ma nikogo innego, mąż tym bardziej stanie się ważnym partnerem – nie jako „zastępcza" mama, lecz jako równowaga, płyta rezonansowa, a czasami kompas. Nawet jeżeli nie zawsze zgadzają się ze sobą, mężczyzna ma do spełnienia ważne zadanie – wprowadzanie równowagi. Kobieta nie będzie wówczas sama ze swoimi nieuniknionymi wątpliwościami i niepewnością związanymi z wychowaniem. Jej partner może czasami przedstawić jej inną perspektywę dla jej drapieżnego przywiązania do dziecka. Załagodzi to wiele sytuacji i będzie ogromnie istotne dla reszty rodziny.

Co mówią badania?

Autorzy badań na temat skutków stale rosnącego zaangażowania ojca w wychowanie dziecka zwracają uwagę na płynące z tego korzyści. Dzieci, których ojcowie byli zaangażowani w wychowanie w fazie niemowlęctwa, mają nie tylko znacznie wyższe IQ, ale przejawiają również większe poczucie humoru i większy zapał do nauki oraz dłużej utrzymują uwagę. Prace te pokazują, że obecność ojca poszerza horyzonty – dziecko ma bowiem dwoje ważnych dla siebie dorosłych, z którymi może się identyfikować. Jedno badanie dowodzi nawet, że zaangażowanie ojca dało pewnej nastolatce większą pewność co do wyznawanych zasad, dzięki czemu potrafiła oprzeć się presji grupy rówieśniczej. Samotne matki mogą wypełnić brak ojca, angażując w wychowanie swoich ojców i braci, a także wiarygodnych sąsiadów, trenerów i opiekunów. Kobiety po rozwodzie powinny uznać ważną obecność ojca w życiu dziecka pomimo niedociągnięć, jakie w nim dostrzegają.

Rywalizacja pomiędzy rodzicami

Zmiana postaw odzwierciedla się między innymi poprzez fakt, że kobieta nie musi już mówić mężowi, kiedy powinien włączyć się w wychowywanie. Mężczyźni oczekują uczestnictwa w procesie opieki i sami motywują się do tego, aby w swoim napiętym grafiku zaplanować czas dla dziecka. Obecnie problem będzie polegał raczej na współzawodnictwie pomiędzy rodzicami i „trzymaniu straży" przez kobietę. Są to powszechne reakcje pojawiające się u każdego dorosłego, któremu zależy na dziecku. Im większa troska, tym bardziej chcemy dziecka dla siebie. Ta naturalna zaborczość każe rodzicom podświadomie rywalizować ze sobą. Każde z nich dostrzega błędy, jakie popełnia drugie, kiedy po omacku uczy się nowej roli rodzica. Ponieważ stawanie się rodzicem polega na uczeniu się na błędach, a nie sukcesach, to gdy oboje będą gotowi wzajemnie się ze sobą utożsamiać i wspierać, zwielokrotnią się korzyści dla dziecka. Akceptowanie swoich błędów pozwoli na tolerancję wobec błędów partnera.

Dzieci nie potrzebują tego, by rodzice zgadzali się ze sobą we wszystkim czy wychowywali je tak samo. Niemowlę bardzo szybko uczy się oczekiwać różnych zachowań od mamy i od taty, jednak próby wzajemnego podkopywania swojego autorytetu wywołają jego dezorientację. Dziecko potrzebuje poczucia zaangażowania od każdego

rodzica, a także braku napięcia z ich strony. Rywalizacja o dziecko jest oznaką ogromnej troski, a nie głębokiej niezgody. Zamiast pozwolić, aby wywoływała ona złość, należy wykorzystać ją w celu odpowiedniego podzielenia się obowiązkami. Każde z rodziców będzie miało wystarczająco dużo pracy, współzawodnictwo zaś niech posłuży jako silna motywacja, aby wykonać swoje zadania jak najlepiej. Gdy rodzice uświadomią sobie, że ze sobą rywalizują, radzę im usiąść i porozmawiać o tym. Współzawodnictwo straci wtedy swoją moc.

Ojcowie i noworodki

Ojcowie mogą zacząć uczyć się swojej roli bardzo wcześnie – już w okresie ciąży. Odegrają bardzo ważną rolę, wspierając partnerkę podczas porodu, a przez to optymalizując warunki przyjścia dziecka na świat. Przy okazji doświadczą dreszczyku emocji wynikającego z czynnego udziału w porodzie! Jak wspomniałem w rozdziale 3, obecność wspierającej osoby (tzw. douli) może zmniejszyć potrzebę podawania rodzącej leków i ryzyko cięcia cesarskiego, a także skrócić długość akcji porodowej. Doula może również pomóc mężczyźnie w komfortowym wejściu w jego nową rolę (zob. Klaus, Kennel i Klaus, 2012).

Ojcowie twierdzą, że na widok swojego nowo narodzonego dziecka czuli przypływ euforii podobny do tego, jaki jest udziałem matek, które aktywnie uczestniczą w procesie porodu. Gdy obecny przy porodzie personel medyczny od razu podaje ojcu dziecko do potrzymania, ma on okazję odczuć jego realność oraz – jeśli dziecko jest zdrowe – jego dobrostan pomimo wcześniejszych obaw. To wspólne doświadczenie dzielone z matką dziecka jest ukoronowaniem oczekiwania, ciekawości i wątpliwości co do swojej roli ojca. Jak wynika z jednego z badań, u mężczyzn towarzyszących swoim partnerkom podczas ciąży i porodu podnosi się poziom prolaktyny, a obniża poziom testosteronu. Uważa się, iż ta zmiana hormonalna sprzyja rozwinięciu postawy opiekuńczej.

Moim marzeniem jest, aby na wszystkich oddziałach noworodkowych uczono ojców – poprzez demonstrację – jak opiekować się dzieckiem, oraz próbowano zachęcać ich do wspólnej obserwacji wszystkich wspaniałych umiejętności, jakie posiada noworodek, takich jak odwracanie główki w kierunku głosu ojca, podążanie za twarzą swojego taty oczyma i całą główką, wtulanie się w szyję i wiele innych. Z kolei ojcowie powinni oczekiwać, że będą mogli być obecni przy ostatnim badaniu przed wypisem ze szpitala. Mężczyźni powinni też wyraźnie dać do zrozumienia, że **chcą** być obecni podczas badań kontrolnych. Wówczas pediatra czy pielęgniarka zadbają o to, aby włączyć ich do dyskusji na temat dziecka. Nie czekaj, aż cię ktoś poprosi – ty zrób pierwszy ruch!

Co mówią badania?

W Szpitalu Dziecięcym w Bostonie badałem wpływ, jaki wywiera na ojców pokazanie im i wyjaśnienie zachowania ich dzieci w okresie noworodkowym (zob. też rozdział 3). Wiele tych badań dowodzi, iż tak wczesna nauka obserwowania i rozumienia zachowania swoich dzieci sprawia, że nowi ojcowie są bardziej otwarci na ich poznawanie i stają się znacznie bardziej wrażliwi na ich płacz. Szybciej reagują na zachowanie dziecka i wiedzą, kiedy wziąć je na ręce, aby odbiło mu się po jedzeniu, kiedy z nim rozmawiać lub zmienić pieluszkę. Innymi słowy, rozumienie niewerbalnych sygnałów wysyłanych przez noworodka w tym pierwszym, ekscytującym okresie jego życia wzmacnia u młodych ojców poczucie ważności dla dziecka, które demonstrują uczeniem się jego „języka". Przekonanie, że mężczyźni nie rozumieją niemowląt, nie zostało w tych badaniach w żaden sposób potwierdzone. Ojcowie muszą jedynie nauczyć się swojej nowej roli. Jednym z interesujących aspektów tych badań jest wniosek, że gdy mężczyźni uczą się rozumieć swoje dzieci, zdecydowanie bardziej wspierają również swoje żony.

Rodzice, którzy pragną na równi dzielić się opieką nad dzieckiem, często podnoszą kwestię karmienia: w jaki sposób mężczyzna może w nim uczestniczyć, jeśli kobieta karmi piersią? Gdy tylko wszyscy wrócą ze szpitala do domu, ojciec może odgrywać ważną rolę, pomagając partnerce wygodnie usadowić się do karmienia i przynosząc jej dziecko z łóżeczka. Ta przerwa w nocnym odpoczynku zostanie zrekompensowana uznaniem jego istotnej roli i poczuciem, że takie wsparcie jest niezmiernie ważne w procesie dochodzenia partnerki do równowagi. Później, gdy podaż mleka będzie już stabilna, ojcowie mogą karmić dziecko za pomocą butelki. Najlepiej wprowadzić takie karmienie, gdy dziecko opanuje już swoją rolę w podtrzymywaniu laktacji – specjaliści w tej dziedzinie zalecają wstrzymanie się z wprowadzaniem smoczków i butelek do 4 bądź 6 tygodnia życia, za wyjątkiem sytuacji, kiedy kobieta nie może karmić.

Kiedy wprowadzić butelkę?

Z mojego doświadczenia wynika, że w przypadku większości niemowląt można wprowadzić butelkę w takim ograniczonym zakresie już w 3 lub 4 tygodniu bez narażania dziecka na „dezorientację sutkową" czy inne zaburzenia w karmieniu – wydaje się to rozsądne jeśli dziecko opanowało już doskonale sztukę ssania i robi to z zaangażowaniem. Choć jak wiele innych osób uważam, że karmienie piersią należy jak najbardziej wspierać, to spotkałem w swojej praktyce pediatrycznej niemowlęta, które odmawiały wzięcia do buzi smoczka czy butelki, gdy wprowadzano je po 4 tygodniu życia.

Butelką można podawać mleko matki lub mieszankę. Jeśli karmienie butelką zaplanuje się na koniec dnia lub w nocy, pozwoli to kobiecie na tak potrzebny jej odpoczynek. Natomiast dla mężczyzny poznawanie swojego dziecka podczas karmienia będzie cudownym i cennym doświadczeniem – czymś więcej niż tylko rekompensatą za trud wstawania w środku nocy. Wspólne opiekowanie się dzieckiem nie tylko pozwala mężczyźnie poznawać je od samego początku, ale również daje mu szansę zrozumienia siebie i obserwowania, jak rozwija się jako osoba, która troszczy się o nieporadną, zależną od innych istotę.

Do 2 tygodnia życia niemowlę nauczy się głosu swojego taty i zacznie go odróżniać od innych męskich głosów. Od 4 tygodnia zacznie przejawiać przewidywalne zachowania, inne wobec każdego ze swoich rodziców, a także wobec obcych. Obserwując jedynie zachowanie dziecka, można zgadnąć, na kogo reaguje: mamę, tatę czy nieznaną sobie osobę. W interakcji z ojcem garbi ramionka, na twarzy zaś pojawia się mimika wyrażająca podekscytowanie i chęć zabawy – brwi się unoszą, usta otwierają, a oczka wyraźnie błyszczą. Te oznaki pojawiają się nawet wówczas, gdy słyszy głos taty jedynie w oddali. Do 4 tygodnia życia noworodek nauczy się oczekiwać, że tata w rozmowie z nim będzie używał bardziej ekscytujących tonów. Kiedy ojciec pojawia się gdzieś na horyzoncie, niewerbalne zachowanie dziecka zdaje się komunikować: „A tu cię mam! No to zaczynajmy!”.

Wartość dwóch wzorców

Ojciec może także zmniejszyć intensywność relacji niemowlę – matka, gdy zachodzi potrzeba, aby dziecko stało się samodzielne. W każdej dziedzinie – czy będzie to nauka zasypiania w nocy, jedzenia czy zdobywania niezależności w 2 roku życia – pomocne będą słowa mężczyzny: „Kochanie, może trzeba ją zostawić i pozwolić, aby nabałaganiła i przez to nauczyła się sama jeść”. Taka rola nie jest zbyt popularna. Żadna matka nie uważa się za nadopiekuńczą. Jakakolwiek aluzja niechybnie uruchomi u kobiety mechanizmy obronne. Niemniej jednak zaangażowanie mężczyzny pozwoli jej odpuścić, wycofać się, a nawet przeanalizować swoje zachowanie. Kobietom samotnie wychowującym dziecko często trudno jest zgodzić się na uniezależnienie się dziecka i jego samodzielność. Oczywiście jeśli mężczyzna reaguje przesadnie na bałagan przy jedzeniu czy marudzenie w nocy, jego angażowanie się w takich sytuacjach przysporzy żonie dodatkowych zmartwień.

Zarówno ojcowie, jak i matki inaczej traktują córki, a inaczej synów. Ojciec jest z reguły bardziej aktywny fizycznie w relacji z synem, stymulując go do pokonywania kolejnych kroków w rozwoju motorycznym. Z kolei wobec córek ojcowie są delikatni, reagują wolniej i chronią je przed światem zewnętrznym. Mogą częściej je przytulać i nosić. Choć mężczyzna często nie potrafi wyrazić swoich odmiennych emocji, staje się dla dziecka przekaźnikiem określonych ról przypisanych każdemu rodzajowi.

Wprawdzie dzięki ruchom feministycznym niektórzy rodzice zaczęli myśleć, że mogą i powinni unikać narzucania swoim dzieciom stereotypowych ról, jednak zarówno matki, jak i ojcowie nieuchronnie i od samego początku będą mieli różne oczekiwania wobec swoich synów i córek, będą też nawiązywać z nimi różne relacje. Zamiast się tego wstydzić, rodzice mogą zauważyć, że w ten sposób każde z dzieci może uczyć się siebie jako wyjątkowej istoty ludzkiej. Jeśli każde z rodziców będzie otwarte i szczerze zaangażowane w relację z dzieckiem, to zarówno chłopiec, jak i dziewczynka otrzymają wzorce do naśladowania. Dwulatek będzie udawał, że się goli, nosił w zabawie krawat czy kapelusz – „tak jak tatuś". Zacznie nawet chodzić tak jak on. W wieku 4 lub 5 lat zacznie przekomarzać się z mamą, „tak jak robi to tatuś". Będzie także rywalizował z ojcem o uwagę mamy w ważnych momentach. Natomiast dziewczynka zauważy, jak mama zachowuje się w obecności ojca, i może ją naśladować, aby pod koniec dnia zwrócić na siebie jego uwagę. W wieku 4–5 lat po całym dniu dokazywania może ignorować polecenia mamy nakazującej, żeby położyła się spać i zostawiła rodziców w spokoju. Jednak gdy tata powie: „No dobrze, może **mnie** uda się położyć ją spać", nagle stanie się spolegliwa i rozkoszna. Czego więcej potrzeba, aby mężczyzna pokazał, jak ważna jest jego rola we wprowadzaniu równowagi w rodzinie? Nie musi już więcej wysłuchiwać, że jest dobrym substytutem matki. Wie, że jest kimś więcej niż zamiennikiem!

Chłopcy, których ojcowie byli opiekuńczy, mają większe szanse na bycie takimi, gdy dorosną. Utożsamią się z takim stylem uczestniczenia w życiu rodziny, jaki pokazał im ich ojciec. Jeśli chłopiec widzi, że tata pomaga w gotowaniu i sprzątaniu, to sam, gdy dorośnie, dobrze się odnajdzie w takich zadaniach. Doświadczenie dzieci, których ojcowie wspólnie z matką uczestniczyli w ich wychowaniu – i oczywiście tych wychowywanych przez samotnych ojców – będzie obfitowało w przykłady męskiej opiekuńczości.

Niewiele osób, zarówno mężczyzn, jak i kobiet, wchodzi w rolę rodzica z pełną wiedzą, jak jej najlepiej sprostać. Muszą uczyć się metodą prób i błędów. Dla tych, którzy przyzwyczaili się do bycia perfekcjonistami w pracy i nauczyli się nie popełniać błędów, rodzicielstwo może być przerażającą, niezbadaną dziedziną. Dla mężczyzn dodatkową trudnością będzie próba sprostania przekonaniu, że jakość życia jest znacznie ważniejsza niż odnoszenie sukcesów wyłącznie w pracy, ale w dzisiejszych czasach coraz więcej ojców już o tym pamięta.

45

Dziadkowie

Dziadkowie, z którymi dziecko może stworzyć bliską relację, dają możliwość doświadczania, jak ważna jest przeszłość, oraz obserwowania własnych rodziców w kontekście innych troszczących się o nich dorosłych. Jednak znalezienie właściwej równowagi między pomocą a wspieraniem bez wtrącania się w sprawy rodziny wymaga od dziadków wrażliwości i dyplomacji.

Po około trzydziestu latach praktyki większość moich pacjentów była dla mnie jak wnuki – znałem ich rodziców, jeszcze gdy byli niemowlętami, a potem starszymi dziećmi. W istocie znałem ich oraz ich rodziców – teraz dziadków – bardzo dobrze i wiedziałem, w jakim stylu byli wychowywani. Kiedy przychodzili do mnie na wizyty prenatalne, a było to na długo przed dzisiejszą obsesją związaną z poufnością danych, w żartach proponowałem podzielenie się ze współmałżonkiem kilkoma wspomnieniami z ich dzieciństwa. Czasami rzeczywiście udało się wrócić do przeszłości, ale na ogół zarówno moi byli pacjenci, jak i ich współmałżonkowie woleli tego nie robić w tak ważnym dla nich momencie. Wyglądało na to, że chcą wejść w swoje rodzicielstwo bez żadnego bagażu z przeszłości. Często mówili: „Nie chcę być taki jak moi rodzice", a nawet: „Proszę mi pomóc być innym rodzicem". Takie stwierdzenia wynikały ze wspomnień dotyczących porażek lub bolesnych doświadczeń. Podczas tych kilku miesięcy ciąży moi pacjenci zdawali się nie pamiętać żadnych dobrych wspomnień.

Moc przeszłości

W poszukiwaniu tożsamości siebie jako rodzica być może ważna i celowa jest próba oderwania się od przeszłości – własnej przeszłości. Bycie innym i niezależnym oraz chęć zaczęcia od nowa są ważne. Jednak takie podejście będzie skuteczne tylko częściowo, bo duchy znad kołyski i wczesne wspomnienia wywarły na nas bardzo głęboki wpływ. Bolesne epizody z dzieciństwa to tylko część przeszłości. Równie silny wpływ na kształtowanie się nas jako rodziców mają troska, opieka i żarliwa miłość, jakimi byliśmy otoczeni – pomimo błędów – przez naszych rodziców. Uczenie się i adaptacja w sytuacjach stresowych to również duża część naszego doświadczenia – część głęboko zakorzenionych wzorców zachowania, które się pojawią, gdy nasze dziecko zrobi coś, co przywoła jakiś epizod z przeszłości.

Kiedy analizowałem doświadczenia kolejnych pokoleń moich pacjentów, zauważyłem, że – jak wiele innych rodzin – przechodzili przez okresy kryzysów i musieli stawić czoła wielu problemom związanym z wychowaniem. Dzięki temu, że miałem możliwość zajrzenia do historii ich dzieciństwa, często odkrywałem takie same trudności i podobne problemy wychowawcze. Stanowi to dla mnie potwierdzenie tego, jak silnym piętnem odbija się na nas nasza przeszłość.

Wzorce zachowania młodych rodziców stanowią odbicie reakcji ich własnych rodziców – jest to powszechne i przewidywalne zjawisko. Z moich zapisków mogłem niekiedy wywnioskować, kiedy młodzi rodzice będą doświadczać trudności. Było to dosyć niesamowite doświadczenie. Kiedy widziałem potencjalny problem z wyprzedzeniem, żałowałem, że nie mogę pomóc go uniknąć, ale równocześnie wiedziałem, że w procesie pobierania nauki z minionych kryzysów i wczesnych doświadczeń tkwi pewna integrująca siła, która jest na swój sposób czymś wspaniałym. Gdy widziałem, jak jeden z moich byłych pacjentów wychowuje swoje dziecko, stosując metody i umiejętności już mi znane, bo zaobserwowane wcześniej u jego rodziców, budziło to mój podziw i ekscytację. W taki właśnie sposób rodzicielstwo jest przekazywane z pokolenia na pokolenie.

Siła przeszłości sprawia, że mądrość i wspomnienia dziadków mogą być dla rodziców zarówno bolesne, jak i wspierające. Ich krytyka może podcinać skrzydła, gdyż nie pozwala uciec od duchów znad kołyski. Dziadkowie, którzy pragną być naprawdę pomocni, powinni zamknąć usta i trzymać swoje opinie dla siebie, dopóki nie zostaną poproszeni o pomoc. Tylko wtedy, gdy ich zdanie może zostać przedyskutowane – nie jako jedyne słuszne rozwiązanie, ale jako sugestia do przyjęcia lub odrzucenia – będzie pomocne. Jeśli dziadkowie potrafią uczciwie stawić czoła swoim frustracjom, a także upragnionym, choć niezrealizowanym celom, będzie to bardziej pomocne dla młodych rodziców niż ich rady.

Rodzicom, którzy borykają się z kwestią niezależności od swoich rodziców, trudno będzie zwrócić się do nich o pomoc, gdy pojawi się małe dziecko lub problem wychowawczy. Dziadkowie wykażą się mądrością, zauważając, że opór w ich dzieciach jest częścią naturalnej walki o niezależność. Nie jest to oczywiście łatwe w momencie, gdy tak bardzo chcą pomóc młodym i być częścią życia swoich wnuków.

Pustka, jaka wytwarza się wokół wyizolowanej rodziny niemającej kontaktu z dziadkami, ma w sobie smutek i samotność. Dziadkowie i dalsza rodzina dają młodym rodzicom poczucie ciągłości. Kiedy mówią: „My zawsze robiliśmy to w taki sposób", proponują rozwiązanie z przeszłości i pokazują pewne wzorce adaptacyjne, które są sprawdzone i skuteczne. Jeśli zostaną przekazane jako sugestie, to doświadczenie dziadków i dalszej rodziny może dostarczyć odpowiedzi, jakich wszyscy potrzebujemy. Rodzina i tradycje kulturowe mogą być istotną podstawą samooceny dziecka. Zachęcam młodych rodziców do pielęgnowania tradycji. Systemy wartości, które przekazują silne rodziny, są ważne zarówno dla jednostki, jak i dla społeczeństwa. Tradycje wielu różnych kultur – Afryki, Azji, Karaibów, Europy, Ameryki Łacińskiej czy rdzennych mieszkańców Ameryki Północnej – ubogaciły Stany Zjednoczone i wzmocniły żyjące w nich rodziny. Dziadkowie są istotnym ogniwem w ciągłości pokoleń. Dominująca kultura Stanów Zjednoczonych nie doceniała roli starszyzny, w rezultacie utraciła dużą część owej ciągłości. Bez niej jednostki stały się wyizolowane, a kultura amerykańska skupiona na „ja" i zachłanna. Kwitnie egoizm – kosztem silnych więzi i poczucia odpowiedzialności za przyszłość dzieci.

Dziadkowie mogą przekazać wnukom rodzinne dziedzictwo i oczekiwania. Ilekroć opowiadają dzieciom historie z przeszłości, otwierają przed nimi zupełnie nowe wymiary. Kultura i wartości często są łatwiej przekazywane przez dziadków niż rodziców, gdyż ci drudzy są zbyt obciążeni codziennym obowiązkiem dyscyplinowania. Dzieci zaś są bardziej gotowe słuchać dziadków i dostosowywać się do ich zasad, gdyż postrzegają ich jako mniej osądzających. Ciągłość dziedzictwa jest przekazywana w historiach, które tylko dziadkowie mogą opowiedzieć. Gdy dzieci dostrzegą swoje powiązania z przeszłością, nauczą się ją cenić. Jeśli umieją cenić relacje w swojej dalszej rodzinie, uczą się też patrzeć na swoje potrzeby z pewnej perspektywy. Proponując taką ciągłość, dziadkowie powinni jednak pamiętać, że wnuki uczą się lepiej poprzez naśladowanie zachowania niż dzięki słuchaniu rad.

Rywalizacja

Naturalna rywalizacja o dziecko może mieć duży wpływ na relację rodzice – dziadkowie (omawiałem to zjawisko pomiędzy rodzicami oraz rodzicami a opiekunami). Jeśli zostanie ona zrozumiana i wypowiedziana, nie musi stanowić problemu. Zwłaszcza matki i córki powinny mieć się na baczności. W kontakcie z teściami łatwiej przewidzieć rywalizację, choćby ze względu na stereotypy związane z tą relacją. W pewnym sensie im lepszymi rodzicami byli dziadkowie, tym większe stanowią potencjalne zagrożenie dla dzieci w roli rodziców. Przechodzenie niemowlęcia przez kolejne fazy lęku przed obcymi – akceptacja, odrzucenie i znów akceptacja dziadków – może na nowo rozniecać rywalizację.

Dziadkowie mogą bardzo łatwo prowokować młodych, wrażliwych rodziców. Swoim intensywnym zaangażowaniem będą podważać dokładnie te wartości, które chcą pielęgnować. Młody rodzic uczy się więcej na błędach niż dzięki sukcesom. Uczenie się swojej roli samemu jest cenniejsze dla stawania się rodzicem niż działanie pod czyjeś dyktando. Najbardziej pomocne są zdecydowane przekonania – wypowiadane z delikatnością i tylko wtedy, gdy dzieci proszą o radę. Stwierdzenia krytyczne będą z całą pewnością odrzucane. Młodzi rodzice poczują się głęboko urażeni, gdy da się im do zrozumienia, że nie troszczą się o swoje dziecko wystarczająco dobrze. Jednak żadna ze stron nie jest w stanie uniknąć bolesnych błędów. Jeśli dziadkowie chcą być naprawdę pomocni, mogą zaoferować swoją gotowość do słuchania, a przede wszystkim stanowić dla młodych bezpieczną przystań, w której będą potrafili nazwać swoje błędy. Trudno jest usiedzieć w miejscu i biernie przyglądać się narastającym problemom. Zbyt łatwo jest wspominać swoją skuteczność i na każdym kroku podkreślać własne sukcesy. Jeśli chcesz, aby twoje dzieci nauczyły się rodzicielstwa, empatyczne wsparcie zdziała dużo więcej dobrego niż rada czy krytyka. Najlepszym doświadczeniem w byciu dziadkiem jest zmiana w relacji – w momencie gdy oba pokolenia stają się rodzicami, są sobie równe.

Dar dziadków

Rodziny potrzebują rodzin. „Gdybym tylko miała się do kogo zwrócić" – często słyszę takie słowa w moim gabinecie. Rodzice również potrzebują opieki. Dziadkowie, ciocie i wujkowie wrócili do łask, bo są potrzebni. W dzisiejszych czasach rośnie liczba dorosłych samotnie wychowujących swoje dzieci. Jednak stres w wielu rodzinach jest nieproporcjonalnie duży i przewyższa poziom, z jakim nawet we dwójkę trudno sobie poradzić. Gdy obydwoje małżonkowie pracują zawodowo, obowiązki związane z opieką nad dzieckiem oraz zachowaniem rodzinnych wartości mogą być przytłaczające. Rosnąca liczba samotnych rodziców oraz rodzin mieszanych, powstałych w wyniku wchodzenia w kolejne związki małżeńskie, stanowi dodatkowe obciążenie dla tych, którzy próbują zadbać o swoje dzieci i przekazać im trwałe wartości. Dziadkowie i dalsza rodzina stanowią w takich stresujących sytuacjach bufor bezpieczeństwa. Coraz częściej przejmują zadania małych, nuklearnych (dwupokoleniowych) rodzin, które nie radzą sobie same.

Niestety często się zdarza, że dziadkowie mieszkają daleko. Jednak nawet jeśli są blisko, mogą obydwoje pracować i nie być w stanie pojawić się na każde zawołanie. Niewypowiedziane różnice zdań będą łatwo prowadzić do oporu młodych rodziców i niezwracania się do dziadków po poradę czy pomoc. Z kolei obawa dziadków przed natarczywością czy odrzuceniem może zwiększyć ich ostrożność. Jednak dzieci, które mają luksus pielęgnowania relacji z dziadkami, ciotkami, wujkami i kuzynostwem, wypadają najlepiej w wielu badaniach rozwojowych. Być może okaże się, że mała dwupokoleniowa rodzina była tylko społecznym eksperymentem i w obecnych warunkach nie ma już racji bytu? Możliwość doświadczenia wielu modeli uczenia się życia zwiększa potencjał dziecka. Rodzice stanowią wówczas dla niego trwałą bazę, dziadkowie i wujostwo zaś oferują różne możliwości. Ich obecność implikuje istnienie i znaczenie przeszłości, a ich przekonania są częścią większego rodzinnego systemu przekonań. W dzisiejszych czasach wszyscy jesteśmy głodni wartości. Przekonania religijne i wartości etyczne są w naszym społeczeństwie niejednokrotnie podważane i w zbyt wielu rodzinach istnieje ryzyko ich kwestionowania. Kto, jeśli nie dziadkowie, może je podtrzymywać?

Kiedy na świat przychodzi kolejne dziecko, gdy wnuk jest chory bądź w sytuacji powrotu matki do pracy zawodowej, dziadkowie mogą załagodzić stres, jeśli zostali włączeni do rodziny i skutecznie ją poszerzyli. Kiedy obydwoje rodzice pracują, bliska obecność dziadków będzie dla nich wyjątkowym darem – będą mogli skorzystać z ich pomocy w nagłych sytuacjach i ich wsparcia w razie problemów. Niestety, coraz więcej dziadków kontynuuje pracę zawodową, często na pełnym etacie, i są przez to mniej dostępni dla swoich wnuków niż dziadkowie w poprzednich pokoleniach. Dlatego pomoc z ich strony jest w pewien sposób ograniczona, jednak wsparcie emocjonalne jest tak samo istotne jak kiedyś. Dziadkowie mogą ofiarować swoim dzieciom możliwość wspólnego spędzenia czasu tylko ze sobą, bezpiecznie opiekując się wnukiem w nocy lub przez cały weekend.

Będą również pomocni w burzliwych momentach, gdy dziecko walczy o autonomię, a rodzice próbują utrzymać nad nim kontrolę. Taka pomoc nie będzie polegać na opowiadaniu się po którejś ze stron. W przypadku stronniczości ani dziecko, ani rodzice nie będą mieli szansy na rozwiązanie konfliktu. Dziadkowie mogą pomóc **tylko w jeden sposób**: wysłuchać każdej ze stron i wyjaśnić powody zmagań, nie identyfikując się z nikim. Na przykład mogą pomóc rodzicom w wyrażeniu powodów, dla których muszą oni sprawować kontrolę. Możliwość opowiedzenia o emocjach związanych z konfliktami z własnymi rodzicami (teraz dziadkami) i innymi krewnymi może posłużyć załagodzeniu konfliktu z dzieckiem, ale tylko wtedy, gdy dziadkowie i inni członkowie rodziny będą słuchać z szacunkiem i zrozumieniem. Osądzający słuchacz jedynie spotęguje problem. Wprawdzie dziadkowie mogą wnieść swoją mądrość wynikającą z doświadczenia i bardziej obiektywne spojrzenie na problemy wnuka, muszą jednak zawsze najpierw uszanować troskę jego rodziców. Rola dziadka wymaga ogromnej dyplomacji, której nabywa się w praktyce. Jeżeli chodzi o mnie, stopniowo się nauczyłem, że chcąc być naprawdę pomocny, nie mogę skupiać się jedynie na moich wnukach, lecz muszę zdawać sobie sprawę z punktu widzenia moich dzieci. Najtrudniejszą i najważniejszą kwestią jest jednak nauczenie się, kiedy całkowicie się wycofać. Kiedy? W większości przypadków.

Najważniejszym darem, jaki mogą ofiarować dziadkowie, jest bezwarunkowa, niewymagająca miłość. Mogą cieszyć się dzieckiem, nie martwiąc się, jak się zachowuje czy kiedy być wobec niego stanowczym. Po latach bycia rodzicami dziadkowie mogą odetchnąć i być po prostu kochającymi, a nie dyscyplinującymi opiekunami. Oferują również kontynuację stylu wychowania, rytmu i sposobu zachowania, które są dziecku znane. W przeciwieństwie do niespokrewnionego opiekuna dziadkowie są swoistym przedłużeniem rodziców. To oni pokazują dziecku szczyty, przekazują rodzinne marzenia i cele, rodzice zaś mają nauczyć dziecko, jak je osiągnąć. Gdy wspominam moją babcię, pamiętam, że była dla mnie źródłem inspiracji do tego, by zostać „lekarzem od małych dzieci". Ciągle powtarzała: „Berry tak dobrze radzi sobie z małymi dziećmi". Z wszystkich znanych mi osób to właśnie ją chciałem zadowolić najbardziej na świecie, więc nauczyłem się dobrze sobie radzić z małymi dziećmi.

Teraz gdy ktokolwiek wypowie pod moim adresem taki komplement, zawsze słyszę głos babci. Oczywiście moja mama była zazdrosna o wpływ, jaki miała na mnie babcia. Niepotrzebnie. Obie były dla mnie ważne z innych powodów.

Choć socjologowie uważają, że wydobyli na światło dzienne pewien niedoceniany nowy trend, nie zdziwi to współczesnych dziadków, że dziś częściej niż kiedyś coraz więcej z nich oferuje swoim dzieciom dar stabilności finansowej. Dziadkowie, którzy zarabiali w lepszych czasach, decydują się pomóc swoim dzieciom i zapewnić wnukom wszystko, począwszy od opieki, poprzez wygodniejszy dom, aż po lekcje muzyki. Kiedyś młodzi ludzie, rodzice małych dzieci, musieli opiekować się także swoimi rodzicami. Teraz w większości rodzin pomoc materialna płynie w innym kierunku. Jest to niewątpliwie znak, że złoty wiek dobiegł końca, a rzeczywistość, w której przyszło nam żyć, jest trudniejsza, źródła finansowania zaś skromniejsze.

Wskazówki dla dziadków

(1) Pamiętaj, że nie jesteś rodzicem; bądź kochającym, zachwyconym słuchaczem i powstrzymuj się od udzielania rad.

(2) Nie śpiesz się z podchodzeniem do małych dzieci, nawet gdy są to twoje wnuki, jeśli nie chcesz, żeby się wycofały. Nigdy na początku nie patrz niemowlęciu prosto w twarz; patrz poza nie, aż ono samo wymusi twoją uwagę. Nigdy nie zabieraj go z rąk rodziców. Zaczekaj, aż samo wyciągnie do ciebie rączki. Obserwuj zachowanie małego dziecka. W momencie gdy na tyle odpręży się w twojej obecności, aby bawić się zabawkami, a jego twarz złagodnieje, będzie gotowe na twoje włączenie się w daną aktywność.

(3) Niech twoje spotkania z wnukami przybiorą formę rytuału. Przynieś im zabawkę lub inny drobny podarunek. Nie podnoś poprzeczki oczekiwań, bo potem trzeba będzie je zaspokajać. Opowiadaj im historie o „dawnych czasach", kiedy to ich rodzice byli mali.

(4) Nie próbuj traktować każdego dziecka tak samo – niech każde będzie wyjątkowe. Wyznacz dla każdego z osobna czas, który spędzicie razem. Przyznaj, że dla przybranych wnuków będziesz mieć inne uczucia, ale zrób wszystko, żeby poznać ich indywidualność.

(5) Zawczasu uzgodnij ze swoimi dziećmi, jakie przyjemności możesz sprawiać wnukom i jak je rozpieszczać, aby wiedzieć, gdzie są granice. Rozważ też konsultowanie się z dziećmi co do prezentów świątecznych. W przypadku małych wnucząt łatwo popaść w przesadę i położyć zbytni akcent na rzeczy materialne.

(6) Zaoferuj swoją pomoc w opiece nad dziećmi, gdy nie pracujesz i kiedy jesteś potrzebny.

(7) Bądź koordynatorem regularnych spotkań rodzinnych i świątecznych. Nawet jeśli wymaga to dużego wysiłku, a spotkania obfitują w emocje, rytuał i podekscytowanie z nimi związane pozostaną w pamięci wnuków. Zapraszaj na te spotkania również starych przyjaciół swoich dorosłych dzieci.

(8) Kiedy wspierasz finansowo lub psychicznie, miej świadomość, jak trudno może być twoim dorosłym dzieciom przyjąć taką pomoc, zwłaszcza zięciowi lub synowej.
(9) Uszanuj wysiłki twoich dzieci mające na celu wprowadzanie dyscypliny. One potrzebują twojej pomocy. Nie kwestionuj ich działań. Nie mów własnym dzieciom, co mają robić - zwłaszcza w obecności wnuków - ani nie krytykuj ich postępowania w drażliwych sferach. Oczywiście chcesz, żeby twoje wnuki były wychowywane perfekcyjnie, jednak krytyka metod wychowawczych stosowanych przez twoje dzieci może wyrządzić więcej szkody niż pożytku, ponieważ zachwieje ich poczuciem pewności siebie.
(10) Słuchaj, ale udzielaj rad tylko wtedy, gdy dzieci o nie poproszą. Nie próbuj być nauczycielem ani dla swoich dzieci, ani dla wnuków. Możesz im zaoferować dużo cenniejsze rzeczy - komfort, miłość, doświadczenie, przytulenie oraz poczucie siły i stabilizacji. Bądź otwarty na ofiarowanie tego wszystkiego obydwu pokoleniom.
(11) Jeśli mieszkasz daleko, utrzymuj kontakt poprzez kartki pocztowe i listy, dołączając rysunki i pisząc dużymi, drukowanymi literami, aby wnuki mogły je również czytać. Zdjęcia z dzieciństwa rodziców są zawsze mile widziane, tak samo jak kartki urodzinowe oraz prezenty dostosowane do rozwoju i zainteresowań dziecka. Nagrania wideo to jeszcze jeden sposób na nawiązanie porozumienia - przeczytaj lub opowiedz wnukowi o jego rodzicach, gdy byli w jego wieku.
(12) Dzwoń, aby porozmawiać z wnukami i pogratulować im nawet ich małych osiągnięć. Twój głos i możliwość interakcji sprawią, że taki kontakt będzie bardziej satysfakcjonujący niż poprzez e-mail, choć poczta elektroniczna jest mniej kosztowna. Kasety wideo z nagraniami prezentującymi ciebie i twoje dzieci to doskonały sposób na zmniejszenie dystansu. Kontaktowanie się za pomocą komunikatorów i kamery internetowej to oczywiście jeszcze lepszy pomysł.
(13) Regularne, krótkie odwiedziny to najlepszy sposób na podtrzymanie kontaktu. Wystarczą trzydniowe wizyty. Pomóż wtedy w pracach domowych i opiece nad dzieckiem. Spróbuj zabrać wszystkich na wycieczkę i na wspólny posiłek, aby pozwolić swoim dzieciom odetchnąć od domowej rutyny i na krótko ulżyć im w obowiązkach. Zanim przyjedziesz, zaproponuj, że zatrzymasz się w pobliskim, niedrogim hotelu, jeśli mieszkanie dzieci jest małe lub gdyby miało dochodzić do spięć w związku z kilkudniową reorganizacją.
(14) Chwal swoje dzieci, gdy dobrze sobie radzą z rodzicielstwem. Poklep je po plecach. Daj im do zrozumienia, że podziwiasz ich ciężką pracę, której efekty widać po wnukach.

Najlepsze, co mi się przytrafiło, gdy zostałem dziadkiem, to zmiana w relacji między mną a moimi dziećmi. Wszyscy jesteśmy teraz dorosłymi i rodzicami, na równych zasadach. Dzieci widzą moje zadowolenie zarówno z ich rodzicielstwa, jak i z wnuków. Od czasu do czasu potrzebują mnie, a ja wtedy upajam się swoją rolą. Każdy wnuk jest cudem, ale nowa relacja z własnymi dziećmi – jeszcze większym.

46

Przyjaciele

Przez cały okres dzieciństwa dzięki obecności przyjaciół dziecko ma okazję do wypróbowania różnych aspektów swojej rozwijającej się osobowości, zainteresowań, preferencji i sposobów nawiązywania relacji. Musi się ono nauczyć przebywania w grupie innych dzieci, dawania bez oczekiwania rewanżu, dzielenia się, wywoływania pozytywnych reakcji i troszczenia się o równolatka. Może wykorzystywać te relacje jako bezpieczną przestrzeń, w której będzie wypróbowywać różne aspekty siebie i przeglądać się w lustrze. Może testować różne style i zachowania zachęcane przychylnym wzrokiem przyjaciela. W tym procesie dużo uczy się o sobie. Dowiaduje się też, jak przyciągnąć i utrzymać przyjaciela. Konieczność dawania i brania w relacji koleżeńskiej oferuje dziecku możliwość doświadczania takiego kontaktu z drugą osobą, jaki jest niemożliwy z rodzicami czy rodzeństwem. Dziecko pozbawione przyjaciół to naprawdę biedne dziecko. Kiedy musi się nauczyć, jak radzić sobie z własnym temperamentem – na przykład z nieśmiałością czy wysokim poziomem aktywności – tym bardziej ważne jest, żeby nauczyło się adaptować do wymagań grupy. Kolega podobny do niego pomoże mu się przystosować. Zawsze intrygowało mnie obserwowanie małych dzieci podczas zabawy i ich wzajemnego uczenia się od siebie.

Pierwsze przyjaźnie

Kiedy rodzice powinni zacząć zapoznawać swoje małe dzieci z innymi maluchami spoza rodziny? W 2 roku życia (od 12 do 24 miesiąca) ważne jest, aby dziecko nauczyło się radzić sobie z rówieśnikami. Być może w dużej rodzinie lub w sąsiedztwie innych małych dzieci zaczęło już rozumieć, co to znaczy dzielić się z innymi, przekomarzać się i radzić sobie ze starszymi od siebie lub z noworodkiem. Jednak relacje, jakie nawiązuje z dziećmi w innym wieku, nie są tym samym co relacje z rówieśnikami. Starsze dzieci mają tendencję do stawania w obronie młodszych, przekomarzania się lub dominowania nad nimi. Natomiast w zdrowych relacjach rówieśniczych dzieci uczą się równowagi pomiędzy dawaniem a braniem oraz poznają rytm wzajemności – kiedy dominować, a kiedy ulegać. To jest fundament budowania ważnych relacji w przyszłości. Dziecko uczy się rozpoznawać, które sygnały oznaczają, że musi ulec, a które, że może wziąć ster w swoje ręce. Nabywając tych umiejętności, dowiaduje się, jak nawiązywać relacje z innymi. Jeśli tego nie potrafi, odkrywa, że żyje w izolacji. W 2 roku życia dzieci są zarówno wymagające wobec innych, jak i wrażliwe na ich potrzeby. Cudownie jest obserwować zabawę dwulatków. Jeśli rodzice zorganizują regularne spotkania grupy zabawowej składającej się z dwojga lub trojga dzieci, będą one mogły wiele się o sobie nauczyć.

Nauka przez naśladowanie

W tym wieku nauka polega na naśladowaniu. W tak zwanej zabawie równoległej dwoje dzieci może bawić się obok siebie, pozornie wcale na siebie nie patrząc (zob. też rozdział 11). Jednak mimo to będą bardziej sobą zainteresowane i zdolne uczyć się od siebie, niż sugeruje to koncepcja zabawy równoległej. Każde z dzieci dokładnie naśladuje zachowania drugiego. Ta zdolność wychwytywania, a potem powtarzania całych sekwencji zachowań w tak wczesnym wieku jest niewiarygodna. Gdy jedno dziecko układa wieżę z klocków, budując drapacz chmur, drugie ustawi dokładnie tyle samo klocków w swojej budowli, używając przy tym podobnych gestów. Widziałem dwulatki przyswajające sobie w ten sposób zupełnie nowe dla siebie zachowania i wykonujące zadania, z którymi wcześniej w ogóle nie miały styczności.

Agresja

Co zrobić, gdy dwulatki nie są w stanie nawiązać odpowiedniej relacji? Kiedy jedno dziecko jest zbyt agresywne i dominuje nad drugim – o spokojniejszym temperamencie i bardziej wycofanym? Czy jest to korzystne dla obu stron? Niezupełnie. Rodzice tych nierówno dobranych kolegów będą prawdopodobnie stawać po jednej lub drugiej stronie, wzmacniając tym samym nierównowagę w każdym z dzieci. Kiedy rodzice wtrącają się w zabawę, ryzykują, że zmieni się ona w interakcję zorientowaną na dorosłych. Zmaleje wówczas szansa na to, że dzieci nauczą się czegoś o sobie.

Jeśli dziecko nie jest w stanie samo zaradzić takiej nierównowadze, dobrym wyjściem będzie znaleźć mu innego kolegę o zbliżonym temperamencie. Spokojnemu, refleksyjnemu i dosyć wrażliwemu dziecku dobrze jest poszukać kogoś podobnego. Nauczy się wówczas więcej od równolatka, który tak samo radzi sobie ze swoim temperamentem, niż z prób motywowania go do większej agresywności czy towarzyskości. Choć zachęcając niezdecydowane dziecko do odwetu lub odmiennego niż zwykle zachowania, chcesz je jedynie ośmielić, ono odczyta to jako nieakceptację jego takim, jakie jest. Zagrożona zostanie wówczas jego samoocena.

Jeśli twoje dziecko jest agresywne i impulsywne, poszukaj kolegi podobnego do niego. Będą się wzajemnie nakręcać w szalonych zabawach do granic możliwości, ale prawdopodobnie znajdą również sposoby wyciszania. Dzięki temu stopniowo nauczą się respektować swoje granice i rozpoznawać przesadne reakcje na wzajemne impulsywne zachowania. Regularne spotkania – dwa lub trzy razy w tygodniu – pozwolą takim dzieciom z czasem zostać prawdziwymi kumplami i uczyć się zarówno o sobie nawzajem, jak i o sobie samych.

Dokuczanie innym

Kiedy dziecko dorasta, zaczyna wykorzystywać swoich przyjaciół do osiągnięcia innych ważnych celów w rozwoju. Niektóre dzieci zaczynają naśmiewać się z kolegów, pragnąc odreagować w ten sposób rywalizację z rodzeństwem i poradzić sobie z nią. Inne dokuczają kolegom, gdyż same nie mają poczucia bezpieczeństwa lub nie są pewne swojej umiejętności nawiązania trwałej przyjaźni. Proponuję pomóc takiemu dziecku zobaczyć, że inni nie lubią, gdy ktoś się z nich naśmiewa. Choć może postrzegać naśmiewanie jako sposób nawiązania kontaktu, innym dzieciom się to nie podoba. Odrzucą je i zostanie samo. Można spróbować zachęcić takie dziecko do bawienia się tylko z jednym kolegą, aby mogło się w ten sposób nauczyć, czym jest przyjaźń. Brak „widowni" w postaci grupy rówieśniczej może zmniejszyć poczucie braku pewności siebie, a także „siłę rażenia", jednak rodzice powinni nasłuchiwać, czy kolega nie cierpi w ciszy.

Znęcanie się

Znęcanie się nad innymi wynika z braku poczucia bezpieczeństwa. Dziecko, które zastrasza innych, nie wie, jak poradzić sobie z rówieśnikami i własną agresją. Jest izolowane przez kolegów, a im bardziej czuje się osamotnione, tym bardziej narasta w nim niepewność siebie. Znęcanie się nad innymi to nieudana próba ukrycia swojej bezbronności. Proponuję wzmocnić samoocenę takiego dziecka i rozmawiać z nim o bardziej akceptowalnych sposobach nawiązywania relacji z rówieśnikami. Często dzieci zachowują się okrutnie wobec innych, gdy same są zrozpaczone. Kiedy jedno dziecko trafia w czuły punkt drugiego, tamto reaguje gwałtownością. „Jesteś głupi", „Jesteś tchórzem", „Chodzisz jak słoń" – takie słowa wyrwą się z ust dziecka, które zmaga się ze swoim poczuciem porażki. Zareaguj na jego negatywne emocje zrozumieniem i wsparciem, ale powiedz mu, że jego zachowanie jest nie do przyjęcia.

Chcąc pomóc dziecku, które jest obiektem dokuczania, wyśmiewania lub zastraszania, możesz mu powiedzieć, że każdy doświadcza takiego zachowania, więc chodzi tylko o to, aby nauczyć się mu przeciwstawiać. Oczywiście nie oznacza to, że trzeba to zachowanie polubić lub zaakceptować, ale umieć asertywnie na nie zareagować. Nie tak łatwo wyjaśnić to małemu dziecku. Można powiedzieć na przykład: „Nie pozwól, żeby dzieci ci dokuczały. Powiedz im, żeby nie były wobec ciebie złośliwe i że nie będziesz tego słuchać". Nieco starszemu dziecku (w wieku 4 lat lub starszemu) można wyjaśnić: „Każdy ma coś szczególnego, z czym musi żyć – jakieś znamię, proste włosy, kręcone włosy, niebieskie oczy, piwne oczy, niektórzy utykają. I każdy musi się nauczyć, jak żyć tak, jak został stworzony. Niektóre dzieci naśmiewają się z ciebie, kiedy próbują cię zrozumieć. Próbują cię poznać. Musisz im pokazać, cię że nie zranią, mówiąc ci takie złośliwe rzeczy. W momencie gdy zdecydujesz, że to ty panujesz nad tym, co o sobie myślisz, nie musisz zwracać uwagi na to, co mówią o tobie ci prześmiewcy. Jeśli zniesiesz ich docinki, nie denerwując się, i obronisz siebie taką, jaka jesteś, inni będą cię szanować. Z czasem może się nawet okazać, że zostaniecie przyjaciółmi".

W zasadzie rodzice nie powinni się wtrącać w relacje rówieśników, ale gdy ktoś znęca się nad twoim dzieckiem, potrzebuje ono wsparcia i pomocy. Im mniej ingerencji dorosłych, tym więcej dzieci nauczą się o sobie samych i o sobie nawzajem. Jeśli w jakiejś relacji brakuje równowagi i staje się destruktywna, rodzice powinni poradzić dziecku, aby poszukało sobie innych przyjaciół. Może ono nie posłuchać tej rady, gdyż często dana relacja jest dla niego zbyt ważna, nawet gdy nie ma w niej równowagi. Jeśli dziecko naprawdę znajdzie się w niebezpieczeństwie – fizycznym lub psychicznym – wówczas oczywiście należy zainterweniować.

Rozwój relacji

Dzieci nawiązują ze sobą różne relacje w różnym wieku i w każdej z nich przepracowują różnego rodzaju aspekty rozwojowe.

2–3 rok życia

Jak wspomniałem wcześniej, jest to czas uczenia się poprzez naśladowanie, uczenia się granic i uczenia się od siebie nawzajem języka.

3–6 rok życia

Jest to czas uczenia się o sobie samym i innych; o swoich emocjach i emocjach innych; o powiązaniu pomiędzy działaniem a jego skutkami, w tym o wywieraniu wpływu na innych. Budzi się wtedy sumienie i możliwe jest inne rozumienie agresji. Mali chłopcy mają w tym wieku tendencję do dzikich harców, zwierania się w zapasach i turlania po podłodze. Grożą sobie nawzajem pięściami, choć wiedzą, kto jest silniejszy. W międzyczasie uczą się o swojej agresji. Z kolei małe dziewczynki często przekomarzają się ze sobą. Uczą się od siebie prowokacyjnych zachowań. Chichoczą i często zachowują się niezwykle głupawo. W tym wieku rola rodzica polega na zapewnieniu dziecku okazji do spotykania się z towarzyszami zabaw, do uczenia się, jak zawierać przyjaźnie, bawić się i nawiązywać relacje z innymi. Jeśli dziecko się izoluje, rodzice powinni potraktować to poważnie i spróbować mu pomóc. To jest czas uczenia się, jak dawać i brać od innych. Rozpieszczone lub nadmiernie chronione dziecko nie poradzi sobie z tym zadaniem.

Jakość relacji nawiązywanych przez dziecko jest dobrym wyznacznikiem jego rozwoju. Inne dzieci będą jednym z najczulszych wskaźników jakichkolwiek zaburzeń. Jeżeli nie potrafię ocenić wagi problemów danego dziecka na podstawie jego zachowania czy opisu rodziców, obserwuję je w relacjach z rówieśnikami lub pytam nauczycieli, jak inne dzieci je odbierają. Jeśli jest izolowane w grupie zabawowej lub odrzucane w przedszkolu, wysyła wówczas subtelne sygnały – niepokoju, niewiary w siebie, braku umiejętności towarzyskich lub wewnętrznego zamieszania – których dorośli mogą nie odbierać. Dzieci nie akceptują takich zmagań w innych. Są one dla nich zbyt przerażające. Kiedy koledzy odrzucają jakieś dziecko, jego rodzice powinni potraktować to jako ostrzeżenie i znak, że zmaga się samo ze sobą. To, które ma przyjaciół, będzie mogło się do nich zwrócić w chwilach przygnębienia – dostanie wówczas od nich współczucie, zrozumienie, a nawet ochronę. Jednak dzieci inaczej reagują na kolegę, który przeżywa stratę lub jest chwilowo smutny, a inaczej na wycofanie z powodu jakiegoś głębszego problemu. Byłoby dobrze, gdyby rodzice poważnie potraktowali takie objawy – z dwóch powodów: aby zorganizować pomoc dla dziecka oraz dać mu dostęp do świata i doświadczeń, jakie mogą oferować inne dzieci (zob. też Brazelton i Sparrow, 2013).

47

Formy opieki

Pozostawienie niemowlęcia lub małego dziecka pod czyjąś opieką nigdy nie jest łatwe. Jeśli opiekunem może być drugi rodzic, któreś z dziadków lub inny bliski krewny, nieco łatwiej jest powierzyć im dziecko, gdyż osoby te mają powody, aby szczególnie się o nie troszczyć. Dla rodzica taka myśl może stanowić pocieszenie. Niemniej jednak i tak jest to skomplikowana sytuacja. Troskliwy rodzic głęboko przeżyje oddanie dziecka pod opiekę innej osoby – być może to właśnie ona będzie świadkiem pierwszego kroku czy pierwszego słowa, podczas gdy on będzie wówczas w pracy. W kilku rozdziałach tej książki omawiałem zjawisko trzymania straży i naturalnej rywalizacji, która się pojawia w takich sytuacjach. Takie emocje są normalną i nieuchronną konsekwencją prawdziwej troski. „Czy ono będzie mnie pamiętać? Czy stracę część jego miłości, zwłaszcza gdy niania (lub inny opiekun) będzie się o nie dobrze troszczyć?" – to oczywiste, że rodzice poczują zazdrość i ogromnie przeżyją utratę tych szczególnych chwil spędzanych razem z dzieckiem – będą jakby w żałobie. Zaczną się martwić, że nie są już dla dziecka jedynymi ważnymi osobami, choć w rzeczywistości nadal nimi pozostaną. Takiej żałobie mogą towarzyszyć trzy mechanizmy obronne: zaprzeczanie, projekcja uczuć na innych oraz obojętność i nieprzejawianie troski o dziecko.

Wszystkie te strategie mogą wpływać na relacje rodziców – zarówno z opiekunem, jak i z dzieckiem. Rodzice i opiekunowie, którzy są świadomi istnienia takich zachowań, będą mniej narażeni na zaburzenie swoich relacji.

Mechanizmy obronne rodziców

(1) Zaprzeczanie to mechanizm obronny bardzo istotny dla nas wszystkich. Rodzice zaprzeczają swoim uczuciom, kiedy przychodzi im rozstać się z dzieckiem, a im młodsze maleństwo, tym trudniej je zostawić. Mechanizm ten zniekształca rzeczywistość - rodzice zaprzeczający swoim uczuciom mogą nierealnie oceniać to, co się dzieje, na przykład nie widzieć, jaką cenę za rozstanie płaci dziecko i oni sami.

(2) Projekcja ma miejsce, gdy rodzice obwiniają innych za to, co się dzieje - za problemy rozwojowe dziecka; bądź obwiniają siebie, gloryfikując opiekuna, choć tylko tymczasowo, aby zaraz potem żywić do niego urazę.

(3) Obojętność wobec dziecka oraz jego rozwoju nie oznacza, że rodzicowi nie zależy, ale że zaangażowanie jest dla niego zbyt bolesne. Rodzice, którzy zdają się uciekać od opiekunów i unikać prawdziwych interakcji z nimi, prawdopodobnie próbują poradzić sobie z tym mechanizmem.

W poszukiwaniu wspierającego środowiska

Wszyscy jesteśmy świadomi, jak ważne jest środowisko dla rozwoju małego dziecka oraz że oddzielenie od rodziców samo w sobie jest traumatyczne. Kiedy najlepiej to zrobić? Czy można to jakoś załagodzić? Czy małe dziecko może się przystosować do więcej niż jednego opiekuna, nie tracąc pierwotnego przywiązania do rodziców?

O ile mi wiadomo, odpowiedź na ostatnie pytanie jest twierdząca. Nawet małe niemowlę będzie „pamiętało" kluczowe sygnały wysyłane przez swoich rodziców i rozwinie pewne oczekiwania, które przetrwają i posłużą jako „pamięć" aż do ich powrotu. Te oczekiwania najwyraźniej rozwijają się w pierwszych trzech lub czterech miesiącach życia. Jeśli mama i tato systematycznie angażują się w opiekę nad dzieckiem w pierwszych kilku miesiącach, zostaną przez nie zapamiętani. Chcąc podtrzymywać siłę więzi, muszą każdego dnia po powrocie z pracy całkowicie skupić się na dziecku, aby odnawiać te charakterystyczne sygnały, które są tak istotne dla malucha.

Obserwowałem czteromiesięczne niemowlęta zostawiane przez rodziców pod opieką nawet do 8 godzin dziennie. Przechodziły cyklicznie ze stanu snu do czuwania, pozostając na bardzo niskim poziomie zaangażowania w relacji z opiekunami i nie wykazując szczególnych emocji. Kiedy po 8 godzinach pojawiał się rodzic, następowała dezintegracja – niemowlę zaczynało płakać i marudzić. Opiekun zawsze wtedy mówił: „Ze mną nigdy się tak nie zachowuje". Oczywiście, że nie. Dziecko zatrzymuje ważne emocje dla rodziców. Jeśli odczytają oni tę reakcję właściwie – jako dowód na to, że dziecko nie płacze przez cały dzień – oraz zdadzą sobie sprawę, że jest to znak, iż to właśnie **oni** są najważniejszymi osobami w jego życiu, takie wybuchy płaczu będą dla nich mniej bolesne. Rodzice przeżywają tę sytuację tak głęboko, ponieważ rozdzierający ból z powodu pozostawienia dziecka wywołuje w nich poczucie winy i podatność na zranienia.

Oceniając opiekę sprawowaną nad dzieckiem w placówce wychowawczej, domowym przedszkolu czy w domu przez nianię, należy zwrócić uwagę na spójność zachowań opiekuna, jego emocjonalne zaangażowanie oraz na umiejętność uszanowania indywidualności dziecka. Najważniejszymi przymiotami takiego „zastępczego" opiekuna powinny być ciepło i empatia. Czy potrafi z respektem odnosić się do każdego dziecka pozostającego pod jego opieką? Zaobserwuj, czy trzymając dziecko na rękach, rozpoznaje jego rytm i dostosowuje się do niego. Czy jest wrażliwy na różne potrzeby każdego dziecka w zakresie karmienia, zmiany pieluszki, snu i zabawy? Należy również dowiedzieć się czegoś więcej o jego nastawieniu do małych dzieci. Prostym pytaniem, które pomoże ocenić, czy będziecie mogli szanować i zaakceptować wzajemne poglądy, jest pytanie: „Co pani/pan sądzi na temat uczenia dziecka korzystania z nocniczka?". Odpowiedź pozwoli wywnioskować, jak bardzo dana osoba jest troskliwa, doświadczona, elastyczna lub zasadnicza, w jakim stopniu musi sprawować kontrolę, a w jakim pozwoli dziecku na poczucie niezależności, gdy zajdzie taka potrzeba.

Następnie dobrze jest się upewnić, czy opiekun potrafi również uszanować i wspierać zaangażowanie rodziców. Czy poświęci swój czas, aby ich wysłuchać, gdy opowiadają o zachowaniu dziecka poprzedniego wieczoru? Czy usiądzie, aby opowiedzieć o całym dniu, kiedy rodzice przyjadą odebrać dziecko? Trudno jest przewidzieć pewne sytuacje, jeśli jednak opiekun wydaje się osądzać postawę rodziców i pozostawianie dziecka w jego rękach na cały dzień, poszukałbym raczej osoby, która potrafi zrozumieć ból rodziców i zaakceptować ich decyzję o powrocie do pracy. Osoba o takim nastawieniu powie raczej: „Myślę, że państwa dziecko niedługo zacznie chodzić", niż: „Właśnie dziś państwa dziecko zrobiło przy mnie pierwszy krok".

Jeśli znajdziesz ciepłego i troskliwego opiekuna, musicie być świadomi swoich uczuć związanych z rywalizacją i od czasu do czasu porozmawiać o nich. Daj mu swoje wsparcie. To nie szkodzi, jeśli pewne rzeczy robi inaczej niż ty. Dziecko przystosuje się do różnych stylów, a dzięki temu procesowi nauczy się elastyczności. Jeśli ty zaakceptujesz inny styl opieki, dziecko również to zrobi, gdy podrośnie.

Szanse na to, że opiekun pozostanie troskliwy, są większe, jeśli posiada on kwalifikacje w dziedzinie rozwoju dziecka i nie jest przeciążony zbyt wieloma innymi obowiązkami ani zbyt liczną grupą podopiecznych. Opieka na wysokim poziomie nie jest tania – i nie powinna być. Dobry opiekun powinien być odpowiednio opłacany. Wczesne doświadczenia kształtują przyszłość dziecka, więc zapewnienie mu najlepszego środowiska i opieki to dobra inwestycja na przyszłość.

Formy opieki

Niania w domu

Jeśli możesz sobie pozwolić na ten rodzaj opieki w 1 roku życia dziecka, będzie to optymalne rozwiązanie. Dziecko pozostanie w znanym sobie otoczeniu. Rozstanie z rodzicami i towarzyszące temu zamieszanie poranno-wieczorne będą mniej drastyczne i nerwowe. Wymaga to jednak znalezienia naprawdę wyjątkowej osoby. Musi ona stworzyć twojemu dziecku środowisko, z którego będziesz dumny: szanować was i wasz dom; mieć odpowiednie kwalifikacje i doświadczenie, aby rozumieć dziecko; być cierpliwa, taktowna, a przede wszystkim elastyczna. Powinna umieć odpowiednio reagować w nagłych sytuacjach, a najlepiej umieć im zapobiegać. Nie może być zbyt bierna, przygnębiona czy zbyt aktywna. Powinna mieć wiele pomysłów na spędzanie danego dnia i dzielić się nimi z rodzicami.

Niania musi być osobą wiarygodną, dziecko zaś ma być jej priorytetem. Powinna mieć stabilną sytuację w domu, aby inne sprawy nie wpływały na jej obowiązki. Nawet w najbardziej optymalnych warunkach należy zawczasu zapewnić sobie opiekę zastępczą, chyba że masz nienormowany czas pracy.

Domowe przedszkole

W tym wypadku rodzic, najczęściej matka, zajmuje się kilkorgiem dzieci – od niemowlęcia do wieku około 3–4 lat. Dwu- i trzylatki potrzebują innych dzieci, aby mogły się z nimi identyfikować i bawić. Mogą wiele na tym zyskać, zwłaszcza w towarzystwie rówieśników. W optymalnej sytuacji będzie to korzystne nawet dla młodszych dzieci. Hubert Montagner, francuski badacz zachowania niemowląt, nakręcił piękne filmy o niemowlętach w wieku od 7 do 9 miesięcy, które przebywając razem, uczą się o sobie nawzajem i o sobie samych. Domowe przedszkole lub inna forma opieki grupowej dla tak małych dzieci **może** być dla nich korzystna, ale musi być prowadzona umiejętnie i z oddaniem.

Domowe przedszkole jest całkowicie uzależnione od kwalifikacji opiekuna i jego umiejętności nawiązywania kontaktu z każdym z dzieci, choć oczywiście równie ważnym i podstawowym aspektem jest tutaj organizacja otoczenia w celu zapewnienia bezpieczeństwa fizycznego. Więcej niż troje lub czworo dzieci na jednego opiekuna to zbyt duże wyzwanie. Ponad czworo dzieci przypadających na jedną osobę dorosłą zamienia opiekę w bezsensowny chaos. Dzieci są wówczas pozostawione same sobie lub sadzane przed telewizorem. Kiedy wybieramy taką formę opieki, ważna jest liczba dzieci przypadających na jednego dorosłego oraz osobowość i charakter opiekuna, ale trzeba zwrócić uwagę jeszcze na wiele innych czynników. Często w domowym przedszkolu przebywają również dzieci opiekunów. Może to skomplikować sytuację, gdyż w obecności innych podopiecznych dzieci biologiczne będą intensywnie rywalizować o uwagę swoich rodziców, a ponadto mogą być faworyzowane. Jednak wielu opiekunów domowego przedszkola bardzo umiejętnie radzi sobie w takich sytuacjach. Choć taka forma opieki może być licencjonowana, podlegać regulacjom prawnym i być monitorowana, zdarza się to niezwykle rzadko. Brak takiego niezależnego monitoringu i nadzoru wymaga uważności i dokładnego przyglądania się reakcjom dziecka.

Podobnie jak w przypadku niani w domu, opiekun domowego przedszkola również będzie narażony na niespodziewane sytuacje, należy więc upewnić się zawczasu co do jego planów awaryjnych. Co zrobi w razie choroby – swojej lub rodziny?

Domowe przedszkole, tak jak inne formy opieki nad małym dzieckiem, ma swoje zalety i wady. Należy uważnie monitorować sytuację i – przyprowadzając lub odbierając dziecko – poświęcić nieco czasu na zaobserwowanie interakcji opiekuna z innymi dziećmi. Zobacz, jakie mają zajęcia i jak spędzają czas. To, co dzieje się z innymi dziećmi, może również odnosić się do twojego, gdy zostaje bez ciebie. Przyjdź w niezapowiedzianym momencie i przyjrzyj się, co się dzieje. Nie musisz dawać do zrozumienia, że masz jakieś podejrzenia wobec opiekuna – powiedz jedynie, że miałeś trochę wolnego czasu w pracy i chciałeś spędzić go z dzieckiem. Zaproponuj swoją pomoc od czasu do czasu i poobserwuj techniki, rytm i wrażliwość opiekuna. Przede wszystkim bądź wyczulony na jakiekolwiek objawy zaniedbania czy przygnębienia u dziecka.

Placówka wychowawcza

Licencjonowane placówki opieki nad dzieckiem muszą spełniać pewne standardy, aby móc utrzymać licencję. Narodowe Towarzystwo Edukacji Małych Dzieci (The National Association for the Education of Young Children, NAEYC) to amerykańska organizacja skupiająca nauczycieli przedszkolnych, którzy mają odpowiednie kwalifikacje potwierdzane w procesie superwizji. Opracowali oni zestaw kryteriów Dobrego Startu i zaczęli je wdrażać w instytucjach opieki nad dzieckiem w ramach programu akredytacyjnego. Standardy te chronią rodziców i dziecko oraz zwiększają szanse na to, że zostaną zaspokojone potrzeby dziecka w zakresie troskliwej opieki oraz wczesnej edukacji.

Opiekunowie w placówkach wychowawczych powinni mieć odpowiednie kwalifikacje (sprawdzane podczas superwizji), być troskliwi i dobrze opłacani. Na jednego wychowawcę powinno przypadać nie więcej niż troje niemowląt, czworo jedno- i dwulatków, a sześcioro trzylatków. Na wypadek nieobecności z powodu choroby i z innych przyczyn opiekunowie powinni mieć wykwalifikowanych zastępców.

Bardzo ważna jest atmosfera takiej placówki. Najlepsze jest miejsce, w którym wychowawcy są szczęśliwi, pracują w zespole i lubią się wzajemnie. Jeśli czują się tylko

opiekunami lub są tak traktowani, nie będzie im dane doświadczyć wszystkich radości płynących z troszczenia się o małe dziecko i jego edukację, a wkrótce znudzą się i wycofają. Nawet bardzo małe dzieci odczuwają takie nastawienie. Sprawdź atmosferę panującą w danej instytucji. Jeśli wszyscy wychowawcy gromadzą się w jednej części sali, pozostawiając dzieci sobie samym, uważaj! Nie pomoże nawet proporcja troje, czworo niemowląt przypadających na jednego nauczyciela, jeśli trzech wychowawców zostawia dwanaścioro dzieci samych! Poszukaj opiekunów, którzy lubią dzieci i chcą się z nimi bawić. Zauważ, czy siadają z nimi do zabawy na podłodze. Czy przewijanie pieluszki jest dla nich okazją do zabawy z dzieckiem? Jeśli każdy sygnał ze strony dziecka jest traktowany jak obowiązek, a nie jak możliwość nawiązania kontaktu, należy być ostrożnym! Ktoś, kto lubi dzieci, traktuje każdy płacz czy zmianę pieluszki jako okazję do interakcji. Dzieciom potrzeba takiego wrażliwego środowiska. Gdy opiekun jest zbyt przeciążony lub rozkojarzony, niemowlę to wyczuje i wycofa się lub będzie przygnębione.

Monitorowanie opieki

Nawet jeśli znajdziesz odpowiednią nianię czy właściwie prowadzoną placówkę opieki, dobrze jest nieustannie obserwować reakcje swojego dziecka. Będą one najlepszym zwierciadłem atmosfery, w której dziecko jest wychowywane. Jeśli wygląda na szczęśliwe i dobrze rozwija się fizycznie, można być pewnym, że jest w dobrych rękach. Oczywiście będzie protestowało (i powinno), gdy je zostawiasz, a po powrocie przywita cię marudzeniem. Jeśli starsze dziecko zechce odegrać się na opiekunach, może opowiadać niestworzone historie. Nie można zawsze ufać temu, co mówi dziecko, ale można wiele wywnioskować z jego zachowania. Dobrze jest przyjrzeć się mu w danym miejscu w strategicznych momentach, na przykład w porach posiłków, swobodnej zabawy, przejściu z placu zabaw do budynku, popołudniowej drzemki oraz podczas odprowadzania i odbierania. Jeśli możesz, wpadaj z niezapowiedzianą wizytą i obserwuj.

Przyglądając się interakcjom opiekuna i dziecka, można się o nich wiele dowiedzieć. Czy jedno naśladuje drugie? Czy dopasowują się do siebie przyjmowanymi pozami oraz dostosowują modalności sensoryczne (wizualną, słuchową, motoryczną) do tych preferowanych przez drugiego? Gdy twarz dziecka łagodnieje, czy to samo dzieje się z wyrazem twarzy opiekuna? Czy ty masz dobre odczucia, patrząc na ich interakcje?

Jeśli małe dziecko znajduje się w toksycznym środowisku, widoczne będą oznaki jego przygnębienia. Jednak zachowanie dziecka może nieadekwatnie odzwierciedlać doświadczane przez nie nadużycia. Maluch może stać się wrażliwy na twój podniesiony głos lub podniesioną rękę, ale nie zawsze. Jeśli spytasz, czy kiedykolwiek został uderzony lub czy jest „dotykany", odpowie tak, jak sądzi, że tego oczekujesz. Jego zachowanie nie będzie dawało jednoznacznych wskazówek. Jednak jeśli w jakimkolwiek zakresie ulegnie zmianie, a dziecko cofnie się do wcześniejszych etapów rozwoju, dobrze jest sprawdzić, dlaczego tak się dzieje. Jeśli stanie się przygnębione lub wycofane, należy to potraktować bardzo poważnie. Smutek, brak reakcji i opóźnienie w reagowaniu na pozytywne lub negatywne bodźce mogą być sygnałami ostrzegawczymi. Kiedy podczas przewijania dziecko wzdryga się lub zakrywa podczas przebierania, powinno to wzbudzić większą podejrzliwość.

Oceniaj takie oznaki spokojnie i ostrożnie. W dzisiejszych czasach łatwo jest zareagować zbyt impulsywnie. Jeśli dziecko cofnie się do wcześniejszych wzorców – zapomni o korzystaniu z nocniczka, będzie się budziło w nocy z krzykiem lub powróci do niemowlęcych zachowań – zaobserwuj, czy są one tylko przejściowe. Jeśli tak, być może wynikają ze zmiany formy opieki, z jakiegoś tymczasowego rozdrażnienia albo zbliżającego się skoku w rozwoju. Gdy są długotrwałe, mogą stanowić powód do zmartwienia. Rodzice powinni porozmawiać o tym z opiekunami w placówce wychowawczej i obserwować, czy przejawiają troskę o dziecko, czy też przybierają postawę defensywną.

Jeśli dziecko jest przygnębione lub nie rozwija się właściwie – traci na wadze, wydaje się smutne bądź odmawia jedzenia – jest to jeszcze bardziej niepokojący objaw. Należy wówczas poprosić o przebadanie przez lekarza. Do wywiadu lekarskiego musisz dołączyć twoją ocenę placówki wychowawczej.

Jeśli istnieją konkretne powody, aby podejrzewać molestowanie dziecka, należy się skontaktować z odpowiednimi służbami ochrony praw dziecka[39]. Dobrze jest jednak upewnić się co do swoich podejrzeń. Bardzo łatwo jest bowiem projektować swoje poczucie winy na opiekunów, niepotrzebnie ich obwiniając.

Co trzeba rozważyć, wybierając żłobek lub przedszkole dla dziecka

- Czy członkowie personelu dbają o bezpieczeństwo dzieci?
- Czy wychowawcy są przygotowani na nagłe sytuacje i czy dobrze sobie z nimi radzą?
- Czy promuje się zdrowe jedzenie?
- Czy atmosfera jest lekka, przyjemna i zabawna, czy też napięta i ponura?
- Jaki jest rytm karmienia, snu i zmiany pieluszek? Czy jest oparty na potrzebach dziecka, czy też na sztywnym rozkładzie dnia?
- W jaki sposób opiekun zostawia troje dzieci, aby zająć się czwartym?
- Czy widać oznaki indywidualnej uwagi poświęcanej każdemu dziecku z osobna?
- Czy ty chciałbyś tu zostać?
- Jakie rozstanie proponuje opiekun? Czy możesz zostać z dzieckiem przez pierwszy tydzień?
- Czy możesz wpaść w ciągu dnia bez zapowiedzi?
- Czy możesz opowiedzieć o potrzebach dziecka rano, a odbierając je, usłyszeć sprawozdanie z całego dnia?
- Co w sytuacji, gdy jakieś dziecko jest chore? Jak szybko pozwala się na powrót dziecku, które miało temperaturę?
- Czy kładzie się nacisk na wczesną edukację? Uważam, że placówka wychowawcza, która respektuje kolejne etapy rozwoju emocjonalnego dziecka i chce je wspierać, jest lepsza od tej, która narzuca rygorystyczny plan bez uwzględnienia gotowości dziecka. Dobre ośrodki potrafią wspierać rozwój emocjonalny małych dzieci, oferując im takie możliwości wczesnej edukacji, które są stymulujące, nagradzają ciekawość, budują doświadczenie sukcesu i motywują do uczenia się przez całe życie. Wprawdzie wczesna nauka czytania i pisania jest ważna, ale ma ona znikomą wartość, jeśli równocześnie nie są umiejętnie wspierane te właśnie aspekty rozwoju.

Niezależnie od tego, ile miałeś szczęścia przy wyborze opiekuna dla swojego dziecka, wszyscy powinniśmy sobie uświadomić, że w dzisiejszych czasach ogromna większość pracujących rodziców musi zostawiać swoje dzieci pod opieką osób, którym ani ty, ani ja byśmy nie zaufali – **i ci rodzice również są tego świadomi**. Dobra jakość i dostępność profesjonalnej opieki nad dzieckiem należy niestety do

[39] W Polsce jest to Komitet Ochrony Praw Dziecka, www.kopd.pl (przyp. tłum.).

rzadkości, a większość opiekunów nie jest dostatecznie wynagradzana. Pomyśl, jak się czują rodzice, którzy nie mają wyboru i muszą zostawić swoje niemowlę lub małe dziecko z kimś, kto jest niewystarczająco wynagradzany, wypalony i planuje rzucić pracę za kilka miesięcy, a często również z kimś, kto – jak się obawiają – może molestować dziecko, zaniedbywać je lub stosować wobec niego przemoc. Czy to nie pogłębia dodatkowo żalu, który i tak czują rodzice, powierzając swoje dziecko czyjejś opiece? Potrzebujemy narodowych i lokalnych funduszy, aby poprawić standardy i zapewnić dzieciom w całym kraju opiekę na dobrym poziomie. W przeciwnym razie będziemy obserwować, jak większa część danego pokolenia wzrasta bez troskliwej opieki, a całe pokolenie cierpi z powodu konsekwencji. Dlaczego nie przeznacza się odpowiednich środków na dobrej jakości wczesną opiekę nad dziećmi, skoro wiadomo, że zaoszczędzi to w przyszłości wydatków na pomoc społeczną, programy wyrównawcze dla dzieci z problemami w nauce, a nawet na system sądownictwa?

48

Lekarz twojego dziecka

„Jak mam nakłonić pediatrę, aby wysłuchał moich pytań? To dobry człowiek i wiem, że dobrze diagnozuje choroby u mojego dziecka. Jednak ciągle się spieszy i gdy pytam go o rozwój dziecka, albo ignoruje moje pytania, albo mówi, żebym się nie martwiła. »To normalne – on z tego wyrośnie«, często powtarza. Ja jednak i tak się martwię. Który rodzic się nie martwi? Czy powinnam oczekiwać od niego, żeby poważnie traktował moje pytania, nawet jeśli czasami nie zna odpowiedzi?" – dosyć często słyszę tego rodzaju pytania od zatroskanych rodziców. Ci odważni, którzy wypowiadają je na głos i wiedzą, że lekarz ich dziecka powinien na nie reagować, mają większe szanse na znalezienie właściwej pomocy. W dzisiejszych czasach wielu rodziców poszukuje wsparcia w procesie wychowania swoich dzieci i nie wie, do kogo się z tym zwrócić. We współczesnym świecie, w którym dziadkowie pracują, a inni członkowie dalszej rodziny często mieszkają daleko, zestresowani rodzice czują się zagubieni w poszukiwaniach innych źródeł rad i pomocy. Prawdopodobnym adresatem ich poszukiwań będzie pediatra, lekarz rodzinny lub pielęgniarka środowiskowa, którzy wykażą zainteresowanie zdrowiem fizycznym ich dziecka. Rodzice z nadzieją będą oczekiwać od nich podobnej troski o rozwój psychiczny swojej pociechy.

Wykształcenie pediatryczne

Większość lekarzy została wykształcona w czysto medycznym modelu – w zakresie chorób i wykorzystania osiągnięć współczesnej technologii. Sześć lat szkoły medycznej obfituje w ciągle poszerzającą się wiedzę naukową – na temat chorób i ich leczenia. Specjalizacja pediatryczna naszpikowana jest jeszcze większą ilością wiedzy w zakresie technologii i patologii. W wyniku ogromnych postępów w pediatrii obecnie dostępne są lepsze metody leczenia coraz większej liczby chorób, choć nie wymyślono jeszcze, jak udostępnić je tysiącom nieubezpieczonych dzieci w całym kraju. Niemniej jednak z powodu nieuniknionej presji opanowania tej ciągle rosnącej wiedzy niewiele uwagi poświęca się rozwojowi dziecka oraz sztuce słuchania rodziców i reagowania na podnoszone przez nich zagadnienia. Zaczyna się to jednak zmieniać i w zakres szkolenia pediatrycznego wchodzi również (choć ciągle zbyt krótka) edukacja dotycząca rozwoju dziecka.

Jestem przekonany, że gdybyśmy w szkołach medycznych poświęcili więcej czasu na naukę podstawowych umiejętności komunikacyjnych, lekarze jeszcze skuteczniej i wcześniej diagnozowaliby choroby oraz pomagali swoim pacjentom zrozumieć, co mają robić, aby z nimi walczyć. Spośród wszystkich medycznych specjalności to właśnie lekarze rodzinni powinni być najbardziej świadomi znaczenia relacji międzyludzkich, gdyż troszczą się o wszystkich członków rodziny. Niewielu pediatrów ma okazję szkolić się w dziedzinie budowania relacji ze swoimi pacjentami i ich rodzicami. Skoro większość z nich wybrała tę gałąź medycyny ze względu na pracę z dziećmi, może traktować obecność rodziców jako niepotrzebne wtrącanie się, a z pewnością interakcja z rodzicami jest tym aspektem ich zawodu, do którego mają znikome lub żadne przygotowanie. Wielu z nich podświadomie obwinia rodziców za wszystkie nieprawidłowości występujące u dziecka. Takie nastawienie może wynikać z ich troski o dziecko oraz z ich własnego poczucia niemocy wobec niektórych chorób czy stanów. Wiedza z zakresu zagadnień rozwojowych, którą przekazuję w tej książce, może pomóc pediatrom lepiej zrozumieć doświadczenia rodziców wychowujących swoje dzieci. Pediatrzy, którzy mają odpowiednie przygotowanie w tym zakresie, odkryją, że ich starania o to, by nawiązać cenne relacje z rodzicami małych pacjentów, sprawią, że praca będzie dla nich niezmiernie satysfakcjonująca.

Ponieważ w dzisiejszych czasach niewielu pediatrów przechodzi takie szkolenia, często czują się niezręcznie, gdy rodzice zadają im pytania dotyczące zachowania i emocji. Na ogół nie znają na nie odpowiedzi, lecz nie umieją się do tego przyznać. Uciekają się do własnego doświadczenia: „Razem z moją żoną (moim mężem) odkryliśmy, że...", „Moje dzieci wyrosły z tego w wieku 3 lat. Przeczekajcie to państwo i nie martwcie się". Próby zbycia rodziców stwierdzeniami typu: „Proszę się nie martwić, to minie z wiekiem" to niekiedy przyznanie się do niewiedzy, jak również wyraz troski lekarza i chęć pomocy.

Wybór lekarza dla dziecka

Przede wszystkim sprawdź kwalifikacje lekarza.

Pytania pomocne przy wyborze lekarza

- Czy ma odpowiednie wykształcenie i dostęp do dobrego szpitala?
- Czy on lub jakiś inny kompetentny specjalista jest dostępny w razie potrzeby?
- Czy można się z nim kontaktować 24 godziny na dobę przez siedem dni w tygodniu?

Większość lekarzy pracuje w zespołach, tak aby zawsze ktoś był na dyżurze. Jeśli każda rutynowa wizyta z małym dzieckiem odbywa się u innego lekarza, nie mamy do czynienia z dobrej jakości opieką medyczną. Zachęcam do wyboru takiej przychodni czy gabinetu, które zapisują dziecko do tego samego lekarza – zarówno na badania bilansowe, jak i – w miarę możliwości – na wizyty w razie nagłej choroby. W sytuacji gdy dziecko jest chore, a rodzic zmartwiony, bardziej niż kiedy indziej ważna jest bliska relacja z lekarzem. Staje się on wówczas „medyczną przystanią" – bezpieczną, wiarygodną bazą, na której ty i twoje dziecko możecie polegać. Taki lekarz powinien znać rodziców i dziecko, aby zapewnić mu ciągłość opieki medycznej, której trudno oczekiwać od nowego, nieznanego sobie lekarza. Niestety wiele instytucji zdrowia publicznego każe rodzicom godzić się na przypadkowość kontaktów medycznych. Oczywiście poza godzinami pracy swojego lekarza i podczas weekendów rozsądnie jest oczekiwać, że osoba będąca na dyżurze nie zawsze będzie nam znana. Niedorzeczne byłoby kazać jednemu lekarzowi być w pogotowiu każdej nocy. Jeśli wybrany przez ciebie pediatra ma dobre kwalifikacje i jest dostępny, to już połowa sukcesu. Powinieneś móc zadzwonić do niego po ewentualnym nagłym zdarzeniu i skonsultować z nim przebieg wizyty oraz dowiedzieć się, co jeszcze może poradzić.

Dobrze jest też zastanowić się, jaki lekarz najlepiej sprawdzi się w danej rodzinie – pediatra czy lekarz rodzinny. Ten drugi ma odpowiednie kwalifikacje, aby udzielać podstawowej pomocy dorosłym i dzieciom. Niektóre rodziny wolą mieć jednego lekarza dla wszystkich.

Można popytać w sąsiedztwie o osobowość danego lekarza. Jednym z najlepszych sposobów zorientowania się, czy twoja rodzina i nowy lekarz przypadniecie sobie do gustu, jest zasięgnięcie języka u innych. Czy lubią go szanowani przez ciebie znajomi? Możesz zadzwonić do gabinetu i spytać, czy lekarz umówi się z tobą na rozmowę. Wielu nie lubi takiego sprawdzania, ale innym to nie przeszkadza. Zawsze wolę, gdy moi potencjalni pacjenci przychodzą do mojego gabinetu świadomie, a nie przypadkowo. Pozwala mi to upewnić się, że ja też mogę z nimi współpracować.

Relacja rodzic – lekarz powinna być budowana przez obie strony. Powinny się one wzajemnie szanować i być gotowe na wyjaśnienie nieporozumień w razie jakichkolwiek napięć.

Pediatrzy posiadający wiedzę z zakresu rozwoju dziecka czasami nauczają w ośrodkach medycznych oraz prowadzą przychodnie badań bilansowych, w których ocenia się rozwój dziecka. W razie problemów – fizycznych bądź psychicznych – mogą zalecić wczesną interwencję. Jeśli masz wątpliwości, czy lekarz właściwie zajmuje się wszystkimi podnoszonymi przez ciebie kwestiami, możesz rozważyć skorzystanie z usług takiej przychodni lub poprosić o skierowanie do specjalisty, aby uzupełnić diagnostykę.

Niektóre zespoły współpracujących ze sobą pediatrów zatrudniają również wykwalifikowaną pielęgniarkę lub psychologa dziecięcego, którzy mogą pomóc w razie problemów z zachowaniem. Jeśli to możliwe, należy okresowo umawiać się na wizyty u tych specjalistów – albo w celu zbadania dziecka, albo żeby uzyskać odpowiedzi na pytania rodziców. Możliwość poznania i obserwowania dziecka pozwoli tym członkom zespołu medycznego pomóc w podejmowaniu wszelkich decyzji.

Możliwość korzystania z usług lekarza rodzinnego daje luksus kontaktu ze specjalistą i nieprzeoczenia przez niego stanów, które mogą być zignorowane w nagłych przypadkach na izbie przyjęć. Lekarze i pielęgniarki z izby przyjęć nie znają ani ciebie, ani twojego dziecka i zajmą się tylko jego najbardziej pilnymi potrzebami.

Często zaproponują krótkoterminowe rozwiązania i pospieszą do kolejnych nagłych wypadków. Pediatra spotykający się z twoim dzieckiem regularnie, chcący wspierać jego rozwój i zdrowie powinien zaoferować dużo więcej niż doraźną pomoc. Systematyczne wizyty kontrolne pozwolą mu na tyle poznać pacjenta, że w sytuacji kryzysu skorzysta z tej wcześniejszej wiedzy i będzie umiał pomóc. Poproś swojego lekarza, aby podał ci kontakt do swojego zastępcy w razie nagłej potrzeby.

Kiedy pora na zmianę

Co jednak zrobić, gdy relacja z lekarzem się pogarsza? Rozpoznaję tego objawy, kiedy rodzice spóźniają się na umówione wizyty lub nie pojawiają się wcale. W takiej sytuacji proszę ich, aby przyszli w celu porozmawiania o naszym niedopasowaniu, lub od razu sugeruję, że mogą być bardziej zadowoleni z innego lekarza. Jest to bolesny sposób rozstania, ale lepszy dla dziecka niż utrzymywanie ambiwalentnej relacji, w której żadne z nas nie czuje się komfortowo. Dobro dziecka jest podstawowym celem kontaktu z pediatrą i wcześniej czy później okaże się, że niedopasowanie nie służy dziecku.

Natomiast jeśli chcesz wyjaśnić ewentualne nieporozumienia, poproś o dodatkową konsultację. Gdy dojdzie do spotkania, pamiętaj, że lekarz może przyjąć postawę obronną i będzie urażony twoim niezadowoleniem. Powiedz mu, że go szanujesz, podziwiasz i doceniasz wysiłek, jaki włożył w opiekę nad twoim dzieckiem. Być może zechcesz spotkać się z nim w pół drogi i przeprosić za to, że oczekiwałeś więcej, niż on się domyślał. Następnie opisz swoje potrzeby najlepiej, jak tylko potrafisz. Spróbuj lepiej poznać lekarza oraz pozwól, aby i on poznał was lepiej i mógł skuteczniej wam pomagać. Bardzo skutecznym sposobem na odbudowanie relacji jest przyznanie, że obie strony mają jeden wspólny cel: dobro dziecka. Wzajemne zrozumienie powinno poprawić kontakt, jednak jeśli tak się nie stanie, to czas zmienić lekarza. Zawsze warto sobie zadać jedno pytanie: czy zrobiłeś wszystko, co w twojej mocy, aby naprawić relację? Jeśli tak, ale nie udało się jej naprawić, lepiej nawiązać kontakt z innym lekarzem, zanim ucierpi na tym dziecko.

Budowanie relacji opartej na zaufaniu

Istnieje wiele sposobów na zbudowanie dobrej relacji zawodowej. Jednym z najważniejszych kroków dla obu stron jest spotkanie przyszłych rodziców z lekarzem jeszcze podczas trwania ciąży. Można wówczas porozmawiać o swoich pragnieniach i celach, zanim pojawi się dziecko. Odkryłem, że taka wizyta prenatalna stanowi doskonałą okazję do wzajemnego poznania się. Kiedy dołączy do nas dziecko, będziemy już jak starzy dobrzy znajomi.

Ważne jest, aby – ilekroć to możliwe – na wizyty kontrolne przychodzili oboje rodzice. Choć w dzisiejszych czasach wielu ojców jest bardziej zaangażowanych w wychowywanie swoich dzieci niż w poprzednich pokoleniach, niektórzy ciągle jeszcze mogą się czuć w gabinecie niekomfortowo i praktycznie nie powiedzieć ani słowa. Jednak wystarczy, że przyjdą, a będą się czuć częścią zespołu. Lekarz będzie zadowolony z obecności obojga rodziców. Szansa poznania mamy i taty to doskonała inwestycja na przyszłość.

Spróbuj się dowiedzieć, kiedy wybrany przez ciebie lekarz jest najbardziej dostępny dla swoich pacjentów. Niektórzy ustalają specjalne godziny dyżuru telefonicznego – stałą porę w ciągu dnia, najczęściej wcześnie rano, kiedy można dzwonić z pytaniami. Jeśli dziecko zaczyna chorować, ale nie jesteś pewny, czy trzeba umówić się na wizytę, można wówczas przez telefon podać objawy i zdecydować, czy jest potrzebna osobista konsultacja. Jeśli lekarz nie ustalił takiej godziny, można mu to delikatnie zasugerować – zaoszczędzi to czasu wszystkim zainteresowanym.

Lekarze na ogół lubią być potrzebni i nie mają nic przeciwko spełnianiu rozsądnych próśb o pomoc i radę. Jeśli zadzwonisz w dogodnym czasie lub pozwolisz lekarzowi wyznaczyć ten czas, nie będzie to traktowane jak ingerencja. Nocne telefony należy jednak ograniczyć do naprawdę poważnych przypadków. Ja zawsze ustalałem czas dyżuru telefonicznego codziennie rano i byłem wówczas gotowy na różnego rodzaju pytania – istotne i nieistotne. Nie czułem dzięki temu na sobie presji. Jeśli rodzice potrafili zaczekać z mniej ważną kwestią aż do tej pory, szanowałem ich za to i wiedziałem, że oni również szanują mnie. Budowaliśmy w naszej relacji zaufanie, które pomagało w bardziej stresujących sytuacjach.

Jeśli centrum medyczne zatrudnia pielęgniarkę, która może odpowiadać na wszelkie mniej istotne pytania, skorzystaj z takiej sposobności. Jeśli jednak po takiej rozmowie ciągle jeszcze nie czujesz się usatysfakcjonowany, musisz to wyraźnie powiedzieć. Poproś pielęgniarkę, aby zawiadomiła o tym lekarza i poprosiła, by się z tobą skontaktował. Wyjaśnij, że czujesz niepokój i musisz porozmawiać bezpośrednio z lekarzem. Jeśli pielęgniarka wydaje się nie rozumieć, zdecydowanie – choć uprzejmie – nalegaj na spotkanie.

Lekarz twojego dziecka powinien znaleźć czas na wyjaśnienie każdego medycznego problemu lub metody leczenia. Należy go poinformować, że chcesz wiedzieć jak najwięcej. Kiedy lekarze nie udzielają informacji, zwykle postępują tak, ponieważ:
(1) obawiają się, że rodzice źle ją wykorzystają;
(2) chcą chronić rodziców;
(3) nie są pewni diagnozy.
Jeśli relacja między wami jest bliska i ciepła, lekarz może być z tobą szczery w każdym przypadku.

Rodzice mogą zadawać lekarzowi pytania, które wyprzedzają ewentualne przyszłe trudności: „Co mogę zrobić, gdy usłyszę świszczący oddech?", „Jak długo powinnam czekać?", „Czy mogę coś zrobić, aby zapobiec tym nawracającym zapaleniom ucha? Nie lubię, gdy zaczynamy podawać leki dopiero wtedy, kiedy stan jest poważny", „Ile potrwa gojenie? Czy mamy do pana zadzwonić, jeśli nie zagoi się do tej pory?", „Skąd mam wiedzieć, kiedy gorączka wymaga natychmiastowego działania? Kiedy powinniśmy do pana zadzwonić?".

Rodzice mogą również z wyprzedzeniem prosić pediatrę o wskazówki dotyczące wychowywania dziecka i jego rozwoju. Najlepiej radzą sobie wówczas lekarze, którzy zostali przeszkoleni w zagadnieniach rozwojowych. Inni mogą doskonale radzić sobie ze sferą fizyczną, ale błądzić i unikać odpowiedzi dotyczących innych aspektów rozwoju. Wiedza jest tak szeroka, że jednej osobie trudno opanować wszystkie dziedziny. W takiej sytuacji skorzystaj z innych źródeł i nie miej za złe pediatrze, że nie jest specjalistą od wszystkiego. W przeciwnym razie stracisz dostęp do najlepszej możliwej opieki medycznej.

Najważniejsze, aby dziecko miało poczucie, że to jest „jego pan doktor". Odkryłem, że najbardziej satysfakcjonującym doświadczeniem w praktyce pediatrycznej jest sytuacja, kiedy to dziecko chce spotkać się ze mną i wierzy, że pomogę mu poradzić sobie z chorobą. Najwięcej radości sprawiają mi telefony od moich małych pacjentów lub ich mam, które dzwonią w imieniu dziecka i mówią: „Emilka prosiła, abym skontaktowała się z panem i spytała, jak możemy poradzić sobie z tym problemem". Niezależnie od choroby w dziecku pojawią się emocje z nią związane. Czasami mogą one pogorszyć jego stan, a na pewno wpłynąć negatywnie na jakość życia. Gdy z dzieckiem dzieje się coś złego, będzie ono naturalnie wystraszone. Jeśli będzie miało poczucie, że „jego pan doktor" wie, co zrobić, zrodzi się w nim ufność i przekonanie o własnej zdolności poradzenia sobie z chorobą. Ilekroć przepisuję lekarstwa lub podaję zalecenia dla czteroletniego lub starszego dziecka, zawsze robię to w jego obecności. Chcę, aby wiedziało, co robimy i dlaczego. Kiedy już wyzdrowieje, mówię mu: „Zobacz, my wszyscy (ty, twoja mama, twój tato i ja) wiedzieliśmy, co zrobić, i teraz czujesz się lepiej!". Zdanie to implikuje, że dziecko miało swój udział w procesie zdrowienia, co zmniejszy jego niepokój, gdy w przyszłości znajdzie się w podobnej sytuacji.

Relacja lekarz – dziecko

Rutynowe wizyty to od samego początku okazja do budowania relacji z dzieckiem, a także pogłębiania więzi z rodzicami. Jak już wspominałem, nigdy nie oczekuję, że dziecko w wieku pomiędzy 9 miesiącem a 3 rokiem życia zejdzie z kolan mamy podczas badania w gabinecie. Kiedy respektuję potrzebę dziecka co do trzymania się blisko rodzica, ono wie, że szanuję również je samo. Nigdy nie patrzę mu prosto w oczy ani nie oczekuję, że mnie zaakceptuje. Nawiązuję z nim kontakt stopniowo – poprzez lalę, misia i rodziców – pokazując mu wszystko, co będę wykonywał: słuchawki, otoskop, badanie gardła, brzuszka i tym podobne. Zanim dojdę do badania samego dziecka, zdąży się ono przyjrzeć wszystkim czynnościom. Pozwolenie, aby wykonać je na nim samym, odczytuję z jego twarzy i języka ciała. Kiedy dziecko się odpręża, oznacza to, że zaakceptowało moją osobę i jest gotowe na badanie. Ważenie malucha pozostającego na rękach mamy to kolejna oznaka szacunku dla niego. Łatwo jest potem odjąć ciężar mamy, aby ustalić wagę dziecka. Dzięki temu zacznie ono nabierać do mnie zaufania.

Ogromnie dużo pracy wkładam w to, aby nieco starsze dzieci chciały przychodzić do mojego gabinetu – wyposażyłem pokój w zabawki, akwarium, drabinki do wspinania, miękki tunel do czołgania i kolekcję kamieni oraz rozdaję naklejki i plastikowe pierścionki (dzieciom na tyle dużym, że ich nie połkną), które potem mogą być pokazywane jako dowody dzielności. Dzieci postrzegają te działania jako moje próby bycia ich sprzymierzeńcem. Kiedy potrafią już zostawić rodziców w gabinecie, a same bawią się w poczekalni pod czujnym okiem recepcjonistki, wiem, że mnie zaakceptowały (zob. też rozdział 12).

Zawsze szukam sposobów nawiązania szczególnej relacji z małym dzieckiem. Kiedy wchodzi do mojego gabinetu, oceniam, jak swobodnie się czuje. Łatwo rozpoznaję, gdy dziecko się mnie boi. Jeśli dam mu czas na przyzwyczajenie się do mnie, okażę mu szacunek. Czekam, aż zechce zejść rodzicowi z kolan. Gdy przygląda się zabawkom, ostrożnie podsuwam jeden z samochodzików. Gdy zaczyna się nim bawić, podsuwam mu następny. Jeśli na mnie popatrzy, odwzajemnię spojrzenie, ale nigdy na tym etapie nie odważę się spojrzeć mu prosto w oczy. Przez cały ten czas rozmawiam z rodzicami, więc właściwie nie poświęcam dużo więcej uwagi, aby wzmocnić naszą relację. Jednak nawet jeśli zabiera to nieco więcej czasu, ze wszech miar warto to zrobić. Dużo łatwiej będzie później zbadać dziecko. Natomiast rodzice – widząc takie przejawy mojej troski o komfort dziecka – nie będą się wahać, by w przyszłości zawczasu poinformować mnie o potencjalnie poważnych problemach. A przecież okazanie tej troski nie zajmuje więcej niż dwie lub trzy minuty.

Zanim dojdzie do badania będę już z dzieckiem na przemian puszczał samochód w tę i z powrotem. Jeśli będzie gotowe, możemy nawet wymieniać się uwagami dotyczącymi naszych pojazdów. Podczas badania, które odbywa się **na kolanach rodzica**, zachęcam dziecko, by najpierw przebadało słuchawkami mnie. Razem uczestniczymy w takim samym doświadczeniu i ono doskonale o tym wie. Zdaje sobie również sprawę, że szanuję jego prywatność i naturalny niepokój związany z badaniem. Budujemy w ten sposób podwaliny pod długotrwałą relację na przyszłość.

W obecności dziecka dzielę się swoimi uwagami na temat jego temperamentu i sposobu zabawy. Ono wie, że je rozumiem. Słucha. Wszystkie rozmowy, które muszę przeprowadzić z rodzicami, odbywają się przy dziecku i z użyciem przystępnej dla niego terminologii. Chcę, żeby rozumiało, o czym mówimy. Żadnych sekretów! Uczciwie przygotowuję je do zastrzyku i zachęcam do płaczu i obrony. Kiedy zaś jest już po wszystkim, gratuluję zwycięstwa.

Starsze dzieci – cztero-, pięcio- i sześcioletnie – zachęcam do zadawania własnych pytań i dzwonienia do mnie. Młodsze tego nie zrobią, ale sześcio- i siedmiolatki jak najbardziej. Możemy rozmawiać wtedy o chorobie, oczywiście nie wyłączając z dyskusji rodziców. W późniejszych latach oraz wówczas, gdy dziecko pozwoli na zbadanie się bez ich obecności, możemy dzielić się poufnymi informacjami tylko między sobą, choć wszyscy – dziecko, rodzice i ja – wiemy, że pomogę mu rozmawiać o nich z rodzicami, jeżeli tego zechce. Jeśli dziecko potrzebuje obecności swoich rodziców podczas badania, należy to uszanować. Jednak nawet jeśli rodzice towarzyszą mu w gabinecie, rozmawiam tylko **z nim**, a ono wie, że jestem **jego** lekarzem.

Nigdy nie proszę cztero-, pięcio- i sześcioletniego dziecka, aby samo zdjęło majteczki. Za jego zgodą zsuwam je na krótko, aby zbadać okolice intymne, jednak zdaję sobie sprawę, jaką ingerencją jest dokładne badanie tej okolicy w tym wieku. Z tego samego względu nie używam wziernika dopochwowego podczas badania nastoletnich dziewczynek, chyba że mam ku temu ważny medyczny powód, ale nawet w takiej sytuacji – o ile to możliwe – pytam je wcześniej, czy wolałyby umówić się na wizytę z lekarką, chociażby tylko na badanie ginekologiczne. Oglądanie gardła za pomocą szpatułki to kolejne inwazyjne badanie. Jama nosowo-gardłowa jest dobrze widoczna, gdy dziecko powtarza za mną „aaaaaa", a boki jamy ustnej można sprawdzić za pomocą łyżeczki lub innego narzędzia.

Jak wspomniałem w rozdziale 14, wyznaję zasadę dzielenia się z dziećmi wszystkim, co wiem na temat danej choroby. Moim celem jest pomóc im odegrać aktywną rolę w pokonaniu choroby. Jeśli zadzwonią do mnie i posłuchają moich rad, ta lekcja zostanie z nimi na zawsze. Kiedy wyzdrowieją, będę mógł im pogratulować: „Zobacz – wiedziałeś, co robić, i to zadziałało!".

Gdy przychodzi do mnie dziecko w wieku szkolnym, zawsze pytam je o szkołę, na przykład:

– Jak ma na imię twój nauczyciel? [Brak odpowiedzi].

– Czy to pani, czy też pan?

– Oczywiście, że pani.

– Czy zadaje ci pytania?

– Oczywiście.

– Czy wiesz, jak odpowiedzieć?

– Czasami.

– Czy kiedykolwiek się boisz?
– Mhm.
– Co wtedy robisz?
– Płaczę. [To mi wiele mówi].
– Masz przyjaciela? [Brak odpowiedzi].
– Czy to dziewczynka, czy też chłopiec?
– Oczywiście, że dziewczynka.
– Czy ma na imię Ania?
– Nie. Zuzia.
– Czy Zuzia lubi chodzić do swojego pana doktora?
– Nie.
– Założę się, że też nie chce z nim rozmawiać. [Śmiech].
Wtedy możemy zacząć się komunikować. Nie słowami, ale za pomocą zabawy i gestów.

Podczas każdej wizyty szukam sposobności, aby dowiedzieć się czegoś o życiu moich pacjentów. Pytam ich o rodzeństwo, nauczycieli, bliskich przyjaciół, szkołę. Gdy dorastają do takich zainteresowań, rozmawiamy o sporcie lub muzyce. Moim celem nie jest zdobycie informacji – próbuję dać im to jasno do zrozumienia poprzez moje szczere zainteresowanie i niezadawanie zbyt inwazyjnych pytań. Zależy mi jednak na budowaniu relacji i uświadomieniu im, że zależy mi na nich jako osobach. W karcie pacjenta robię notatki dotyczące ich zainteresowań i przy następnej wizycie wykorzystuję je, by przełamać pierwsze lody i łatwiej nawiązać ponowny kontakt.

Przy każdej wizycie jestem również świadomy doświadczania przez dziecko kolejnych skoków rozwojowych. Wykorzystując swoją wiedzę na ich temat oraz znaczenie, jakie mają dla dziecka, potrafię sprawić, że każdy taki drogowskaz na drodze rozwoju stanie się krokiem do nawiązania bliższej relacji – w ten sposób dziecko nauczy się postrzegać mnie jako „swojego" lekarza. Taki jest mój cel.

Często gdy zadaję pytanie lub próbuję zdobyć zaufanie nieśmiałego dziecka, kręci ono przecząco głową. Mogę wówczas zauważyć: „Twoja główka mówi »nie«, ale twoje oczka mówią »tak«. Powiedz mi, czemu mam wierzyć?". Wtedy milknę, aby słuchać. Czekanie na odpowiedź wymaga ogromnej cierpliwości i wielu nieudanych prób. Jednak wtedy dziecko wie, że jestem po jego stronie. Gdy dorasta, pokazuje mi, jak bardzo kiedyś doceniło takie podejście pełne troski.

Kiedy dziecko musi iść do szpitala, jeszcze ważniejsze jest, aby lekarz wyjaśnił w jego obecności powody wykonania pewnych zabiegów oraz ich przebieg. Odkryłem, że przygotowanie dziecka na krótkotrwały lub dłuższy pobyt w szpitalu (hospitalizacja z powodu ostrych lub przewlekłych stanów) zmniejsza jego niepokój, skraca okres powrotu do zdrowia i ogranicza objawy niepokoju po hospitalizacji (zob. rozdział 24). Większość rodziców tak bardzo boi się rozstania z dzieckiem i traumy z tym związanej, że potrzebuje pomocy lekarza, aby sobie z nimi poradzić oraz przygotować na nie dziecko. Oczywiście uważam, iż pediatrzy powinni zadbać o to, aby rodzice mogli towarzyszyć dzieciom podczas ich pobytu w szpitalu. Choć moi mali pacjenci są pod opieką różnych specjalistów, zawsze odwiedzam ich, żeby wyjaśnić – dziecku i jego rodzicom – wyniki badań, przybliżyć istotę zabiegów i samej choroby.

W mojej prywatnej praktyce największą nagrodą pod koniec pracowitego dnia był zawsze zachwyt w głosie dziecka wbiegającego do gabinetu na spotkanie ze mną i moimi zabawkami. Wiedziałem wówczas, że mamy szansę na dobry kontakt.

Dzielenie się odpowiedzialnością

Zachęcam rodziców do wspierania relacji pomiędzy ich dzieckiem a lekarzem opartej na zaufaniu i szacunku. Jako rodzic masz tu do odegrania ważną rolę. Nie pomożesz w tym procesie, jeśli wejdziesz do gabinetu, mówiąc: „On na pewno będzie płakał" czy „Ona nie znosi przychodzić na wizyty do pana doktora". Takie stwierdzenia z pewnością zdemotywują zarówno dziecko, jak i lekarza oraz podważą ich wysiłki w kierunku budowania kontaktu. Przygotuj dziecko zawczasu – dodaj mu otuchy i szczerze opowiedz o tym, co może się wydarzyć. Przypomnij mu, że będziesz obecny podczas wizyty oraz że spotka się ze swoim panem doktorem, który chce być jego przyjacielem. Pan doktor wie, jak mu pomóc, gdy jest zdrowe lub chore. Zadziwia mnie, jak pozytywnie wpływa zaufanie do lekarza na poczucie wartości dziecka. W mojej książce o wizycie u lekarza, z rysunkami mojego wnuka Alfreda ilustrującymi punkt widzenia dziecka, proponuję sposoby wzmacniania tej relacji zarówno przez rodziców, jak i przez lekarza (Brazelton, 1996).

Współpraca z pediatrą to wzajemne uczenie się, co można, a czego nie można od siebie wymagać. Trzeba okazywać drugiej osobie szacunek, a także wymagać szacunku dla siebie. Każda ze stron ma ten sam cel – zdrowe, dobrze się rozwijające i pewne siebie dziecko.

Aneks

Przydatne adresy i strony internetowe

Strony instytucji związanych z doktorem Brazeltonem

http://www.brazeltontouchpoints.org/
http://www.brazelton-institute.com/
http://www.brazelton.co.uk/

Strony rządowe

Ministerstwo Zdrowia: http://www.mz.gov.pl/
Ministerstwo Edukacji Narodowej: http://www.men.gov.pl/
Rzecznik Praw Dziecka: http://www.brpd.gov.pl/

Ciąża, poród, karmienie piersią

Fundacja „Rodzić po Ludzku": http://www.rodzicpoludzku.pl/
Stowarzyszenie Doula w Polsce: http://www.doule.org.pl/
Internetowa szkoła rodzenia: http://szkola-rodzenia.pieluszki.pl/; http://www.przed-porodem.pl/
Dom Narodzin: http://www.domnarodzin.pl/
Poronienie, utrata dziecka: http://www.poronienie.pl/
Skala Oceny Zachowań Noworodka wg Brazeltona: www.nbas.edu.pl

Komitet Upowszechniania Karmienia Piersią: http://www.laktacja.pl/
Depresja poporodowa: http://www.depresja-poporodowa.pl/; http://www.depresjapoporodowa.com.pl/
Serwis poświęcony wcześniakom: http://www.wczesniak.pl/
Szczepienia w Polsce: www.szczepienia.pl
Pediatrzy: http://pediatria.mp.pl/

Wybrane akcje edukacyjne

„Cała Polska czyta dzieciom": http://www.calapolskaczytadzieciom.pl/
Wychowanie przedszkolne: http://www.wychowanieprzedszkolne.pl/
Dzieci bez reklamy: http://www.dzieckobezreklamy.pl/

Przemoc w rodzinie, organizacje pomocy

Komitet Ochrony Praw Dziecka: www.kopd.pl
Fundacja „Dzieci Niczyje": www.fdn.pl/
Ogólnopolskie Pogotowie dla Ofiar Przemocy w Rodzinie „Niebieska Linia": http://www.niebieskalinia.pl/
Stowarzyszenie OPTA: http://www.opta.org.pl/
Polskie Centrum Mediacji: http://www.mediator.org.pl/
Stowarzyszenie Mediatorów Rodzinnych: http://www.smr.org.pl/
Porozumienie „Dzieci pod Ochroną": http://dziecipodochrona.pl
Fundacja na Rzecz Zdrowia Psychicznego Małych Dzieci: http://fundacja05.pl/index.php

Wybrane serwisy dla rodziców

http://www.edziecko.pl/
http://dobryrodzic.fdn.pl/
http://dziecisawazne.pl/
http://fundacjamama.pl/

Bezpieczeństwo dziecka w internecie

http://www.saferinternet.pl/
http://dzieckowsieci.fdn.pl/
http://www.sieciaki.pl/

Wybrane stowarzyszenia specjalistyczne

Stowarzyszenie Przyjaciół Osób Niesłyszących i Niedosłyszących: http://www.sponin.org.pl/

Stowarzyszenie Rodziców i Przyjaciół Dzieci z Wadą Słuchu: http://www.wadasluchu.org/

Stowarzyszenie Pomocy Osobom Autystycznym: http://www.autyzm.zgora.pl/articles/c.10000

Stowarzyszenie Pomocy Osobom Autystycznym: http://www.spoa.org.pl/

Fundacja Synapsis (autyzm): http://www.synapsis.waw.pl/

Ogólnopolskie Stowarzyszenie Osób Jąkających Się: http://www.ostoja.c0.pl/

Polskie Stowarzyszenie Syndrom Tourette'a: http://www.tourette.pl/

Portal informacyjny dla rodzin z dziećmi niepełnosprawnymi: http://niepelnosprawne.pl/

Bibliografia

Abel, E. L. (1996). *Fetal alcohol syndrome: From mechanism to prevention*. New York: CRC Press.

Alexander, T. P. (1987). *Make room for twins: A complete guide to pregnancy, delivery, and the childhood years*. New York: Bantam Books.

Alexander, T. P. (2000). *American Academy of Pediatrics guide to your child's allergies and asthma*. New York: Villard.

Als, H. (2004). *Individualized developmental care for preterm infants. Encyclopedia on early childhood development*. Montreal: Centre of Excellence for Early Childhood Development. http://www.child-encyclopedia.com/documents/AlsANGxp.pdf (uzyskano 31.01.2012).

Als, H., Lester, B. M., Tronick, E. Z., Brazelton, T. B. (2005). The assessment of preterm infants' behavior: Furthering the understanding and measurement of neurodevelopmental competence in preterm and full term infants. *Mental Retardation and Developmental Disabilities Research Reviews, 11*, 94–102.

Als, H. i in. (2003). A three-center randomized control trial of individualized developmental care for very low birth weight preterm infants: Medical, neurodevelopmental, and parenting effects. *Journal of Developmental and Behavioral Pediatrics, 24(6)*, 399–408.

American Academy of Pediatrics, American Academy of Allergy, Asthma and Immunology, NIH-National Heart, Lung and Blood Institute, National Asthma Education and Prevention Program (1999). *Pediatric asthma: Promoting best practice. Guide for managing asthma in children*. Milwaukee: American Academy of Allergy, Asthma and Immunology. Dostępny również na: http://www.aaaai.org.

Ames, L. B. i in. (1980). *The Gesell Institute's child from one to six*. London: H. Hamilton.

Amy, E. (2001). Reflections on the interactive newborn bath demonstration. *MCN, The American Journal of Maternal/Child Nursing, 26(6)*, 320–322.

Anderson, D., Pempek, T. (2005). Television and very young children. *American Behavioral Scientist, 48(5)*, 505–522.

Ayres, J. (2005). *Sensory integration and the child: 25th anniversary edition*. Los Angeles: Western Psychological Services.

Bandura, A., Ross, D., Ross, S. A. (1963). Imitation of film-mediated aggressive models. *Journal of Abnormal and Social Psychology, 66*, 3–11.

Bardige, B. (2005). *At a loss for words: How America is failing our children and what we can do about it*. Philadelphia: Temple University Press.

Bauer, I. (2006). *Diaper free! The gentle wisdom of natural infant hygiene*. New York: Plume.

Bowlby J. (1969–1980). *Attachment and Loss* (t. 1–3). New York: Basic Books [Bowlby J. (2007). *Przywiązanie*. Przeł. M. Polaszewska-Nicke. Warszawa: Wydawnictwo Naukowe PWN].

Brazelton, T. B. (1983). *Infants and mothers: Differences in development*. New York: Delacorte Press/Merloyd Lawrence.

Brazelton, T. B. (1984). *Listen to a child: Understanding the normal problems of growing up*. Reading: Addison-Wesley/Merloyd Lawrence.

Brazelton, T. B. (1989). *Toddlers and parents: Declaration of independence*. New York: Delacorte Press/Merloyd Lawrence.

Brazelton, T. B. (1992a). *On becoming a family: The growth of attachment before and after birth*. New York: Delacorte Press/Merloyd Lawrence.

Brazelton, T. B. (1992b). *Working and caring*. Reading: Addison-Wesley/Merloyd Lawrence.

Brazelton, T. B. (1996). *Going to the doctor*. Reading: Addison-Wesley/Merloyd Lawrence.

Brazelton, T. B. (2003a). *Calming your fussy baby: The Brazelton Way*. Cambridge: Da Capo/Merloyd Lawrence.

Brazelton, T. B. (2003b). *Discipline: The Brazelton Way*. Cambridge: Da Capo/Merloyd Lawrence.

Brazelton, T. B. (2003c). *Sleep: The Brazelton Way*. Cambridge, MA: Da Capo/Merloyd Lawrence.

Brazelton, T. B. (2004a). *Feeding your child: The Brazelton Way*. Cambridge: Da Capo/Merloyd Lawrence.

Brazelton, T. B. (2004b). *Toilet training: The Brazelton Way*. Cambridge: Da Capo/Merloyd Lawrence.

Brazelton, T. B. (2006). *Understanding sibling rivalry: The Brazelton Way*. Cambridge: Da Capo/Merloyd Lawrence.

Brazelton, T. B. (2011). *Neonatal Behavioral Assessment Scale*. London: Mac Keith Press.

Brazelton, T. B., Cramer, B. (1991). *The earliest relationship: Parents, infants and the drama of early attachment*. London: Karnac Books.

Brazelton, T. B., Greenspan, S. I. (2000). *The irreducible needs of children: What every child must have to grow, learn, and flourish*. Cambridge: Perseus/Merloyd Lawrence.

Brazelton, T. B., Sparrow, J. D. (2012). *Dzieci pełne złości*. Przeł. A. Cioch. Sopot: Gdańskie Wydawnictwo Psychologiczne.

Brazelton, T. B., Sparrow, J. D. (2013). *Rozwój dziecka. Od 3 do 6 lat*. Przeł. A. Kacmajor, A. Sulak. Sopot: Gdańskie Wydawnictwo Psychologiczne.

Brown, R. (1976). *A first language*. Harmondsworth: Penguin.

Bruner, J. (1985). *Child's talk: Learning to use language*. New York: Norton.

Bruner, J., Jolly, A., Sylva, K. (1985). *Play: Its role in development*. Harmondsworth: Penguin.

Burns, C. E., Brady, M. A., Dunn, A. M., Starr, N. B. (2004). *Pediatric primary care: A handbook for nurse practitioners*. St. Louis: Saunders.

Cardone, I. A., Gilkerson, L. (1995). Family administered neonatal activities. *Clinics in Developmental Medicine, 137(111)*.

Carey, W. B. (1997). *Understanding your child's temperament*. New York: Simon and Schuster.

Carey, W. B., McDevitt, S. (1995). *Coping with children's temperaments*. New York: Basic Books.

Cath, S., Gurwitt, A., Ross, J. M. (1994). *Father and child: Developmental and clinical perspectives*. Hillsdale: Analytic Press.

Caton, D., Corry, M. P., Frigoletto, F. D., Hopkins, D. P., Lieberman, E., Mayberry, L., Rooks, J. P., Rosenfield, A., Sakala, C., Simkin, P., Young, D. (2002). The nature and management of labor pain. *American Journal of Obstetrics and Gynecology, 186(5)*, 1–15.

Chantry, C., Howard, C. R., Auinger, P. (2006). Full breastfeeding duration and associated decrease in respiratory tract infection in US children. *Pediatrics, 117(2)*, 425–432.

Chess, S., Thomas, A. (1987). *Know your child*. New York: Basic Books.

Christakis, D., Zimmerman, F. J., Di Giuseppe, D. L., McCarty, C. A. (2004). Early television exposure and subsequent attentional problems in children. *Pediatrics, 113(4)*, 708–713.

Coll, C. G., Surrey, J., Weingarten, K. (1998). *Mothering against the odds: Diverse voices of contemporary mothers*. New York: Guilford.

Comer, J. P., Poussaint, A. F. (1992). *Raising black children: Two leading psychiatrists confront the educational, social, and emotional problems facing black children*. New York: Penguin.

Curtis, G. B., Schuler, J. (2009). *Your pregnancy: For the father-to-be*. Cambridge: Da Capo Press.

Czarnawska-Iliev, I. (2011). *Ciąża i poród bez obaw*. Sopot: Gdańskie Wydawnictwo Psychologiczne.

Dershewitz, R. A. (red.). (1999). *Ambulatory pediatrics*. Philadelphia: Lippincott-Raven.

Dixon, S., Stein, M. (red.). (2005). *Encounters with children*. St. Louis: Mosby.

Dunn, J., Plomin, R. (1992). *Separate lives: Why siblings are so different*. New York: Basic Books.

Eisen, A., Engler, L. (2006). *Helping your child overcome separation anxiety and school refusal: A step-by-step guide for parents*. Oakland: New Harbinger.

Eisenberg, A., Murkoff, H., Hathaway, S. (2011). *W oczekiwaniu na dziecko: najlepszy poradnik dla przyszłych matek i ojców*. Przeł. M. Rozwarzewska. Poznań: Rebis.

Elkind, D. (1998). *Ties that stress: The new family imbalance*. Cambridge: Harvard University Press.

Elkind, D. (2007). *The hurried child: Growing up too fast too soon*. Cambridge: Da Capo Lifelong.

Emmons, F., Anderson, L. (2006). *Understanding sensory dysfunction: Learning, development and sensory dysfunction in autism spectrum disorders, ADHD, learning disabilities and bipolar disorder*. London: Jessica Kingsley.

Erikson, E. (2000). *Dzieciństwo i społeczeństwo*. Przeł. P. Hejmej. Poznań: Rebis.

Ferber, R. (2006). *Solve your child's sleep problem*. New York: Fireside Book.

Field, T., Hernandez-Reif, M., Diego, M., Figueiredo, B., Schanberg, S., Kuhn, C. (2006). Prenatal cortisol, prematurity, and low birthweight. *Infant Behavior and Development, 29(2)*, 268–275.

Fraiberg, S. M. (2008). *The magic years: Understanding and handling the problems of early childhood*. New York: Scribner.

Galinsky, E. (1999). *Ask the children: What America's children really think about working parents*. New York: Morrow.

Gardner, H. (2011). *Frames of mind: The theory of multiple intelligence*. New York: Basic Books.

Garrison, M. M., Christakis, D. A., Henry J. Kaiser Family Foundation. (2005). *A teacher in the living room? Educational media for babies, toddlers and preschoolers*. Menlo Park: Henry J. Kaiser Family Foundation.

Gilman, L. (2009). *The adoption resource book*. New York: Harper & Row.

Glenmullen, J. (2006). *The antidepressant solution: A step-by-step guide to safely overcoming antidepressant withdrawal, dependence and „addiction"*. New York: Free Press.

Goleman, D. (2007). *Inteligencja emocjonalna*. Przeł. A. Jankowski. Poznań: Media Rodzina.

Golinkoff, R., Hirsh-Pasek, K. (2000). *How babies talk: The magic and mystery of language in the first three years of life*. New York: Plume.

Gopnik, A., Meltzoff, A. N., Kuhl, P. K. (2001). *The scientist in the crib: Minds, brains, and how children learn*. New York: Harper Perennial.

Greenspan, S. (2002). *The four-thirds solution*. Cambridge: Perseus Pub.

Greenspan, S., Greenspan, N. T. (1986). *First feelings: Milestones in the emotional development of your baby and child*. New York: Penguin.

Greenspan, S., Benderly, B. L. (2000). *Rozwój umysłu: emocjonalne podstawy inteligencji*. Przeł. M. Koraszewska. Poznań: Rebis.

Greenspan, S., Wieder, S., Simons, R. (1998). *The child with special needs: Encouraging intellectual and emotional growth*. Reading: Addison-Wesley.

Greenspan, S., Wieder, S. (2009). *Engaging autism: Using the floortime approach to help children relate, communicate, and think*. Cambridge: Da Capo Lifelong Books.

Gross, R. T., Spiker, D., Haynes, C. W. (1997). *Helping low birth weight and premature babies: The infant health and development program*. Palo Alto: Stanford University Press.

Hannibal, M. E. (2006). *Good parenting through your divorce*. Cambridge: Da Capo Press.

Harris, R., Emberley, M. (2002a). *Happy birth day*. Cambridge: Candlewick.

Harris, R., Emberley, M. (2002b). *Hello Benny! What it's like to be a baby*. New York: Margaret K. McElderry Books/Simon and Schuster.

Harris, R., Emberley, M. (2003a). *Go! Go! Maria! What it's like to be 1*. New York: Margaret K. McElderry Books/Simon and Schuster.

Harris, R., Emberley, M. (2003b). *Hi new baby!* Cambridge: Candlewick Press.

Harris, R., Emberley, M. (2004). *It's so amazing! A book about eggs, sperm, birth, babies, and families*. Cambridge: Candlewick Press.

Heimann, M. (red.). (2003). *Regression periods in human infancy*. London: Lawrence Erlbaum.

Hetherington, M. E., Kelly, J. (2003). *For better or for worse: Divorce reconsidered*. New York: Norton.

Hirsh-Pasek, K., Golinkoff, R. M. (2004). *Einstein never used flash cards: How our children really learn – And why they need to play more and memorize less*. Emmaus: Rodale.

Hoekelman, R. A. (red.). (2001). *Primary pediatric care*. St. Louis: Mosby.

Holt, J. (1991). *Learning all the time*. Ticknall: Education Now.

Huggins, K. (2011). *Poradnik karmiącej matki*. Przeł. D. Olejnik. Poznań: Vesper.

Johnson, R. L., Stanford, P. (2002). *Strength for their journey: 5 essential disciplines African American parents must teach their children and teens*. New York: Harlem Moon, Broadway Books.

Kagan, J. (1995). *The nature of the child*. New York: Basic Books.

Kagan, J. (2008). *Trzy złudne przekonania*. Przeł. B. Majczyna. Kraków: Wydawnictwo WAM.

Kagan, J., Snidman, N. (2009). *The long shadow of temperament*. Cambridge: Harvard University Press.

Karl, D. J. (1999). The interactive newborn bath: Using neurobehavior to connect parents and newborns. *The American Journal of Maternal Child Nursing, 24(6)*, 280–286.

Karl, D. J. (2004). Using principles of newborn behavioral states organization to facilitate breastfeeding. *The American Journal of Maternal Child Nursing, 29(5)*, 292–298.

Kessler, D. B., Dawson, P. (1999). *Failure to thrive and pediatric undernutrition: A transdisciplinary approach*. Baltimore: Paul H. Brookes.

Klaus, M. H., Klaus, P. H. (2003). *Twoje zadziwiające maleństwo*. Przeł. A. Kurczuk-Powolny. Warszawa: Prószyński i S-ka.

Klaus, M. H., Kennell, J., Klaus, P. H. (1996). *Bonding: Building the foundations of secure attachment and independence*. Reading: Addison-Wesley/Merloyd Lawrence.

Klaus, M. H., Kennell, J., Klaus, P. H. (2012). *The doula book: How a trained labor companion can help you have a shorter, easier and healthier birth*. Cambridge: Da Capo Lifelong.

Konner, M. (1991). *Childhood*. Boston: Little, Brown.

Kornhaber, A. (2004). *The grandparent solution: How parents can build a family team for practical, emotional, and financial success*. San Francisco: Jossey Bass.

Kranowitz, C. S. (2006). *The out-of-sync child: Recognizing and coping with sensory processing disorder*. New York: Perigree Trade.

Krulik, T., Holaday, B., Martinson, I. M. (red.). (1988). *The child and family facing life-threatening illness: A tribute to Eugenia Waechter*. Philadelphia: Lippincott.

Leach, P. (1991). *Your growing dhild: From babyhood through adolescence*. New York: Knopf.

Leach, P. (1998). *Babyhood: Stage by stage, from birth to age two, how your baby develops physically, emotionally, mentally*. New York: Knopf.

Lerner, H. M. (2003). *Miscarriage: Why it happens and how best to reduce your risks*. Cambridge: Perseus.

LeShan, E. (1988). *Learning to say good-by: When a parent dies*. New York: Avon.

Lester, B., Boukydis, C. F. (1985). *Infant crying: Theoretical and research perspectives*. New York: Plenum Press.

Lev, A. I. (2004). *The complete lesbian and gay parenting guide*. New York: Berkley Books.

Levine, M. (2002). *Educational care: A system for understanding and helping children with learning problems at home and in school*. Cambridge: Educators Publishing Service.

Levine, M. (2006). *Odkryj zdolności swojego dziecka*. Przeł. W. Falkowski. Warszawa: Świat Książki – Bertelsmann Media.

Levine, M. D., Carey, W. B., Crocker, A. C. (1999). *Developmental behavioral pediatrics*. Philadelphia: W. B. Saunders.

Lewis, M., Taft, L. (red.). (1982). *Developmental disabilities: Theory, assessment and intervention*. New York: SP Medical and Scientific Books.

Lieberman, A., Compton, N. C., Van Horn, P., Ghosh Ippen, C. (2003). *Losing a parent to death in the early years: Guidelines for the treatment of traumatic bereavement in infancy and early childhood*. Washington: Zero to Three Press.

Linn, S. (2008). *Consuming kids: Protecting our children from the onslaught of marketing and advertising*. New York: Anchor Books.

Lobato, D. J. (1995). *Brothers, sisters and special needs. Information and activities for helping young siblings of children with chronic illnesses and developmental disabilities*. Baltimore: Paul Brookes Publishers.

Lofas, J., Sova, D. B. (1985). *Step-parenting*. New York: Kensington Books.

MacKenzie, R. (2012). *Uparte dzieci. Od konfliktu do współpracy*. Przeł. L. Wierzbowska. Sopot: Gdańskie Wydawnictwo Psychologiczne.

MacKenzie, R. (2013). *Kiedy pozwolić? Kiedy zabronić?* Przeł. O. Waśkiewicz. Sopot: Gdańskie Wydawnictwo Psychologiczne.

Mahler, M., Pine, F., Bergman, A. (2000). *The psychological birth of the human infant: Symbiosis and individuation*. New York: Basic Books.

Mason, D., Ingersoll, D. (1997). *Breastfeeding and the working mother*. New York: St. Martin's Griffin.

McCollum, A. (1981). *The chronically ill child: A guide for parents and professionals*. New Haven: Yale University Press.

Mohrbacher, N. (2005). *The breastfeeding answer book: Pocket guide edition*. Schaumberg: La Leche League International.

Nakazawa, D. J. (2004). *Does anybody else look like me? A parent's guide to raising multiracial children*. Cambridge: Da Capo Life Long.

Nathanielsz, P. W. (1992). *Life before birth and a time to be born*. Oxford: Oxford University Press.

Neifert, M. R. (1998). *Dr. Mom's guide to breastfeeding*. New York: Plume Books.

Nelson, I., Erwin, C., Duffy, R. (1999). *Positive discipline for pre-schoolers for their early years*. Rocklin: Prima Publishers.

Nelson, K. (red.). (2006). *Narratives from the crib*. Cambridge: Harvard University Press.

Nilsson, L., Hamberger, L. (1995). *Rodzi się dziecko*. Przeł. J. Lipka. Warszawa: Wydawnictwo Naukowe PWN.

Osofsky, J. (2007). *Young children and trauma*. New York: Guilford Press.

Parker, S., Zuckerman, B., Augustyn, M. (2005). *Developmental and behavioral pediatrics: A handbook for primary care*. Philadelphia: Lippincott, Williams, and Wilkins.

Pruett, K. (2000). *Me, myself and I: How children build their sense of self.* New York: Free Press.

Pruett, K. (2001). *Fatherneed: Why father care is as essential as mother care for your child.* New York: Broadway Books.

Queenan, J. T., Leslie, K. K. (red.). (1989). *Preconceptions: Preparation for pregnancy*. Boston: Little, Brown.

Ricci, I. (1997). *Mom's house dad's house: A complete guide for parents who are separated, divorced or remarried*. New York: Simon and Schuster.

Rodriguez, G. G. (1999). *Raising nuestros niños: Bringing up Latino children in a bicultural world*. New York: Fireside.

Rosenberg, R., Greening, D., Windell, J. (2004). *Conquering postpartum depression: A proven plan for recovery*. Cambridge: Da Capo Press.

Rosin, M. (2009). *Stepfathering: Stepfather's advice on creating a new family*. New York: Simon & Schuster.

Rudolph, C. D., Rudolph, A. M., Lister, G., First, L. R., Gershon, A. A. (2011). *Rudolph's pediatrics*. New York: McGraw-Hill Medical.

Sadeh, A. (2001). *Sleeping like a baby: A sensitive and sensible approach to solving your child's sleep problems*. New Haven: Yale University Press.

Samalin, N., Whitney, C. (2003). *Loving without spoiling: And 100 other timeless tips for raising terrific kids*. New York: McGraw Hill.

Schor, J. B. (1998). *The overworked American: The unexpected decline of leisure*. New York: Basic Books.

Schor, J. B. (2005). *Born to buy: The commercialized child and the new consumer culture.* New York: Scribner.

Schorr, L. B., Schorr, D. (1989). *Within our reach: Breaking the cycle of disadvantage*. New York: Doubleday.

Schreibman, L. (2007). *The science and fiction of autism*. Cambridge: Harvard University Press.

Segal, M. (1998). *Your child at play: One to two years – Exploring, learning, making friends and pretending*. New York: Newmarket Press.

Segal, M. (1999). *Your child at play: Two to three years growing up, language, and the imagination*. London: Vermilion.

Shaywitz, S. (2005). *Overcoming dyslexia: A new and complete science-based program for reading problems at any level*. New York: Vintage Books.

Shelov, S. (red.). (2010). *Your baby's first year*. New York: Bantam Edition.

Shonkoff, J. P., Phillips, D. A. (red.). (2004). *From neurons to neighborhoods: The science of early childhood development*. Washington: National Academy Press.

Shonkoff, J. P., Meisels, S. J. (red.). (2006). *Handbook of early childhood intervention*. Cambridge: Cambridge University Press.

Siegel, D. J., Hartzell, M. (2004). *Parenting from the inside out: How a deeper self-understanding can help you raise children who thrive*. New York: J. P. Tarcher/Penguin.

Small, M. E. (1999). *Our babies, ourselves: How biology and culture shape the way we parent*. New York: Bantam Doubleday.

Sorce, J. F., Emde, R., Campos, J., Klinnert, M. (1985). Maternal emotional signaling: Its effect on the visual cliff behavior of 1-year-olds. *Developmental Psychology, 21(1)*, 195–200.

Spock, B., Parker, S. J. (2005). *Dziecko: pielęgnacja, opieka i wychowanie*. Przeł. W. Dietrich. Poznań: Rebis.

Stern, D. (1998). *Diary of a baby: What your child sees, feels, and experiences*. New York: Basic Books.

Stern, D. (2000). *The interpersonal world of the infant*. New York: Basic Books.

Stern, D. (2004). *The first relationship: Infant and mother*. Cambridge: Harvard University Press.

Stern, D. (2005). *The motherhood constellation: A unified view of parent-infant psychotherapy*. New York: Basic Books.

Stern, D., Bruschweiler-Stern, N. (1998). *The birth of a mother: How the motherhood experience changes you forever*. New York: Basic Books.

Thompson, C. E. (2000). *Raising a handicapped child*. New York: Oxford University Press.

Thompson, D., Christakis, D. (2005). The association between television viewing and irregular sleep schedules among children less than 3 years of age. *Pediatrics, 116(4)*, 851–856.

Thompson, M., O'Neill Grace, C., Cohen, L. J. (2002). *Best friends, worst enemies: Understanding the social lives of children*. New York: Ballantine Books.

Thompson, M., Cohen, L. J., O'Neill Grace, C. (2004). *Mom, they're teasing me: Helping your child solve social problems*. New York: Ballantine Books.

Trozzi, M. (1999). *Talking with children about loss*. New York: HarperCollins.

Van de Rijt-Plooij, H., Plooij, F. (1988). Mother-infant relations, conflict, stress and illness among free-ranging chimpanzees. *Developmental Medicine and Child Neurology 30(3)*, 306–315.

Van de Rijt-Plooij, H., Plooij, F. (1992). Distinct periods of mother-infant conflict in normal development: Sources of progress and germs of pathology. *Journal of Child Psychology and Psychiatry, 34(2)*, 229–243.

Viorst, J. (1996). *To, co musimy utracić, czyli miłość, złudzenia, zależności i niemożliwe do spełnienia oczekiwania, których każdy z nas musi się wyrzec, by móc wzrastać*. Przeł. A. Gomola. Poznań: Zysk i S-ka.

Wallerstein, J. S., Lewis, J. M., Blakeslee, S. (2002). *The unexpected legacy of divorce: The 25 year landmark study*. London: Fusion.

Weissbluth, M. (2005). *Healthy sleep habits, happy child*. New York: Ballantine Publishing Group.

Weissbourd, R. (1997). *The vulnerable child: What really hurts America's children and what we can do about it*. Reading: Addison-Wesley.

Westman, J. C. (2001). *Parenthood in America: Undervalued, underpaid, under siege*. Madison: University of Wisconsin Press.

Wilens, T. (2010). *Straight talk about psychiatric medications for kids*. New York: Guilford Press.

Williamson, G., Anzalone, M. (2001). *Sensory integration and self regulation in infants and toddlers: Helping very young children interact with their environment*. Washington: Zero to Three Press.

Winnicott, D. W. (1993a). *Dziecko, jego rodzina i świat*. Przeł. A. Bartosiewicz. Warszawa: Jacek Santorski & CO.

Winnicott, D. W. (1993b). *Rozmawiając z rodzicami*. Przeł. E. Petrajtis O'Neill. Warszawa: W.A.B.

Winnicott, D. W. (1994). *Dzieci i ich matki*. Przeł. M. Halaba. Warszawa: W.A.B.

Wolman, D. (2005). *A left-hand turn around the world*. Cambridge: Da Capo.

Woolf, A. D., Shane, H. C., Kenna, M. A., Allison, K. C., Children's Hospital (2001). *The Children's Hospital guide to your child's health and development*. Cambridge: Perseus/Merloyd Lawrence.

Zeanah, C. H. (2009). *Handbook of infant mental health*. New York: Guilford Press.

Zigler, E., Lang, M. (2007). *Child care choices*. New York: Free Press.

Zimmerman, F., Christakis, D. (2005). Children's television viewing and cognitive outcomes. *Archives of Pediatric and Adolescent Medicine, 159(7)*, 619–625.

Zutavern, A., Brockow, I., Schaaf, B., Bolte, G., von Berg, A., Diez, U., Borte, M., Herbarth, O., Wichmann, H. E., Heinrich, J., LISA Study Group (2006). Timing of solid food introduction in relation to atopic dermatitis and atopic sensitization: Results from a prospective birth cohort study. *Pediatrics, 117(2)*, 401–411.

Indeks nazwisk

Indeks haseł

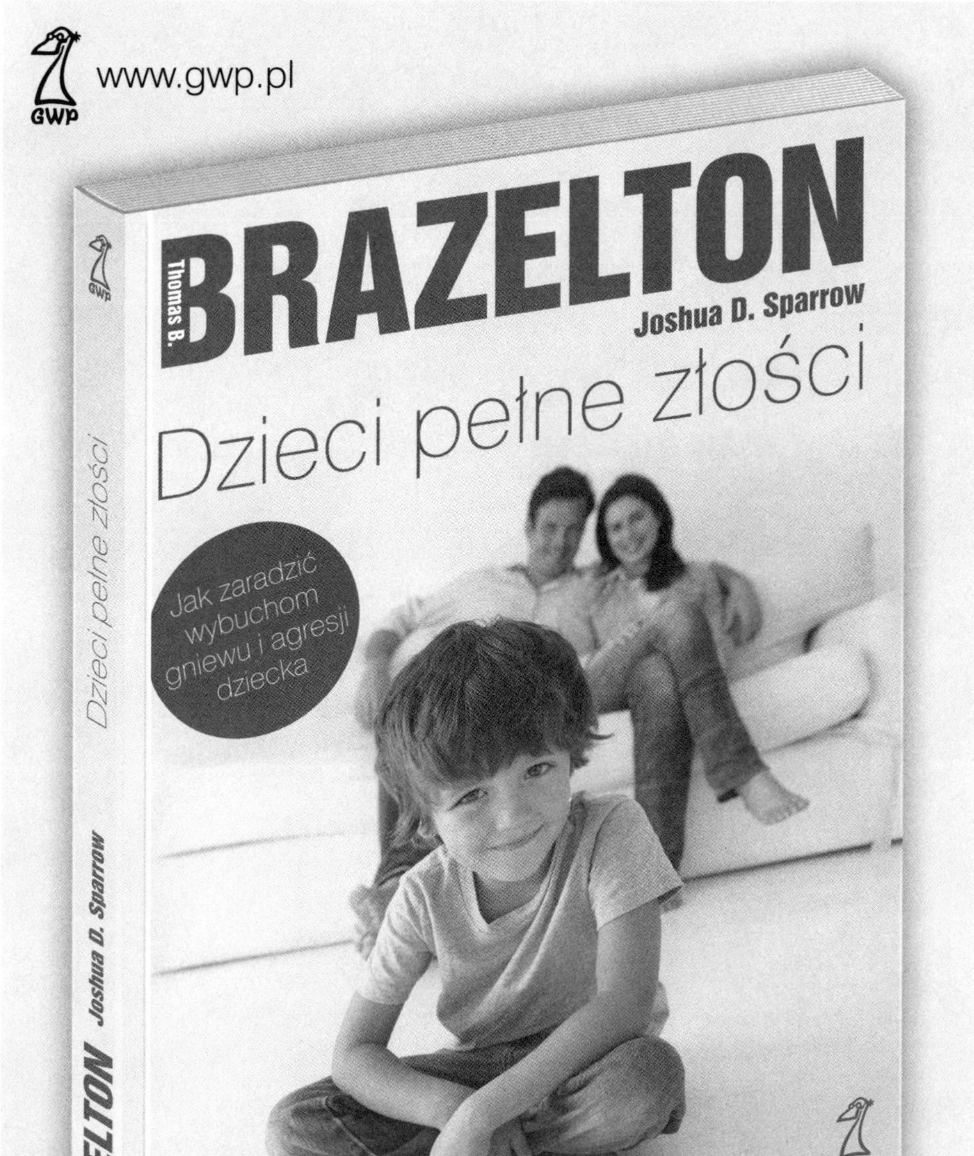
www.gwp.pl
GWP
Thomas B. BRAZELTON
Joshua D. Sparrow
Dzieci pełne złości
Jak zaradzić wybuchom gniewu i agresji dziecka
Poznaj fenomenalne podejście doktora Thomasa B. BRAZELTONA